D0363613

DE TERECHTSTELLING

Van Val McDermid zijn eerder verschenen:

De Sirene*
Het profiel

Kate Brannigan-detectives:

Valstrik
Klopjacht
Kunstgreep
Doodslag*
Wildgroei
Schrikbeeld

*In POEMA-POCKET verschenen

Val McDermid

De terechtstelling

UITGEVERIJ LUITINGH ~ SIJTHOFF

Oorspronkelijke titel: *A Place of Execution*
Vertaling: Sophie Brinkman
Omslagontwerp: Wouter van der Struys
Omslagdia: Picture Box/Photonika
Foto auteur: Jerry Bauer

CIP/ISBN 90 245 3515 8
NUGI 331

Woord van dank

Dit was geen gemakkelijk boek om te schrijven. In een zo recent verleden graven dat het vele mensen nog vrij vers in het geheugen ligt, is vragen om op fouten betrapt te worden. Veel mensen hebben mij geholpen om de kans dat ik op die manier in verlegenheid zou worden gebracht zo klein mogelijk te maken. Douglas Wynn, een echte schrijver van misdaadverhalen, heeft me het verhaal verteld dat de verre kiem van inspiratie heeft gevormd voor dit boek en heeft me geholpen met onderzoek naar de historische zaken. De medewerkers van de afdeling Sociale Wetenschappen van de Central Reference Library in Manchester hebben hun zeer gewaardeerde medewerking verleend, net als hun collega Jane Mathieson. Zonder hulp van de gepensioneerde inspecteur van politie Bill Fletcher had ik nooit kunnen hopen een goed beeld te geven van een landelijk politiekorps in de jaren zestig. Mark van de *Buxton Advertiser* heeft mij toegang verleend tot de waardevolle informatie in de kelder, en ook de bibliotheekmedewerkers van de *Manchester Evening News* hebben mij op alle mogelijke manieren geholpen bij mijn zoektocht naar authenticiteit. Dr. Sue Black was vrijgevig met haar forensische ervaring en Diana Muir was van onschatbare waarde door onder andere een rampzalige tekortkoming in de plot te onthullen en te helpen corrigeren. Peter N. Walker heeft me informatie verschaft over bijzonderheden uit de betreffende periode en was zo vriendelijk het voltooide manuscript te controleren op opvallende fouten. Eventueel nog aanwezige vergissingen zijn geheel voor mijn rekening.

Ik heb me enige vrijheden veroorloofd met de geografie van Derbyshire en de stad Derby zelf. Het dorp Scardale bestaat niet, hoewel er in de White Peak een aantal dorpen zijn die er aardig bij in de buurt komen.

Schrijvers hebben iets van oude gebouwen – we hebben veel ondersteuning nodig. Dus dank ik bij dezen mijn steigerbouwers: Jane en Lisanne, Julia en beide Karens, Jai en Paula, Leslie, Mel en, vooral, Brigid.

To my evil twin; laissez les bons temps rouler, cher.

U zult meegenomen worden van uw plaats van herkomst naar een wettige plaats van terechtstelling, en daar zult u bij de nek worden gehangen tot de dood erop volgt, en daarna zal uw lichaam begraven worden in een naamloos graf op het grondgebied van de gevangenis waar u het laatst was opgesloten voorafgaande aan uw terechtstelling; en moge God uw ziel genadig zijn.

Het formele doodvonnis van het Engelse rechtssysteem

LE PENDU: DE GEHANGENE

Voorspellende betekenis: de kaart suggereert een opgeschort leven. Verandering van alle levensgewoonten. Overgang. Verlating. Zelfopoffering. Verandering van levenskrachten. Aanpassing. Regeneratie. Wedergeboorte. Verbetering. Inspanningen en opofferingen moeten misschien ondernomen worden voor een doel dat mogelijk niet wordt bereikt.

Tarotkaarten voor vermaak en waarzeggerij

S.R. KAPLAN

Boek 1

Inleiding

Net als Alison Carter ben ik in 1950 in Derbyshire geboren. Net als zij groeide ik op met de kalkstenen dalen van de White Peak en met de hevige sneeuwstormen die ons regelmatig afsneden van de rest van de wereld. Het was tenslotte in Buxton waar een cricketwedstrijd ooit in juni moest worden gestaakt vanwege de sneeuwval.

Dus toen in december 1963 het bericht kwam dat Alison Carter werd vermist, betekende dit waarschijnlijk meer voor mij en mijn klasgenoten dan voor de meeste andere mensen. We kenden dorpen als dat waarin zij was opgegroeid. We kenden haar dagelijkse gewoonten. We hadden in dezelfde soort klassen gezeten en hetzelfde soort gesprekken gevoerd over wie van de 'Fabulous Four' onze favoriete Beatle was. We gingen ervan uit dat we dezelfde verwachtingen, dromen en angsten hadden gehad. En daardoor wisten we allemaal, vanaf het eerste moment, dat er iets verschrikkelijks was gebeurd met Alison Carter. Want wat we ook wisten was dat meisjes als zij – als wij – niet van huis wegliepen. In elk geval niet in Derbyshire midden in december.

Het waren niet alleen de meisjes van dertien die dat begrepen. Mijn vader was een van de honderden vrijwilligers die de hoge heidegronden en de beboste dalen rond Scardale uitkamden. Zijn grimmige gezicht wanneer hij thuiskwam na een vruchteloze zoektocht in de omgeving, staat nog steeds scherp in mijn geheugen gegrift.

We volgden de zoektocht naar Alison Carter in de kranten, en wekenlang was er elke dag wel iemand op school die nieuwe gissingen aan het rollen bracht. Al die jaren later had ik nog steeds meer vragen voor George Bennett dan de voormalige politieman kon beantwoorden.

Ik heb mijn verhaal niet alleen gebaseerd op de aantekeningen van George Bennett uit die tijd en zijn latere herinneringen. Tijdens mijn onderzoek voor dit boek heb ik verscheidene bezoeken gebracht aan Scardale en omgeving, en gesprekken gevoerd met veel van de mensen die een rol hebben gespeeld in de gebeurtenissen rond Alison Carter, waarbij ik hun indrukken verzamelde en hun versies van de gebeurtenissen met elkaar vergeleek. Ik had dit boek niet kunnen voltooien zonder de hulp van Janet Carter, Tommy Clough, Peter

Grundy, Charles Lomas, Kathy Lomas en Don Smart. Ik heb me enige artistieke vrijheden veroorloofd in het toeschrijven van gedachten, emoties en woorden aan mensen, maar deze zijn gebaseerd op mijn gesprekken met diegenen van de nog levende hoofdfiguren die ermee instemden mij te helpen een zo getrouw mogelijk beeld te schetsen van een gemeenschap en de mensen door wie deze werd gevormd.

Een deel van wat er op die verschrikkelijke decemberavond in 1963 is gebeurd zal uiteraard nooit bekend zijn. Maar voor iedereen die ooit, al is het in geringe mate, geraakt is door het leven en de dood van Alison Carter, geeft het verhaal van George Bennett een fascinerend inzicht in een van de wreedste misdaden van de jaren zestig.

Te lang is het, begrijpelijk, verborgen gebleven in de schaduw van de meer beruchte 'Heidemoorden'. Maar het lot van Alison Carter is niet minder afschuwelijk doordat het bezegeld werd door een moordenaar die slechts één slachtoffer heeft gemaakt. En de boodschap van haar dood heeft vandaag nog niets aan betekenis verloren. Als het verhaal van Alison Carter ons één ding duidelijk maakt, is het wel dat de grootste gevaren een vriendelijk gezicht kunnen dragen.

Niets kan Alison Carter terugbrengen. Maar door de wereld te herinneren aan wat haar is overkomen, kunnen we misschien voorkomen dat anderen kwaad geschiedt. Als dit boek dat weet te bereiken, zal dit zowel George Bennett als mij enige voldoening geven.

Catherine Heathcote
Longnor, 1998

Woord vooraf

Het meisje nam afscheid van haar leven, en het was geen gemakkelijk afscheid.

Net als elke andere tiener had ze altijd genoeg gehad om over te klagen. Maar nu ze op het punt stond het te verliezen, leek haar leven plotseling zeer aantrekkelijk. Ze begon eindelijk te begrijpen waarom haar oudere familieleden zich zo koppig vastklampten aan elk kostbaar ogenblik, zelfs als het verscheurd werd door pijn. Hoe slecht dit leven ook was, het alternatief was oneindig veel erger.

Er waren nu zelfs dingen waar ze spijt van had. Al die keren dat ze gewenst had dat haar moeder dood was. Al die keren dat ze gewenst had dat haar droom dat ze een vondeling was, zou uitkomen. Alle haat die ze gevoeld had voor de kinderen op school die haar hadden uitgescholden omdat ze niet een van hen was. Al haar vurige wensen om volwassen te zijn en al die ellende achter zich te hebben gelaten. Dat alles leek nu zo onbelangrijk. Het enige wat er nog iets toe deed, was het unieke, waardevolle leven dat ze op het punt stond te verliezen.

Ze voelde angst, dat was onvermijdelijk. Angst voor wat er in de nabije toekomst en daarna zou gebeuren. Ze was opgegroeid met het geloof in de hemel en het noodzakelijke tegenwicht ervan, de hel, de gelijke en tegenovergestelde kracht die de dingen in evenwicht hield. Ze had haar eigen, heel duidelijke ideeën van hoe de hemel zou zijn. Meer dan wat ze in haar korte leven ook had gehoopt, hoopte ze dat dat haar wachtte, zo angstaanjagend dichtbij nu.

Maar ze was zo vreselijk bang dat zij niet naar de hemel maar naar de hel zou gaan. Ze wist niet zo goed wat ze van de hel kon verwachten. Wat ze wel wist, was dat het erger zou zijn dan alles wat ze vreselijk had gevonden in haar leven. En uitgaande van wat ze wist, betekende dit dat het wel heel erg moest zijn.

Desondanks was er geen andere keuze voor haar. Het meisje moest afscheid nemen van haar leven.

Voor altijd.

Deel Een: De vroege fases

Manchester Evening News, dinsdag 10 december 1963, p. 3

£100 BELONING VOOR OPSPORING JONGEN

De politie heeft haar zoektocht naar de 12-jarige John Kilbride vandaag voortgezet en hoopt dat een beloning van £100 een nieuwe aanwijzing zal opleveren.
Een plaatselijke directeur heeft £100 uitgeloofd voor degene die informatie geeft die direct leidt tot het vinden van John, die 18 dagen geleden verdwenen is uit zijn ouderlijk huis aan Smallshaw Lane in Ashton-under-Lyne.

I

Woensdag 11 december 1963, 19.53 uur

'Help me. U moet me helpen.' De stem van de vrouw beefde alsof ze op de rand van tranen was. De dienstdoende agent die de telefoon had opgepakt, hoorde een hikkende snik alsof de vrouw aan de andere kant vocht om te kunnen spreken.

'Daar zijn we voor, mevrouw,' zei agent Ron Swindells onverstoorbaar. Hij werkte al bijna vijftien jaar in Buxton en had de laatste vijf jaar moeite gehad om het gevoel van zich af te zetten dat hij bezig was de eerste tien jaar opnieuw te beleven. Er was, zo nam hij aan, niets nieuws onder de zon. Het was een opvatting die onherroepelijk onderuitgehaald zou worden door de gebeurtenissen die op het punt stonden zich om hem heen te ontwikkelen. Maar op dat moment was hij tevreden met de formule die hem tot dan toe uitstekend van dienst was geweest. 'Wat is het probleem?' vroeg hij, en zijn diepe basstem klonk vriendelijk onpersoonlijk.

'Alison,' bracht de vrouw hijgend uit. 'Mijn Alison is niet thuisgekomen.'

'Alison is uw dochter?' vroeg agent Swindells, op een bewust kalme toon in een poging de vrouw gerust te stellen.

'Meteen nadat ze uit school was gekomen, is ze met de hond uitgegaan. En ze is niet teruggekomen.' De stem van de vrouw kreeg de scherpe, hoge toon van hysterie.

Swindells keek automatisch naar de klok. Zeven minuten voor acht. De vrouw maakte zich terecht zorgen. Het meisje moest nu bijna vier uur buitenshuis zijn en dat was geen pretje in deze tijd van het jaar. 'Kan ze onverwacht naar een vriendinnetje zijn gegaan?' vroeg hij. Ook hij wist dat ze dat als eerste zou hebben geprobeerd, nog voor ze de telefoon had opgepakt.

'Ik ben aan elke deur in het dorp geweest. Ze is zoek, geloof me. Er is iets gebeurd met mijn Alison.' De vrouw stortte nu in en haar woorden klonken gesmoord tussen haar snikken door. Swindells meende een andere stem op de achtergrond te horen mompelen.

Het dorp, had de vrouw gezegd. 'Waar belt u precies vandaan, mevrouw?' vroeg hij.

Hij hoorde het gedempte geluid van een gesprek en toen klonk een duidelijke mannenstem over de telefoon, waarvan het onmiskenbare zuidelijke accent kortaf en autoritair was. 'U spreekt met Philip Hawkin van Scardale Manor,' zei hij.

'Juist, meneer,' zei Swindells voorzichtig. Hoewel de informatie niet echt iets veranderde, maakte het de agent enigszins behoedzaam want hij was zich ervan bewust dat Scardale in meer dan het voor de hand liggende opzicht buiten zijn terrein lag. Scardale was niet alleen een andere wereld, vergeleken met het drukke marktstadje waar Swindells woonde en werkte, het had de naam zijn eigen wetten te hebben. Als zo'n telefoontje uit Scardale kwam, moest er wel iets heel ongewoons zijn gebeurd.

De stem van de beller werd wat lager, waardoor hij de indruk wekte van man tot man met Swindells te praten. 'U moet het mijn vrouw niet kwalijk nemen. Ze is erg van streek. Vrouwen zijn zo emotioneel, vindt u niet? Luister, agent, ik weet zeker dat er niets met Alison aan de hand is maar mijn vrouw stond erop u te bellen. Ik weet zeker dat ze elk moment kan komen opdagen en het laatste wat ik wil is uw tijd verspillen.'

'Als u me wat bijzonderheden kunt geven, meneer,' zei de onverstoorbare Swindells en hij trok zijn schrijfblok naar zich toe.

Rechercheur George Bennett had allang thuis moeten zijn. Het was bijna acht uur en ver voorbij de tijd waarop de hogere functionarissen nog verwacht werden achter hun bureau te zitten. Waar hij eigenlijk zou moeten zitten, was in zijn leunstoel, zijn lange benen uitgestrekt naar een loeiende kolenkachel, zijn eten achter de kiezen en *Coronation Street* op de tv tegenover hem. En dan, terwijl Anne de tafel afruimde en ging afwassen, zou hij even naar buiten wippen voor een pintje en een praatje in de bar van de Duke of York of in de Baker's Arms. Er was geen snellere manier om thuis te raken in een plaats dan door gesprekken in een gelagkamer. En als nieuwkomer – hij was er nog geen zes maanden – kon hij die voorsprong op zijn collega's wel gebruiken. Hij wist dat de stamgasten hem nog niet alle roddels toevertrouwden, maar geleidelijk aan begonnen ze hem als deel van het meubilair te behandelen en vergaven en vergaten ze dat zijn vader en grootvader hun natjes en droogjes in een ander deel van het graafschap hadden genoten.

Hij keek op zijn horloge. Hij had geluk als hij vanavond nog naar de kroeg kon. Niet dat dat zo'n geweldige beproeving was. George was geen drinker. Als hij door de verantwoordelijkheden van zijn beroep niet verplicht was geweest om zijn vinger aan de pols van de stad te houden, zou hij in geen weken in de kroeg zijn gekomen. Hij was veel liever met Anne gaan dansen in de Pavilion Gardens, waar regelmatig een van die nieuwe beatgroepen speelde, of naar het Opera House zijn gegaan om een film te zien. Of gewoon thuis zijn gebleven. George was nu drie maanden getrouwd en kon nog steeds niet echt geloven dat Anne erin had toegestemd om de rest van haar leven met hem door te brengen. Het was een wonder dat hem op de ergste momenten van zijn werk op de been hield. Tot nu toe waren die momenten meer het gevolg van verveling dan van de afschuwelijke aard van de misdrijven waarmee hij was geconfronteerd. De gebeurtenissen van de volgende zeven maanden zouden dat wonder wat harder op de proef stellen.

Maar die avond was de gedachte aan Anne, die in afwachting van zijn thuiskomst voor de tv zat te breien, veel verleidelijker dan wat voor glas bier dan ook. George scheurde een half velletje papier van zijn kladblok, legde het als bladwijzer tussen de papieren die hij had zitten lezen, sloeg met een resoluut gebaar de map dicht en liet hem in zijn bureaula glijden. Hij drukte zijn sigaret van het merk Gold Leaf uit en leegde de asbak in de prullenbak naast zijn bureau. Het was altijd het laatste wat hij deed voordat hij zijn regenjas pakte en verlegen de breedgerande vilthoed opzette die hem altijd een beetje een belachelijk gevoel gaf. Anne vond hem prachtig; ze zei altijd dat hij met die hoed op een beetje op James Stuart leek. Zelf zag hij dat niet. Een lang gezicht en sluik blond haar maakten hem toch nog niet tot een filmster. Met een beweging van zijn schouders gleed hij in zijn jas en merkte dat deze nu bijna te nauw sloot door de warme voering die Anne hem had laten kopen. Hoewel zijn jas wat strak zat bij zijn schouders, de brede schouders van een cricketspeler, wist hij dat hij er blij mee zou zijn zodra hij het bureau uit zou stappen en de bijtende wind zou voelen, die altijd vanuit de heuvels omlaag leek te zwiepen door de straten van Buxton.

Nadat hij nog even om zich heen had gekeken om te controleren of hij niets had laten liggen wat niet bestemd was voor de ogen van de schoonmakers, deed hij de deur achter zich dicht. Een snelle blik maakte hem duidelijk dat de recherchekamer verlaten was, dus draaide hij zich om en gaf even toe aan een gevoel van ijdelheid. INSPECTEUR G.D. BENNETT, RECHERCHE stond in witte letters op een klein zwart plastic bordje. Het was iets om trots op te zijn, dacht hij. Nog geen dertig en al inspecteur. Het was elke vervelende minuut waard geweest van de drie jaar van eindeloos blokken voor zijn rechtenstudie die hem op de weg omhoog had gebracht. Als een van de eerste afgestudeerden was hij in het nieuwe, versnelde promotietraject van het korps van Derbyshire terechtgekomen. Nu, zeven jaar nadat hij zijn eed van trouw had afgelegd, was hij de jongste inspecteur bij de recherche die het korps ooit had gehad.

Omdat er niemand in de buurt was die dit gebrek aan waardigheid kon zien, rende hij de trap op. Zijn vaart bracht hem door de klapdeuren in de appelruimte van de uniformdienst. Toen hij binnenkwam, draaiden drie hoofden zich scherp in zijn richting. Heel even kon George niet bedenken waarom het er zo rustig was. Toen wist hij het weer. De halve stad zou bij de herdenkingsdienst zijn voor de kort tevoren vermoorde president Kennedy, een speciale mis die openstond voor alle gezindten. De stad had de vermoorde leider opgeëist als een geadopteerde oorspronkelijke zoon. Tenslotte was JFK er een paar maanden voor zijn dood nog min of meer geweest toen hij op een paar kilometer afstand, in Edensor, op het grondstuk van Chatsworth House, het graf van zijn zuster had bezocht. Het feit dat een van de verpleegsters, die de artsen hadden geholpen bij hun vergeefse gevecht voor het leven van de president in een ziekenhuis in Dallas, afkomstig was uit Buxton, versterkte de band alleen maar in de ogen van de plaatselijke bevolking.

'Alles rustig, brigadier?' vroeg hij.

Bob Lucas, de dienstdoende brigadier, fronste zijn wenkbrauwen en haalde half zijn schouders op. Hij keek naar het vel papier in zijn hand. 'Tot vijf minuten geleden wel.' Hij rechtte zijn schouders. 'Waarschijnlijk is het helemaal niks,' zei hij. 'Tien tegen één dat het al opgelost is voordat ik er ben.'

'Iets interessants?' vroeg George op luchtige toon. Het laatste wat hij wilde was dat Bob Lucas zou denken dat hij het soort rechercheur was dat de agenten in uniform behandelde alsof zij de aapjes waren en hij de orgeldraaier was.

'Meisje vermist,' zei Lucas, terwijl hij hem het vel papier gaf. 'Agent Swindells heeft net het telefoontje gehad. Ze belden rechtstreeks, niet via het alarmnummer.'

Op de kaart van het gebied, die hij in zijn hoofd had, probeerde George zich Scardale voor de geest te halen. 'Hebben we daar ook iemand, brigadier?' vroeg hij tijd rekkend.

'Niet nodig. Het is nauwelijks een gehucht. Tien huizen, hoogstens. Nee, Scardale valt onder Peter Grundy in Longnor. Hij zit er maar drie kilometer vandaan. Maar de moeder dacht kennelijk dat dit te belangrijk was voor Peter.'

'En wat denk jij?' George was voorzichtig.

'Ik denk dat ik maar beter naar Scardale kan rijden om met de moeder te praten. Ik pik Peter onderweg op.' Terwijl hij sprak, pakte hij zijn pet en zette hem recht op zijn haar, dat bijna zo zwart en glanzend was als zijn laarzen. Zijn blozende wangen zagen eruit alsof hij een paar pingpongballetjes achter zijn kiezen had gestopt. In combinatie met zijn glinsterende donkere ogen en zijn rechte zwarte wenkbrauwen gaven ze hem het uiterlijk van een beschilderde buiksprekerpop. Maar George had al ontdekt dat Bob Lucas wel de laatste was die zich door iemand anders woorden in de mond zou laten leggen. Als hij Lucas een vraag stelde, kreeg hij een bondig antwoord, dat wist hij al.

'Vind je het goed als ik meega?' vroeg George.

Peter Grundy legde de hoorn zachtjes terug op de haak. Hij wreef met zijn duim over zijn kaak, die door de stoppels van die dag aanvoelde als schuurpapier. Hij was tweeëndertig jaar op die avond in december 1963. Op foto's zien we een man met een fris gezicht, smalle kaken en een korte, scherpe neus, geaccentueerd door een bijna militair kapsel. Zelfs wanneer hij glimlachte, zoals hij deed op vakantiekiekjes met zijn kinderen, leken zijn ogen waakzaam.

Twee telefoontjes in een tijdsbestek van tien minuten hadden de routinematige rust verstoord van een avond voor de tv met zijn vrouw Meg, nadat de kinderen in bad en in bed waren gestopt. Niet dat hij het eerste telefoontje niet serieus had genomen: als de oude Ma Lomas, de ogen en oren van Scardale, de moeite nam om haar artritis bloot te stellen aan de bijtende kou door de warmte van haar huisje te verlaten voor de telefooncel op de dorpsweide, moest hij daar wel aandacht aan besteden. Maar hij had gedacht dat hij tot acht uur en het eind van het programma kon wachten voor hij er iets aan zou doen. Het was tenslotte mogelijk dat Ma de reden voor haar telefoontje deed voorkomen als zorg over een verdwenen schoolmeisje, maar Grundy was er nog niet zo zeker van dat het niet alleen maar een excuus was om de zaken een beetje op te stoken tegen de moeder van het meisje. Hij had de praatjes gehoord en wist dat er wel een paar mensen in Scardale rondliepen die vonden dat Ruth Carter een beetje erg snel in het huwelijksbootje was gestapt met Philip Hawkin, ook al was hij de eerste man geweest die haar wangen weer wat kleur had gegeven sinds haar Roy was gestorven.

Toen was de telefoon weer overgegaan, wat een frons op het gezicht van zijn vrouw had gebracht en hem gedwongen had zijn gemakkelijke stoel te verruilen voor de koude hal. Deze keer kon hij de oproep niet negeren. Brigadier Lucas uit Buxton wist van het vermiste meisje en was onderweg. En alsof het nog niet erg genoeg was om bureau Buxton op zijn nek te krijgen, bracht Lucas ook de professor nog mee. Het was voor het eerst dat Grundy en zijn collega's moesten werken met iemand die naar de universiteit was geweest. Van de praatjes die hij hoorde tijdens zijn incidentele bezoeken aan bureau Buxton wist hij dat het idee hun geen van allen aanstond. Hij had zich onmiddellijk aangesloten bij het gemompel over de 'universiteit van het leven' en dat die de beste leerschool was voor een smeris. Die ex-studentjes, die kon je op zaterdagavond niet naar het marktplein van Buxton sturen – die hadden van hun leven nog geen kroeggevecht gezien, laat staan dat ze wisten hoe ze ermee om moesten gaan. Het enige goede wat je over Bennett kon zeggen was, voor zover Grundy wist, dat hij met cricket aardig met het slaghout wist om te gaan. En dat was voor Grundy niet genoeg reden om hem op zijn terrein te verwelkomen en hem zijn zorgvuldig gekoesterde contacten overhoop te laten halen.

Met een zucht knoopte hij de kraag van zijn overhemd dicht. Hij trok zijn uniformjasje aan, zette zijn pet op zijn hoofd en pakte zijn overjas. Met een verzoenende glimlach op zijn nerveuze gezicht stak hij zijn hoofd om de hoek van de kamerdeur en zei: 'Ik moet naar Scardale.'

'Sst,' zei zijn vrouw boos, 'het begint net spannend te worden.'

'Alison Carter wordt vermist,' voegde hij eraan toe, voordat hij rancuneus de deur van de woonkamer achter zich dichttrok en zich naar buiten haastte voordat ze kon reageren. En ze zou reageren, dat wist hij maar al te goed. Een vermist kind in Scardale kwam voor Longnor veel te dicht bij huis om geen kille wind in je nek te voelen.

George Bennett volgde brigadier Lucas naar de binnenplaats, waar de auto's geparkeerd stonden. Hij was liever met zijn eigen auto gegaan, een stijlvolle zwarte Ford Corsair zo nieuw als zijn promotie, maar het protocol verplichtte hem op de passagiersstoel van de officiële Rover plaats te nemen en Lucas te laten rijden. Terwijl ze via het marktplein in zuidelijke richting de snelweg opdraaiden, probeerde George de tinteling van opwinding te onderdrukken die hij onmiddellijk had gevoeld toen hij de woorden 'meisje vermist' had gehoord. Er was een kans, zoals Lucas terecht had opgemerkt, dat er niets aan de hand zou blijken te zijn. Meer dan vijfennegentig procent van de gevallen van vermiste kinderen eindigde in hereniging voor bedtijd of, op zijn laatst, voor het ontbijt.

Maar soms was het een ander verhaal. Soms bleef een vermist kind lang genoeg vermist om met groeiende zekerheid te weten dat hij of zij nooit meer thuis zou komen. Zo nu en dan was dat een kwestie van keuze. Maar vaker was het omdat het kind dood was en werd de vraag voor de politie vervolgens hoe lang het zou duren voordat ze het lichaam zouden vinden.

En soms verdwenen ze zo volkomen dat het leek alsof de aarde zich had geopend en ze had opgeslokt.

In de laatste zes maanden waren er twee van dat soort zaken geweest, beide op minder dan vijftig kilometer van Scardale. George maakte altijd zorgvuldig aantekeningen van de bulletins van andere korpsen en andere districten van Derbyshire. En hij had speciaal aandacht besteed aan deze twee gevallen van vermissing omdat ze zo dichtbij waren dat de kinderen op zijn terrein zouden kunnen opduiken – dood of levend.

De eerste was Pauline Catherine Reade geweest, een zestienjarige leerling-banketbakster uit Gorton, Manchester, met donker haar en lichtbruine ogen. Ze had een tenger postuur, was ongeveer een meter vijftig lang en droeg een roze met goudkleurige jurk en een lichtblauwe jas. Kort voor acht uur op vrijdag 12 juli was ze de deur uitgelopen van het rijtjeshuis waar ze met haar ouders en haar jongere broertje woonde om naar een dansavond te gaan. Ze was nooit meer gezien. Er waren thuis of op haar werk geen problemen geweest. Ze had geen vriendje waarmee ze ruzie had kunnen hebben. Zelfs als ze het had gewild, had ze geen geld gehad om weg te lopen. De hele omgeving was grondig afgezocht en er waren drie waterreservoirs drooggelegd, maar er was geen spoor van Pauline gevonden. De politie van Manchester had elke melding van mensen die meenden haar gezien te hebben onderzocht, maar geen ervan had naar het verdwenen meisje geleid.

Het tweede vermiste kind leek, afgezien van de onverklaarbare, bijna magische aard van zijn verdwijning, niets gemeen te hebben met Pauline Reade. John Kilbride, twaalf jaar oud, een meter vijfenveertig lang, een tengere bouw, donkerbruin haar, blauwe ogen en een frisse gelaatskleur. Hij droeg een grijs geruit tweedjasje, een lange grijze flanellen broek, een wit overhemd en zwarte schoenen met vierkante neus. Volgens een van de rechercheurs uit Lancashire, die George van cricket kende, was het geen pientere, maar wel een vriendelijke en beleefde jongen. John was op zaterdagmiddag, op de dag na Kennedy's dood, in Dallas met wat vrienden naar de bioscoop gegaan. Daarna had hij zijn vrienden verlaten om, zoals hij zei, naar de markt van Ashton-under-Lyne te gaan, waar hij vaak een paar stuivers verdiende door thee te maken voor de kraamhouders. Hij was het laatst gezien rond halfzes leunend tegen een afvalbak.

De zoektocht had nog maar de dag tevoren een laatste wanhopige stimulans gekregen doordat een plaatselijke zakenman honderd pond beloning had uitgeloofd. Maar er leek niets uitgekomen te zijn. De vorige zaterdag had dezelfde collega op een politiebal nog tegen George gezegd dat John Kilbride en Pauline Reade meer sporen hadden achtergelaten als ze ontvoerd waren door kleine groene mannetjes in een vliegende schotel.

En nu werd er in zijn gebied een meisje vermist. Hij staarde uit het raampje naar de maanbeschenen velden langs de weg naar Ashbourne: het ruwe oppervlak was bedekt met rijp en de stapelmuurtjes ertussen scheidden ze bijna lichtgevend in het zilveren licht. Een dunne wolk gleed voor de maan langs en ondanks zijn warme jas huiverde George bij de gedachte op een avond als deze onbeschut in een zo onherbergzaam landschap te zijn.

Enigszins walgend van zichzelf omdat hij de bezorgdheid over het meisje en haar familie, het enige waar hij aan had moeten denken, had laten overweldigen door zijn verlangen naar een grote zaak, wendde George zich tot Bob Lucas en zei: 'Vertel me eens iets over Scardale.' Hij pakte zijn sigaretten en bood de brigadier er een aan, maar die schudde zijn hoofd.

'Nee, ik bedank. Ik probeer te minderen. Scardale is zoiets als het land dat door de tijd is vergeten,' zei hij. In de korte lichtflits van de lucifer van George zag het gezicht van Lucas er grimmig uit.

'Hoe bedoel je?'

'Het lijkt daar alsof je in de Middeleeuwen bent. Er gaat maar één weg naartoe en die loopt dood bij de telefooncel op de dorpsweide. En dan heb je het grote huis, het herenhuis, waar we nu naar onderweg zijn. Verder zijn er een stuk of tien huisjes en de boerenschuren. Geen kroeg, geen winkel, geen postkantoor. Meneer Hawkin is wat je de landjonker kunt noemen. Hij bezit alle huizen in Scardale, plus de boerderij, plus alle grond in een straal van ruim een kilometer in de omtrek. Iedereen die er woont is zijn huurder en zijn werknemer. Het is alsof ze allemaal zijn bezit zijn.' De brigadier ging langzamer rijden om van de hoofdweg rechtsaf te slaan naar de smalle landweg die langs de steengroeve omhoogliep. 'Er zijn volgens mij maar drie achternamen in het dorp. Je bent een Lomas, een Crowther of een Carter.'

Geen Hawkin, merkte George. Hij sloeg dat afwijkende gegeven op voor later onderzoek. 'Maar mensen moeten er toch weggaan om te trouwen, om werk te vinden?'

'O ja, er gaan mensen weg,' zei Lucas. 'Maar ze blijven altijd door en door Scardale. Ze raken het nooit kwijt. In elke generatie zijn er één of twee mensen die buiten Scardale een partner vinden. Het is de enige manier om niet met je neef of nicht te trouwen. Maar vaak genoeg gaan die mensen die met iemand uit Scardale zijn getrouwd er een paar jaar later weg en gaan scheiden. Het gekke is dat ze de kinderen altijd achterlaten.' Hij wierp en snelle blik op George, alsof hij wilde nagaan hoe deze de informatie opnam.

George nam een trek van zijn sigaret en zei nog niets. Hij had wel gehoord van zulke plaatsen, maar had er nog nooit een bezocht. Hij kon zich niet voorstellen hoe het moest zijn om in zo'n op zichzelf staande, zo'n beperkte wereld te wonen waar je hele verleden, heden en toekomst gedeeld werd met de hele gemeenschap. 'Het is moeilijk te geloven dat zo'n soort plaats zo dicht bij de stad kan bestaan. Hoeveel is het? Tien kilometer?'

'Twaalf,' zei Lucas. 'Het is historisch. Kijk naar de helling van die wegen.' Hij wees omhoog naar de plaats waar de weg met een scherpe bocht naar links het dorp Earl Sterndale inliep, waar de huizen die door de steenhouwerij voor hun arbeiders waren gebouwd, als rugbyspelers in een scrum bijeenkropen tegen de heuvelrug. 'Voordat we auto's met goede motoren hadden en fatsoenlijke asfaltwegen kon het je een groot deel van een dag kosten om in de winter van Scardale naar Buxton te komen. En dat nog alleen als het pad niet geblokkeerd was door sneeuwbanken. De mensen moesten voor zichzelf zorgen. Sommige plaatsen in deze omgeving zijn die gewoonte nooit kwijtgeraakt.

Neem dat meisje, Alison. Zelfs met de schoolbus kost het haar elke dag nog bijna een uur om van en naar school te gaan. De autoriteiten hebben geprobeerd de ouders zover te krijgen om kinderen als zij van maandag tot vrijdag in de kost te doen, om ze de reis te besparen. Maar in plaatsen als Scardale wordt dat botweg geweigerd. Ze zien het niet als een poging ze te helpen. Ze denken dat de autoriteiten hun kinderen van hen willen afnemen. Er valt niet met ze te praten.'

De auto zwaaide door een serie scherpe bochten en begon, terwijl Lucas terugschakelde, met zwoegende motor een steile kam te beklimmen. George opende het ventilatieraampje en gooide zijn sigarettenpeuk in de berm. Een stroom vrieskoude lucht, doortrokken van de rook van een kolenvuur, kwam in zijn keel en hij deed het raampje snel dicht. 'En toch heeft mevrouw Hawkin niet geaarzeld om ons te bellen.'

'Volgens agent Swindells is ze wel eerst alle huizen in Scardale langs geweest,' zei Lucas droog. 'Begrijp me niet verkeerd. Ze gedragen zich niet vijandig ten opzichte van de politie. Ze zijn alleen niet... erg toeschietelijk, dat is alles. Ze willen dat Alison gevonden wordt. Dus nemen ze genoegen met ons.'

De auto worstelde tegen de helling op en begon aan de lange afdaling naar het dorp Longnor. De kalkstenen huizen lagen, vuilwit in het maanlicht, in elkaar gedoken als slapende schapen en uit elke schoorsteen die in zicht was rezen rookpluimen op. Op de kruising in het midden van het dorp zag George het onmiskenbare silhouet van een agent in uniform, die met zijn voeten op de grond stampte om ze warm te houden.

'Dat zal Peter Grundy zijn,' zei Lucas. 'Hij had binnen kunnen wachten.'

'Misschien is hij te ongeduldig om te weten wat er aan de hand is. Het is tenslotte zijn gebied.'

Lucas bromde: 'Ik denk eerder dat moeder de vrouw hem op zijn nek zat omdat hij 's avonds nog op pad ging.'

Hij remde iets te hard en de auto zwenkte tegen de stoeprand. Agent Peter Grundy bukte zich om te kijken wie er naast de bestuurder zat en stapte toen achter in de auto. 'Goeienavond, brig,' zei hij. 'Meneer,' voegde hij eraan toe, met een lichte buiging naar George. 'Wat ik gehoord heb, staat me helemaal niet aan.'

2

Woensdag 11 december 1963, 20.26 uur

Voordat brigadier Lucas kon wegrijden, stak George Bennett een vinger omhoog. 'Scardale is nog maar drie kilometer hiervandaan, nietwaar?' Lucas knikte. 'Voordat we er zijn, wil ik graag zoveel mogelijk weten over wat we kunnen verwachten. Hebben we een paar minuten voor agent Grundy, zodat hij ons wat meer bijzonderheden kan geven?'

'Een paar minuten zal geen kwaad kunnen,' zei Lucas, en hij zette de auto in zijn vrij.

Bennett draaide zich om op zijn stoel, zodat hij in elk geval de vage contouren van het gezicht van de plaatselijke agent kon zien. 'Agent Grundy, je denkt dus niet dat we Alison Hawkin bij de kachel aantreffen, terwijl ze een fikse uitbrander van haar moeder krijgt?'

'Het is Carter, meneer. Alison Carter. Ze is niet de dochter van de landheer,' zei Grundy, met het lichte ongeduld van een man die tegen een lange nacht aankijkt waarin hij voortdurend dingen zal moeten uitleggen.

'Dank je,' zei George vriendelijk. 'Je hebt me in elk geval behoed voor een stommiteit. Ik zou het zeer op prijs stellen als je ons een korte beschrijving van de familie kunt geven, zodat ik een idee heb van waar we mee te maken hebben.' Hij hield Grundy zijn pakje sigaretten voor om de man elk idee te ontnemen dat hij neerbuigend zou worden behandeld.

Met een snelle blik naar Bob Lucas, die knikte, haalde Grundy een sigaret uit het pakje en zocht in zijn overjas naar een vuurtje.

'Ik heb de inspecteur al uitgelegd hoe het in Scardale in elkaar zit,' zei Lucas, terwijl Grundy zijn sigaret opstak. 'Over de landheer, en dat hij het hele dorp en al het land bezit.'

'Juist,' zei Grundy door een rookwolk heen. 'Nou, tot ongeveer een jaar geleden was Hawkins oom de landheer van Scardale. De oude meneer Castleton. Zover de parochieregisters teruggaan hebben er Castletons in het grote huis gewoond. Maar goed, de enige zoon van de oude William Castleton is in de oorlog omgekomen. Hij vloog bommenwerpers, maar op een avond kreeg hij pech boven Duitsland en het laatste wat we gehoord hebben is dat hij vermist werd en waarschijnlijk de dood had gevonden. Zijn ouders waren al redelijk op leeftijd toen de jonge William werd geboren en er waren geen andere kinderen. Dus toen meneer Castleton stierf, ging Scardale naar die Philip Hawkin, de zoon van zijn zuster. Een man die niemand daar ooit nog had gezien sinds hij in korte broek had gelopen.'

'Wat weten we van hem?' vroeg Lucas.

'Zijn moeder, de zuster van de landheer, is hier opgegroeid, maar ze koos een verkeerde toen ze met Stan Hawkin trouwde. Hij zat bij de RAF toen, maar dat duurde niet lang. Hij heeft altijd beweerd dat een van zijn hogere officieren hem ervoor had laten opdraaien, maar waar het op neerkwam was dat ze hem eruit hebben gegooid omdat hij via de achterdeur gereedschap zou hebben verkocht. Maar goed, de landheer vond het nodig om iets voor Hawkin te doen, en hij bezorgde hem een baan in het zuiden, als autoverkoper bij een ouwe maat van hem. Van wat ik gehoord heb, is hij nooit meer op knoeierij betrapt, maar ik denk dat een vos zijn streken niet afleert en dat is de reden waarom de familie hier niet meer op bezoek kwam.'

'En hoe zit het met de zoon, Philip?' vroeg George in een poging wat tempo in het verhaal te brengen.

Grundy haalde zijn schouders op, en de beweging van zijn grote lichaam maakte de auto aan het schommelen. 'Hij ziet er goed uit, die vent, dat moet ik toegeven. Een en al charme en vleierij en zo. De vrouwen zijn gek op hem. Ik heb nooit problemen met hem gehad, maar ik zou mijn hond nog niet aan hem toevertrouwen als ik een plas ging doen.'

'En hij is met de moeder van Alison Carter getrouwd?'

'Daar wilde ik net heen,' zei Grundy met trage waardigheid. 'Ruth Carter was bijna zes jaar weduwe toen Philip Hawkin uit het zuiden kwam om zijn erfenis in bezit te nemen. Van wat ik heb gehoord, was hij meteen behoorlijk weg van Ruth. Ze ziet er goed uit, dat is waar, maar niet elke man zou de verantwoordelijkheid willen voor het kind van een ander. Maar van wat ik heb gehoord, is dat nooit een probleem voor hem geweest. Hij liet Ruth dus niet met rust. En zij was er ook niet vies van. Hij maakte haar ogen weer aan het glanzen, dat is zeker. Drie maanden nadat hij voor het eerst zijn gezicht weer in Scardale had laten zien, zijn ze getrouwd. Ze waren een knap paar.'

'Een bliksemromance dus?' zei George. 'Ik wed dat dat wel een beetje kwaad bloed heeft gezet, zelfs in zo'n hechte gemeenschap als Scardale.'

Grundy haalde zijn schouders op. 'Daar heb ik niks over gehoord,' zei hij. George herkende een muur als hij die zag. Hij moest duidelijk

Grundy's vertrouwen zien te winnen voordat de dorpsdiender zijn moeizaam verworven plaatselijke kennis met hem zou delen. Dat die kennis er was, daar twijfelde George niet aan.

'Goed, laten we naar Scardale gaan en eens kijken hoe het er daar voorstaat,' zei hij. Lucas zette de auto in de versnelling en reed het dorp uit. Bij een bordje DOODLOPENDE WEG maakte hij een scherpe afslag naar links vanaf de hoofdweg. 'Goed aangegeven,' merkte George droogjes op.

'Iedereen die naar Scardale gaat, kent de weg denk ik,' zei Bob Lucas, terwijl hij zich concentreerde op het rijden over een smal pad dat in een serie stijgingen en dalingen op zijn schreden leek terug te keren. De identieke kegels van de koplampen maakten slechts een geringe indruk op de duisternis van de weg, die ingesloten was door hoge aardwallen en ongelijke stapelmuurtjes, die in ogenschijnlijk onmogelijke hoeken tegen de hemel bolden en leunden.

'Toen je in de auto stapte, zei je dat het je helemaal niet aanstond wat je had gehoord, Grundy,' zei George. 'Waarom?'

'Ze lijkt een verstandig meisje, die Alison. Ik weet wie ze is; ze is in Longnor naar de basisschool gegaan. Ik heb een nichtje dat in dezelfde klas zat en ze zijn samen naar de middelbare school gegaan. Terwijl ik op jullie wachtte, ben ik even naar binnen gewipt en heb een woordje met onze Margaret gesproken. Zij denkt dat Alison zich niet anders dan anders gedroeg vandaag. Ze zijn samen met de bus naar huis gegaan, net als altijd. Alison had het erover dat ze deze week na school een keer in Buxton wilde uitstappen om wat kerstcadeautjes te kopen. Bovendien, zegt ze, is Alison niet iemand die wegloopt. Als er iets mis is, gaat ze de problemen nooit uit de weg. Dus als er iets gebeurd is met Alison, is dat waarschijnlijk niet uit vrije keuze gebeurd.'

George voelde de zware woorden van Grundy als een steen in zijn maag liggen. Als om hun onheilspellende aard te weerspiegelen, verdwenen de aardwallen en muurtjes langs de weg en werden vervangen door steile kalksteenrotsen, en de weg slingerde door de nauwe bergpas in een baan die volledig gedicteerd werd door de topografie. Lieve hemel, dacht George, het lijkt op een ravijn uit een western. We zouden niet in een auto moeten zitten, maar cowboyhoeden moeten dragen en op muilezels moeten rijden.

'Net om de volgende bocht,' zei Grundy van achteren. Zijn adem rook bitter van de tabak.

Lucas reed met een slakkengangetje verder en volgde de ronding van een overhangende rots. Vrijwel onmiddellijk daarachter werd de weg afgesloten door een zwaar, vergrendeld hek. George hield zijn adem in. Als hij had gereden en niets van het obstakel had geweten, was hij er tegenaan geknald. Terwijl Grundy uit de auto sprong en op een holletje naar het hek ging om het te openen, zag hij verscheidene verfkrassen in verschillende kleuren op de rotswanden aan beide kanten van de weg. 'Vreemden worden hier niet bepaald met open armen ontvangen, niet?'

Lucas glimlachte grimmig. 'Dat hoeft ook niet. Achter het hek is het technisch gesproken een privéweg. Hij is pas tien jaar geleden geasfalteerd. Voor die tijd was de weg naar Scardale alleen maar te berijden met een tractor of een Landrover.' Hij reed langzaam door het hek heen en wachtte aan de andere kant tot Grundy het weer gesloten had en zich bij hen voegde.

Ze reden verder. Zo'n honderd meter voorbij het hek weken de rotsen terug en vormden aan beide zijden een verre horizon. Plotseling waren ze uit de duisternis weer in het volle maanlicht. Tegen de met sterren bezaaide hemel zag het er voor George uit alsof ze uit de spelerstunnel in een uitgestrekt stadion waren gekomen met een doorsnede van minstens twee kilometer en een bijna cirkelvormige ring van steile heuvels in plaats van rijen stoelen. De arena was echter geen sportveld. In het spookachtige maanlicht zag George ruwe weidegronden die zachtjes oprezen vanaf de weg die dwars over de bodem van het dal liep. Schapen stonden bij elkaar gekropen tegen de wanden en hun adem vormde wolkjes damp in de vrieskoude lucht. Terwijl ze voorbijreden bleken donkerder plekken bosjes kreupelhout te zijn. George had zoiets nog nooit gezien. Het was een geheime, verborgen en afgezonderde wereld.

Hij kon nu lichten zien, zwak in het zilveren schijnsel van de maan maar sterk genoeg om de contouren aan te geven van een verspreide groep huizen tegen de bleke kalksteenklippen aan de andere kant van het dal. 'Dat is Scardale,' zei Grundy overbodig vanaf de achterbank.

De steenmassa loste zich al snel op in afzonderlijke huizen die rond een grof cirkelvormig grasveld hurkten. In het midden van deze dorpsweide stond een scheefgezakte steen en aan de zijkant een fel verlichte telefooncel, de enige levendige kleurvlek in Scardale bij maanlicht. Er leken zo'n tien huisjes te staan, die geen van alle hetzelfde waren en stuk voor stuk slechts een paar meter van elkaar verwijderd stonden. In de meeste was licht achter de gordijnen te zien. Meer dan eens ving George een glimp op van handen die een kier maakten waar gezichten doorheen keken, maar hij weigerde zich te laten verleiden tot een blik opzij.

Aan de achterzijde van het grasveld was een slordig geheel van slecht bij elkaar passende puntgevels en ramen te zien waarvan George aannam dat dat het grote huis van Scardale moest zijn. Hij wist niet goed wat hij had verwacht, maar zeker niet dit veredelde boerenhuis dat eruitzag alsof het in de loop van honderden jaren in elkaar was geflanst door mensen die meer behoeften dan smaak hadden gehad. Voordat hij iets kon zeggen, ging de voordeur open en viel een rechthoek van geelachtig licht op het erf voor het huis. Tegen het licht tekende zich de gedaante van een vrouw af.

Toen de auto tot stilstand kwam, zette de vrouw een paar impulsieve stappen in hun richting. Toen verscheen een man naast haar en legde een arm om haar heen. Ze stonden samen te wachten terwijl de politiemannen naar hen toe liepen, waarbij George wat achterbleef om Bob Lucas de leiding te laten nemen. Hij kon de tijd die Lucas nodig had voor de introducties gebruiken om zich een eerste indruk te vormen van de moeder en stiefvader van Alison Carter.

Ruth Hawkin zag er minstens tien jaar ouder uit dan zijn Anne, wat betekende dat ze tegen de veertig moest zijn. Hij schatte haar lengte op een kleine een meter zestig en ze had de stevige bouw van een vrouw die gewend is aan hard werk. Haar middelbruine haar was naar achteren getrokken in een paardenstaart, wat de gespannen trekken rond haar grijsblauwe ogen accentueerde, die eruitzagen alsof ze net had gehuild.

Haar huid zag er verweerd uit, maar op haar getuite lippen waren vage sporen van lippenstift te zien in de groefjes. Ze droeg een duidelijk zelfgebreid truitje met bijbehorend vest in een blauwe heidekleur op een geplooide tweedrok. Haar benen waren gehuld in geribbelde wollen kousen en aan haar voeten droeg ze praktische enkellaarsjes met een rits aan de voorkant. Hij kon het beeld dat hij zag moeilijk rijmen met de beschrijving van Ruth door Grundy als een goed uitziende vrouw. Afgezien van haar duidelijke ongerustheid, die zich uitte in haar gespannen lichaam, in haar armen die verdedigend voor haar borst waren geslagen, had George haar in een rij bij een bushalte geen tweede blik waardig gekeurd. Hij nam aan dat de situatie haar beroofd had van haar aantrekkelijkheid.

De man die achter haar stond leek veel meer op zijn gemak te zijn. De hand die niet licht op de schouder van zijn vrouw rustte, was nonchalant in de zak gestoken van een donkerbruin vest met suède belegstukken. Hij droeg een grijze flanellen broek waarvan de omgeslagen randen over versleten leren pantoffels vielen. Philip Hawkin had zijn vrouw niet vergezeld toen ze op de deuren van het dorp had geklopt, merkte George.

Hawkin was zo knap als zijn vrouw gewoontjes was. Hij was bijna een meter tachtig lang en had steil donker haar dat, met wat brillantine om het op zijn plaats te houden, vanaf het midden van zijn voorhoofd naar achteren was gekamd. Zijn gezicht, met een breed, vierkant voorhoofd dat geleidelijk smaller werd naar een puntige kin, deed George aan een schild denken. Rechte wenkbrauwen boven donkerbruine ogen waren als een emblematische figuur; een smalle neus leek naar een mond te wijzen die zo gevormd was dat hij altijd op het punt van glimlachen leek te staan.

George noteerde dit alles en sloeg het op in zijn geheugen. Bob Lucas was nog aan het woord. 'Dus als we binnen kunnen komen om wat bijzonderheden te krijgen, kunnen we ons een duidelijker beeld vormen van wat er is gebeurd.' Hij zweeg afwachtend.

Hawkin sprak nu voor het eerst, en zijn stem was onmiskenbaar vreemd aan de Derbyshire Peaks. 'Natuurlijk. Natuurlijk, kom binnen. Ik weet zeker dat ze weer komt opdagen, gezond en wel, maar het kan geen kwaad om de procedures te volgen, nietwaar?' Hij liet zijn hand naar het midden van Ruths rug zakken en leidde haar terug naar het huis. Ze leek verdoofd, beslist niet in staat om enig initiatief te nemen. 'Het spijt me dat jullie er op zo'n koude avond nog op uit moesten,' voegde Hawkin er uiterst beleefd aan toe, terwijl hij naar binnen liep.

George volgde Lucas en Grundy over de drempel naar een boerenkeuken. Op de vloeren lagen stenen plavuizen en de ruwe stenen muren waren lichter gemaakt met een laag witte muurverf die ongelijkmatig was verkleurd, afhankelijk van de nabijheid van de houtkachel en het elektrische fornuis. Tegen de muren stonden een ladekast en een paar keukenkasten van verschillende hoogte die in ziekenhuisgroen waren geschilderd, en onder de ramen, die uitzicht gaven op het eind van het dal, bevonden zich een paar diepe stenen spoelbakken. Twee andere ramen keken uit op de centrale dorpsweide, waar de telefooncel helder oplichtte in de duisternis. Aan de zwarte plafondbalken, die ongeveer een meter van elkaar liepen, hingen een aantal pannen en keukengerei. De keuken geurde naar rook, kool en dierlijk vet.

Zonder op iemand te wachten, ging Hawkin onmiddellijk in een met houtsnijwerk versierde stoel zitten die aan het hoofd stond van een geboende houten tafel. 'Zet wat thee voor de mannen, Ruth,' zei hij.

'Dat is heel vriendelijk van u,' kwam George tussenbeide toen de vrouw een ketel van de kachel pakte. 'Maar ik heb liever dat we meteen doorgaan. Als het om een vermist kind gaat, willen we geen tijd verspillen. Mevrouw Hawkin, wilt u gaan zitten en ons vertellen wat u weet.'

Ruth keek even naar Hawkin alsof ze zijn toestemming vroeg. Hij trok zijn wenkbrauwen op, maar knikte instemmend. Ze schoof een stoel naar achteren, liet zich erop zakken en legde haar armen over elkaar op de tafel voor zich. George ging tegenover haar zitten, met Lucas naast zich. Grundy knoopte zijn overjas los en nam de bewerkte stoel tegenover Hawkin. Hij haalde een notitieboekje uit zijn uniformjasje en sloeg het open. Toen likte hij aan de punt van zijn potlood en keek afwachtend op.

'Hoe oud is Alison, mevrouw Hawkin,' vroeg George zacht.

De vrouw schraapte haar keel. 'Dertien geweest. Ze is in maart jarig.' Haar stem brak, alsof er vanbinnen iets versplinterde.

'En zijn er moeilijkheden tussen u beiden geweest?'

'Rustig, inspecteur,' protesteerde Hawkin. 'Hoe bedoelt u, moeilijkheden? Wat wilt u daarmee zeggen?'

'Ik wil helemaal niets zeggen,' zei George. 'Maar Alison is op een moeilijke leeftijd, en soms zien jonge meisjes de dingen niet helemaal in de juiste verhoudingen. Een volkomen normale terechtwijzing kan op ze overkomen alsof het het eind van de wereld is. Ik probeer vast te stellen of er enige reden is om aan te nemen dat Alison van huis is weggelopen.'

Met gefronst voorhoofd ging Hawkin achterover in zijn stoel zitten. Hij reikte achter zich, waarbij hij de stoel op twee poten liet staan, en pakte een pakje Embassy en een kleine chroomkleurige aansteker van de ladekast. Toen stak hij zonder het pakje aan iemand anders aan te bieden een sigaret op. 'Natuurlijk is ze weggelopen,' zei hij, met een glimlach die de harde lijn van zijn wenkbrauwen verzachtte. 'Dat doen tieners. Ze doen het om je ongerust te maken, om wraak te nemen omdat ze vinden dat ze niet goed behandeld worden. Jullie begrijpen wel wat ik bedoel,' vervolgde hij, met een houding van mannen van de wereld die de politiefunctionarissen omvatte. 'De kerstdagen komen eraan. Ik herinner me hoe ik een keer uren zoek ben geweest. Ik dacht dat mijn moeder zo blij zou zijn om we weer veilig thuis te zien dat ze de fiets voor me zou kopen die ik voor de kerst wilde hebben.' Zijn glimlach werd quasi-zielig. 'Het enige wat ik kreeg, was een pak voor mijn billen. Let op mijn woorden, inspecteur, voor de ochtend is ze terug en voor een warm onthaal.'

'Zo is ze niet, Phil,' zei Ruth op klagende toon. 'Ik zeg je, er is iets met haar gebeurd. Ze zou ons nooit zo ongerust maken.'

'Wat is er vanmiddag gebeurd, mevrouw Hawkin,' vroeg George. Hij pakte zijn eigen sigaretten en bood haar er een aan. Met een strak knikje van dankbaarheid pakte ze met trillende vingers, die rood waren van het werken, een sigaret. Voordat George zijn lucifers kon pakken, had Hawkin zich al naar haar toe gebogen om haar een vuurtje te geven. George stak zijn eigen sigaret op en wachtte tot ze zich voldoende in de hand had om te antwoorden.

'Om ongeveer kwart over vier zet de schoolbus Alison en een neefje en nichtje van haar aan het eind van de weg af. Er gaat altijd iemand uit het dorp heen om ze op te halen, en ze is dus om ongeveer halfvijf thuis. Ze was hier op de normale tijd. Ik zat in de keuken aardappels te schillen voor het eten. Ze gaf me een kus en zei dat ze met de hond ging lopen. Ik vroeg of ze niet eerst een kopje thee wilde, maar ze zei dat ze de hele dag binnen had gezeten en even met de hond wilde rennen. Ze deed dat vaak. Ze vond het vreselijk om de hele dag binnen te zitten.' Overmand door de herinnering haperde Ruth en zweeg.

'Hebt u haar gezien, meneer Hawkin?' vroeg George, meer om Ruth wat tijd te geven dan vanuit interesse in het antwoord.

'Nee, ik was in mijn donkere kamer. Ik raak elk gevoel van tijd kwijt als ik daar ben.'

'Ik wist niet dat u fotograaf was,' zei George, terwijl hij Grundy op zijn stoel heen en weer zag schuiven.

'De fotografie, inspecteur, is mijn eerste liefde. Toen ik nog een gewone ambtenaar was, voordat ik dit hier van mijn oom erfde, was het nooit meer dan een hobby. Nu heb ik mijn eigen donkere kamer en het afgelopen jaar ben ik semi-professioneel geworden. Wat portretfotografie, uiteraard, maar vooral landschappen. In Buxton zijn wat van mijn ansichtkaarten te koop. Het licht hier in Derbyshire heeft een opmerkelijke helderheid.' Hawkins glimlach was verblindend nu.

'Juist,' zei George, terwijl hij zich afvroeg wat voor man aan de kwaliteit van het licht kon denken terwijl zijn stiefdochter werd vermist op een vrieskoude decemberavond. 'Dus u wist niet dat Alison thuis was gekomen en weer weg was gegaan?'

'Nee, ik heb niets gehoord.'

'Mevrouw Hawkin, had Alison de gewoonte om bij iemand op bezoek te gaan als ze met de hond ging lopen? Een van de buren? U noemde een neefje en een nichtje met wie ze naar school gaat?'

Ruth schudde haar hoofd. 'Nee, ze loopt altijd over de velden naar de kreupelbosjes en weer terug. In de zomer gaat ze verder, door het bos omhoog naar de plek waar de Scarlaston ontspringt. Daar loopt een doorgang tussen de heuvels. Je ziet hem nauwelijks tot je er bent, maar je kunt daar langs de rivieroever naar Denderdale. Maar ze zou nooit zo ver gaan op een winteravond.' Ze zuchtte. 'Bovendien ben ik het hele dorp door geweest. Niemand heeft ook maar een spoor

van haar gezien sinds ze over de velden is gelopen.'
'En de hond?' vroeg Grundy. 'Is de hond teruggekomen?'
Het was de vraag van een plattelander, dacht George. Hij was er uiteindelijk ook wel opgekomen, maar niet zo snel als Grundy.
Ruth schudde haar hoofd. 'Nee, maar als Alison een ongeluk had gehad, zou Shep haar nooit alleen laten. Hij zou geblaft hebben, maar haar niet alleen hebben gelaten. Op een avond als vanavond, zou je Shep door het hele dal horen. Jullie zijn net buiten geweest. Hebben jullie hem gehoord?'
'Daardoor vroeg ik het me al af,' zei Grundy. 'Door de stilte.'
'Kunt u ons een beschrijving geven van wat Alison droeg?' vroeg de altijd praktische Lucas.
'Ze draagt een marineblauwe duffelse jas over haar schooluniform.'
'Peak Girls' High?' vroeg Lucas.
Ruth knikte. 'Zwarte blazer, bruin vest, wit overhemd, zwart met bruine stropdas en bruine rok. Ze draagt een zwarte, wollen maillot en zwarte laarzen van schapenleer die tot halverwege haar kuiten komen. Je loopt niet weg in je schooluniform,' barstte ze hartstochtelijk uit, terwijl de tranen in haar ogen kwamen. Ze veegde ze boos weg met de rug van haar hand. 'Waarom zitten we hier alsof we op een zondagmiddag aan de thee zitten? Waarom zijn jullie niet naar haar op zoek?'
George knikte. 'We gaan op zoek, mevrouw Hawkin. Maar om te zorgen dat we het goed doen, moeten we eerst wat gegevens hebben. Hoe lang is Alison?'
'Ze is bijna net zo lang als ik nu. Een meter vijfenvijftig ongeveer. Ze heeft een tenger postuur; ze begint er net uit te zien als een jonge vrouw.'
'Hebt u een recente foto van Alison, die we aan onze mensen kunnen laten zien?' vroeg George.
Hawkin duwde zijn stoel naar achteren, en de poten maakten een schrapend geluid op de stenen tegels. Hij trok de lade van de keukentafel open en haalde er een paar foto's van twaalf bij negen centimeter uit. 'Ik heb deze van de zomer gemaakt. Vier maanden geleden ongeveer.' Hij leunde naar voren en spreidde ze voor George uit. Het gezicht dat van vijf portretfoto's in kleur naar hem opkeek, zou hij niet snel vergeten.
Niemand had hem gewaarschuwd dat ze zo mooi was. Hij hield zijn adem in toen hij naar Alison keek. Honingkleurig haar op kraaglengte omlijstte een ovaal gezicht dat bezaaid was met lichte sproeten. Haar blauwe ogen hadden bijna iets Slavisch: ze stonden ver uit elkaar aan weerszijden van een mooie, rechte neus. Ze had een volle

mond, en haar glimlach maakte een kuiltje in haar linkerwang. De enige onvolkomenheid was een schuin litteken dat door haar rechterwenkbrauw liep en een smalle witte streep door de donkere haren trok. Er was een lichte variatie in haar houding op de foto's, maar haar open glimlach veranderde nooit.

Hij keek naar Ruth: haar gezicht had zich bijna onwaarneembaar verzacht bij de aanblik van het gezicht van haar dochter. Hij kon nu zien wat Hawkin had aangetrokken in de boerenweduwe. Zonder de spanning, die het gezicht van Ruth beroofd had van zijn zachtaardigheid, was haar schoonheid net zo duidelijk als die van haar dochter. Nu er een zweem van een glimlach om haar lippen lag, kon hij zich niet meer voorstellen dat hij haar gewoontjes had gevonden.

'Ze is een mooi meisje,' mompelde George. Hij stond op en pakte de foto's. 'Ik zou deze graag even bij me houden.' Hawkin knikte. 'Brigadier, kun je even meekomen?'

De twee mannen stapten van de warme keuken de ijzige nachtlucht in. Terwijl hij de deur achter zich sloot, hoorde George Ruth op een verslagen toon zeggen: 'Ik zal wat thee zetten.'

'Wat denk jij ervan?' vroeg George. Hij had geen bevestiging van Lucas nodig om te weten dat het om een ernstige zaak ging, maar als hij nu zijn gezag liet gelden over de brigadier kwam dat overeen met zeggen dat hij dacht dat het meisje vermoord of ernstig mishandeld zou zijn. En ondanks zijn toenemende overtuiging dat dat inderdaad het geval moest zijn, had hij een bijgelovige vrees dat doen alsof het zo was het ook zo zou maken.

'Ik denk dat we zo snel mogelijk iemand van de hondenbrigade erbij moeten halen. Ze kan gevallen zijn. Ze kan gewond zijn en ergens liggen. Als ze in een aardverschuiving terecht is gekomen, kan de hond ook gedood zijn.' Hij keek op zijn horloge. 'We hebben vier extra agenten ingezet voor de herdenkingsdienst voor Kennedy. Als we snel zijn, krijgen we ze nog te pakken voordat hun dienst erop zit en kunnen we ze hierheen laten komen met elke andere man die we vrij kunnen maken.' Lucas reikte langs hem heen naar de deurknop. 'Ik moet hun telefoon gebruiken. Het heeft hier geen zin om de radio te proberen. Je hebt nog een betere ontvangst op de bodem van de mijnschacht van Markham Main.'

'Goed, brigadier. Jij organiseert een opsporingsteam. Ik ga brigadier Clough en agent Cragg bellen. Ze kunnen beginnen met een huis-aanhuisonderzoek in het dorp om te kijken of we erachter kunnen komen wie haar het laatst heeft gezien en waar.' Hij voelde een vage opwinding vanbinnen, als de zenuwen voor een première. En dat was natuurlijk precies wat het was. Als zijn vrees werd bewaarheid, stond hij op de drempel van de eerste grote zaak waar hij verantwoordelijk voor was. Hij zou er voor de rest van zijn loopbaan op beoordeeld worden. Als hij niet aan het licht zou kunnen brengen wat er gebeurd was met Alison Carter, zou deze zaak voor altijd als een last op zijn nek liggen.

3

Woensdag 11 december 1963, 21.07 uur

De adem van de hond hing kringelend in de nachtlucht alsof hij een eigen leven had. De Duitse herder zat kalm op zijn hurken, met gespitste oren en ogen die oplettend de dorpsweide opnamen. Agent Dusty Miller, de man van de hondenbrigade, stond bij zijn pupil en liet zijn hand afwezig door het geel en bruin gevlekte haar tussen zijn oren gaan. 'Prince heeft wat kleren en schoenen van het meisje nodig,' zei hij tegen brigadier Lucas. 'Hoe meer ze ze gedragen heeft, hoe beter. We kunnen ook zonder, maar het helpt de hond wel.'

'Ik praat wel even met mevrouw Hawkin,' zei George, voordat Lucas iemand op die taak kon zetten. Niet dat hij dacht dat het een gewone agent aan tact zou ontbreken, hij wilde gewoon nog een kans om de moeder en stiefvader van Alison Carter te observeren.

Hij liep de warme, benauwde keuken binnen, waar Hawkin nog aan tafel zat en nog rookte. Hij had nu een kop thee voor zich staan, net als de agente die aan de andere kant van de tafel zat. Beiden keken op toen hij binnenkwam. Hawkin trok vragend zijn wenkbrauwen op. George schudde zijn hoofd. Hawkin tuitte zijn lippen en wreef met een hand over zijn ogen. Het deed George genoegen om te zien dat de man eindelijk wat tekenen van bezorgdheid toonde over het lot van zijn stiefdochter. Dat Alison echt in gevaar zou kunnen zijn, leek eindelijk tot hem te zijn doorgedrongen.

Ruth Hawkin stond bij de gootsteen. Haar handen lagen in het sop van het afwasteiltje, maar ze was niet aan het afwassen. Ze stond onbeweeglijk in de ononderbroken duisternis van de nacht te staren. Het maanlicht drong nauwelijks door in het gebied achter het huis: zo ver in het dal waren de hoge kalksteenrotsen zo nabij dat ze het licht grotendeels wegnamen. Achter het raam was niets anders te zien dan vage, donkere contouren tegen het grijswit van de rotsen. Een bijgebouw, vermoedde George. Hij vroeg zich af of het al was doorzocht. Hij schraapte zijn keel. 'Mevrouw Hawkin...'

Ze draaide zich langzaam om. In de korte tijd die ze in Scardale waren, leek ze ouder te zijn geworden: haar huid lag strak rond haar jukbeenderen en haar ogen leken dieper in haar hoofd gezonken te zijn. 'Ja?'

'We hebben wat kleren van Alison nodig. Om de speurhond te helpen.'

Ze knikte. 'Ik zal iets pakken.'

'De man van de hondenbrigade zou het liefst schoenen hebben en iets dat ze een paar keer heeft gedragen. Een trui of een jas misschien.'

Ruth liep met de mechanische stappen van een slaapwandelaar de keuken uit. 'Ik vraag me af of ik uw telefoon nog even mag gebruiken,' vroeg George.

'Geen probleem,' zei Hawkin met een gebaar naar de hal.

George volgde Ruth door de deur en liep naar de tafel, waar de ouderwetse zwarte bakelieten telefoon naast een trouwfoto van een stralende Ruth met haar nieuwe echtgenoot op een ronde Chippendaletafel stond. Als Hawkin niet zo onmiskenbaar knap was geweest, betwijfelde George of hij de bruid had herkend.

Zodra hij de deur achter zich dicht had gedaan, voelde hij hoe de ijzige kou greep op hem kreeg. Als het meisje in huis gewend was aan dit soort temperaturen, had ze buiten meer kans, dacht hij. Hij zag Ruth Hawkin in de bocht van de trap verdwijnen toen hij de hoorn van de haak nam en begon te draaien. Na vier keer te zijn overgegaan, werd er opgenomen. 'Buxton vier-twee-twee,' zei de vertrouwde stem, en zijn ongerustheid was onmiddellijk verdwenen.

'Anne, met mij. Ik ben voor een zaak in Scardale. Een vermist meisje.'

'O, de arme ouders,' zei Anne meteen. 'En arme jij, dat je daarmee te maken hebt op een avond als deze.'

'Ik maak me meer zorgen om het meisje. Je begrijpt dat het laat wordt. Ik weet nog niet wat er gebeurt, maar misschien kom ik vanavond helemaal niet thuis.'

'Je werkt te hard, George. Dat is niet goed voor je, weet je. Als je rond bedtijd nog niet terug bent, zet ik wat boterhammen voor je in de koelkast, zodat je iets te eten hebt. Ze kunnen maar beter verdwenen zijn tegen de tijd dat ik opsta,' voegde ze eraan toe, en haar vermanende woorden waren maar half plagend bedoeld.

Als Ruth Hawkin niet terug op de trap was verschenen, had hij Anne verteld hoe heerlijk hij de manier vond waarop ze voor hem zorgde. In plaats daarvan zei hij alleen: 'Dank je. Zodra ik iets meer weet, laat ik van me horen,' en hij legde de hoorn terug. Hij liep Ruth tegemoet, die een bundeltje kleren tegen haar borst geklemd hield. 'We doen alles wat we kunnen,' zei hij, en hij wist dat het onvoldoende was.

'Dat weet ik,' zei ze. Ze opende haar armen en liet een paar pantoffels zien en een verkreukeld flanellen pyjamajasje. 'Geef deze maar aan de man van de hond.'

George pakte de kleren aan en merkte met een steek van onbenoembare emotie op hoe aandoenlijk de blauwe fluweelachtige pantoffels en het roze gebloemde pyjamajasje onder de omstandigheden waren. George hield ze voorzichtig vast om besmetting met zijn geur te voorkomen en liep door de keuken de nachtlucht weer in. Zonder een woord te zeggen, overhandigde hij de spullen aan Miller. Hij keek toe hoe de man op zachte toon commando's gaf aan Prince en de kledingstukken voor zijn lange neus hield.

Met een subtiel gebaar hief de hond zijn kop op alsof hij de geur opving van een culinaire heerlijkheid. Toen begon hij bij de voordeur te snuffelen, waarbij hij zijn kop centimeters boven de grond in lange bogen heen en weer bewoog. Na elke meter ongeveer, liet hij een soort gesnuif horen, hief zijn kop op en stak zijn neus in de richting van Alisons kleren alsof hij zichzelf moest herinneren aan wat hij precies moest zoeken. De man en zijn hond bewogen samen naar voren en bestreken elke centimeter van het pad vanaf de keukendeur. Toen, aan de rand van het onverharde pad dat achter langs de dorpsweide liep, verstijfde de Duitse herder plotseling. Zo verstard als een kind dat standbeeldje speelt, stond Prince seconden lang stil en dronk gretig de geur in van het ruwe gras. Toen bewoog de hond zich in een soepele, vloeiende beweging over het gras, waarbij zijn lichaam dicht bij de grond bleef en zijn neus hem in een lage, lange gang voorwaarts scheen te trekken.

Agent Miller versnelde zijn pas om de hond bij te houden. Op een knikje van brigadier Lucas namen vier van de agenten die kort na het hondenteam gearriveerd waren hun plaatsen achter hem in en lieten de lichtkegels van hun zaklantaarns over de grond schijnen. George volgde hen op een paar meter, onzeker of hij met hen mee zou gaan of zou wachten op de twee rechercheurs die hij had opgeroepen maar die nog niet waren gearriveerd.

Het spoor liep langs het grasveld en daarna via een stenen overstap naar een smalle doorgang tussen twee huisjes die toegang gaf tot een groter veld. Terwijl de hond hen zonder aarzelen over het veld leidde, hoorde George een auto van de weg het dorp binnenrijden. Toen de auto achter de groep politiewagens die er al stonden tot stilstand kwam, herkende hij de Ford Zephyr van brigadier Tommy Clough van de recherche. Hij wierp een snelle blik over zijn schouder naar het opsporingsteam. Hun zaklantaarns gaven aan waar ze zich bevonden. Het zou niet moeilijk zijn om ze in te halen. Hij draaide zich om, liep met grote passen naar de stevige, zwarte auto en rukte het portier aan de bestuurderskant open. Het vertrouwde blozende vollemaansgezicht van zijn brigadier keek hem grijnzend aan.

'Hallo, meneer,' zei Clough op een golf van bierdampen.
'Er is werk aan de winkel, Clough,' zei George kortaf. Zelfs met wat drank achter de kiezen, was Clough nog beter in zijn werk dan de meeste andere politiemensen in nuchtere toestand. Het passagiersportier werd dichtgeslagen en agent Gary Cragg kwam met afgezakte schouders om de voorkant van de auto heen lopen. Hij had te veel westerns gezien, had George geconcludeerd toen de slungelige agent voor het eerst in zijn gezichtsveld was verschenen. Cragg zou er prima hebben uitgezien in een paar leren cowboylaarzen, met twee bij elkaar passende Colts op zijn smalle heupen en een enorme hoed scheef over zijn geloken grijze ogen. In een pak zag hij eruit als een man die niet precies weet hoe hij gekomen is waar hij is, maar met zijn hele hart wenst dat hij ergens anders zou zijn.
'Een meisje vermist, klopt dat, meneer?' zei hij lijzig. Zelfs die stem zou meer op zijn plaats zijn in een Amerikaanse bar, waar hij de barman om een dubbele bourbon vraagt. De enige eigenschap die alles goed maakte, was, voor zover George kon nagaan, dat Cragg er niet uitzag als een eenzame cowboy.
'Alison Carter. Dertien jaar,' zei George, terwijl Clough zijn gedrongen lichaam onder het stuurwiel vandaan worstelde. Hij gebaarde met zijn duim over zijn schouder. 'Ze woont in het grote huis; stiefdochter van de landheer. Maar haar moeder en zij zijn in Scardale geboren en getogen.'
Clough snoof en trok een tweedmuts over zijn dichte bruine krullen. 'Dan is ze niet zo dom geweest om te verdwalen. U weet hoe het in Scardale gaat, niet? Generaties van neven en nichten die met elkaar trouwen. De meesten zijn te stom om voor de duvel te dansen.'
'Ondanks haar handicaps,' zei George, 'is het Alison gelukt om naar de middelbare school te gaan. En als ik me goed herinner, is dat meer dan we van jou kunnen zeggen brigadier Clough.' Clough wierp zijn baas, die drie jaar jonger was dan hij, een boze blik toe, maar hij zei niets. 'Alison is op de normale tijd uit school gekomen,' vervolgde George, 'en is meteen met de hond uitgegaan. Daarna zijn ze geen van beiden meer gezien. Dat is nu bijna vijf uur geleden. Ik wil dat jullie iedereen in het dorp ondervragen. Ik wil weten wie haar als laatste heeft gezien, waar dat was en wanneer dat was.'
'Het zal al donker zijn geweest toen ze op pad ging,' zei Cragg.
'Dat doet er niet toe. Het is mogelijk dat iemand haar heeft gezien. Ik ga proberen of ik het opsporingsteam nog kan inhalen, dus daar ben ik te vinden als jullie me nodig hebben. Oké?' Terwijl hij zich van hen afwendde, werd hij overvallen door een angstwekkende gedachte. Hij keek naar het hoefijzer van huizen dat daar samengedrongen

rond de dorpsweide stond en draaide zich om naar Clough en Cragg. 'En bij elk huis... wil ik dat jullie controleren of de kinderen zijn waar ze horen te zijn. Ik wil niet dat een of andere moeder morgen in paniek raakt doordat ze ontdekt heeft dat ook haar kind verdwenen is.'

Hij wachtte niet op een antwoord, maar ging op weg naar de overstap. Vlak voordat hij die bereikte, hield hij zijn pas in, draaide zich om en zag brigadier Lucas bevelen uitdelen aan de overgebleven zes agenten die hij had weten op te trommelen. 'Brigadier,' zei George. 'Vanuit het keukenraam van het grote huis is een bijgebouw te zien. Ik weet niet of het al is doorzocht, maar ga er anders even kijken voor het geval ze niet aan haar gebruikelijke wandeling is begonnen.'

Lucas knikte en gebaarde met zijn hoofd naar een van de agenten. 'Ga eens kijken wat er te zien valt, jongen.' Hij knikte naar George. 'Bedankt.'

Kathy Lomas stond voor haar raam en zag hoe de duisternis de lange man, die een regenjas en een vilthoed droeg, opslokte. Verlicht door de koplampen van de grote auto die net tot stilstand was gekomen bij de telefooncel had hij een opmerkelijke gelijkenis vertoond met James Stewart. Het had een geruststellende gedachte moeten zijn, maar op de een of andere manier werden de gebeurtenissen van die avond er alleen maar onwerkelijker door.

Kathy en Ruth waren nichtjes. Ze scheelden minder dan een jaar en waren zowel van vaders- als moederskant door bloedverwantschap verbonden. Ze waren samen opgegroeid tot vrouw en moeder. Kathy's zoon Derek was een kleine drie weken na Alison geboren. De geschiedenissen van de families waren onontwarbaar met elkaar verstrengeld. Dus toen Kathy, gewaarschuwd door Derek, de keuken van Ruth was binnengekomen en haar nicht daar ongerust, kettingrokend en angstig had aangetroffen, had ze een zo heftige steek van angst gevoeld alsof het haar eigen kind was dat niet thuis was gekomen.

Ze waren samen het dorp doorgegaan, aanvankelijk in de verwachting Alison bij de kachel van iemand anders aan te treffen, waar ze de tijd vergeten was en zich schuldig voelde dat ze haar moeder ongerust had gemaakt. Maar terwijl ze bij het ene na het andere huis bot vingen, was de overtuiging verschrompeld tot hoop en hoop tot wanhoop.

Kathy stond voor het donkere raam van de kleine voorkamer van Lark Cottage en keek naar de activiteiten die zich plotseling hadden ontplooid op die sombere decemberavond. De rechercheur die de auto had gereden, de man die met zijn krullende haar en brede voorhoofd iets weg had van een Hereford-stier, duwde zijn jack omhoog om op zijn rug te krabben, zei iets tegen zijn collega en liep toen in de richting van haar voordeur; zijn ogen leken de hare in de duisternis te ontmoeten.

Terwijl Kathy naar de deur ging, wierp ze een blik in de richting van de keuken, waar haar man zich concentreerde op het voltooien van een ingelegd tafereel van vissersboten in een haven. 'De politie is er, Mike,' riep ze.

'Dat werd tijd,' hoorde ze hem brommen.

Net op het moment waarop de Hereford-stier zijn hand ophief om te kloppen, opende ze de deur. Zijn verbijsterde uitdrukking veranderde in een glimlach toen hij Kathy's royale rondingen opnam, die ondanks haar jasschort nog te zien waren. 'Dit gaat zeker over Alison,' zei ze.

'U hebt gelijk, mevrouw,' zei hij. 'Ik ben brigadier Clough en dit is agent Cragg. Kunnen we even binnenkomen?'

Kathy stapte achteruit om ze te laten passeren, waarbij ze Clough zonder zich te beklagen toestond langs haar borsten te strijken. 'De keuken is rechtdoor. Jullie vinden mijn man daar,' zei ze koel.

Ze volgde hen en ging geleund tegen het grote keukenfornuis staan in een poging zich te warmen tegen de koude angst vanbinnen, terwijl ze wachtte tot de mannen zich aan elkaar hadden voorgesteld en rond de tafel zaten. Clough wendde zich tot haar. 'Hebt u Alison gezien sinds ze is thuisgekomen uit school?'

Kathy haalde diep adem. 'Ja. Het was mijn beurt om de kinderen van de schoolbus te halen. In de winter rijdt een van ons altijd naar het eind van de landweg om ze op te halen.'

'Was er iets anders aan Alison, iets dat u is opgevallen?' vroeg Clough.

Kathy dacht een ogenblik na en schudde haar hoofd. 'Nee, niets.' Ze haalde haar schouders op. 'Ze was hetzelfde als altijd. Gewoon... Alison. Ze zei goeiendag en liep het pad naar het grote huis op. Het laatste moment dat ik haar zag, liep ze de deur door en riep hallo tegen haar moeder.'

'Hebt u nog vreemden gezien. Op de weg of bij het eind van de weg?'

'Ik heb niemand gezien.'

'Ik geloof dat u met mevrouw Hawkin langs de huizen in het dorp bent gegaan?' vroeg Clough.

'Ik kon haar toch niet alleen laten gaan?' vroeg Kathy strijdlustig.

'Hoe kwam u erachter dat Alison werd vermist?'

'Door onze Derek. Hij heeft het de laatste tijd niet zo goed op school gedaan als hij had moeten doen, dus besloot ik ervoor te zorgen dat hij zijn huiswerk goed maakte. In plaats van hem na school met Alison en hun nichtje Janet mee te laten gaan, heb ik hem thuisgehouden.'

'Ze zet hem aan de keukentafel en laat hem al het werk doen dat zijn leraren hebben opgegeven voordat hij naar de meisjes mag. Een grote tijdverspilling als je het mij vraagt. De jongen wordt toch gewoon boer, net als ik,' onderbrak Mike Lomas hen mompelend.

'Niet als het aan mij ligt,' zei Kathy grimmig. 'Weet je wat ik tijdverspilling vind? Die platenspeler die Phil Hawkin voor Alison heeft gekocht. Derek en Janet zitten daar altijd; naar de nieuwste platen te luisteren. Derek wilde vanavond zo graag naar Alison. Ze heeft net de nieuwe nummer één van de Beatles: "I Want To Hold Your Hand". Maar ik heb hem pas na het eten laten gaan. Het was kort voor zevenen. Hij was binnen vijf minuten terug en vertelde dat Alison met Shep was gaan wandelen en niet terug was gekomen. Ik ben er natuurlijk meteen heen gegaan om te kijken wat er aan de hand was.

Ruth was helemaal over haar toeren. Ik zei dat ze bij iedereen in het dorp moest gaan kijken voor het geval Alison bij iemand op bezoek was gegaan en de tijd was vergeten. Ze zit altijd bij de oude Ma Lomas, zij en haar neefje Charlie... ze houden die ouwe heks gezelschap en luisteren naar haar verhalen over vroeger. Als Ma eenmaal op gang komt, kun je er de hele avond zitten. Ze is een geweldige verhalenverteller, Ma, en Alison is er gek op.'

Ze zocht een wat gerieflijker houding tegen het gasfornuis.

Clough kon merken dat ze op gang was gekomen en hij besloot haar te laten gaan en af te wachten waar het verhaal heen zou leiden. Hij knikte. 'Ga door, mevrouw Lomas.'

'Nou, we wilden net op weg gaan toen Phil binnenkwam. Hij zei dat hij in zijn donkere kamer was geweest, aan het rotzooien met die foto's van hem, en nog maar net had gezien hoe laat het was. Hij bleef maar vragen waar zijn eten was en waar Alison was. Ik zei dat er belangrijker dingen waren om aan te denken dan zijn buik, maar Ruth gaf hem een bord van de stoofpot die ze had opstaan. Daarna hebben we hem laten eten en zijn wij de deuren langsgegaan.' Ze stopte abrupt.

'Dus u hebt Alison niet meer gezien sinds ze terug is gekomen van school en uit de auto is gestapt.'

'Landrover,' gromde Mike Lomas.

'Neem me niet kwalijk?'

'Het was een Landrover, geen auto. Niemand heeft hier een gewone auto,' zei hij minachtend.

'Nee, ik heb haar niet meer gezien sinds ze de keukendeur binnenliep,' zei Kathy. 'Maar jullie vinden haar, hè? Ik bedoel, dat is jullie werk. Jullie vinden haar toch?'

'We doen ons best.' Het was Cragg die met de oude placebo-formule kwam.

Voordat ze het kwade weerwoord kon uiten dat Tommy Clough zag aankomen, zei hij snel: 'Hoe zit het met uw zoon, mevrouw Lomas? Is hij waar hij hoort te zijn?'

Haar mond viel geschokt open. 'Derek? Waarom zou hij dat niet zijn?'

'Misschien om dezelfde reden als waarom Alison niet is waar ze hoort te zijn.'

'Dat kunnen jullie niet maken!' Met vuurrode wangen en ogen die zich vernauwden van woede sprong Mike Lomas overeind.

Clough glimlachte en spreidde zijn handen uit in een verzoenend gebaar. 'Nee, begrijp me niet verkeerd. Ik bedoelde alleen dat jullie het beter kunnen controleren voor het geval hem iets is overkomen.'

Tegen de tijd dat George over de overstap was geklommen, waren de lichtbundels van het opsporingsteam niet meer dan een zwak geflikker in de verte. Door de manier waarop de gele stralen plotseling en willekeurig leken te verdwijnen en weer op te duiken, vermoedde hij dat ze een stukje bos waren binnengegaan. Hij knipte de zaklantaarn aan die hij had geleend uit de Landrover van de politie waarmee een paar van de mannen uit Buxton waren gekomen en haastte hij zich over de ongelijke pollen van grof gras.

Sneller dan hij had verwacht, doemden de bomen voor hem op. Eerst zag hij alleen dicht kreupelhout, maar toen hij met zijn zaklantaarn heen en weer bewoog, ontdekte hij een smal pad van aangestampte aarde. George dook het bosachtige terrein in en probeerde zijn haast met voorzichtigheid te beteugelen. De lichtbundel maakte krankzinnige schaduwen die in elke richting wegdansten, waardoor hij zich beter op het pad moest concentreren dan hij op het veld had hoeven doen. Bevroren bladeren kraakten onder zijn voeten, zo nu en dan striemde een tak zijn gezicht of beroerde die zijn schouders, en overal werd hij overvallen door de rottende, paddestoelachtige geur van het bos. Ongeveer op elke twintig meter deed hij zijn zaklantaarn uit om zijn positie op te nemen ten opzichte van de lichten voor hem. Hij werd opgeslokt door de absolute duisternis, maar hij kon het gevoel moeilijk van zich afzetten dat hij werd gadegeslagen door verborgen ogen die al zijn bewegingen volgden. Het was een opluchting om zijn zaklantaarn weer aan te knippen. Toen hij een paar minuten in het bos was, werd hij zich ervan bewust dat de lichten voor hem niet meer verder gingen. Hij begon aan een sprint die hem bijna languit over een boomwortel deed vliegen en botste bijna op een agent die gehaast op zijn schreden terugkeerde.

'Hebben jullie haar gevonden?' hijgde George.

'Helaas niet, meneer. Maar we hebben de hond gevonden.'

'Levend?'

De man knikte. 'Ja, maar hij is vastgebonden.'

'En hij blaft niet?' vroeg George ongelovig.

'Iemand heeft zijn snuit dichtgeplakt. Het arme dier kon nauwelijks jammeren. Agent Miller heeft me teruggestuurd om brigadier Lucas te halen voordat we iets zouden doen.'

'Ik neem de verantwoordelijkheid nu over,' zei George resoluut. 'Maar ga evengoed maar terug en vertel brigadier Lucas wat er is gebeurd. Ik denk dat het verstandig is om mensen uit dit stuk bos te houden tot het weer licht wordt. Wat er ook met Alison Carter is gebeurd, er kan bewijsmateriaal zijn dat wij op dit moment aan het vernietigen zijn.'

De agent knikte en begon in een drafje het pad af te lopen. 'Die verdomde berggeiten die ze hier fokken,' mopperde George, terwijl hij struikelend verder liep over het pad.

De open plek waar hij op uitkwam, was een spel van lichtbundels en vreemde lange schaduwen. Aan de overkant trok een zwart met witte collie aan een touw dat om een boom was gebonden. Vochtige bruine irissen staken af tegen het wit van zijn uitpuilende ogen. Het matroze van de hansaplast die rond zijn snuit was geplakt, viel volkomen uit de toon in die landelijke omgeving. George was zich bewust van de blikken van de agenten, die hem nieuwsgierig opnamen.

'Ik denk dat we die hond uit zijn lijden moeten verlossen. Wat denk jij, agent Miller?' vroeg hij, zich tot de man van de hondenbrigade wendend, die samen met Prince methodisch de open plek afzocht.

'Ik denk dat die het daar wel mee eens zal zijn, meneer,' zei Miller. 'Ik zal Prince een beetje uit de buurt houden zodat hij hem niet aan het schrikken maakt.' Met een ruk aan de riem en een kort commando liep hij naar de andere kant van de open plek. George merkte dat de hond nog steeds verwoed aan het zoeken was zoals hij eerder bij het huis had gedaan.

'Is hij het spoor kwijt?' vroeg hij, plotseling bezig met belangrijker zaken dan het ongemak van een hond.

'Het spoor lijkt hier te eindigen,' zei de man van de hondenbrigade. 'Ik ben de hele open plek twee keer rond geweest en ik ben het pad in de andere richting een stukje afgegaan, maar er is niets te vinden.'

George voelde een huivering vanuit zijn maag omhoogtrekken.

'Zou dat betekenen dat ze hier weggedragen is?' vroeg hij.

'Daar lijkt het op,' zei Miller grimmig. 'Eén ding is zeker. Ze is hier niet vandaan gelopen tenzij ze rechtsomkeert heeft gemaakt en teruggegaan is naar huis. En als ze dat gedaan heeft, waarom zou ze dan de hond vastbinden en muilkorven?'

'Misschien wilde ze haar moeder besluipen? Of haar stiefvader?' merkte een van de agenten voorzichtig op.

'De hond zou niet tegen ze geblaft hebben. Dan was er dus geen reden geweest om haar te muilkorven of achter te laten,' zei Miller.

'Tenzij ze dacht dat de een of de ander met een vreemde zou zijn,' zei George meer bij zichzelf.

'Nou, volgens mij heeft ze deze plek nooit op eigen kracht verlaten.' Miller sprak heel beslist terwijl hij met zijn hond het pad afliep.

George liep voorzichtig naar de vastgebonden hond. Het gejammer dat uit de keel van het dier kwam, veranderde in een zacht grommen. Hoe had Ruth Hawkin hem genoemd? Shep, dat was het. 'Oké, Shep,' zei hij zacht, en hij stak zijn hand uit om de hond aan zijn vingers te laten snuffelen. Het gegrom stierf weg. George trok zijn broek op en knielde neer. De bevroren grond voelde ruw en onaangenaam aan onder zijn knieën. Hij merkte automatisch dat de pleister van het dikkere soort was, van een rol die vijf centimeter breed was en in het midden een één centimeter brede, dikkere strook gaas had. 'Rustig maar, beestje,' zei hij, terwijl hij het dikke haar van het nekvel greep om zijn kop stil te houden. Met zijn andere hand plukte hij aan het uiteinde van de pleister tot hij voldoende los had om te kunnen trekken. Hij keek op. 'Wil een van jullie even hier komen en de kop van de hond vasthouden terwijl ik dit spul eraf haal?'

Een van de agenten ging schrijlings over de zenuwachtige collie heen zitten en greep zijn kop stevig vast. George pakte het uiteinde van de strook hansaplast en trok zo hard hij kon. Binnen een minuut had hij het laatste deel los, waarbij hij maar net ontsnapte aan de happende tanden van het dier, dat in paniek was doordat er met de pleister grote plukken haar werden losgerukt. De agent achter de hond sprong haastig weg toen die zich omdraaide om zijn kansen op hem te beproeven. Zodra hij besefte dat zijn snuit vrij was, liet Shep zich op de grond zakken en begon woest tegen de mannen te blaffen. 'Wat doen we nu?' vroeg een van de agenten.

'Ik ga hem losmaken en kijken waar hij ons heen wil leiden,' zei George met meer zelfvertrouwen dan hij voelde. Hij liep voorzichtig naar de hond, maar die leek hem niet te willen aanvallen. Hij haalde zijn zakmes te voorschijn en sneed het touw door. Dit was gemakkelijker dan de knoop losmaken terwijl de hond eraan trok. En het had het voordeel dat de knoop bewaard bleef voor het geval er iets aan te vinden was. George verwachtte dat niet; het leek veel op een gewone dubbele platte knoop.

Shep sprong onmiddellijk naar voren. George was zo verrast dat hij een verwonding aan zijn duim opliep terwijl hij de herdershond probeerde vast te houden. 'Verdomme!' barstte hij uit toen het touw door zijn vingers gleed en zijn huid brandde. Een van de agenten probeerde het touw nog te grijpen terwijl de hond wegvluchtte, maar het was vergeefs. George omklemde zijn bloedende hand en keek hulpeloos toe hoe de hond het pad afrende dat Miller en Prince vanaf de open plek hadden genomen.

Even later was het geluid van een schermutseling te horen en de stem van Miller, die streng schreeuwde: 'Zit.' Toen was het stil. En toen klonk er een angstaanjagend gehuil door de nacht.

George haalde een zakdoek uit zijn zak en volgde het spoor van de hond. Zo'n tien meter het bos in kwam hij bij Miller en de twee honden. Prince lag op de grond met zijn snuit tussen zijn voorpoten. Shep zat op de grond. Zijn kop was naar de hemel gericht en zijn bek ging open en dicht in een bloedstollend gehuil. Miller hield het touw vast om de trekkende collie in bedwang te houden. 'Hij lijkt deze kant op te willen,' zei Miller, en hij gebaarde met zijn hoofd naar het pad dat wegliep van de open plek.

'Laten we hem dan maar volgen,' zei George. Hij wikkelde zijn zakdoek om zijn bloedende duim en nam het touw over van de hondenman. 'Kom op, beestje,' moedigde hij de collie aan. 'Laat het me maar zien.' Hij schudde met het touw.

Shep kwam onmiddellijk overeind en begon kwispelend het pad af te lopen. Ze baanden zich een paar minuten lang een weg tussen de bomen door en kwamen toen aan de oever van een smal, snelstromend riviertje. De hond ging abrupt zitten en keek naar hem achterom; zijn tong hing uit zijn bek en zijn ogen stonden verbijsterd.

'Dat moet de Scarlaston zijn,' klonk Millers stem achter hem. 'Ik wist dat die hier ergens ontsprong. Een gekke rivier. Ik heb horen vertellen dat hij gewoon min of meer uit de grond sijpelt. Als we een droge zomer hebben, verdwijnt hij soms helemaal.'

'Waar loopt hij heen?' vroeg George.

'Dat weet ik niet precies. Volgens mij komt hij ofwel op de Derwent of op de Manifold uit, ik kan me niet herinneren welke van de twee. U zou op een kaart moeten kijken.'

George knikte. 'Dus als Alison van de open plek is weggedragen, raken we het spoor hier toch kwijt.' Hij zuchtte, wendde zich af en liet zijn zaklantaarn op zijn horloge schijnen. Het was bijna kwart voor tien. 'We kunnen niets meer doen in het donker. Laten we maar teruggaan naar het dorp.'

Hij moest Shep zo ongeveer wegslepen van de oever van de Scarlaston. Terwijl ze langzaam hun weg terugzochten naar Scardale piekerde George over de verdwijning van Alison Carter. Hij begreep er niets van. Iemand die meedogenloos genoeg was om een jong meisje te ontvoeren, zou toch geen genade kennen voor een hond? Vooral niet voor zo'n levendige hond als Shep. Hij kon zich niet voorstellen dat een hond met de energie van een collie zich gedwee een laag pleister om zijn snuit zou laten plakken. Tenzij Alison het zelf had gedaan?

Als het Alison was geweest, had ze dan op eigen initiatief gehandeld of was ze gedwongen geweest haar eigen hond het zwijgen op te leggen? En als ze er zelf een reden voor had gehad, waar was ze nu dan? Als ze was weggelopen, waarom had ze de hond dan niet meegenomen om haar te beschermen, op zijn minst tot het licht zou worden? Hoe meer hij erover nadacht, hoe minder hij ervan begreep.

George sjokte het bos uit en het veld over met de weerspannige hond op zijn hielen. Hij vond brigadier Lucas in gesprek met agent Grundy bij het licht van een stormlamp die achter in de Landrover hing. Hij legde kort uit wat er in het bos was gebeurd. 'Het heeft geen zin om daar in het donker rond te lopen,' zei hij. 'Wat we het beste kunnen doen, denk ik, is een paar man op wacht zetten en zodra het licht wordt de omgeving centimeter voor centimeter afzoeken.'

Beide mannen keken hem aan alsof hij zijn verstand had verloren. 'Neem me niet kwalijk, meneer, maar als het de bedoeling is de dorpelingen uit het bos te houden, heeft het niet veel zin hier een paar mannen neer te zetten en bevriezingsverschijnselen te laten oplopen,' zei Lucas vermoeid. 'De mensen hier kennen de omgeving veel beter dan wij. Als zij die bossen in willen, dan doen ze dat zonder dat wij erachter komen. Bovendien geloof ik niet dat er nog iemand is die niet vrijwillig heeft aangeboden om te helpen zoeken. Als wij ze uitleggen hoe het zit, zullen ze de laatsten zijn die mogelijke aanwijzingen willen vernietigen.'

George besefte dat dit logisch klonk. 'En hoe zit het met buitenstaanders?'

Lucas haalde zijn schouders op. 'Het enige wat we hoeven te doen is een wacht bij het hek aan de weg zetten. Ik denk niet dat iemand enthousiast genoeg is om uit het volgende dal hierheen te komen wandelen. Het pad langs de oever van de Scarlaston is bij het mooiste weer al verraderlijk, laat staan op een winterse vriesnacht.'

'Ik ga met plezier op je oordeel af, brigadier,' zei George. 'Ik neem aan dat jouw mannen de huizen en de bijgebouwen hebben doorzocht?'

'Dat klopt. Geen spoor van het meisje,' zei Lucas. Zijn van nature opgewekte gezicht stond zo somber als hij het maar voor elkaar kon krijgen. 'In het gebouw aan de achterkant van het grote huis ontwikkelt de landheer zijn foto's. Er is geen plaats waar een meisje zich kan verstoppen.'

Voordat George kon reageren, verschenen Clough en Cragg uit de schaduwen van de dorpsweide. Ze zagen er allebei net zo koud uit als hij zich voelde en hadden de kraag van hun zware winterjacks omhooggezet tegen de ijzige wind die door het dal gierde. Cragg bladerde terug in zijn notitieboekje. 'Enige vooruitgang geboekt?' vroeg George.

'Niet merkbaar,' klaagde Clough, terwijl hij de groep een sigaret aanbood. Cragg was de enige die er een nam. 'We hebben met iedereen gepraat, dus ook met dat neefje en nichtje waarmee ze uit school is gekomen. Het was de beurt van mevrouw Kathy Lomas om ze bij de weg op te pikken, wat ze regelmatig doet. Ze heeft Alison voor het laatst gezien toen het meisje de keukendeur van het grote huis binnenging. De moeder heeft dus de waarheid gesproken toen ze zei dat het meisje heelhuids is thuisgekomen. Mevrouw Lomas is met haar zoon naar huis gegaan en heeft Alison niet meer gezien. Niemand heeft ook maar een spoor van het kind gezien nadat ze uit school is thuisgekomen. Het is alsof ze in rook is opgegaan.'

4

Donderdag 12 december 1963, 1.14 uur

George stond in de consistoriekamer en keek gelaten om zich heen. In het bleke, gelige licht zag de ruimte er een beetje groezelig en klein uit, waarbij de lichtgroene wanden de kerkelijke sfeer versterkten. Maar ze hadden een crisiscentrum nodig dat groot genoeg was om een onderkomen te bieden aan een rechercheteam en aan de uniformdienst en er waren maar heel weinig geschikte ruimtes in de buurt van Scardale. Peter Grundy had zo snel niets anders kunnen vinden dan het dorpshuis in Longnor of deze deprimerende aanbouw van de methodistenkerk, die net voorbij de afslag naar Scardale aan de hoofdweg stond. De ruimte bevond zich niet alleen dichter bij Scardale, wat een voordeel was, maar beschikte ook over een telefoonlijn in, wat volgens het bordje op de deur, de consistorie- en kleedkamer moest zijn.

'Maar goed dat methodisten zich niet hoeven om te kleden,' zei George terwijl hij op de drempel stond en de veredelde kast bekeek. 'Maak een aantekening, Grundy. We hebben ook een veldtelefoon nodig.'

Grundy voegde de telefoon toe aan een lijst die al zaken omvatte als typemachines, formulieren voor getuigenverklaringen, landkaarten op verschillende schaal, archiefkaarten en -dozen, kiesregisters en telefoonboeken. Tafels en stoelen waren geen probleem; de zaal was er uitstekend van voorzien. George wendde zich tot Lucas. 'We moeten een plan maken voor morgenochtend,' zei hij vastberaden. 'Laten we een stoel pakken en bespreken wat we moeten doen.'

Ze zetten een tafel en stoelen neer, recht onder een van de elektrische kachels die aan de plafondbalken waren bevestigd. De kachel maakte nauwelijks indruk op de ijzige nachtlucht, maar de mannen waren blij met elk beetje warmte. Grundy verdween naar de kleine keuken en kwam terug met drie koppen en een schotel. 'Als asbak,' zei hij, en hij duwde de schotel over de tafel naar George. Toen haalde hij een thermosfles uit zijn overjas en zette die met een klap op de tafel.

'Waar heb je die vandaan?' vroeg Lucas.

'Betsy Crowther, Meadow Cottage,' zei Grundy. 'Een nicht van mijn vrouw van moederskant.' Hij draaide de fles open en George keek begerig naar de ontsnappende dampwolk.

Gesterkt door thee en sigaretten begonnen de drie mannen een plan op te stellen. 'We hebben alle agenten nodig die we maar kunnen krijgen,' zei George. 'We moeten heel Scardale uitkammen, maar als we daar niets vinden, zullen we de zoektocht moeten uitbreiden naar de loop van de Scarlaston. Ik zal contact opnemen met het regionale reserveleger om te vragen of ze nog wat mensen hebben die ons kunnen helpen zoeken.'

'Als we het net uitbreiden, kan het de moeite waard zijn om de jachtvereniging van High Peak om hulp te vragen,' zei Lucas, die over zijn thee gebogen zat om niets van de warmte ervan verloren te laten gaan. 'Hun jachthonden zijn goede speurhonden en de jagers kennen het gebied.'

'Ik zal het onthouden,' zei George. Hij inhaleerde de rook van zijn sigaret alsof deze zijn bevroren binnenste kon verwarmen. 'Grundy, ik wil graag dat jij een lijst maakt van alle boeren binnen een straal van, laten we zeggen, acht kilometer. Zodra het licht wordt, sturen we wat mannen naar hen toe om te vragen of ze willen controleren of het meisje zich op hun grond bevindt. Als ze wilde weglopen, is het goed mogelijk dat ze een ongeluk heeft gehad terwijl ze in het donker ronddwaalde.'

Grundy knikte. 'Ik ga ermee bezig, maar kan ik nog één ding naar voren brengen?' George knikte. 'Gisteren hadden we de Leekster veemarkt en kerstshow. Slacht- en melkvee. Mooi prijzengeld en alles. Dat betekent dus dat er veel meer verkeer dan normaal is geweest op de wegen in de buurt. Die show trekt heel wat mensen naar Leek, of ze nou vee laten meedoen of niet. Sommigen zullen meteen hun kerstinkopen hebben gedaan. Het is mogelijk dat ze onderweg waren naar huis rond de tijd dat Alison verdween. Dus als het meisje zich op een van die wegen bevond, is er een meer dan gemiddelde kans dat iemand haar heeft gezien.'

'Goed idee,' zei George, die een aantekening maakte. 'Als je met de boeren praat, kun je ook daarnaar vragen. En ik zal het tijdens de persconferentie noemen.'

'Persconferentie?' vroeg Lucas argwanend. Tot nu toe had hij de professor onwillig zijn goedkeuring gegeven, maar nu zag het ernaar uit dat George Bennett Alison Carter wilde gebruiken om naam voor zichzelf te maken. Het was een stap die geen indruk kon maken op de brigadier.

George knikte. 'Ik heb al contact gehad met het hoofdbureau en ze gevraagd hier om tien uur een persconferentie te organiseren. We hebben alle hulp nodig die we kunnen krijgen, en de pers kan mensen sneller bereiken dan wij. Het kan weken duren voordat we in contact zijn geweest met iedereen die gisteren naar de markt in Leek is geweest, en misschien hebben we ze dan nog lang niet allemaal bereikt. Maar als de pers er aandacht aan besteedt, zal het een kwestie van dagen zijn voordat iedereen op de hoogte is. We hebben het geluk dat de *High Peak Courant* vandaag verschijnt, dus ze moeten het nieuws tegen het eind van de middag op straat kunnen hebben. Publiciteit is cruciaal in zaken als deze.'

'Het lijkt onze collega's in Manchester en Ashton niet veel opgeleverd te hebben,' zei Lucas twijfelend. 'Behalve het verspillen van politietijd met het najagen van valse aanwijzingen.'

'Als ze van huis is weggelopen, zal ze zich moeilijker verborgen kunnen houden. En als ze door iemand is meegenomen, hebben we een grotere kans een getuige te vinden,' zei George vastbesloten. 'Ik heb met commissaris Martin gesproken, en hij is het ermee eens. Hij komt hier zelf voor de persconferentie naartoe. En hij heeft bevestigd dat ik de algemene leiding heb over het onderzoek,' voegde hij eraan toe met een licht gevoel van verlegenheid over zijn assertiviteit.

'Dat is logisch,' zei Lucas. 'U bent er tenslotte vanaf het eerste moment bij betrokken geweest.' Hij stond op, duwde zijn stoel achteruit en boog zich voorover om zijn sigaret uit te maken. 'Zo, zullen we dan maar naar Buxton gaan? Ik zou niet weten wat we hier nog kunnen doen. De mensen van de dagploeg kunnen de zaak hier opzetten als ze om zes uur komen.'

Persoonlijk was George het met hem eens. Maar hij wilde nog niet weg. Aan de andere kant wilde hij ook niet de indruk wekken dat hij gebruik maakte van zijn positie door erop te staan dat ze doelloos zouden blijven rondhangen. Met lichte tegenzin volgde hij Lucas en Grundy naar de auto. Er werd weinig gezegd op de terugweg naar Longnor om Grundy af te zetten, en nog minder tijdens de kleine tien kilometer terug naar Buxton. Beide mannen waren moe, en beiden werden in beslag genomen door verontrustende gedachten.

Terug op het regionale hoofdbureau in Buxton liet George de brigadier een lijst van opdrachten uittypen voor de dagploeg en de extra agenten die uit andere delen van het district waren opgeroepen. Hij ging achter het stuur van zijn auto zitten en rilde van de vlaag koude lucht die uit de ventilatieopeningen in het dashboard kwam toen hij de motor startte. Binnen tien minuten stopte hij voor het huis dat het politiekorps van Derbyshire geschikt had bevonden voor een getrouwde man van zijn rang. Een half vrijstaand met natuursteen bekleed huis met drie slaapkamers dat, dankzij een scherpe bocht in de straat, omgeven was door een royale tuin. Vanuit de keuken en de slaapkamers aan de achterkant hadden ze uitzicht op de bossen van Grin Low, die zich langs de bergkam uitstrekten naar het begin van Axe Edge en de onverbiddelijke kilometers heidegrond waar Derbyshire overging in Staffordshire en Cheshire.

George stond in de door de maan verlichte keuken en keek naar het onherbergzame landschap. Hij had plichtsgetrouw de broodjes uit de koelkast gepakt en een pot thee voor zichzelf gezet, maar hij had geen hap gegeten. Hij had niet eens kunnen vertellen waar de broodjes mee belegd waren. Anne had een dun stapeltje kerstkaarten op de tafel laten liggen, zodat hij ze kon bekijken, maar hij liet ze liggen. Hij hield het fragiele theekopje in zijn sterke, vierkante handen en dacht aan het geteisterde gezicht van Ruth Hawkin toen hij de hond had teruggebracht en haar gestoord had in haar persoonlijke wake.

Hij had haar bij het aanrecht aangetroffen, waar ze naar de duisternis achter het huis stond te staren. Nu hij erover nadacht, vroeg hij zich af waarom ze haar aandacht niet op de voorkant van het huis had gericht. Als Alison terug zou komen, zou ze waarschijnlijk toch uit de richting komen van de dorpsweide en de velden, de richting waarin ze die middag op pad was gegaan. En eventueel nieuws zou ook van die kant komen. Misschien, dacht George, was het zien van de politiemensen in het vertrouwde dorpsbeeld te veel voor Ruth Hawkin, misschien herinnerde dit haar te pijnlijk en te heftig aan de afwezigheid van haar dochter.

Wat de reden ook mocht zijn geweest, ze had daar uit het raam staan staren, met haar rug naar haar man en naar de agente, die nog steeds ongemakkelijk aan de keukentafel zat om een medeleven te tonen dat duidelijk niet gewenst was. Ruth had zich niet eens bewogen toen hij de deur had geopend. Het was het geluid van de poten van de hond op de plavuizen geweest dat haar ogen had weggetrokken van het raam. Toen ze zich omdraaide, had de hond zich op de vloer laten zakken en was jammerend, op zijn buik, naar Ruth gekropen.

'We hebben Shep vastgebonden in het bos gevonden,' had George gezegd. 'Iemand had zijn bek dichtgeplakt. Met hansaplast.'

Ruths ogen werden groot en haar mond vertrok in een grimas van pijn. 'Nee,' riep ze zwakjes uit. 'Dat kan niet waar zijn.' Ze zakte op haar knieën naast de hond neer, die zich in een parodie op een kruiperige verontschuldiging rond haar enkels had gekronkeld. Ruth begroef haar gezicht in de vacht van de hond en drukte het dier als een kind tegen zich aan. Een lange roze tong likte haar oor.

George keek naar Hawkin. De man schudde zijn hoofd en zag er oprecht verbijsterd uit. 'Dat begrijp ik niet,' zei Hawkin. 'Het is Alisons hond. Hij zou nooit toestaan dat iemand Alison kwaad zou doen.' Hij barstte in een vreugdeloos lachje uit. 'Ik hief mijn hand een keer tegen haar op, en de hond had mijn mouw te pakken voor ik haar kon aanraken. De enige die dat met de hond kan hebben gedaan, is Alison zelf. Het zou Ruth of mij niet eens lukken om zoiets te doen, laat staan een onbekende.'

'Misschien had Alison geen andere keuze,' zei George zacht.

Ruth keek op, en haar gezicht werd vervormd door het besef dat haar eerdere angsten misschien echt werkelijkheid zouden worden. 'Nee,' zei ze, en haar stem was een schorre smeekbede. 'Niet mijn Alison. God, alsjeblieft, niet mijn Alison.'

Hawkin stond op en liep naar zijn vrouw. Hij hurkte naast haar neer en sloeg onhandig een arm om haar schouders. 'Je moet jezelf niet van streek maken, Ruth,' zei hij met een snelle blik naar George. 'Daarmee help je Alison niet. We moeten sterk blijven.' Hawkin leek zich te generen voor de bezorgdheid die hij zijn vrouw toonde. George had genoeg mannen gezien die zich ongemakkelijk voelden bij elk vertoon van emotie, maar hij had zelden iemand ontmoet die er zo verlegen mee was.

Hij had een geweldig medelijden met Ruth Hawkin. Het was niet voor het eerst dat George gezien had hoe een huwelijk barsten ging vertonen onder het gewicht van een groot onderzoek. Hij had nog geen uur in het gezelschap van dit echtpaar doorgebracht, maar hij wist instinctief dat hij hier niet zozeer een barst zag maar een grote breuk. Het was in elk huwelijk al moeilijk genoeg om op een gegeven moment te ontdekken dat de persoon met wie je was getrouwd niet degene was die je had gedacht, maar voor Ruth Hawkin, die nog maar zo kortgeleden was getrouwd, was het dubbel zo moeilijk omdat het boven op de ongerustheid kwam over de verdwijning van haar dochter.

Zonder er echt bij na te denken, had George zich op zijn hurken laten zakken en een hand op een van Ruths handen gelegd. 'Op dit moment kunnen we heel weinig ondernemen. Maar we doen alles wat mogelijk is. Zodra het licht is, gaan mannen op pad om het dal van de ene tot de andere kant af te zoeken. Ik beloof u dat ik Alison niet opgeef.' Ze hadden elkaar in de ogen gekeken, en hij had een mengeling van emoties gevoeld die te ingewikkeld voor hem was om ze te onderscheiden.

Terwijl hij daar naar de heidegronden stond te staren, realiseerde George zich dat hij die nacht onmogelijk zou kunnen slapen. Hij wikkelde de broodjes in vetvrij papier, vulde een thermosfles met hete thee en ging zachtjes de trap op om zijn elektrische scheerapparaat uit de badkamer te pakken.

Op de overloop stond hij stil. De deur van hun slaapkamer stond op een kier, en hij kon de verleiding niet weerstaan om een snelle blik op Anne te werpen. Met zijn vingertoppen duwde hij de deur iets verder open. Haar gezicht was een bleke vlek tegen de witte glans van het kussen. Ze lag op haar zij, en haar ene hand lag tot een vuist gebald op het kussen naast haar. God, wat was ze mooi. Hij hoefde haar alleen maar te zien slapen om naar haar te verlangen. Hij wilde dat hij zijn kleren uit kon gooien en naast haar kon kruipen, haar warmte over de hele lengte van zijn lichaam kon voelen. Maar vannacht was de herinnering aan de gekwelde ogen van Ruth Hawkin te sterk.

Hij zuchtte zacht en wendde zich af. Een halfuur later was hij terug in de consistoriekamer en stond hij naar Alison Carter te staren. Hij had vier van de foto's die Hawkin van haar had gemaakt op het mededelingenbord geprikt. De andere had hij op het politiebureau achtergelaten met het verzoek hiervan met spoed kopieën te maken, zodat ze verspreid konden worden tijdens de persconferentie. De dienstdoende brigadier leek niet zeker te weten of ze op tijd klaar konden zijn. George had hem heel duidelijk gemaakt wat hij verwachtte.

Zorgvuldig spreidde hij de topografische kaart van het gebied uit en probeerde hem te bestuderen door de ogen van iemand die besloten had weg te lopen, of van iemand die besloten had een ander van het leven te beroven.

Daarna liep hij de kerk uit en begon te voet de smalle landweg naar Scardale op te lopen. Na enkele meters al was het zwakke gelige licht uit de hoge ramen van de zaal opgeslokt door de alles overschaduwende nacht. Het enige lichtschijnsel was afkomstig van de sterren die bij vlagen tussen de wolken door te zien waren. Het kostte hem veel tijd om te voorkomen dat hij zou struikelen over de graspollen aan de rand van de weg.

Geleidelijk aan zetten zijn pupillen zich uit tot hun maximale grootte en kon hij weer wat beelden onderscheiden van de geesten en schaduwen van het landschap. Maar tegen de tijd dat ze veranderden in hagen en bomen, schaapskooien en hekken, had de kou hem in haar greep. Stadsschoenen met dunne zolen waren niet opgewassen tegen bevroren grond, en zelfs zijn met katoen gevoerde leren handschoenen waren niet bestand tegen de ijzige vlagen die de landweg van Scardale als een windtunnel leken te gebruiken. In zijn ogen en neus had hij geen gevoel meer behalve pijn. Na anderhalve kilometer gaf hij het op. Als Alison Carter in dit weer buiten was, moest ze wel heel wat wintervaster zijn dan hij, concludeerde hij.

Dat, of inmiddels gevoelloos.

Manchester Evening News, donderdag 12 december 1963, p. 11

Kamperende jongen doet hoop herleven in zoektocht naar John

POLITIE HAAST ZICH NAAR EENZAME MOOIE PLEK

Van onze verslaggever

De politie die het onderzoek doet naar de verdwijning van de 12-jarige John Kilbride uit Ashton-under-Lyne heeft zich haastig naar een mooie, maar afgelegen plek begeven aan de rand van de stad.
Men had daar een kamperende jongen gezien en kreeg weer hoop toen gemeld werd dat de jongen gezond en wel was. Maar het bleek een vals alarm te zijn.
De jongen die gevonden werd, werd ook vermist en was ongeveer van dezelfde leeftijd als John, maar het bleek de 11-jarige David Marshall te zijn van Gorse View, Alt Estate, Oldham.
Hij werd nog maar twee uur vermist.
Nadat hij thuis 'problemen had gekregen', had hij wat bezittingen – en een tent – gepakt en was gaan kamperen bij een boerderij in Lily Lanes, bij de grens tussen Ashton en Oldham.
Het was het zoveelste frustrerende incident in de nu 19 dagen oude zoektocht naar John, van Smallshaw Lane, Ashton.
Een politiewoordvoerder zei vandaag: 'We dachten echt dat we iets hadden. Maar we zijn in elk geval blij dat we deze jongen weer veilig en wel naar huis hebben kunnen brengen.'
David was op zijn eenzame bivak opgemerkt door een bezoeker aan de boerderij, die onmiddellijk de politie waarschuwde.
'Hier blijkt wel uit dat het publiek echt meewerkt,' zei de politie.

Donderdag 12 december 1963, 7.30 uur

Janet Carter deed George denken aan een kat die zijn zuster ooit had gehad. Haar driehoekige gezicht, met zijn brutale neus, wijd open ogen en kleine mond als een rozenknop, had de geslotenheid en waakzaamheid van een gedomesticeerd roofdier. Ze had zelfs wat verspreide kleine bobbeltjes aan beide kanten van haar bovenlip, alsof iemand haar snorharen had uitgetrokken. Ze zaten tegenover elkaar aan de tafel in de lage keuken van haar ouderlijk huis in Scardale. Janet zat kieskeurig van een stukje beboterde toast te eten, waarbij haar kleine, scherpe tanden vanaf elke hoek halvemaantjes wegknabbelden. Haar ogen waren neergeslagen, maar zo nu en dan wierp ze hem door haar lange wimpers een steelse blik toe.

Zelfs toen hij jonger was, had hij zich nooit op zijn gemak gevoeld bij pubermeisjes, wat een logisch gevolg was van het feit dat hij een drie jaar ouder zusje had; haar vriendinnetjes hadden de jonge George eerst als een gemakkelijk speeltje beschouwd en later als een prachtig proefterrein voor de geestigheden en charmes die ze van plan waren op oudere doelwitten uit te proberen. George had zich soms gevoeld als het menselijke equivalent van de oefenwieltjes van de eerste fiets van een kind. Het enige voordeel dat hij aan de ervaring had overgehouden, was dat hij meende te weten wanneer een tienermeisje loog, wat meer was dan de meeste van de mannen die hij kende voor elkaar wisten te krijgen.

Maar zelfs die zekerheid vervaagde in de confrontatie met de zelfbeheersing van Janet Carter. Haar nichtje werd vermist, met alle veronderstellingen die dat inhield, maar toch was Janet zo kalm alsof Alison alleen even een boodschap was gaan doen. Haar moeder, Maureen, had haar emoties duidelijk minder goed onder controle: haar stem trilde toen ze over haar nichtje sprak en er stonden tranen in haar ogen toen ze haar drie jongere kinderen uit het vertrek leidde zodat George met Janet kon praten. En haar vader, Ray, was al weg om zijn plaatselijke kennis te gaan bijdragen aan een van de groepen die op zoek waren gegaan naar het kind van zijn overleden broer.

'Je kent Alison waarschijnlijk beter dan wie dan ook,' zei George ten slotte, zichzelf eraan herinnerend een tegenwoordige tijd te gebruiken die steeds ongepaster leek.

Janet knikte. 'We zijn als zusjes. Ze is acht maanden en twee weken ouder dan ik, dus zitten we op school in verschillende klassen. Net als echte zusjes.'

'Jullie zijn samen opgegroeid, hier in Scardale?'

Janet knikte, en er verdween weer een nieuwe maan van toast tussen haar tanden. 'Met zijn drieën, Alison en Derek en ik.'

'Dus jullie zijn niet alleen nichtjes, maar ook echte vriendinnetjes?'

'Op school ben ik niet haar beste vriendin doordat we in verschillende klassen zitten, maar thuis wel.'

'Wat voor dingen doen jullie zoal samen?'

Janets mond vertrok zich en haar lippen tuitten zich terwijl ze een ogenblik nadacht. 'Niets bijzonders. Soms neemt Charlie, onze grote neef, ons mee naar Buxton om te gaan rolschaatsen. Soms gaan we naar de winkel, in Buxton of Leek, maar meestal zijn we gewoon hier. We gaan met de honden lopen. Soms helpen we op de boerderij, als ze mensen nodig hebben. Ali heeft een platenspeler gekregen voor haar verjaardag, dus zitten Ali en Derek en ik vaak in haar kamer naar platen te luisteren.'

Hij nam een slokje van de thee die Maureen Carter voor hem had neergezet en verbaasde zich over het feit dat iemand nog sterkere thee kon zetten dan de politiekantine. 'Heeft ze zich ergens druk om gemaakt?' vroeg hij. 'Waren er problemen, thuis of op school?'

Met gefronste wenkbrauwen hief Janet haar hoofd op en keek hem aan. 'Ze is niet weggelopen,' zei ze fel. 'Iemand moet haar hebben meegenomen. Ali zou nooit weglopen. Waarom zou ze? Er is niets om van weg te lopen.'

Misschien niet, dacht George, geschrokken van haar heftigheid. Maar misschien was er iets om voor weg te lopen. 'Heeft Alison een vriend?'

Janet ademde zwaar door haar neus. 'Niet echt. Ze is een paar keer naar de film geweest met een jongen uit Buxton. Alan Milliken. Maar het was geen afspraakje, niet echt. Ze waren met een groep, met z'n zessen. Ze vertelde dat hij geprobeerd had haar te zoenen, maar ze moest er niets van hebben. Ze zei dat hij zich mooi vergiste als hij dacht dat hij voor de prijs van een bioscoopkaartje maar kon doen waar hij zin in had.' Geanimeerd door haar uitbarsting keek Janet hem uitdagend aan.

'Er is dus niemand die ze leuk vindt? Misschien iemand die wat ouder is?'

Janet schudde haar hoofd. 'We vinden allebei Dennis Tanner leuk, van *Coronation Street*, en Paul McCartney van de Beatles. Maar dat is alleen maar dromen. Er is niet echt iemand die ze leuk vindt. Ze zegt altijd dat jongens stomvervelend zijn. Ze praten alleen maar over voetbal en met een raket naar de ruimte gaan en over de auto die ze willen hebben als ze kunnen rijden.'

'En Derek? Hoe past hij erbij?'

Janet keek verbaasd. 'Derek is... gewoon Derek. Bovendien heeft hij puistjes. Derek kun je niet leuk vinden.'

'En Charlie dan? Jullie grote neef? Ik heb gehoord dat ze veel tijd samen doorbrengen bij zijn oma.'

Janet schudde haar hoofd. Een van haar vingers dwaalde naar een puistje met een geel kopje naast haar mond. 'Ali gaat er alleen maar heen om naar de verhalen van Ma Lomas te luisteren. Charlie wóónt daar, dat is alles. Maar ik begrijp niet waarom u maar doorgaat over wie Ali leuk vindt. U zou op zoek moeten zijn naar wie haar ontvoerd heeft. Ik wed dat ze denken dat oom Phil heel rijk is, gewoon omdat hij in het grote huis woont en omdat al het land van het dorp van hem is. Ik wed dat ze op het idee zijn gekomen door die ontvoering van de zoon van Frank Sinatra vorige week. Het is vast op de televisie geweest, en in de kranten en alles. Hier hebben we geen televisie. We hebben hier geen ontvangst, dus moeten we het met de radio doen. Maar zelfs hier in Scardale hebben we ervan gehoord, dus kan een ontvoerder er heel gemakkelijk van geweten hebben en op een idee zijn gekomen. Ik wed dat ze een heleboel losgeld gaan vragen voor Ali.' Haar lippen glansden van de boter toen ze de punt van haar tong er in haar opwinding overheen liet glijden.

'Kan Alison goed met haar stiefvader opschieten?'

Janet haalde haar schouders op, alsof de vraag haar niet minder had kunnen interesseren. 'Ik denk het wel. Ze vindt het leuk om in het grote huis te wonen, dat kan ik u wel vertellen.' In Janets ogen lichtte een vonkje van plagerigheid op. 'Als iemand haar vraagt waar ze woont, zegt ze altijd ronduit: "Scardale Manor", alsof het echt iets bijzonders is. Toen we klein waren, verzon ze altijd verhalen over het grote huis. Spookverhalen en moordverhalen, en het lijkt wel of Ali denkt dat ze de grote dame is nu ze daar woont.'

'En haar stiefvader? Wat heeft ze over hem gezegd?'

'Niets bijzonders. Toen hij haar moeder het hof maakte, zei ze dat ze hem een beetje een engerd vond omdat hij altijd bij hun huis rondhing en tante Ruth allerlei cadeautjes bracht. U weet wel, bloemen, chocolade, nylons, dat soort dingen.' Ze schoof heen en weer op haar stoel en drukte tussen haar vinger en duim een puistje uit, wat ze onbewust achter haar hand probeerde te verbergen.

'Ik denk dat ze gewoon jaloers was, want ze was zo gewend om de oogappel van tante Ruth te zijn. Ze kon er niet tegen dat tante Ruth iemand anders leuk vond. Maar toen ze eenmaal getrouwd waren en al dat hofmakerijgedoe voorbij was, kon Ali het volgens mij wel met hem vinden. Hij liet haar gewoon met rust, denk ik. Hij gedraagt zich niet alsof hij erg geïnteresseerd is in iemand anders dan zichzelf. En in foto's maken. Daar is hij altijd mee bezig,' zei Janet minachtend, en ze wijdde zich weer aan haar brood.

'Foto's waarvan?' vroeg George, meer om het gesprek gaande te houden dan omdat het hem echt interesseerde.

'Landschappen. En hij maakt ook stiekem foto's van mensen die aan het werk zijn. Hij zegt dat ze er natuurlijk uit moeten zien, dus neemt hij foto's als hij denkt dat ze niet kijken. Maar hij is een nieuwkomer. Hij kent Scardale niet zoals wij het kennen. Dus als hij rondsluipt en uit het zicht probeert te blijven, weet het hele dorp dat meestal.' Ze giechelde, maar toen herinnerde ze zich waarom George daar was en sloeg ze met grote ogen haar hand voor haar mond.

'Dus voor zover jij weet had Alison geen reden om weg te lopen?'

Janet legde haar toast neer en tuitte haar lippen. 'Dat heb ik al gezegd. Ze is niet weggelopen. Ali zou niet weglopen zonder mij. En ik ben hier nog. Dus moet iemand haar meegenomen hebben. En u moet hem vinden.' Haar ogen schoten opzij, en toen George zich half omdraaide zag hij Maureen Carter in de keukendeur staan.

'Zeg het tegen hem, mam,' zei Janet met wanhoop in haar stem. 'Ik zeg het steeds, maar hij wil niet luisteren. Zeg tegen hem dat Ali niet zou weglopen. Zeg het tegen hem.'

Maureen knikte. 'Ze heeft gelijk. Als Alison problemen heeft, gaat ze er recht op af. Als haar iets dwarszat, wisten we allemaal wat het was. Wat er ook is gebeurd, het is niet uit Alisons vrije wil gebeurd.' Ze stapte naar voren en schoof Janets theekopje bij haar weg. 'Het is tijd dat jij en de kleintjes naar Derek gaan. Kathy zal jullie naar het eind van de weg rijden voor de bus.'

'Ik zou het kunnen doen,' bood George aan.

Maureen nam hem van top tot teen op, en hij werd duidelijk onvoldoende bevonden. 'Dat is aardig van u, maar ze hebben vanmorgen al genoeg meegemaakt zonder dat we hun gewone routine nog meer verstoren. Toe, Janet, trek je jas aan.'

George hief zijn hand op. 'Voor je gaat, Janet, ik heb nog één vraag. Was er een of andere speciale plek in het dal waar Alison en jij heen gingen? Een hol, een hut, dat soort dingen?'

Het meisje wierp een snelle, aarzelende blik in de richting van haar moeder. 'Nee,' zei ze, en haar stem verried het tegenovergestelde van dat woord. Toen propte Janet het laatste stukje toast in haar mond, wuifde even met haar vingers naar George en haastte zich de deur uit.

Maureen pakte het vuile bord, hield haar hoofd scheef en zei: 'Als Alison had willen weglopen, had ze het nooit zo gedaan. Ze houdt van haar moeder. Ze hadden een hechte band. Dat komt doordat ze zolang alleen zijn geweest. Alison zou Ruth nooit zoiets aandoen.'

5

Donderdag 12 december 1963, 9.50 uur

De kerkruimte had een flinke verandering ondergaan. Er waren acht schragentafels opgezet en elke tafel vormde het middelpunt van een bepaalde activiteit. Aan een van de tafels zat een agent met een veldtelefoon, die de verbinding onderhield met het hoofdbureau. Op drie andere lagen kaarten uitgespreid, waarop met dikke rode lijnen de verschillende zoekgebieden waren aangegeven. Aan de vijfde tafel zat een brigadier die omringd was door archiefkaarten, verhoorformulieren en archiefdozen om de informatie te verwerken die naar hem toe kwam. Aan de overige tafels zaten agenten op typemachines te tikken. In Buxton voerden rechercheurs gesprekken met klasgenoten van Alison Carter, terwijl het dal dat rond het dorp Scardale lag en er zijn naam mee deelde, werd uitgekamd door dertig agenten en hetzelfde aantal plaatselijke vrijwilligers.

Aan het eind van de zaal, het dichtst bij de deur, stond een halve cirkel van stoelen tegenover een echte eiken tafel. Daarachter stonden twee stoelen. Voor de tafel stond George met commissaris Martin, die hij net op de hoogte had gebracht van de ontwikkelingen. In de drie maanden sinds zijn komst naar Buxton had hij nog nooit persoonlijk contact gehad met de geüniformeerde functionaris die de algehele leiding had over het district. Hij wist dat zijn rapporten op Martins bureau hadden gelegen, maar ze hadden nog nooit rechtstreeks met elkaar over een zaak gesproken. Alles wat hij van de man wist, was gefilterd door het bewustzijn van anderen.

Martin had in de oorlog als luitenant in een infanterieregiment gediend, blijkbaar zonder enige onderscheiding of smaad. Desondanks hadden zijn jaren in het leger hem een voorkeur gegeven voor de kleinigheden van het militaire leven. Hij stond op inachtneming van rang en berispte functionarissen die hun gelijken of lageren bij de naam in plaats van de titel aanspraken. Volgens brigadier Clough kon zijn bloeddruk met een paar punten stijgen wanneer hij een voornaam in de appelruimte hoorde uitspreken. Martin voerde regelmatig inspecties uit op zijn agenten in uniform, die hij vaak afblafte als hun laarzen hun gezicht niet konden weerspiegelen of als de knopen van hun jas niet genoeg glansden. Hij had het profiel van een havik, en de ogen die erbij hoorden. Hij liep altijd in looppas en walgde naar zeggen van wat hij beschouwde als het slordige voorkomen van de functionarissen van de recherche, die formeel onder zijn verantwoordelijkheid vielen.

Maar onder de drilsergeant vermoedde George een slimme en effectieve politieman. Nu stond hij op het punt daarachter te komen. Martin had aandachtig geluisterd naar George, die een schets gaf van wat er tot op dat moment was gebeurd, waarbij zijn peper-en-zoutkleurige wenkbrauwen in een geconcentreerde frons waren samengetrokken. Met de vinger en duim van zijn rechterhand wreef hij zijn zeer verzorgde snor tegen de draad in en streek hem vervolgens weer glad. 'Sigaret?' zei hij ten slotte, en hij hield George een pakje Capstan Full Strength voor. George schudde zijn hoofd; hij gaf de voorkeur aan zijn mildere Gold Leaf met filter. Maar hij beschouwde het aanbod als toestemming en stak er onmiddellijk zelf een op. 'Dit bevalt me niets,' zei Martin. 'De hele zaak lijkt zorgvuldig gepland, denk je niet?'

'Daar ziet het wel naar uit,' zei George. Hij was onder de indruk toen hij merkte dat ook Martin het belangrijke detail van de hansaplast was opgevallen. Niemand ging gewoon een wandeling maken met een hele rol pleister op zak, zelfs de meest veiligheidsbewuste padvinderleider niet. De behandeling van de hond schreeuwde wat George betreft om voorbedachten rade, hoewel geen van zijn collega's er zoveel betekenis aan leek te hechten. 'Ik denk dat degene die het meisje heeft meegenomen bekend was met haar gewoonten. Ik denk dat hij haar een tijdje in de gaten heeft gehouden in afwachting van een geschikte gelegenheid.'

'Dus je denkt dat het iemand uit de omgeving is?' zei Martin.

George streek met zijn hand over zijn blonde haar. 'Daar lijkt het op,' zei hij aarzelend.

'Ik denk dat het goed is je daar nog niet op vast te leggen. Het is een populaire wandeling, in Denderdale omhoog naar de bron van de Scarlaston. Er moeten tientallen wandelaars zijn die dat elke zomer doen. Ze kunnen het meisje gezien hebben, alleen of met haar leeftijdgenoten, en besloten hebben terug te komen om haar te ontvoeren.' Martin knikte als om zichzelf gelijk te geven en tikte wat sigarettenas van de manchet van zijn volmaakt geperste uniformjasje.

'Dat is mogelijk,' zei George instemmend, hoewel hij zich niet kon voorstellen dat iemand een zo plotselinge obsessie zou hebben en dan maanden kon wachten op een passende gelegenheid. Maar de belangrijkste reden voor zijn onzekerheid was van andere aard. 'Wat ik eigenlijk bedoel, denk ik, is dat ik me niet kan voorstellen dat een lid van deze gemeenschap zoiets vreselijks zou doen. Ze hebben een ongelooflijk hechte band. Ze zijn gewend elkaar te steunen, dat gaat al generaties zo. Als iemand uit Scardale een van hun eigen kinderen kwaad zou doen, zou dat tegen alles ingaan waarin ze hebben leren geloven. Bovendien kan ik me moeilijk voorstellen dat een van de eigen mensen een kind zou kunnen ontvoeren zonder dat alle andere inwoners van Scardale dat zouden weten. Maar toch, als je het zo ziet, is iemand van de eigen gemeenschap het meest waarschijnlijk.' George zuchtte, verward door zijn eigen argumenten.

'Tenzij iedereen fout zit ten aanzien van de richting waarin het meisje is gegaan,' merkte Martin op. 'Misschien heeft ze gebroken met haar gewoonte en is ze over de velden omhooggelopen naar de hoofdweg. En gisteren was de veemarkt van Leek. Er zal meer verkeer dan gewoonlijk zijn geweest op de weg van Longnor. Ze kan gemakkelijk onder het voorwendsel de richting te vragen in een auto zijn gelokt.'

'Maar dan vergeet u de hond, meneer,' zei George.

Martin zwaaide ongeduldig met zijn sigaret. 'De ontvoerder kan langs de rand van het dal zijn gegaan en de hond in het bos hebben achtergelaten.'

'Dat is een groot risico, en hij had daarvoor de omgeving moeten kennen.'

Martin zuchtte. 'Dat neem ik aan. Net als jij heb ik er moeite mee om de boosdoener onder de plaatselijke bevolking te zoeken. We hebben zo'n romantisch idee van die landelijke gemeenschappen, maar helaas is dat vaak ten onrechte.' Hij wierp een blik op de klok die in de zaal hing, drukte zijn sigaret uit, trok zijn manchetten glad en rechtte zijn schouders. 'Zo, laten we de heren van de pers maar eens te woord staan.'

Hij draaide zich om naar de tafels. 'Parkinson, zeg tegen Morris dat hij de journalisten binnenlaat.'

De agent in uniform sprong overeind met een gemompeld: 'Ja, meneer.'

'Pet, Parkinson,' brulde Martin. Parkinson verstijfde en haastte zich terug naar zijn stoel. Hij zette zijn pet op zijn hoofd en rende bijna naar de deur. Hij glipte al naar buiten toen Martin er nog aan toevoegde: 'Kapper, Parkinson.' De mond van de commissaris vertrok even in wat een glimlach had kunnen zijn toen hij George voorging naar de stoelen die achter de tafel stonden.

De deur ging open en er kwamen een stuk of zes mannen de zaal binnen; om hen heen scheen zich een wazige damp te vormen toen hun koude gedaanten in contact kwamen met de bedompte warmte van de zaal. De groep werd opgebroken in personen, die lawaaiig op de klapstoelen plaatsnamen. Hun leeftijden varieerden van halverwege de twintig tot halverwege de vijftig, dacht George, hoewel dat niet gemakkelijk te zeggen was door de hoeden en petten die laag over de gezichten waren getrokken, kragen die opgezet waren tegen de koude wind en sjaals die om halzen waren gewonden. Hij herkende Colin Loftus van de *High Peak Courant*, maar de anderen waren hem onbekend. Hij vroeg zich af voor wie ze werkten.

'Goedemorgen, heren,' begon Martin. 'Ik ben commissaris Jack Martin van de politie van Buxton en dit is mijn collega inspecteur van de recherche, George Bennett. Zoals u ongetwijfeld al weet, wordt er een jong meisje uit Scardale vermist. Alison Carter, dertien jaar, is gistermiddag voor het laatst gezien om ongeveer twintig minuten over vier. Ze verliet het ouderlijk huis, Scardale Manor, om met de hond te gaan lopen. Toen ze niet terugkeerde hebben haar moeder, mevrouw Ruth Hawkin, en haar stiefvader, de heer Philip Hawkin, contact opgenomen met de politie in Buxton. De politie is daarop een zoektocht begonnen in de onmiddellijke omgeving van Scardale Manor en heeft daarbij speurhonden ingezet. De hond van Alison werd in het bos in de buurt van haar huis aangetroffen, maar van het meisje zelf is geen spoor gevonden.'

Hij schraapte zijn keel. 'Rond het middaguur zal het politiebureau in Buxton kopieën beschikbaar hebben van een recente foto van Alison.' Terwijl Martin een gedetailleerde beschrijving gaf van het uiterlijk van het meisje en haar kleding, bestudeerde George de journalisten. Hun hoofden waren gebogen, hun potloden vlogen over de bladzijden van hun blocnotes. Ze waren in elk geval geïnteresseerd genoeg om gedetailleerde aantekeningen te maken. Hij vroeg zich af hoeveel dat te maken had met de verdwijningen in Manchester. Hij kon zich niet voorstellen dat ze normaal gesproken in zulke aantallen waren gekomen voor een meisje dat nu zestien uur werd vermist uit een gehucht in Derbyshire.

Martin rondde het af. 'Als we Alison vandaag niet vinden, zullen we de zoektocht intensiveren. We weten niet wat er met haar is gebeurd, en we zijn zeer bezorgd, niet in het minst vanwege het extreem koude weer van dit moment. Als u nog vragen hebt, zullen ikzelf of inspecteur Bennett die graag beantwoorden.'

Er kwam een hoofd omhoog. 'Brian Bond, *Manchester Evening Chronicle*. Denkt u dat er opzet in het spel is?'

Martin haalde diep adem. 'Op dit punt houden we met alles rekening en sluiten we niets uit. We kunnen geen enkele reden vinden voor de verdwijning van Alison. Er waren geen problemen, thuis noch op school. Maar in dit stadium hebben we nog niets gevonden dat op opzet wijst.'

Colin Loftus stak zijn hand op, één vinger omhoog. 'Is er enige aanwijzing dat Alison een ongeluk kan hebben gehad?'

'Tot nu toe niet,' zei George. 'Zoals commissaris Martin al zei, wordt het dal op dit moment door opsporingsteams uitgekamd. Verder hebben we alle plaatselijke boeren gevraagd hun land af te zoeken, voor het geval Alison gevallen is en gewond is geraakt en niet in staat is naar huis te komen.'

De man aan de andere kant van de rij leunde achterover op zijn stoel en blies een volmaakte rookkring. 'Er lijken wat overeenkomsten te zijn tussen de verdwijning van Alison Carter en de twee vermiste kinderen in het gebied van Manchester: Pauline Reade uit Gorton en John Kilbride uit Ashton. Hebt u contact met de korpsen van Manchester en Lancashire over een mogelijk verband met hun zaken?'

'En u bent?' vroeg Martin stijfjes.

'Don Smart, *Daily News*. Regio noord.' Er vloog een glimlachje over zijn gezicht dat George deed denken aan de roofzuchtige grimas van een vos. Smart had zelfs de passende kleuren: roodachtig haar, dat onder een tweedpet uitstak, een blozend gezicht en lichtbruine ogen, die half dichtgeknepen waren tegen de rook van zijn sigaar.

George kwam tussenbeide. Deze vraag, die zijn eigen twijfels weerspiegelde, wilde hij zelf beantwoorden. 'Het is veel te vroeg voor dit soort veronderstellingen. Ik ben uiteraard op de hoogte van de zaken die u noemt, maar tot nu toe hebben we geen aanleiding gezien om contact op te nemen met onze collega's van andere korpsen, behalve over de zoektochten. De politie van Staffordshire heeft al laten weten dat ze ons alle assistentie zal verlenen als het nodig is om het gebied waarin we zoeken uit te breiden.'

Maar Smart gaf het niet zo gemakkelijk op. 'Als ik de moeder van Alison Carter was, zou ik, denk ik, niet bepaald onder de indruk zijn als ik hoorde dat de politie geen aandacht schenkt aan de sterke verbanden met de verdwijning van andere kinderen.'

Martin hief met een scherpe beweging zijn hoofd op. Hij opende zijn mond om de journalist op zijn nummer te zetten, maar George was hem voor. 'Tegenover elke overeenkomst staat een verschil,' zei hij kortaf. 'Scardale is een geïsoleerde plattelandsgemeenschap, geen drukke stad; Pauline en John zijn in het weekend verdwenen, maar hier is het midden in de week gebeurd; onbekenden zouden een bekend beeld zijn voor de andere twee, maar Alison zou onmiddellijk op haar hoede zijn als ze op een namiddag in december een onbekende in Scardale zou zien, en, het belangrijkste misschien, Alison was niet alleen, ze had haar hond bij zich. Bovendien ligt Scardale er een veertig, vijftig kilometer vandaan. Iemand die op zoek is naar een kind om te ontvoeren, zou een behoorlijke afstand moeten afleggen voor hij bij Alison Carter was. Er verdwijnen jaarlijks honderden mensen. Het zou vreemder zijn als er geen overeenkomsten waren.'

Don Smart keek George met een koele, uitdagende blik aan. 'Dank u, inspecteur Bennett. Is dat Bennett met twee t's?' was alles wat hij zei.

'Inderdaad,' zei George. 'Zijn er verder nog vragen?'

'Worden de waterreservoirs in de heuvels ook drooggelegd?' Dat was Colin Loftus weer.

'We laten u weten welke stappen we nemen en wanneer,' zei Martin kortaf. 'Tenzij iemand nog een vraag heeft, sluit ik deze persconferentie af.' Hij stond op.

Don Smart ging vooroverzitten met zijn ellebogen op zijn knieën. 'En wanneer is de volgende?' vroeg hij.

George zag Martins hals zo rood worden als de lellen van een kalkoen. Vreemd genoeg steeg de kleur niet op naar zijn gezicht. 'Als we het meisje vinden, zullen we het laten weten.'

'En als u haar niet vindt?'

'Ik ben hier morgenochtend op dezelfde tijd,' zei George. 'En elke ochtend tot we Alison gevonden hebben.'

Don Smart trok zijn wenkbrauwen op. 'Daar kijk ik dan naar uit,' zei hij, terwijl hij de plooien van zijn zware overjas om zijn smalle lichaam wikkelde en zich tot zijn volle lengte van een meter vijfenzestig verhief. De andere journalisten begaven zich al naar de deur, terwijl ze hun aantekeningen vergeleken en overwogen hoe ze hun verhalen zouden openen.

'Brutaal,' merkte Martin op toen de deur achter hen dicht ging.

'Ik neem aan dat hij gewoon zijn werk doet,' zei George zuchtend. Het laatste waar hij behoefte aan had was een lastpak als Don Smart op zijn nek, maar hij kon er weinig aan doen behalve voorkomen dat de man hem al te veel op de kast zou jagen.

Martin snoof. 'Een probleemschopper. De anderen deden hun werk zonder te insinueren dat wij niet weten hoe we ons werk moeten doen. Hou hem in de gaten, Bennett.'

George knikte. 'Wat ik nog wilde vragen, wilt u dat ik de leiding blijf voeren over het onderzoek?'

Martin fronste zijn voorhoofd. 'Inspecteur Thomas zal verantwoordelijk zijn voor de uniformdienst, maar ik denk dat jij de algehele leiding moet nemen. Hoofdinspecteur Carver van de recherche zal niet veel kanten op kunnen met zijn enkel nog in het gips. Hij heeft aangeboden om de leiding over de recherche in Buxton op zich te nemen, maar ik heb een man in het veld nodig. Kan ik op je rekenen, inspecteur?'

'Ik zal mijn best doen,' zei George. 'Ik ben vastbesloten om het meisje te vinden.'

Manchester Evening Chronicle, donderdag 12 december 1963, p. 1

POLITIE KAMT GEÏSOLEERD DAL UIT

Honden bij zoektocht naar vermist meisje

Van onze verslaggever

De politie heeft vandaag met speurhonden gezocht naar een 13-jarig meisje dat sinds gisteren in de namiddag vermist wordt uit haar ouderlijk huis in het geïsoleerde gehucht Scardale in Derbyshire.

Het meisje, Alison Carter, vertrok uit Scardale Manor, waar ze met haar moeder en stiefvader woont, om met haar hond Shep een wandeling te gaan maken.

Alison ging op weg over de velden naar de nabije bossen in het kalkstenen dal waar ze woont. Ze is sindsdien niet meer gezien.

Nadat haar moeder de politie had gewaarschuwd, werd een zoektocht uitgevoerd. De hond werd ongedeerd aangetroffen, maar van Alison is geen spoor gevonden.

Ondervraging van buren en vriendinnen van Peak Girls' High School heeft geen reden opgeleverd waarom het knappe schoolmeisje zou zijn weggelopen.

Vandaag wachtte haar moeder, mevrouw Ruth Hawkin, 34 jaar, gespannen op nieuws terwijl de zoektocht in het dal werd voortgezet. Haar man, de heer Philip Hawkin, 37 jaar, voegde zich bij buren en plaatselijke boeren die de politie hielpen met het uitkammen van het geïsoleerde dal.

Een hogere politiefunctionaris zei: 'We kunnen geen enkele reden vinden voor de ver-

dwijning van Alison. Er waren geen problemen, thuis noch op school. Maar in dit stadium hebben we nog niets gevonden dat op opzet wijst.'
Als Alison bij het vallen van de avond niet is gevonden, wordt de zoektocht morgen hervat.

Don Smart legde de vroege editie van de *Chronicle* opzij. Ze hadden in elk geval zijn vragen niet gestolen. Dat was altijd het gevaar als je het tijdens een persconferentie een beetje anders probeerde te doen. Van nu af aan zou hij proberen los te breken van de meute en op zoek gaan naar zijn eigen verhalen. Hij voelde aan zijn water dat George Bennett geweldige kopij zou opleveren en hij was vastbesloten degene te zijn die de beste verhalen uit de knappe, jonge rechercheur zou loskrijgen.

De man was een volhouder, dat kon je zo merken. George Bennett zou de zoektocht naar Alison Carter niet opgeven. Smart wist uit ervaring dat de verdwijning van Alison Carter voor de meeste agenten gewoon werk was. Natuurlijk, ze hadden medelijden met de familie. En hij wilde wedden dat degenen die zelf vader waren hun dochters 's avonds extra stevig knuffelden nadat ze thuis waren gekomen van hun zoektocht naar Alison.

Maar George was anders, dat voelde hij. Voor hem was het een missie. Iedereen mocht het opgeven om Alison Carter te vinden, maar George had niet gepassioneerder kunnen zijn als het zijn eigen dochter was geweest. Smart voelde hoe onaanvaardbaar het voor hem zou zijn als hij niet zou slagen.

Voor hemzelf was het een godsgeschenk. Zijn baan bij regio noord van de *Daily News* was zijn eerste bij een nationale krant en hij was op zoek geweest naar het verhaal dat hem naar Fleet Street zou brengen. Hij had voor de *News* al wat berichtgeving gedaan over de verdwijning van Pauline Reade en John Kilbride, en hij was vastbesloten George Bennett of iemand van zijn team over te halen deze in verband te brengen met Alison Carter. Het zou geweldige kopij opleveren.

Wat er ook mocht gebeuren, Scardale was een geweldige achtergrond voor een verhaal vol mysterie en drama. In een gesloten gemeenschap als deze zou ieders leven onder de microscoop worden gelegd. Allerlei geheimen zouden plotseling aan de openbaarheid worden prijsgegeven. Dat zou beslist geen prettig gezicht zijn. En Don Smart was vastbesloten van alles getuige te zijn.

Terug in de consistorie gooide ook George Bennett de avondkrant opzij. Hij twijfelde er geen moment aan dat de ochtend een minder aangenaam verhaal zou brengen op de pagina's van de meer sensatiebeluste *Daily News*. Martin zou een beroerte krijgen als er enige suggestie zou zijn van onbekwaamheid van de kant van de politie. Hij verliet de kerk en liep de weg over naar zijn auto.

Bij daglicht was de rit naar Scardale nauwelijks minder intimiderend dan bij nacht of in de vroege ochtendschemering. In de duisternis waren in elk geval de ergste overhangende rotsen niet te zien waarvan George zich maar al te gemakkelijk kon voorstellen dat ze los zouden raken en zijn auto zouden verpletteren als een blikje onder een stoomwals. Vandaag was er echter één groot verschil: het hek over de weg stond wijd open en gaf dus vrij baan aan auto's. Bij het hek stond een agent, die bij George naar binnen tuurde en salueerde toen hij de bestuurder herkende. Arme kerel, dacht George. De periode waarin hij in de kou op wacht had moeten staan had godzijdank niet lang geduurd. Hij vroeg zich af hoe de agenten die het niet hogerop zouden brengen het vooruitzicht konden verdragen om week na week te moeten patrouilleren, op wacht staan wanneer er een misdaad was gepleegd en, zoals vandaag, vruchteloos door een mensvijandig landschap trekken.

Het dorp zag er bij daglicht net zomin mooier uit als de weg. Er was niets vriendelijks aan de stugge kleine huizen van Scardale. De grijze stenen bouwwerken leken laag tegen de grond te hurken, meer als bange honden dan dieren die klaar waren voor een sprong. Eén of twee ervan hadden doorgezakte daken en het meeste hout kon wel een laagje verf gebruiken. Kippen liepen los rond, en elke auto die het dorp binnenreed leverde een kakofonie van geblaf op van allerlei soorten honden die aan de hekken waren gebonden. Wat niet veranderd was, waren de ogen die elke nieuwkomer in de gaten hielden. Toen George het dorp bereikte, was hij zich bewust van die ogen. Hij wist nu meer van ze dan de avond tevoren. Om te beginnen wist hij dat het allemaal vrouwen waren. Elke gezonde man uit Scardale had zich bij de opsporingsteams gevoegd, waar hij zijn bijdrage aan leverde in de vorm van vastbeslotenheid en plaatselijke kennis.

George vond een plekje voor zijn auto aan de andere kant van de dorpsweide, naast de muur van Scardale Manor. Het was weer tijd voor een praatje met mevrouw Hawkin, zo had hij besloten. Onderweg naar het huis stond hij stil bij de caravan die die ochtend van het hoofdbureau was gekomen. Ze gebruikten hem meer als verbindingspunt voor de speurders dan als crisiscentrum, en een paar vrouwelijke agenten hadden de taak gekregen voortdurend hete koffie en thee klaar te hebben. George duwde de deur open en feliciteerde zichzelf met het winnen van zijn stilzwijgende weddenschap dat inspecteur Alan Thomas comfortabel in de warmste hoek van de caravan zou zitten, met een pot thee aan de ene en een asbak met zijn bruyèrepijp aan de andere kant van zijn brede handen.

'George,' zei Thomas hartelijk. 'Kom binnen en zoek een plaatsje, jongen. Het is bitter koud, hè. Ik ben blij dat ik daar niet door die bossen loop.'

'Nog nieuws?' vroeg George, en hij knikte een bedankje tegen de agente die hem een kom thee aanbood. Hij deed er wat suiker in uit een open zakje en leunde tegen de scheidingswand.

'Geen woord, jongen. Iedereen heeft bot gevangen, om het zo maar te zeggen. Wat gerafelde kleding, maar niets wat er niet al maanden gelegen heeft,' zei Thomas, en zijn accent uit Wales wist het ontmoedigende nieuws op de een of andere manier vrolijker te maken. 'Ga je gang,' voegde hij eraan toe met een handgebaar naar een bord beboterde scones. 'De moeder van het meisje heeft ze gebracht. Ze zei dat ze niet maar kon zitten nietsdoen en wachten.'

'Ik ga er zo even naartoe om een praatje te maken,' zei George, en hij pakte een scone. Niet slecht, dacht hij. Duidelijk beter dan die van Anne. Ze kon goed koken, maar wat het bakken betreft bleef er nog veel te wensen over. Hij had moeten liegen en had gezegd dat hij niet echt gek was op gebak. Hij wist dat hij haar anders zou moeten prijzen omdat hij niet wist hoe hij kritiek op haar moest leveren. En hij had zichzelf ook niet willen veroordelen tot vijftig jaar van te zware cake, te taai gebak en koekjes die recht uit de plaatselijke steengroeve leken te zijn gekomen.

Plotseling ging de deur met een klap open. Een man met een rood gezicht, gekleed in een zwaar leren wambuis over verscheidene lagen hemden en truien, kwam hijgend en zwetend de caravan binnenstampen. 'Bent u Thomas?' vroeg hij met een blik naar George.

'Dat ben ik, jongen,' zei Thomas. Hij kwam overeind, wat vergezeld ging van een regen van kruimels. 'Wat is er gebeurd. Hebben ze het meisje gevonden?'

De man stond met zijn handen op zijn knieën geleund naar adem te happen en schudde zijn hoofd. 'In het kreupelbosje onder Shield Tor,' hijgde hij. 'Het lijkt alsof er gevochten is. Gebroken takken.' Hij kwam overeind. 'Ik moet u erheen brengen.'

George liet zijn thee en scone in de steek en volgde de man naar buiten, terwijl Thomas de rij sloot. Hij stelde zich voor en vroeg: 'Komt u uit Scardale?'

'Ja. Ik ben Ray Carter. Alisons oom.'

En Janets vader, herinnerde George zich. 'Hoe ver is het van de plaats waar we de hond hebben gevonden?' vroeg hij, terwijl hij zijn benen in de pas dwong om de boer bij te houden, die zich veel sneller voortbewoog dan zijn gedrongen gestalte deed verwachten.

'Misschien zo'n vierhonderd meter, hemelsbreed.'

'Het heeft ons een tijdje gekost om er te komen,' zei George vriendelijk.

'Van het pad af is het niet te zien. Dus hebben we het de eerste keer toen we door het bosje gingen gemist,' zei Carter. 'Bovendien is het geen voor de hand liggende plek.' Hij stond stil, draaide zich om en wees naar Scardale Manor. 'Kijk daar is het grote huis.' Hij draaide zich weer om. 'Daar is het veld dat naar het bos leidt waar de hond is gevonden, en naar de Scarlaston.' Hij maakte weer een draai. 'Daar is de weg uit het dal. En daar,' besloot hij, met een gebaar naar een terrein met bomen tussen het grote huis en het bosgebied waar Shep vastgebonden was geweest, 'is de plek waar we nu moeten zijn. Het gaat nergens heen,' voegde hij er bitter aan toe, en met een laatste zwaai van zijn hand omvatte hij de hoge kalksteenrotsen en de zware grijze lucht.

George fronste zijn wenkbrauwen. De man had gelijk. Als Alison in het bosje was geweest toen ze werd gegrepen, waarom was de hond dan vastgebonden geweest op een open plek in het bos op vierhonderd meter afstand? Maar als ze zonder zich te verzetten op de open plek was gepakt en het gevecht had plaatsgevonden toen ze een kans had gezien om van haar overvaller weg te komen, wat hadden ze dan aan de doodlopende kant van het dal gezocht? Het was weer iets wat niet klopte en wat hij moest onthouden, dacht hij, terwijl hij Ray Carter door de smalle strook bomen volgde.

Het kreupelbosje was een mengeling van beuken, esdoorns, platanen en iepen, en een jongere aanplant dan het bos waar ze de avond tevoren waren geweest. De bomen waren minder hoog en hun stammen waren dunner. Ze leken te dicht bij elkaar te staan, en hun takken vormden een losjes geweven scherm waardoor vrijwel niets te zien was. Het kreupelhout tussen de jonge bomen was zwaar en te dicht om er zo doorheen te lopen. 'Deze kant op,' zei Carter, en hij begaf zich naar een bijna onzichtbare opening in de bruine varens en het rode en groene blad van de doornstruiken. Zodra ze het bosje hadden betreden, waren ze het meeste middaglicht kwijt. George, die bijna geen hand voor ogen kon zien, begreep waarom de eerste zoekploeg iets had kunnen missen. Hij had onvoldoende ingezien hoe ontoegankelijk het landschap was en hoe gemakkelijk het kon zijn om iets over het hoofd te zien dat zo groot was – God verhoede – als

een lichaam. Terwijl zijn ogen zich aanpasten aan het duister, kon hij
het dichte struikgewas tussen de bomen onderscheiden. Het pad onder hun voeten was glibberig van vertrapte dode bladeren. 'Ik zeg de
landheer al maanden dat dit bosje uitgedund moet worden,' gromde
Carter, terwijl hij de zwiepende takken van een laaggroeiende vlier
opzij boog. 'Je kunt de helft van de jachtvereniging van High Peak
hier kwijtraken en er nooit achterkomen.'

Plotseling waren ze bij de rest van de zoekploeg. Drie agenten en
een jongen stonden in een groepje in een bocht van het pad. De jongen leek niet ouder dan achttien en was net als Carter gekleed in een
leren buis en een zware corduroy broek. 'Goed,' zei George, 'wie laat
mij en meneer Thomas zien wat jullie hier gevonden hebben?'

Een van de agenten schraapte zijn keel. 'Het is iets verder, meneer.
Een andere groep was hier vanmorgen al doorheen gegaan, maar
meneer Carter stelde voor dat we nog eens zouden kijken omdat het
kreupelhout zo dicht is.' Hij gebaarde George en inspecteur Thomas
verder te komen, en de anderen stapten onhandig achteruit om ze
door te laten. De agent wees naar een bijna onzichtbare onderbreking
in het kreupelhout aan de zuidkant van het pad. 'Het was de jongen
die het ontdekte. Charlie Lomas. Er is een heel zwak spoor van gebroken takjes en vertrapte planten. Een paar meter verder ziet het
eruit alsof er gevochten is.'

George hurkte neer en keek naar het pad. De man had gelijk. Er
was niet veel te zien. Het was een wonder dat een van hen het had
opgemerkt. Hij veronderstelde dat de inwoners van Scardale hun gebied zo goed kenden dat iets wat hem absoluut niet zou opvallen er
voor hen onmiddellijk uit zou springen en hun aandacht zou trekken.

'Hoeveel van jullie zijn hier met jullie maatjes veertig overheen gelopen?' vroeg Thomas.

'Alleen ik en de jongen Lomas, meneer. We hebben zo voorzichtig
mogelijk gedaan. We hebben ons best gedaan om niets te verstoren.'

'Ik ga een kijkje nemen,' zei George. 'Meneer Thomas, kan een van
uw mensen naar het crisiscentrum bellen en zorgen dat hier een fotograaf heenkomt? En ik wil ook de speurhonden hier hebben. En als
de fotograaf klaar is, moet het gebied grondig worden afgezocht.'
Zonder op antwoord te wachten, boog George zorgvuldig de takken
opzij die over het vage spoor hingen en liep verder, waarbij hij iets
links van het oorspronkelijke spoor probeerde te blijven. Het was hier
nog donkerder dan op het pad, en hij stond stil om zijn ogen aan de
duisternis te laten wennen.

De beschrijving van de agent was bewonderenswaardig nauwkeurig geweest. Na een stuk of zes omzichtige stappen vond George dat-

gene waar hij naar op zoek was. Gebroken takken en vertrapte varens markeerden een plek van ruim een meter bij anderhalve meter. George was geen plattelander, maar zelfs hij kon zien dat de beschadiging zeer recent was. De kapotte takken en stengels zagen eruit alsof de beschadigingen kort tevoren waren ontstaan. Een groenblijvende struik die voor een deel was vertrapt, was alleen verlept en niet helemaal dood. Als dit niets te maken had met de verdwijning van Alison Carter was het wel een heel merkwaardig toeval.

George hield zich met één hand aan een boomtak vast voor steun en boog zich voorover. Er zou belangrijk bewijsmateriaal kunnen zijn. Hij wilde hier niet rondlopen en nog meer schade veroorzaken dan de zoekploeg al had gedaan. Terwijl de gedachte nog door zijn hoofd ging, onthulde zijn onderzoekende blik wat donker materiaal dat was blijven haken aan het scherpe uiteinde van een gebroken tak. Een zwarte wollen maillot, had Ruth Hawkin gezegd. George voelde zijn maag samentrekken. 'Ze is hier geweest,' zei hij zachtjes.

Hij stapte naar links en bewoog zich rond de vertrapte plek, waarbij hij elke paar stappen stilstond om onderzoekend rond te kijken. Hij bevond zich bijna diagonaal tegenover het punt waar hij het pad had verlaten toen hij het zag. Vlak voor hem, iets naar rechts, was een donkere plek te zien op de verrassend witte bast van een berkenboom. Onweerstaanbaar aangetrokken, bewoog hij zich ernaartoe.

Het bloed was allang opgedroogd. Maar in het bloed zaten onmiskenbaar een stuk of tien lichtblonde haren geplakt. En op de grond naast de boom bevond zich een hoornen staafje van een houtje-touwtjesluiting, waaraan zich nog een stukje stof bevond.

6

Donderdag 12 december 1963, 17.05 uur

George haalde diep adem en hief zijn hand op om te kloppen. Voordat zijn knokkels contact konden maken met het hout, zwaaide de deur open. Tegenover hem stond Ruth Hawkin, met een gezicht dat er afgetrokken en grauw uitzag in het middaglicht. Ze stapte opzij en zocht steun tegen de deurpost. 'U hebt iets gevonden,' zei ze uitdrukkingsloos.

George stapte over de drempel en deed de deur achter zich dicht, vastbesloten om de glurende ogen niet meer spektakel te bieden dan onvermijdelijk was. Zijn ogen namen automatisch de ruimte op. 'Waar is de agente?' vroeg hij, terwijl hij zich omdraaide naar Ruth.

'Ik heb haar weggestuurd,' zei ze. 'Er hoeft niet voor me gezorgd te worden alsof ik een kind ben. Bovendien ga ik ervan uit dat er iets moet zijn wat ze kan doen dat nuttiger is voor mijn Alison dan de hele dag op haar achterste zitten en theedrinken.' Er was een bijtende toon in haar stem die George nog niet eerder had gehoord. Gezond, dacht hij. Dit was geen vrouw die bij elk beetje slecht nieuws als een hoopje ellende in elkaar zou storten. Dat was een opluchting voor hem want hij was ervan overtuigd dat hij absoluut de brenger van slechte tijdingen zou zijn.

'Zullen we gaan zitten?' zei hij.

Haar mond vertrok in een sardonische grimas. 'Is het zo erg?' Maar ze duwde zich los van de muur en zakte op een van de keukenstoelen neer. George ging tegenover haar zitten en merkte dat ze nog steeds dezelfde kleren aanhad die ze de avond tevoren had gedragen. Ze was dus niet naar bed geweest. Geslapen had ze zeker niet. Ze had het misschien niet eens geprobeerd.

'Is uw man mee gaan zoeken?' vroeg hij.

Ze knikte. 'Ik denk niet dat hij er veel zin in had. Hij is een mooiweer-plattelander, mijn Phil. Hij houdt ervan als de zon schijnt en het eruitziet als op een van zijn ansichtkaarten. Maar op dagen als vandaag, koud, vochtig, wat ijzige nevel in de lucht, zit hij ofwel boven op de kachel of met een paar oliekachels in zijn donkere kamer. Maar ik moet toegeven, vandaag heeft hij daarop een uitzondering gemaakt.'

'Als u wilt, kunnen we wachten tot hij thuis is,' zei George.

'Dat verandert niets aan wat u te zeggen hebt, nietwaar?' zei ze met een vermoeide stem.

'Nee, ik ben bang van niet.' George deed zijn overjas open en haalde twee plastic zakken uit de grote binnenzak. De ene bevatte de zachte, wollige bal stof die aan de gebroken tak was blijven haken, de andere het gladde, gegroefde staafje, waarvan de natuurlijke tinten bruin en been vreemd leken tegen het synthetische plastic. Eraan bevestigd door een sterke marineblauwe draad was een stukje marineblauwe wol. 'Ik moet u vragen of u deze herkent.'

Op haar gezicht viel niets te lezen toen ze haar hand uitstak naar de zakken. Ze zat er lang naar te kijken. 'Wat zou dit moeten zijn?' vroeg ze, terwijl ze met haar wijsvinger in het materiaal porde.

'Wij denken dat het wol is,' zei George. 'Misschien van een maillot als Alison droeg.'

'Dit kan van alles zijn,' zei ze verdedigend. 'Het kan daar al dagen, al weken gelegen hebben.'

'We moeten afwachten wat het lab ervan zegt.' Het had geen zin haar te dwingen iets te accepteren wat haar geest nog niet wilde toegeven. 'Hoe zit het met het staafje? Herkent u het?'

Ze pakte het zakje en liet haar vinger over het bewerkte stukje hoorn gaan. Ze keek naar hem op, een smeekbede in haar ogen. 'Is dit alles wat jullie gevonden hebben van haar? Is dit alles wat jullie me kunnen laten zien?'

'We hebben tekenen van een gevecht gevonden in het kreupelbosje.' George wees in wat hij dacht dat de juiste richting was. 'Tussen het huis en het stuk bos waar we Shep hebben gevonden, omlaag naar de achterzijde van het dal. Het is nu donker, dus is er een grens aan wat we kunnen doen, maar morgenochtend vroeg gaan mijn mannen het hele bosje doorzoeken om te kijken of we meer sporen van Alison kunnen vinden.'

'Maar dit is alles wat jullie gevonden hebben?' Haar gezicht straalde nu een wens uit.

Hij vond het vreselijk om haar hoop de grond in de boren, maar hij kon niet liegen. 'We hebben ook een paar haren en wat bloed gevonden. Alsof ze haar hoofd tegen een boom heeft gestoten.' Ruth sloeg haar hand voor haar open mond en onderdrukte een kreet. 'Het was echt heel weinig bloed, mevrouw Hawkin. Het wijst op een kleine verwonding, niet meer, dat kan ik u verzekeren.'

Ze staarde hem met grote ogen aan en haar vingers groeven in haar wang alsof ze haar antwoord kon inhouden door haar mond letterlijk dicht te drukken. Hij wist niet wat hij moest doen of zeggen. Hij had zo weinig ervaring met de reacties van mensen op tragedie en crisis. Hij had altijd chefs of collega's met meer ervaring gehad om de acute pijn van andere mensen te verdoven. Nu was hij op zichzelf aangewezen, en hij wist dat hij zich altijd zou beoordelen op de manier waarop hij was omgegaan met deze verslagen vrouw.

George boog zich over de tafel heen en bedekte Ruth Hawkins vrije hand met de zijne. 'Ik zou niet de waarheid spreken als ik zei dat dit geen reden tot ongerustheid was,' zei hij. 'Maar niets wijst erop dat er iets ernstigs met Alison is gebeurd. Het is eerder het tegenovergestelde. En er is één ding waar we nu zeker van zijn. Alison is niet uit zichzelf weggelopen. Ik weet dat dat voor u op dit moment weinig troost is, maar het betekent dat we onze middelen niet hoeven te besteden aan dingen die tijdverspilling zijn. We weten dat Alison er niet in haar eentje vandoor is gegaan en een bus of een trein heeft genomen, dus hoeven we geen agenten in te zetten om bus- en treinstations te controleren. We kunnen alle mensen die we hebben op aanwijzingen zetten die ons echt iets kunnen opleveren.'

De hand van Ruth Hawkin viel weg van haar mond. 'Ze is dood, hè?'

George greep haar hand. 'Er is geen reden om dat te denken,' zei hij.

'Hebt u een sigaret?' vroeg ze. 'Ik zit al een tijdje zonder.' Met een bitter lachje zei ze: 'Ik had die agente van jullie naar de winkel in Longnor moeten sturen. Dan had ze zich in elk geval nuttig gemaakt.'

Toen ze allebei zaten te roken, pakte hij de plastic zakken en schoof het pakje sigaretten naar het midden van de tafel. 'Hou deze maar. Ik heb nog meer in de auto.'

'Bedankt.' Haar gezicht ontspande zich even, en George zag voor het eerst dezelfde glimlach die de foto's van Alison zo opmerkelijk maakte.

Hij liet genoeg tijd voorbijgaan om de nicotine voor hen beiden zijn werk te laten doen. 'Ik heb wat hulp nodig, mevrouw Hawkin,' zei George. 'Gisteravond hebben we tegen de klok gewerkt om sporen van Alison te vinden. En vandaag hebben we gezocht. Het zijn allemaal standaarddingen die vaak succes hebben en die we moeten doen. Maar ik heb nog niet echt de kans gekregen om eens even rustig te gaan zitten en met u te praten over wat voor meisje Alison was. Als iemand haar heeft ontvoerd – en daar ziet het eerlijk gezegd steeds meer naar uit – moet ik alles te weten komen wat ik kan over Alison, zodat ik erachter kan komen wat het punt van contact is tussen Alison en die persoon. Dus wat ik nodig heb, is dat u me zoveel mogelijk over uw dochter vertelt.'

Ruth zuchtte. 'Ze is een schat van een meisje. Zo slim als wat, dat is ze altijd geweest. Haar leraren zeggen allemaal dat ze kan doorleren als ze een beetje haar best doet. Naar de universiteit zelfs.' Ze hield haar hoofd scheef. 'U zult wel naar de universiteit zijn gegaan.' Het was een constatering, geen vraag.

'Ja, ik heb rechten gestudeerd in Manchester.'

Ze knikte. 'U weet wat het is dan, studeren. Je hoeft nooit tegen haar te zeggen dat ze haar huiswerk moet maken, weet u, in tegenstelling tot Derek en Janet. Ik denk eigenlijk dat ze het leuk vindt om te leren, hoewel ze eerder haar tong zal afbijten dan het toegeven. God mag weten waar dat vandaan komt. Haar vader en ik gingen niet graag naar school. Hoe eerder we er vanaf konden hoe beter. Maar ze zit niet altijd te blokken hoor. Ze houdt ook van een beetje plezier op zijn tijd, onze Alison.'

'Wat doet ze om plezier te hebben?' vroeg George op zachte toon.

'Ze zijn allemaal gek van die popmuziek, zij en Janet en Derek. De Beatles, Gerry and the Pacemakers, Freddie and the Dreamers en zo. Charlie ook, maar hij heeft geen tijd om elke avond naar platen te zitten luisteren. Hij gaat wel naar de dansavonden in de Pavilion Gardens en hij vertelt Alison altijd welke platen ze moet kopen. Ze heeft meer platen dan de winkel, zeg ik altijd tegen haar. Je hebt meer dan twee oren nodig om daar allemaal naar te kunnen luisteren. Phil koopt ze voor haar. Hij gaat elke week naar Buxton en kiest een paar platen uit de hitparade en de platen waar Charlie haar over vertelt...' Haar stem stierf weg.

'Wat doet ze nog meer?'

'Soms neemt Charlie ze mee naar Buxton, naar het rolschaatsen op woensdagavond.' Haar adem stokte. 'O god, ik wou dat hij ze gisteravond had meegenomen,' riep ze, toen het tot haar doordrong. Ze boog haar hoofd en trok zo hard aan haar sigaret dat George de tabak kon horen knetteren. Toen ze opkeek, stonden haar ogen vol tranen en deden een beroep op hem dat door zijn professionele verdedigingsmechanismen heen dwars door zijn hart sneed. 'Vind haar, alstublieft,' zei ze met schorre stem.

Hij perste zijn lippen op elkaar en knikte. 'Geloof me, mevrouw Hawkin, dat is precies wat ik van plan ben.'

'Zelfs als het alleen maar is om haar te begraven.'

'Ik hoop dat het zover niet komt,' zei hij.

'Ja. Dat hopen we allebei.' Ze blies een dun kringeltje rook uit. 'Dat hopen we allebei.'

Hij wachtte een ogenblik en zei toen: 'Hoe zit het met vriendinnetjes of vriendjes? Met wie ging ze veel om?'

Ruth zuchtte. 'Het is moeilijk voor ze om vriendjes en vriendinnetjes buiten Scardale te vinden. Ze hebben nooit de kans om na schooltijd ergens aan mee te doen. Als ze uitgenodigd worden voor een feestje of zo is er een kans dat ze daarna niet meer naar huis kunnen. De dichtstbijzijnde plaats waar ze de bus kunnen nemen is Longnor. Dus gaan ze gewoon niet. Bovendien moeten de mensen in Buxton niets hebben van de mensen van Scardale. Ze denken dat we allemaal primitieve, gestoorde inteelt zijn. Haar stem klonk sarcastisch. De kinderen worden gepest. Dus bemoeien ze zich niet of nauwelijks met anderen. Onze Alison is goed gezelschap, en ik hoor van haar leraren dat ze haar op school wel mogen. Maar ze heeft nooit echt een boezemvriendinnetje gehad, behalve dan hier in het dorp.'

Daar viel dus ook niets te zoeken. 'Nog één ding... ik zou graag een kijkje nemen in Alisons kamer, als dat mag. Gewoon om een indruk te krijgen van hoe ze was.' Wat hij er niet bij vertelde was: en om mezelf aan de inhoud van haar haarborstel te helpen zodat het lab een vergelijking kan maken met de haren die we in het bloed gevonden hebben op de boom in het bosje.

Ze kwam overeind, en haar bewegingen waren die van een veel oudere vrouw. 'Ik heb de verwarming daar aan. Voor het geval...' Ze maakte de zin niet af.

Hij volgde haar naar de hal, die niet warmer was dan de avond daarvoor. De overgang benam hem bijna de adem. Ruth ging hem voor over een brede trap met een eiken leuning versierd met gerstesuikermotieven, die bijna zwart was door al die jaren van poetsen. 'Nog iets,' zei hij, terwijl ze de trap opliepen, 'omdat Alison nog steeds Carter wordt genoemd, neem ik aan dat uw man haar niet officieel geadopteerd heeft?'

De verstrakking van de spieren in haar nek en rug was zo snel dat George bijna had geloofd dat hij het zich had verbeeld. 'Phil was er helemaal voor,' zei ze. 'Hij wilde haar adopteren. Maar Alison was nog maar zes toen haar vader... stierf. Oud genoeg om zich te herinneren hoeveel ze van hem hield. Te jong om te zien dat hij een mens was met zijn fouten en tekortkomingen. Ze denkt dat ze de herinnering aan haar vader verraadt als ze zich door Phil laat adopteren. Ik denk dat ze nog wel een keer bijdraait, maar ze is koppig en laat zich niets opdringen wat ze niet wil.' Ze waren nu op de overloop en Ruth draaide zich naar hem om; haar gezicht was beheerst en onleesbaar. 'Ik heb Phil overgehaald om het voorlopig te laten rusten.' Ze wees langs George heen naar een gang die halverwege een vreemde hoek maakte waar het huis in een of andere onduidelijke periode was uitgebreid. 'Alisons kamer is de laatste deur rechts.' U neemt het me niet kwalijk als ik niet meega. Ook dit was een opmerking, geen vraag. George had bewondering voor de manier waarop deze vrouw er zelfs onder zulke extreme spanning nog in slaagde te weten wat ze wel en niet wilde.

'Bedankt, mevrouw Hawkin. Ik ben zo klaar.' Hij liep de gang door en was zich bewust van haar ogen die hem volgden. Maar zelfs dat ongemakkelijke gevoel leidde hem niet voldoende af om zijn omgeving niet op te nemen. De vloerbedekking was versleten maar was duidelijk ooit duur geweest. Een aantal van de prenten en aquarellen die aan de muur hingen, hadden vlekken van ouderdom maar hadden hun charme niet verloren. George herkende verschillende gezichten uit het zuidelijke deel van het graafschap waar hij was opgegroeid, en daarnaast de bekende statige oude huizen van Chatsworth, Haddon en Hardwick. Hij merkte dat de vloer ongelijk was bij het verbindingspunt in de gang, alsof de bouwers in alledrie dimensies onbekwaam waren geweest. Bij de laatste deur aan de rechterkant stond hij stil en haalde diep adem. Het was mogelijk dat hij nooit dichter bij Alison Carter zou komen dan nu.

De warmte die als een deken om hem heen viel, leek passend bij wat, ondanks de grootte, een gezellige kamer was. Omdat Alisons kamer op de hoek van het huis lag, waren er twee ramen, wat de ruimtelijke indruk versterkte. De ramen waren lang en ondiep, en in vieren gedeeld door vier dikke lateien, die de vijfenveertig centimeter dikke muren lieten zien. Hij deed de deur dicht en liep naar het midden van de kamer.

Eerste indrukken, hield George zichzelf voor. Warm: er waren een elektrische haard en een losse, elektrische radiatorkachel. Gerieflijk: het bed, een twijfelaar, had een dikke, gewatteerde sprei met een bovenkant van donkergroen satijn, en in de twee rieten stoelen lagen dikke kussens. Modern: de vloerbedekking had een dikke, ruwe pool, met een patroon van olijfgroene en mosterdbruine krullen, en aan de muren hingen foto's van popsterren die, afgaande op de scheve randen, grotendeels uit tijdschriften waren geknipt. Duur: er stonden een gladde houten garderobekast en een bijpassende toilettafel met een lange, lage spiegel en een stoel ervoor, die er als nieuw uitzagen. George had slaapkamermeubels als deze gezien toen Anne en hij op zoek waren geweest naar meubels, en hij had een tamelijk goed idee van wat ze moesten hebben gekost. Goedkoop waren ze niet. Op een tafel onder het raam stond een Dansette-platenspeler van donkerrood plastic met roomkleurige knoppen. Eronder lag een grote, wat rommelige stapel platen. Philip Hawkin was duidelijk vastbesloten om een goede indruk op zijn stiefdochter te maken, veronderstelde hij.

Misschien dacht hij dat de weg naar haar hart te vinden was via de materiële goederen die ze moest hebben gemist als kind van een weduwe in een gemeenschap die zo arm was als Scardale.

George liep naar de toilettafel en vouwde zich wat onhandig op op het slaapkamerstoeltje. Hij zag zichzelf in de spiegel. De laatste keer dat zijn ogen er zo hadden uitgezien, was toen hij voor zijn examens had zitten blokken. En onder zijn linkeroor had hij een stukje baard overgeslagen, als rechtstreeks gevolg van het gebrek aan ijdelheid van het methodistische geloof. Er was geen spiegel in de consistoriekamer, dus had hij zich moeten scheren voor zijn achteruitkijkspiegel. Elk zichzelf respecterend reclamebureau zou hem hoogstens inhuren voor een advertentie voor slaappillen. Hij trok een gezicht tegen zichzelf en ging aan het werk. Alisons haarborstel lag met de borstelharen omhoog op de toilettafel en George verwijderde bedreven zoveel haren als hij kon. Ze was gelukkig niet al te netjes geweest waardoor hij enkele tientallen haren kon verzamelen, die hij in een leeg plastic zakje stopte.

Toen begon hij met een zucht aan de onaangename taak om Alisons persoonlijke spullen te doorzoeken. Een halfuur later had hij niets onverwachts gevonden. Hij had zelfs elk boek doorgebladerd dat op de kleine boekenkast bij het bed stond. *Nancy Drew*, *De Vijf*, de *Chalet School*, *Georgette Heyer*, *De Woeste Hoogte* en *Jane Eyre* bevatten geheimen noch verrassingen. Een flink beduimelde uitgave van *Golden Treasury* van Palgrave bevatte alleen poëzie. In de laden vond hij ondergoed van een tiener, wat sportbeha's, een paar stukken geparfumeerde zeep, een maandverbandgordel, een half pakje maandverband en een sieradendoosje met daarin een paar goedkope hangertjes en een dooparmband met de inscriptie ALISON MARGARET CARTER. Het enige dat hij misschien verwacht maar niet gevonden had, was een bijbel. Aan de andere kant was Scardale zo afgesneden van de rest van de wereld dat ze daar misschien de godin van de maïs aanbaden. Misschien waren de missionarissen nooit zover gekomen.

Een klein houten kistje op de toilettafel gaf wat interessantere resultaten. Het bevatte een stuk of vijf zwart-witkiekjes, waarvan de meeste aan de randen krulden en vergeeld waren. Hij herkende een jeugdige Ruth Hawkin, het hoofd lachend achterovergeworpen en opkijkend naar een donkerharige man die zijn hoofd in onhandige verlegenheid had ingetrokken. Er waren nog twee andere foto's van het paar, waarop ze gearmd en met zorgeloze gezichten stonden, die allemaal genomen waren op de Golden Mile in Blackpool. Huwelijksreis? vroeg George zich af. Daaronder lagen twee foto's van dezelfde man waarop zijn donkere haar over zijn voorhoofd viel. Hij droeg werkkleding en een dikke riem, die een broek omhooghield die gemaakt leek voor een man met een veel langere romp. Op de ene foto stond hij op een eg die aan een tractor was bevestigd. Op de andere was hij neergehurkt naast een blond kind dat gelukkig in de camera grijnsde. Het was onmiskenbaar Alison. De laatste foto was, te oordelen aan de witte randen, van recentere datum. Op de foto stonden Charlie Lomas en een oudere vrouw tegen een stapelmuurtje geleund, met op de achtergrond de vage vormen van kalksteenrotsen. Het gezicht van de vrouw werd overschaduwd door een strohoed waarvan de brede rand omlaag was gebogen over haar oren door een sjaal die onder haar kin was vastgeknoopt. Het enige wat zichtbaar was, waren de rechte lijn van haar mond en haar uitstekende kin, maar aan haar wat stakerige gebogen lichaam was duidelijk te zien dat ze veel te oud was om de moeder van Charlie Lomas te zijn. Alsof het plaatje was geschoten door een Victoriaanse fotograaf, die zeer duidelijk had gemaakt dat ze tijdens de opname niet mochten bewegen, stond Charlie met een uit steen gehouwen gezicht recht in de camera te staren. Zijn armen waren voor zijn borst over elkaar geslagen en hij zag eruit als elke andere onhandige, opstandige jongen die op een politiebureau zijn onschuld kwam betuigen.

'Fascinerend,' mompelde hij. De foto's van haar vader waren voorspelbaar, hoewel hij verwacht had ze ingelijst en uitgestald te zien. Maar dat de enige andere foto die Alison Carter had bewaard een foto was waarop een neef stond die de ontdekking in het bosje had gedaan, was op zijn minst interessant voor iemand als George die zo getraind was om achterdochtig te zijn. Hij legde de foto's zorgvuldig terug in het kistje. Toen, bij nader inzien, pakte hij die van Charlie en de oude vrouw en stopte hem in zijn zak.

Tussen de platen vond hij de eerste voorbeelden van Alisons handschrift. Op velletjes papier die uit oefenschriften waren gescheurd vond hij fragmenten van liedjesteksten die blijkbaar een speciale betekenis voor haar hadden. Regels uit 'Devil in Disguise' van Elvis, 'It's My Party (And I'll Cry if I Want To)' van Lesley Gore, 'It's All in the Game' van Cliff Richard en 'I (Who Have Nothing)' van Shirley Bassey schilderden een verontrustend beeld van een ongelukkige Alison Carter dat in tegenspraak was met het beeld dat iedereen van haar had. Ze vertelden van de pijn van liefde en verraad, verlies en eenzaamheid. George wist dat er niets ongewoons was aan een puber die dat soort gevoelens had en dacht dat niemand ooit hetzelfde had doorgemaakt, maar als Alison Carter zich zo had gevoeld, was ze er uitstekend in geslaagd om dat geheim te houden voor de mensen om haar heen.

Het was een kleine ongerijmdheid, maar de enige die George had gevonden. Hij stopte de velletjes papier in een ander plastic zakje. Er was geen echte reden om aan te nemen dat ze bewijs zouden kunnen vormen, maar hij wilde geen enkel risico nemen. Hij zou het zichzelf nooit vergeven als het enige detail dat hij over het hoofd had gezien cruciaal zou blijken te zijn. Het zou niet alleen slecht zijn voor zijn carrière, maar, en dat was belangrijker, het was mogelijk dat de moordenaar van Alison daardoor vrij zou blijven rondlopen. Terwijl zijn hand al naar de deurknop ging, stond hij stokstijf stil.

Hij had voor het eerst datgene voor zichzelf toegegeven wat volgens zijn beroepsmatige logica het geval moest zijn. Hij zocht niet meer naar Alison Carter. Hij zocht naar haar lichaam. En naar haar moordenaar.

Donderdag 12 december 1963, 18.23 uur

Vermoeid liep George het pad af aan de voorkant van Scardale Manor. Hij zou even bij het crisiscentrum in de consistoriekamer langsgaan om te kijken of er nieuws was, dan zou hij de haarmonsters bij het hoofdbureau in Buxton afgeven en vervolgens zou hij naar huis gaan, naar een heet bad, een warme maaltijd en een paar uur slaap – tijdens een onderzoek als dit moest dit doorgaan voor een normaal leven. Maar eerst wilde hij nog een praatje maken met de jonge Charlie Lomas.

Hij had nog maar nauwelijks de dorpsweide bereikt toen uit de schaduwen voor hem plotseling een gedaante te voorschijn kwam. Geschrokken stond hij stil en deed zijn best om te geloven wat hij zag. Door zijn vermoeidheid kwam er een giebelend lachje in hem op, maar hij wist het nog net in te slikken voor het in de nevelige nachtlucht naar buiten zou komen. De gedaante had zich ontpopt tot iets wat een kunstenaar in vervoering kon hebben gebracht. De gebogen oude vrouw die priemend naar hem opkeek was het archetype van het hekserige oude vrouwtje met alles erop en eraan: een haakneus die de kin bijna raakte, wratten waar haren uit groeiden en een zwarte sjaal over haar hoofd en schouders. Ze moest het origineel zijn van de foto die hij in zijn zak had gestopt. Het vreemde toeval van de onverwachte ontmoeting leidde ertoe dat hij onwillekeurig een klapje gaf op de zak met de foto erin. 'Jij moet de baas zijn,' zei ze met een stem die op een in sopraan krakende poort leek.

'Ik ben inspecteur Bennett van de recherche, als u dat bedoelt,' zei hij.

Haar huid rimpelde in een uitdrukking van minachting. 'Dure titels,' zei ze. 'Tijdverspilling in Scardale, jongen. Denk eraan, jullie verspillen allemaal je tijd. Niemand van jullie heeft de fantasie om ook maar iets te begrijpen van wat hier gebeurt. Scardale is geen Buxton, weet je. Als Alison Carter niet is waar ze hoort te zijn, is het antwoord ergens in iemands hoofd in Scardale te vinden en niet in de bossen, wachtend tot het gevonden wordt als een vos in een val.'

'Misschien kunt u me dan helpen om het te vinden, mevrouw...?'

'En waarom zou ik, hè? We hebben de zaken hier altijd zelf geregeld. Ik begrijp niet wat Ruth heeft bezield, vreemden naar het dorp te halen.' Ze wilde al langs hem heen lopen over het pad, maar hij stapte opzij om haar tegen te houden.

'Er wordt een meisje vermist,' zei hij zacht. 'Dit is een zaak die Scardale niet zelf kan regelen. Of u dat nu leuk vindt of niet, u leeft wel in de wereld. Maar we hebben uw hulp net zo hard nodig als u die van ons.'

De vrouw schraapte plotseling luid haar keel en spuugde op de grond voor zijn voeten. 'Totdat jullie een beetje laten zien dat je weet waar je naar moet zoeken, is dat alle hulp die jullie van mij krijgen.' Ze liep plotseling de andere kant op en verdween over de dorpsweide, met een snelheid die verrassend was voor een vrouw die, zo dacht hij, geen dag onder de tachtig kon zijn. Als een man die ineens in een andere tijd terecht is gekomen, stond hij haar na te kijken tot ze verdwenen was in de nevel.

'Zo, hebt u Ma Lomas ontmoet?' zei brigadier Clough, die grijnzend uit het niets kwam opdagen.

'Wie is Ma Lomas,' zei George verbijsterd.

'Net als bij Sylvia moet de vraag niet zijn "Wie is Ma Lomas?", maar "Wat is Ma Lomas?",' dreunde Clough gewichtig op. 'Ma is de matriarch van Scardale. Ze is de oudste van het dorp, de enige van haar generatie die nog over is. Ma beweert dat ze eenentwintig werd in het jaar waarin Victoria haar diamanten jubileum vierde, maar of dat waar is weet ik niet.'

'Ze ziet er oud genoeg uit.'

'Ja, maar wie in Scardale wist zelfs maar dat Victoria op de troon zat, laat staan hoe lang ze er al zat? Hè?' Clough bracht zijn rake slotzin met een spottende glimlach.

'Maar hoe past ze in het geheel? Wat is haar relatie met Alison?'

Clough haalde zijn schouders op. 'Wie weet? Overgrootmoeder, achternicht, tante, tantezegster? Allemaal tegelijk? Je moet scherper zijn dan het adelboek om alle verwantschappen tussen dit stel uit te werken. Ik weet alleen dat ze volgens agent Grundy de ogen en oren van de wereld is. In Scardale kan nog geen muis een wind laten zonder dat Ma Lomas ervan weet.'

'En toch lijkt ze niet bepaald enthousiast om ons te helpen een vermist meisje te vinden. Een meisje dat familie van haar is. Hoe zou dat komen, denk je?'

Clough haalde zijn schouders op. 'Ze zijn allemaal hetzelfde. Ze willen hier gewoon geen buitenstaanders hebben.'

'Was dat de houding waar Cragg en jij mee te maken kregen, toen jullie de mensen gisteravond vroegen of ze Alison Carter hadden gezien?'

'Vaak wel. Ze geven antwoord op je vragen, maar ze vertellen niets meer dan waar je naar vraagt.'

'Denk je dat ze je allemaal de waarheid hebben gezegd toen ze zeiden dat ze Alison niet hadden gezien?' vroeg George, terwijl hij op zijn zakken klopte op zoek naar zijn sigaretten.

Net toen hij zich realiseerde dat hij de zijne bij Ruth Hawkin had achtergelaten, haalde Clough zijn eigen pakje te voorschijn. 'Kijk eens,' zei Clough. 'Ik denk niet dat ze logen. Maar ze hebben misschien wel belangrijke informatie achtergehouden. Vooral als we niet de juiste vragen hebben gesteld.'

'We zullen nog een keer met ze moeten praten, nietwaar?' zei George zuchtend.

'Of we het nu leuk vinden of niet.'

'Ze zullen tot morgen moeten wachten. Met uitzondering van de jonge Charlie Lomas. Je weet toevallig niet waar hij is?'

'Een van de snijbonen heeft hem meegenomen naar de kerk om een verklaring af te leggen. Dat zal nu een halfuur geleden zijn,' zei Clough achteloos.

'Dat wil ik nooit meer horen, brigadier,' zei George, bij wie vermoeidheid in boosheid veranderde.

'Wat?' Clough klonk verbijsterd.

'Een snijboon is een plantensoort die je kunt eten. Ik ben bij de recherche heel wat mensen tegengekomen die zich eerder als plant kwalificeren dan de meeste agenten in uniform. We hebben de uniformdienst nodig in deze zaak, en ik laat dat niet door jou in gevaar brengen. Is dat duidelijk, brigadier?'

Clough krabde aan zijn kin. 'Ik denk van wel, ja. Hoewel... omdat ik de middelbare school niet eens heb kunnen halen, weet ik niet helemaal zeker of ik het wel kan onthouden.'

Het was, dat wist George, een bepalend moment. 'Weet je wat, brigadier, aan het eind van deze zaak krijg je van mij een pakje sigaretten voor elke dag dat je het hebt weten te onthouden.'

Clough grinnikte. 'Dat noem ik nou eens een aanmoedigingspremie.'

'Ik ga met Charlie Lomas praten. Wil je erbij zijn?'

'Met genoegen, meneer.'

George liep in de richting van zijn auto maar stond ineens met gefronst voorhoofd stil en zei: 'Wat doe je hier eigenlijk? Ik dacht dat je tot het weekend nog nachtdienst had.'

Clough zag er een beetje betrapt uit. 'Dat is ook zo. Maar ik besloot wat vroeger te beginnen. Ik wilde helpen.' Er verscheen een scheve grijns op zijn gezicht. 'Wees niet bang, ik zal geen overuren schrijven.'

George probeerde zijn verbazing te verbergen. 'Goed van je,' zei hij. Terwijl hij over de landweg van Scardale reed, dacht George na over de manier waarop Clough hem wist te verbazen. Hij had het idee dat hij mensen over het algemeen wel goed kon inschatten, maar hoe beter hij Tommy Clough leerde kennen, hoe meer tegenspraken hij in de man ontdekte.

Clough kwam over als een brutale en grove vent, altijd het eerst om een rondje te geven en het luidst met de schuine moppen. Maar als je naar zijn staat van dienst keek, leek je het over een andere man te hebben, een subtiele, scherpzinnige rechercheur die bij zijn verdachten precies de zwakke punten wist te vinden en daar maar op bleef hameren tot ze in elkaar stortten en hem vertelden wat hij wilde weten. Hij was altijd de eerste om een verlekkerd oogje op een aantrekkelijke vrouw te werpen, maar hij woonde alleen in een vrijgezellenflat die uitkeek op het meer in de Pavilion Gardens. Hij was daar een keer langsgegaan om Clough op te halen voor een onverwacht optreden voor de rechtbank. George had verwacht daar een rommeltje aan te treffen, maar het was er schoon geweest, met een sobere inrichting, volgestouwd met jazzplaten en muren die behangen waren met pentekeningen van Britse vogels. Clough leek in verlegenheid gebracht toen hij George op zijn drempel had zien staan in de verwachting te worden binnengelaten en was binnen de kortste keren klaar geweest om te vertrekken.

Nu had de man die altijd de eerste was om elke minuut overwerk in rekening te brengen, zijn vrije tijd opgegeven om op het platteland van Derbyshire op zoek te gaan naar een meisje waarvan hij het bestaan vierentwintig uur daarvoor nog niet had gekend. George schudde zijn hoofd. Hij vroeg zich af of hij voor Tommy Clough net zo'n raadsel was als de brigadier voor hem was. Op de een of andere manier betwijfelde hij dat.

George zette zijn overpeinzingen van zich af en schetste de brigadier zijn verdenkingen aan het adres van Charlie Lomas. 'Het is niet veel, dat weet ik, maar op dit moment hebben we niets anders,' besloot hij.

'Als hij niets te verbergen heeft, zal het hem geen kwaad doen om erachter te komen dat we de zaak serieus nemen,' zei Clough grimmig. 'En als hij wel wat verbergt, duurt dat niet lang meer.'

In de kerk hing een merkwaardig ingehouden sfeer. Een paar agenten waren bezig met papierwerk. Peter Grundy en een brigadier die George niet kende, bestudeerden gedetailleerde reliëfkaarten van de onmiddellijke omgeving en tekenden met dikke potloden vierkanten af. Achter in de ruimte was het slungelige lange lichaam van Charlie Lomas op een klapstoel gevouwen: zijn benen waren over elkaar heen en zijn armen over zijn borst geslagen. Een agent zat tegenover hem aan een kaarttafel waarop hij druk bezig was een verklaring te schrijven.

George liep naar Grundy en nam hem apart. 'Ik wil eens even een woordje met Charlie Lomas wisselen. Wat kun je me over de jongen vertellen?'

Het gezicht van de agent uit Longnor werd onmiddellijk uitdrukkingsloos. 'In welk opzicht, meneer?' vroeg hij formeel. 'Er is niets over hem bekend.'

'Ik weet dat hij geen strafblad heeft,' zei George. 'Maar het is jouw gebied. Je hebt familie in Scardale...'

'Dat is mijn vrouw,' viel Grundy hem in de rede.

'Wie of hoe maakt niet uit. Je moet enig idee hebben van hoe hij is. Waartoe hij in staat is.'

De woorden van George hingen in de lucht. Op Grundy's gezicht verscheen langzaam een uitdrukking van verontwaardigde vijandigheid. 'U denkt toch niet echt dat Charlie iets te maken heeft met de verdwijning van Alison?' Hij zei het op ongelovige toon.

'Ik heb wat vragen voor hem, en het zou helpen als ik enig idee had met wat voor jongen ik praat,' zei George vermoeid. 'Dat is alles. Dus wat voor jongen is het, agent Grundy?'

Grundy keek naar rechts, toen naar links en weer naar rechts, als een kind dat op de juiste manier wacht om de straat over te steken. Maar er was geen ontsnappen aan de ogen van George. Grundy krabde aan het zachte plekje huid achter zijn oor. 'Het is een goeie jongen, Charlie. Maar hij is op een lastige leeftijd. Alle jongens van zijn leeftijd hier in de buurt gaan uit en drinken een paar biertjes en proberen het aan te leggen met meisjes. Maar dat is niet zo gemakkelijk als je in zo'n uithoek woont. Het andere punt met Charlie is dat hij behoorlijk slim is. Slim genoeg om te weten dat hij iets van zijn leven kan maken als hij zichzelf ertoe kan brengen om uit Scardale weg te gaan. Maar hij durft het nog niet aan om op eigen benen te staan. Dus heeft hij zo af en toe een grote mond en klaagt over hoe moeilijk het allemaal voor hem is. Maar zijn hart zit op de juiste plaats. Hij woont in het huisje van de oude Ma Lomas omdat ze niet zo goed meer is en de familie graag heeft dat er iemand is die de kolen naar binnen kan sjouwen en andere klusjes kan doen voor de oude vrouw. Voor een jongen van zijn leeftijd is het nou niet bepaald een spannend leven, maar dat is het enige waar hij nooit over klaagt.'

'Had hij een nauwe band met Alison?'

George zag dat Grundy zich afvroeg hoever hij kon gaan. Dat was een van de moeilijkste aspecten van zijn beroep: dat hij voortdurend voet bij stuk moest houden en zich aan zijn collega's moest bewijzen. 'Ze hebben daar allemaal een nauwe band met elkaar,' zei Grundy ten slotte. 'Er zijn nooit problemen geweest tussen hem en Alison, voor zover ik weet.'

Het waren echter niet direct problemen waar George in geïnteresseerd was waar het die neef en nicht uit Scardale betrof. Toen hij besefte dat hij alles uit Grundy had gekregen wat hij maar kon, knikte hij een bedankje en liep naar de andere kant van de zaal, terwijl hij hoopte dat hij er niet zo uitgeput uitzag als hij zich voelde. Hij kon waarschijnlijk beter tot de volgende dag wachten met zijn verhoor van Charlie Lomas, maar hij deed het liever terwijl de jongen al een beetje in de verdediging was. Bovendien was er nog een kansje van één op een miljoen dat Alison nog in leven was, en Charlie Lomas zou de sleutel tot haar verblijfplaats kunnen hebben. Zelfs zo'n kleine kans was te veel om te laten lopen.

Toen hij bij hen kwam, pakte George een stoel en zette deze nonchalant aan de derde kant van de tafel, in een rechte hoek ten opzichte van zowel Charlie als de agent. Zonder dat het hem was gevraagd, volgde Clough zijn voorbeeld; hij ging aan de vierde kant van de tafel zitten en sloot Charlie daarmee in. Charlies ogen vlogen van de een naar de ander en hij verschoof onrustig op zijn stoel. 'Je weet toch wie ik ben, hè, Charlie?' zei George.

De jongen knikte.

'Geef antwoord als je iets wordt gevraagd,' zei Clough ruw. 'Ik wed dat je oma dat ook altijd tegen je zegt. Ze is toch je oma, niet? Ik bedoel, ze is niet je tante of een nicht van je moeder of een nichtje? Het is moeilijk te zeggen daar bij jullie.'

Charlie trok een scheve mond en schudde zijn hoofd. 'Daar is toch geen reden voor,' protesteerde hij. 'Ik help jullie.'

'En we zijn je heel dankbaar dat je hiernaartoe wilde komen om een verklaring af te leggen,' zei George, die moeiteloos in de rol van aardige agent viel ten opzichte van Clough als gemene agent. 'Nu je hier toch bent, wil ik je een paar vragen stellen. Vind je dat goed?'

Charlie ademde zwaar door zijn neus. 'Ja, laat maar horen.'

'Ik ben onder de indruk van het feit dat je die omgewoelde plek in het bosje hebt gevonden,' zei George. 'Er was al een hele ploeg doorheen gegaan voordat jij er kwam, en niemand had er ook maar een spoortje van opgepikt.'

Charlie slaagde erin zijn schouders op te halen zonder ook maar een van zijn ledematen uit hun zelfomhelzing te halen. 'Ik ken het als mijn broekzak, het dal. Je leert zo'n plek heel goed kennen, en het kleinste dingetje dat afwijkt valt je op, dat is alles.'

'Maar je was niet de eerste uit Scardale die daar kwam en je was wel de eerste die het zag.'

'Ja, nou, misschien heb ik betere ogen dan sommigen van die ouwe kerels,' zei hij in een poging stoer te doen zonder het echt te redden.

'Het interesseert me, weet je, omdat we hebben gemerkt dat mensen die bij een misdaad betrokken zijn soms een rol willen spelen in het onderzoek,' zei George op rustige toon.

Charlies lichaam kwam uit de knoop alsof het was opgeladen. Zij voeten sloegen met een klap op de vloer en zijn onderarmen op de tafel. Politiemensen aan de andere kant van de zaal keken geschrokken achterom. 'U bent gestoord,' zei hij.

'Ik ben niet gestoord, maar ik heb zo'n idee dat iemand hier in de buurt dat wel is. Luister, als iemand Alison mee wilde nemen of haar iets wilde aandoen, zou dat veel gemakkelijker zijn voor iemand die ze kende of vertrouwde. Jij kent haar, dat is duidelijk. Ze is je nichtje; je bent met haar opgegroeid. Jij vertelt haar welke platen haar stiefvader voor haar moet kopen. Jij zit samen met haar bij de kachel terwijl je grootmoeder haar verhalen vertelt over de vroegere dagen in het zonnige Scardale. Je neemt haar op woensdagen mee naar de rolschaatsbaan.' George haalde zijn schouders op. 'Het zou je geen enkele moeite kosten om haar over te halen ergens met je heen te gaan.'

Charlie duwde zich weg van de tafel en stopte zijn trillende handen in zijn broekzakken. 'En?'

George haalde de foto te voorschijn die hij uit Alisons kamer had meegenomen. 'Ze had een foto van jou in haar slaapkamer,' was alles wat hij zei, terwijl hij de foto aan Charlie liet zien.

Zijn gezicht vertrok en hij sloeg zijn benen over elkaar. 'Die zal ze bewaard hebben vanwege Ma,' zei hij hardnekkig. 'Ze is dol op Ma, en die ouwe heks wil nooit op de foto. Dit moet ongeveer de enige foto van Ma zijn die er is.'

'Weet je dat zeker, Charlie,' kwam Clough ertussen. 'Want wij, mijn baas en ik, denken dat ze jou wel zag zitten. Een leuke meid als zij om je heen, die de grond aanbidt waarop je loopt... er zijn niet veel kerels die daar nee tegen zouden zeggen, denk je niet? Zeker niet als het om zo'n prachtige meid als Alison gaat. Een rijpe vrucht, klaar om te plukken, klaar om zo in je hand te vallen. Weet je zeker dat dat het niet was, Charlie?'

Charlie wrong zich in alle bochten en zei hoofdschuddend: 'U zit er helemaal naast.'

'Is dat zo,' vroeg George rustig. 'Vertel eens, Charlie, hoe was het dan? Schaamde je je om zo'n kind achter je aan te hebben wanneer je naar de rolschaatsbaan ging? Zat Alison je in de weg als het om andere meisjes ging, was dat het probleem? Heb je haar gisteren tegen etenstijd in het dal ontmoet? Heeft ze te veel druk op je uitgeoefend?'

Charlie liet zijn hoofd hangen en ademde diep in. Toen hief hij zijn hoofd op en keek George aan. 'Ik begrijp het niet. Waarom behandelen jullie me zo? Ik heb alleen maar geprobeerd te helpen. Ze is mijn nichtje. Ze is familie van me. De mensen in Scardale zorgen voor elkaar. Het is niet zoals in Buxton, waar niemand een zier om een ander geeft.' Hij wees met zijn vinger om de beurt naar beide politiemannen. 'Jullie zouden daar moeten zijn en naar haar moeten zoeken, niet mij op zo'n manier beledigen.' Hij kwam overeind. 'Moet ik hier blijven?'

George stond op en maakte een gebaar naar de deur. 'Je kunt gaan wanneer je wilt. Maar we zullen nog een keer met je moeten praten.'

Terwijl Charlie boos de deur uitstoof, een en al magere onhandigheid en verontwaardiging, stond Clough op en liep naar George toe. 'Hij is er niet gewiekst genoeg voor,' zei hij.

'Misschien niet,' zei George. De twee mannen liepen achter Charlie aan, bleven op de drempel staan en zagen de jongen op weg gaan naar Scardale. George keek Charlie nadenkend na. Toen schraapte hij zijn keel. 'Ik ga naar huis. Morgenvroeg ben ik weer paraat. Tot dan heb jij de leiding, in elk geval over de recherche.'

Clough lachte, een lach die in de koude nachtlucht scheen weg te sterven in een wolk witte damp. 'Cragg en ik, hè? Dat zal de boeven nog aan het schrikken maken. Moeten we nog een bepaalde onderzoekslijn volgen?'

'Degene die Alison heeft meegenomen, moet haar op de een of andere manier uit het dal hebben gebracht,' zei George bijna hardop denkend. 'Ze is een normaal ontwikkeld meisje van dertien, dus hij kan haar niet lang gedragen hebben. Als hij haar door het dal van de Scarlaston heeft meegenomen naar Denderdale, heeft hij zo'n zes kilometer moeten lopen voor hij bij een weg kwam. Maar als hij haar hierheen heeft gebracht, naar de weg naar Longnor, was dat hemelsbreed waarschijnlijk maar zo'n tweeënhalve kilometer. Het is misschien een goed idee als Cragg en jij vanavond de huizen in Longnor afgaan om te vragen of iemand een geparkeerde auto heeft gezien bij de afslag naar Scardale.'

'Dat lijkt me een goed idee. Ik ga op zoek naar Cragg en dan beginnen we.'

George ging terug naar het crisiscentrum, organiseerde voor de volgende ochtend een zoektocht met de speurhonden in Denderdale, was een halfuur op het politiebureau in Buxton bezig met het invullen van aanvraagformulieren voor het lab om het bewijsmateriaal uit het bosje en Alisons haarborstel te onderzoeken, en ging toen eindelijk naar huis.

De dorpelingen moesten maar wachten tot de volgende dag.

7

Donderdag 12 december 1963, 20.06 uur.

George kon zich niet herinneren dat hij zijn voordeur ooit met zo'n gevoel van opluchting achter zich dicht had gedaan. Voordat hij zelfs zijn hoed maar kon afzetten, stond Anne daar en was met drie korte stappen in zijn armen. 'Wat heerlijk om thuis te zijn,' zuchtte hij. Hij dronk de muskusachtige geur van haar haar in en besefte dat hij zich sinds de vorige ochtend niet meer had gewassen.

'Je werkt te hard,' berispte ze hem zacht. 'Je doet niemand een plezier als je jezelf kapotwerkt. Kom binnen. De haard brandt en het kost me nog geen vijf minuten om de stoofpot op te warmen.' Ze stapte uit zijn armen en bekeek hem kritisch. 'Je ziet er doodmoe uit. Zodra je gegeten hebt, ga je in een heet bad en dan naar bed.'

'Ik ga liever eerst in bad, als het water heet is.'

'Dat kan. Er is genoeg water in de boiler. Ik wilde zelf een bad nemen, maar nu kun jij erin. Ga je maar uitkleden, dan zet ik het bad aan.' Ze joeg hem voor zich uit de trap op.

Een halfuur later zat hij in zijn ochtendjas aan de keukentafel een grote portie stoofpot van rundvlees en wortel naar binnen te werken, begeleid door een bord brood en boter. 'Sorry dat er geen piepers bij zijn,' zei Anne verontschuldigend. 'Ik dacht dat brood en boter sneller zou zijn en ik wist dat je iets nodig zou hebben zodra je thuiskwam. Je eet nooit goed wanneer je aan het werk bent.'

'Hmm,' bromde hij door een mond vol eten.

'Hebben jullie haar gevonden, dat vermiste meisje? Ben je daarom thuis?'

Het eten in zijn mond leek tot een onverteerbare klomp te stollen. George wist het met moeite zijn slokdarm in te krijgen. Het voelde alsof hij een haarbal ter grootte van een golfbal doorslikte. Hij staarde naar zijn bord. 'Nee,' zei hij. 'En ik denk niet dat ze nog in leven is wanneer we haar vinden.'

Anne verbleekte. 'Maar dat is verschrikkelijk, George. Hoe kun je daar zo zeker van zijn?'

Hij schudde zijn hoofd en zuchtte. 'Ik ben er niet zeker van. Maar we weten dat ze niet uit vrije wil is weggegaan. Vraag me niet hoe, maar dat weten we. Ze is niet ontvoerd voor losgeld, uit zo'n soort familie komt ze niet. En mensen die kinderen ontvoeren houden ze meestal niet lang in leven. Daarom denk ik dat ze al dood is. En als dat niet zo is, zal ze dood zijn voor we haar vinden, want we hebben geen enkel aanknopingspunt. De dorpelingen gedragen zich alsof wij de vijand zijn in plaats van de vriend, en het landschap is zo moeilijk af te zoeken dat het lijkt alsof zelfs dat tegen ons samenzweert.' Hij duwde zijn bord weg en stak zijn hand uit naar Annes sigaretten.

'Wat vreselijk,' zei ze. 'Hoe moet haar moeder daarmee omgaan?'

'Ruth Hawkin is een sterke vrouw. Als je ergens opgroeit waar het leven zo hard is als in Scardale leer je denk ik te buigen in plaats van te barsten. Maar ik weet niet hoe ze zich hieronder zal houden. Haar eerste man heeft ze zeven jaar geleden bij een ongeluk op de boerderij verloren, en nu dit. En aan die nieuwe man van haar heeft ze niet veel. Dat is een van die egocentrische klojo's die zich bij alles afvragen wat het voor invloed op hen zal hebben.'

'Wat? Je bedoelt een man?' zei Anne plagend.

'Heel grappig. Zo ben ik niet. Ik verwacht mijn eten niet op tafel wanneer ik de deur binnenstap. Je hoeft me niet te bedienen.'

'Je zou er snel genoeg van hebben als ik dat niet deed.'

Met een schouderbeweging en een glimlach gaf George het toe. 'Je hebt waarschijnlijk gelijk. Mannen raken er zo aan gewend dat vrouwen voor ze zorgen. Maar als mijn dochter ooit vermist zou worden, denk ik toch niet dat ik mijn eten op tafel eis voordat mijn vrouw mag gaan zoeken.'

'Deed hij dat?'

'Volgens een van de getuigen.' Hij schudde zijn hoofd. 'Ik zou je dit niet moeten vertellen.'

'Aan wie zou ik het moeten doorvertellen? De enige mensen die ik hier ken zijn de vrouwen van andere politiemannen. En die hebben me nu niet bepaald aan hun boezem gedrukt. Degenen die van mijn leeftijd zijn, zijn getrouwd met mannen die een lagere rang hebben en vertrouwen me dus niet, vooral niet omdat ik een gekwalificeerde lerares ben en zij geen van allen ooit iets uitdagenders hebben gedaan dan in een winkel of op een kantoor werken. En de vrouwen van de hogere functionarissen zijn allemaal ouder dan ik en behandelen me als een dwaas kind. Je kunt er dus zeker van zijn dat ik niet over je zaak zal roddelen, George,' zei Anne op enigszins bittere toon.

'Het spijt me. Ik weet dat het niet gemakkelijk voor je is geweest om hier nieuwe vriendschappen te sluiten.' Hij nam haar hand in de zijne.

'Ik weet niet hoe ik verder zou moeten als ik een kind verloor.' Haar vrije hand gleed bijna onbewust naar haar buik.

George kneep zijn ogen samen. 'Is er iets wat je me niet hebt verteld?' vroeg hij scherp.

Annes lichte huid werd donkerrood. 'Ik weet het niet, George. Het is alleen... nou, ik ben over tijd. Een week over tijd. Dus... het spijt me, lieverd, ik wilde niets zeggen tot ik zeker was, vooral niet nu je met die zaak van een vermist kind bezig bent. Maar, ja, ik denk dat ik in verwachting zou kunnen zijn.'

Toen haar woorden tot hem doordrongen, verspreidde zich langzaam een glimlach over het gezicht van George. 'Echt? Word ik vader?'

'Het kan vals alarm zijn, maar ik ben nog nooit over tijd geweest.' Ze zag er bijna bezorgd uit.

George sprong overeind, trok haar van haar stoel en draaide met haar rond in een vreugdedansje. 'Dat is geweldig, geweldig, geweldig.' Ze kwamen struikelend tot stilstand en hij kuste haar hard en hartstochtelijk. 'Ik hou van je, mevrouw Bennett.'

'En ik hou van jou, meneer Bennett.'

Hij trok haar tegen zich aan en begroef zijn gezicht in haar haar. Een kind. Zijn kind. Het enige wat hij nu moest doen, was bedenken hoe hij datgene zou klaarspelen wat elke ouder sinds Adam en Eva de macht te boven was gegaan: het beschermen.

Tot op dat moment was Alison Carter een belangrijke zaak geweest voor inspecteur George Bennett. Nu had het een symbolische betekenis gekregen. Nu werd het een kruistocht.

In Scardale was de sfeer net zo dreigend als de kalksteenmassa's die het dal omringden. De ervaring van Charlie Lomas met de politie was net zo snel door het dorp gegaan als het nieuws van Alisons verdwijning. Terwijl de vrouwen regelmatig en ongerust controleerden of hun kinderen wel in bed lagen te slapen, kwamen de mannen bijeen in de keuken van Bankside Cottage, waar Ruth tot haar huwelijk met Hawkin met haar dochter had gewoond.

Terry Lomas, Charlies vader, kauwde op de steel van zijn pijp en mopperde op de politie. 'Ze hebben het recht niet om onze Charlie als een misdadiger te behandelen,' zei hij.

Charlies oudere broer, John, zei kwaad: 'Ze hebben geen idee wat er met Alison is gebeurd. Ze proberen gewoon een voorbeeld van Charlie te maken, zodat het lijkt alsof ze iets doen.'

'Denk maar niet dat ze het daarbij laten,' zei Charlies oom Robert. 'Ze zullen ons een voor een in de tang nemen als ze niets uit Charlie weten te krijgen. Die Bennett is helemaal geobsedeerd door Alison, dat kun je zo merken.'

'Maar dat is goed, niet?' kwam Ray Carter ertussen. 'Dat betekent dat hij zijn werk goed zal doen. Hij gaat door tot hij een antwoord heeft.'

'Dat is goed als het het juiste antwoord is,' zei Terry.

'Ja,' zei Robert nadenkend. 'Maar hoe zorgen we dat hij niet afgeleid wordt van wat hij zou moeten doen doordat hij te hard achter mensen als onze Charlie aanzit? De jongen houdt het niet lang vol, dat weten we allemaal. Ze zullen hem woorden in de mond leggen. Al ze de juiste man niet kunnen vinden, besluiten ze straks nog om Charlie maar te pakken en dat is het dan.'

'We kunnen twee dingen doen,' zei Jack Lomas. 'We kunnen besluiten niet mee te werken. We vertellen ze helemaal niets behalve wat nodig is om Charlie aan alle kanten te beschermen. Dan zullen ze snel doorkrijgen dat ze een andere zondebok moeten zoeken. Of we kunnen ons uiterste best doen om ze te helpen. Misschien dat ze zich op die manier realiseren dat ze onze Alison of de dader niet vinden onder de mensen die om haar gaven.'

Er viel een lange stilte in de keuken, die benadrukt werd door het zuigen van Terry aan zijn pijp. Ten slotte sprak oude Robert Lomas. 'Misschien kunnen we het allebei doen.'

Het werk ging zonder George door. Er werd die dag niet meer gezocht, maar in het crisiscentrum maakten agenten plannen voor de volgende dag. Ze hadden al een aanbod geaccepteerd van vrijwilligers van het plaatselijke reserveleger en van kadetten van de RAF om in het weekend aan de zoektocht mee te werken. Niemand bracht zijn gedachten onder woorden, maar iedereen zag het somber in. Dat betekende echter niet dat ze niet elke centimeter van Derbyshire zouden afzoeken als het moest.

Verderop in Longnor werden Clough en Cragg volgestopt met thee, maar niet met aanwijzingen. Omdat het een boerengemeenschap was, die vroeger in bed lag dan het stadse volk in Buxton, hadden ze afgesproken om halftien op te houden. Vlak voor ze het voor die dag voor gezien zouden houden, had Clough geluk. Een ouder echtpaar had kerstinkopen gedaan in Leek en op de terugweg naar huis een Landrover geparkeerd zien staan op het gras naast de methodistenkerk. 'Vlak voor vijf uur,' zei de man heel zeker.

'Waardoor viel de auto u op?' vroeg Clough.

'We gaan naar die kerk,' zei hij. 'Normaal gesproken parkeert alleen de voorganger daar. De anderen zetten hun auto's in de berm. Iedereen hier in de buurt weet dat.'

'Denkt u dat de bestuurder van de weg af is gaan staan om niet opgemerkt te worden?'

'Ik denk het wel, ja. Hij kon niet weten dat het de enige parkeerplek is die hem verdacht zou maken.'

Clough knikte. 'Hebt u de bestuurder gezien?'

Ze schudden allebei hun hoofd. 'Het was donker,' legde de vrouw uit. 'De auto had geen lichten aan en we waren er in een paar seconden voorbij.'

'Hebt u nog iets opgemerkt aan de Landrover? Of het er een was met een lange of een korte wielbasis? Wat voor kleur hij had? Of hij een vast dak had of een dak van zeildoek? Letters of nummers van het kenteken?' probeerde Clough.

Opnieuw schudden ze twijfelend hun hoofd. 'We hebben er eerlijk gezegd niet veel aandacht aan besteed,' zei de man. 'We zaten over het slachtvee te praten. Een vent uit Longnor had een van de hoogste prijzen gewonnen en we waren uitgenodigd om iets met hem te gaan drinken in Leek. Ik denk dat het halve dorp erheen zou gaan. Maar wij hadden besloten naar huis te gaan. Mijn vrouw wilde met de kerstversieringen bezig gaan.'

Clough keek om zich heen naar de zelfgemaakte papieren slingers en de kunstboom, compleet met zijn meelijwekkende snoer van feestverlichting en een slinger van glinsterfolie die eruitzag alsof de hond er sinds de vorige kerst aan had zitten knauwen. 'Dat begrijp ik,' zei hij met een uitgestreken gezicht.

'Ik wil het altijd graag klaar hebben op de dag van de veemarkt,' zei de vrouw trots. 'Dan hebben we het gevoel dat Kerstmis eraankomt, nietwaar, vader?'

'Zo is het, Doris, ja. Dus u begrijpt, brigadier, dat we met onze gedachten niet echt bij de Landrover waren.'

Clough stond op en glimlachte. 'Dat geeft niet,' zei hij. 'U hebt hem in elk geval opgemerkt. Dat is meer dan iemand anders in het dorp heeft gedaan.'

'Ze waren te druk bezig de overwinning te vieren van de vaarzen van Alec Grundy,' zei de man quasi-ernstig.

Clough bedankte hen nogmaals en ging weg om Cragg te ontmoeten in het plaatselijke café. Hij had nooit gevonden dat de regel over het niet drinken in diensttijd strikt moest worden toegepast, vooral niet tijdens een avonddienst. Net als een motor op hoogwaardige olie, liep zijn geest altijd soepeler op een paar drankjes. Bij een glas Marston's Pedigree vertelde hij Cragg wat hij had gehoord.

'Dat is geweldig,' zei Cragg enthousiast. 'Daar zal de Professor wel blij mee zijn.'

Clough trok een gezicht. 'Hij zal blij zijn met het feit dat we een paar getuigen hebben die een Landrover geparkeerd hebben zien staan op een plek waarvan de mensen uit de omgeving weten dat ze daar niet moeten parkeren. Hij zal blij zijn met het feit dat dit ongebruikelijke staaltje van parkeren plaatsvond rond de tijd waarop Alison is verdwenen.' Toen legde Clough uit waar George volgens hem niet blij mee zou zijn.

'Verdomme,' zei Cragg.

'Precies.' Clough nam in één enkele slok een kwart uit de inhoud van zijn glas. 'Verdomme.'

Vrijdag 13 december 1963, 5.35 uur

George liep het politiebureau van Buxton binnen en zag een agent bezig kerstklokken van honingraatpapier met punaises aan de muur te bevestigen. 'Dat vrolijkt een mens op,' bromde hij. 'Is brigadier Lucas hier?'

'U kunt hem nog net treffen. Hij zei dat hij naar de kantine ging voor een broodje bacon. De eerste pauze die hij de hele nacht heeft gehad.'

'De rode klok hangt hoger dan de groene,' zei George, terwijl hij wegliep.

Toen de deur dichtzwaaide, wierp de agent een boze blik in zijn richting.

George vond Bob Lucas. Hij zat een broodje bacon naar binnen te werken en mistroostig in de ochtendkranten te kijken. 'Hebt u dit gezien?' zei hij ter begroeting, en hij schoof de *Daily News* over de tafel. George pakte de krant op en begon te lezen.

Daily News, vrijdag 13 december 1963, p. 5

VERMIST MEISJE: IS ER EEN VERBAND?

Honden speuren naar Alison

Van onze verslaggever

De politie weigerde gisteren een verband uit te sluiten tussen het vermiste schoolmeisje Alison Carter, 13 jaar, en twee overeenkomstige verdwijningen op minder dan vijftig kilometer afstand in de afgelopen zes maanden. Er zijn opvallende overeenkomsten tussen de drie gevallen, en rechercheurs spraken persoonlijk van de noodzaak te overwegen of

een gezamenlijke taakeenheid moet worden opgezet van de drie korpsen die de gevallen onderzoeken.
De nieuwste zoektocht richt zich op Alison Carter, die woensdag verdween uit het afgelegen gehucht Scardale in Derbyshire. Ze is na schooltijd een wandeling gaan maken met haar collie Shep, maar toen ze niet thuiskwam heeft haar moeder, mevrouw Ruth Hawkin, de plaatselijke politie in Buxton gewaarschuwd.
Een zoektocht met speurhonden heeft geen spoor van het meisje opgeleverd, hoewel haar hond ongedeerd in de nabije bossen is gevonden.
Deze mysterieuze verdwijning komt minder dan drie weken na de vermissing van de 12-jarige John Kilbride uit Ashton-under-Lyne. Hij werd het laatst tegen etenstijd op de plaatselijke markt gezien. Volgens de politie van Lancashire is daarna niets meer van hem vernomen.
Pauline Reade, 16 jaar, verliet in juli haar ouderlijk huis in Wiles Street, Gorton, Manchester, om naar een dansavond te gaan. Maar ze is daar nooit aangekomen, en net als bij John en Alison heeft de politie geen idee van wat er met haar is gebeurd.
Een hogere politiefunctionaris van Derbyshire zei: 'Op dit punt houden we met alles rekening en sluiten niets uit. We kunnen geen enkele reden vinden voor de verdwijning van Alison. Er waren geen problemen, thuis noch op school.
Als Alison bij het vallen van de avond niet is gevonden, wordt de zoektocht morgen geïntensiveerd. We weten gewoon niet wat er met haar is gebeurd en we maken ons grote zorgen, niet in het minst vanwege het zeer koude weer van dit moment.'
Een rechercheur uit Manchester liet de *Daily News* weten: 'We hopen uiteraard dat Alison snel wordt gevonden. Maar als deze zaak niet snel wordt opgelost, zullen we de resultaten van ons onderzoek graag delen met de collega's uit Derbyshire.'

'Die verrekte journalisten,' klaagde George. 'Ze verdraaien alles wat je zegt. Waar is de opmerking die ik gemaakt heb over dat er meer verschillen dan overeenkomsten zijn? Ik had het net zo goed niet kunnen zeggen. Die Don Smart schrijft gewoon wat hij wil schrijven. De waarheid doet er niet toe.'

'Het is altijd hetzelfde met die Fleet Street-verslaggevers,' zei Lucas zuur. 'De plaatselijke jongens moeten zich wel een beetje om de waarheid bekommeren want ze hebben ons elke week nodig voor hun verhalen, maar die lui in Londen zal het een rotzorg zijn of ze de politie van Buxton in de weg zitten of niet.' Hij zuchtte. 'Was u op zoek naar mij, meneer?'

'Ik wil je alleen vragen iets door te geven aan de dagploeg. Ik denk dat het tijd is om bij ons bekende zedendelinquenten uit de omgeving op te pikken voor ondervraging.'

'Uit het hele district?' Lucas klonk vermoeid.

Soms, dacht George, begreep hij precies waarom sommige politiemensen hun hele leven opgesloten bleven in hun uniform. 'Ik denk dat we ons op de onmiddellijke omgeving van Scardale moeten concentreren. Een straal van tien kilometer misschien, en aan de noordkant Buxton erbij.'

'Wandelaars komen van kilometers uit de omtrek,' zei Lucas. 'Er is geen enkele garantie dat de man die we zoeken niet uit Manchester komt, of uit Sheffield of Stoke.'

'Dat weet ik, brigadier, maar we moeten ergens beginnen.' George schoof zijn stoel naar achteren en stond op. 'Ik ga naar Scardale. Ik verwacht er de hele dag te zijn.'

'Is er al iets bekend over de Landrover?' vroeg Lucas, met een stem die net zo neutraal klonk als zijn gezicht zelfvoldaan stond.

'Landrover?'

'Uw mensen hebben gisteravond in Longnor een paar getuigen gevonden. Ze hebben een Landrover gezien die rond de tijd waarop Alison het huis uitging van de weg af geparkeerd stond bij de afslag naar Scardale.'

Het gezicht van George lichtte op. 'Maar dat is toch fantastisch nieuws?'

'Niet helemaal. Het was donker. De getuigen konden geen enkele beschrijving geven, behalve dat het om een Landrover ging.'

'Maar we kunnen afdrukken van de banden maken. Het is een begin,' zei George, die zijn ergernis ten aanzien van Lucas en de *Daily News* op slag vergat in zijn enthousiasme.

Lucas schudde zijn hoofd. 'Ik vrees van niet. De plek waar de Landrover geparkeerd stond? Naast de methodistenkerk? Dat is precies de plek waar onze auto's gisteren de hele dag heen en weer hebben gereden.'

'Verdomme,' zei George.

Tommy Clough zat met een beker thee en een sigaret in het crisiscentrum toen George daar arriveerde. 'Goeiemorgen,' zei hij, zonder de moeite te nemen op te staan.

'Ben je nog hier?' vroeg George. 'Je bent nu vrij als je wilt. Je moet wel uitgeput zijn.'

'Niet erger dan u gisteren was. Als u het goedvindt, ga ik liever door. Het is mijn laatste nachtdienst, dus ik kan er net zo goed meteen aan wennen om weer op de gewone tijd naar bed te gaan. Ik kan misschien nuttig zijn als u met de dorpelingen gaat praten. Ik heb ze bijna allemaal al een keer gezien en ik heb behoorlijk wat informatie over hun achtergrond opgepikt.'

George dacht even na. Het normaal blozende gezicht van Clough was bleker dan gewoonlijk en de huid rond zijn ogen was een beetje opgeblazen. Maar zijn ogen waren nog helder genoeg en hij beschikte over wat plaatselijke kennis die George miste. Bovendien werd het tijd dat George met een van zijn drie brigadiers een werkrelatie ontwikkelde die wat dieper ging dan het oppervlakkige. 'Goed. Maar als jij begint te gapen wanneer een of andere oude schat besluit ons haar levensverhaal te vertellen, stuur ik je rechtstreeks naar huis.'

'Dat lijkt me prima. Waar beginnen we?'

George liep naar een van de tafels en trok een blocnote naar zich toe. 'Een schets. Wie waar woont en wie ze zijn. Daar wil ik mee beginnen.'

George krabde op zijn hoofd. 'Ik neem aan dat je niet weet hoe ze allemaal met elkaar verwant zijn?' vroeg hij, kijkend naar de kaart die Tommy Clough voor hem had getekend.

'Geen idee,' bekende hij. 'Afgezien van een paar duidelijke dingen: Charlie Lomas is het jongste kind van Terry en Diane. Mike Lomas is de oudste van Robert en Christine. Dan heb je Jack, die bij hen woont, en die hebben twee dochters: Denise, die getrouwd is met Brian Carter, en Angela, die getrouwd is met een kleine boer in de buurt van Three Shires Head.'

George hief zijn hand op. 'Genoeg,' kreunde hij. 'Omdat je er zo te horen een aangeboren talent voor hebt, maak ik jou verantwoordelijk voor de genealogie van Scardale. Je kunt mij eraan herinneren wie waar thuishoort voor zover en wanneer ik dat moet weten. Op dit moment wil ik alleen nog weten hoe Alison Carter erin past.'

Tommy sloeg zijn ogen ten hemel alsof hij zich de familiestamboom

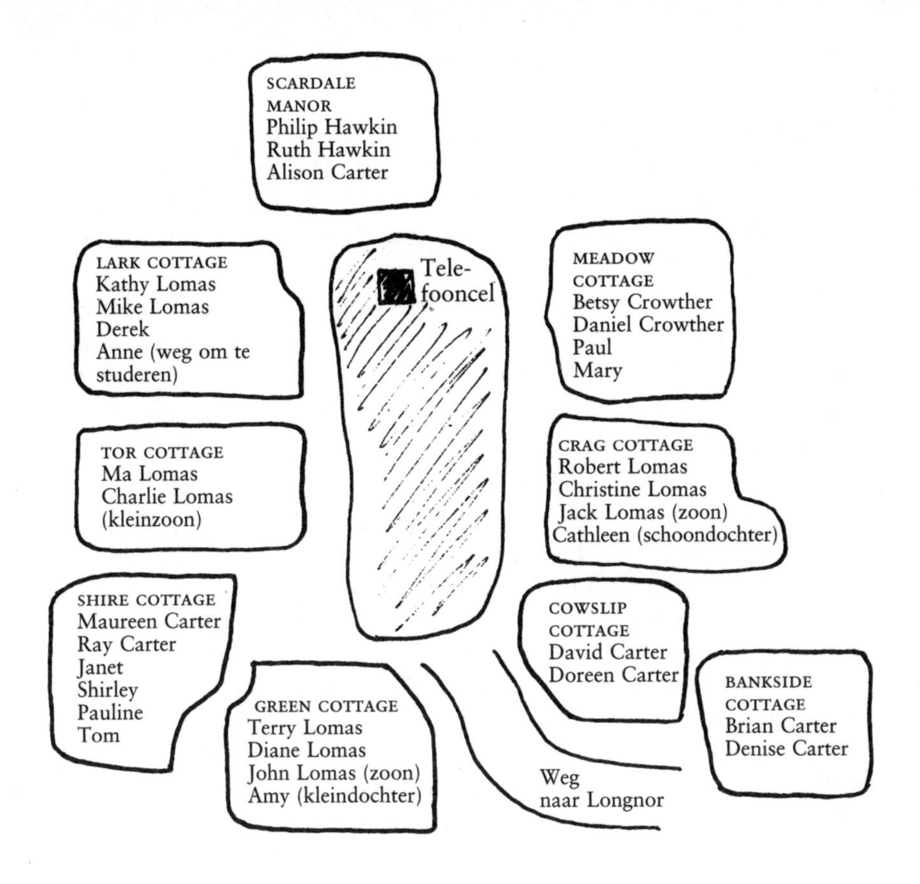

probeerde voor te stellen. 'Oké. Ik laat neven en nichten zitten, of ze nu vol zijn of in de tweede of derde lijn. Ik blijf bij de rechte familielijn. Op de een of andere manier is Ma Lomas haar overgrootmoeder. Haar vader, Roy Carter, was de broer van David en Ray. Van haar moederskant was ze een Crowther. Ruth is de zuster van Daniel en ook van de vrouw van Terry Lomas, Diane.' Clough wees naar de betreffende huizen op de kaart. 'Maar ze zijn allemaal aan elkaar verwant.'

George maakte bezwaar: 'Er moet hier en daar wat vers bloed in gekomen zijn. Anders zouden het allemaal dorpsidioten zijn.'

'Er zijn een of twee vreemden die het mengsel hebben verdund. Cathleen Lomas, de vrouw van Jack, is een meisje uit Longnor. En John Lomas is getrouwd met een vrouw die uit de buurt van Bakewell komt. Ze bleef lang genoeg om Amy te krijgen en verdween toen naar een plaats waar ze *Coronation Street* kan zien en zo nu en dan naar de kroeg kan gaan zonder dat het een militaire operatie wordt.

En dan hebben we Philip Hawkin natuurlijk nog.'

'Ja, laten we de landheer niet vergeten,' zei George peinzend. Hij zuchtte en stond op. 'St. Albans, daar komt hij vandaan, niet?' Hij pakte zijn notitieboekje en maakte een aantekening. 'Help me onthouden om daar achteraan te gaan. Kom op, Tommy. Laten we nog eens een bezoekje aan Scardale brengen.'

Brian Carter veegde de spenen van de volgende koe schoon en bevestigde toen met verbazingwekkende tederheid de melkmachine aan haar uier. De dageraad zou nog een paar uur op zich laten wachten toen hij het warme bed had verlaten dat hij deelde met zijn nieuwe vrouw, Denise, in Bankside Cottage, het huisje met twee slaapkamers waar Alison Carter geboren was op een regenachtige avond in 1950. Terwijl hij met zijn vader door het stille dorp liep, had hij met bitterheid gedacht aan de manier waarop zijn wereld was veranderd door de verdwijning van zijn nichtje.

Zijn leven was eenvoudig en ongecompliceerd geweest. Ze waren altijd heel erg op zichzelf geweest in Scardale. Hij was eraan gewend geraakt uitgescholden te worden, eerst op school en later in de cafés wanneer mensen er een paar te veel op hadden. Hij kende alle versleten grappen over inteelt en geheime rituelen en zwarte magie, maar hij had geleerd dat soort dingen te negeren en zijn eigen leven te leiden.

Als er licht was, bewerkte Scardale het land, en als het er niet was, waren ze nog steeds druk bezig. De vrouwen sponnen wol, breiden truien, haakten sjaals en dekens en babykleertjes, maakten confiture en chutneys, dingen die ze konden verkopen via de markt van de vereniging voor plattelandsvrouwen in Buxton.

De mannen onderhielden de gebouwen, van binnen en van buiten. Ze werkten ook met hout. Terry Lomas maakte prachtig gedraaide houten kommen, die rijk en glanzend waren en waarvan de nerf gekozen was om zijn ingewikkelde patronen. Hij stuurde ze naar een handwerkscentrum in Londen, waar ze verkocht werden voor bedragen die alle anderen in het dorp belachelijk vonden. Brians vader, David, maakte houten speelgoed voor een winkel in Leek. Er zou niet eens tijd zijn geweest voor de wilde, heidense taferelen waarover de lichtgelovige drinkers in de cafés van Buxton speculeerden, als iemand al geïnteresseerd was geweest. Waar het op neerkwam, was dat iedereen in Scardale veel te hard werkte om tijd te hebben voor iets anders dan eten en slapen.

Er was weinig behoefte aan dagelijks contact met de buitenwereld. Het meeste van wat in Scardale werd geconsumeerd, werd geproduceerd binnen de oprijzende cirkel van kalksteen: vlees, aardappelen, melk, eieren, wat fruit en groenten. Ma Lomas maakte wijn van vlierbloesem, vlierbessen, brandnetels, paardenbloemen, berkensap, rabarber, kruisbessen en gaspeldoornbessen. Als het groeide, liet zij het gisten. Iedereen dronk het. Zelfs de kinderen kregen zo nu en dan een glas voor medische doeleinden. Elke dinsdag kwam er een bestelwagen die vis en groenten verkocht. Op donderdag kwam er een andere bestelwagen uit Leek met kruidenierswaren. Al het andere werd gekocht op de markten van Leek of Buxton door wie er dan ook heen ging om eigen producten of vee te verkopen.

Het was vreemd geweest, de overgang van op school zitten en vijf dagen per week het dal uitgaan, naar als volwassene op het land werken en Scardale soms maanden achter elkaar niet verlaten. Er was zelfs geen televisie die het levensritme kon verstoren. Hij herinnerde zich hoe de oude landheer Castleton op een dag uit Buxton was gekomen met een tv die hij gekocht had voor de kroning. Zijn vader en zijn oom Roy hadden de antenne bevestigd en het hele dorp had zich in de salon van de landheer verzameld. Met een zwierig gebaar had de oude man het toestel aangezet, en ze hadden met zijn allen verbijsterd naar een winterse sneeuwstorm zitten staren. Wat David en Roy ook met de antenne hadden geprobeerd, het enige wat het toestel had gedaan was knetteren als vet op een vuur en het enige wat ze zagen was storing. De enige storing die wie dan ook in Scardale bereid was te slikken.

Nu was alles veranderd. Alison was verdwenen en plotseling leek hun leven aan iedereen toe te behoren. De politie, de kranten, ze wilden allemaal hun vragen beantwoord hebben, of ze er nu iets mee te maken hadden of niet.

En Brian had het gevoel dat hij zich niet kon verdedigen tegen een dergelijke invasie. Hij had zin om iemand pijn te doen. Maar er was niemand in de buurt.

Het was nog donker toen George en Clough de rand van het dorp bereikten. Het eerste licht dat ze zagen, kwam uit een halfgesloten staldeur. 'We kunnen net zo goed hier beginnen,' zei George, en hij stuurde de auto naar de berm. 'Wie kunnen we hier verwachten?' vroeg hij, terwijl ze over een paar meter modderig beton naar de deur liepen.

'Waarschijnlijk Brian en David Carter,' zei Clough. 'Ze zijn de mannen van de koeien.'

De twee mannen in de stal konden hen niet horen naderen door het gekletter en het zware zuiggeluid van de melkmachine. George wachtte tot ze zich zouden omdraaien en onderging intussen de vreemd zoetige geur van mest, zwetende dieren en melk, terwijl hij zag hoe de mannen de spenen van de koeien wasten voordat ze de melkmachine aan de uiers bevestigden. Ten slotte draaide de oudste van de twee zich om. De eerste indruk die George kreeg, was dat de behoedzame ogen van Ruth Hawkin overgeplant waren in een beeld van het Paaseiland. Zijn gezicht was een en al hoeken en vlakken; zijn wangen waren als steenplaten en zijn oogkassen leken uit roze was gesneden. 'Is er nieuws?' vroeg hij, en zijn stem klonk luid boven de machine uit.

George schudde zijn hoofd. 'Ik wil me graag voorstellen. Ik ben inspecteur George Bennett. Ik heb de leiding over het onderzoek.' Terwijl hij naar de oudere man toeliep, stopte de jongere met zijn bezigheden en leunde met over elkaar geslagen armen tegen het achterdeel van een van de Friese stamboekkoeien.

'Ik ben David Carter,' zei de oudere man. 'Een oom van Alison. En dit is mijn zoon Brian.' Brian Carter gaf een formeel knikje. Hij had het gezicht van zijn vader, maar zijn ogen waren smal en licht, als stukken topaas. Hij kon niet veel ouder zijn dan twintig, maar zijn omlaag getrokken mond leek uit steen gehouwen.

'Ik wilde zeggen dat we alles doen wat we kunnen om erachter te komen wat er met Alison is gebeurd,' zei George.

'Maar jullie hebben haar niet gevonden, hè?' zei Brian op een toon die net zo stuurs was als zijn uitdrukking.

'Nee. Zodra het licht is gaan we weer zoeken, en als je weer wilt helpen ben je meer dan welkom. Maar daarvoor ben ik hier niet. Ik kan de gedachte niet van me afzetten, dat wat Alison is overkomen iets met haar leven te maken heeft. Ik geloof niet dat degene die dit heeft gedaan spontaan heeft gehandeld. Het was gepland. En dat betekent dat iemand sporen heeft achtergelaten. Of jullie het nu weten of niet, iemand in dit dorp heeft iets gezien of iets gehoord dat ons een aanwijzing zal geven. Ik ga vandaag met iedereen in het dorp praten en ik zal tegen iedereen hetzelfde zeggen. Ik ga jullie vragen je geheugen af te zoeken naar iets wat anders dan anders was, iemand die jullie gezien hebben die hier niet thuishoorde.'

Brian snoof, en het geluid leek verrassend veel op dat van zijn koeien. 'Als jullie op zoek zijn naar iemand die hier niet thuishoort, hoef je niet ver te zoeken.'

'Aan wie denk je dan?' vroeg George.

'Brian,' zei zijn vader waarschuwend.

Brian fronste zijn voorhoofd en zocht in de zak van zijn overall naar een sigaret. 'Pa, hij hoort hier niet thuis en dat zal ook nooit zo zijn.'

'Over wie hebben we het?' hield George vol.

'Philip Hawkin, wie anders?' mompelde Brian door een mond vol rook. Hij hief zijn hoofd op en keek tartend naar zijn vaders achterhoofd.

'Je wilt toch niet suggereren dat haar stiefvader iets te maken heeft met de verdwijning van Alison?' vroeg Clough, en er klonk iets uitdagends in zijn stem dat naar George aannam onweerstaanbaar zou zijn voor Brian Carter.

'Dat hebben jullie niet gevraagd. Jullie vroegen wie hier niet thuishoorde. Nou, hij hoort hier niet thuis. Vanaf het moment dat hij hier is opgedoken, bemoeit hij zich met alles en probeert ons te vertellen hoe we ons land moeten bewerken, alsof hij degene is die het al generaties heeft gedaan. Hij denkt dat hij ineens een expert is als hij een boek heeft gelezen of een folder van de landbouworganisatie. En de manier waarop hij mijn tante Ruth het hof maakte. Hij liet haar gewoon niet met rust. De enige manier waarop ze ooit nog rust zou krijgen, was door met hem te trouwen,' flapte Brian eruit.

'Ik geloof niet dat jij dat zo erg vond,' zei zijn vader sarcastisch. 'Als Ruth en Alison niet uit Bankside Cottage waren vertrokken, hadden Denise en jij jullie getrouwde leven in je oude slaapkamer moeten beginnen. Ik weet niet hoe het met jou zit, maar ik heb geen behoefte aan een hoofdeinde dat de halve nacht tegen de muur bonkt.'

Brian kreeg een kleur en keek kwaad naar zijn vader. 'Laat Denise hierbuiten. We hebben het over Hawkin. En je weet net zo goed als ik dat hij hier niet thuishoort. Doe nou maar niet alsof je niet halve dagen op hem loopt te mopperen: wat voor een niksnut het is en dat je wilde dat de oude landheer verstandiger was geweest dan het land aan een buitenstaander als Hawkin nalaten.'

'Dat betekent nog niet dat hij iets te maken heeft met de verdwijning van Alison,' zei David Carter, terwijl hij met zijn hand over zijn kin wreef, een duidelijk gebaar van ergernis.

'Je vader heeft gelijk,' zei George vriendelijk.

'Dat kan wel zijn,' mompelde Brian onwillig. 'Maar hij weet het altijd beter, Hawkin. Als hij thuis de regels stelt zoals hij op het land doet, heeft mijn nichtje een hondenleven, of nog erger. Het kan me niet schelen wat anderen zeggen, maar ze kan nooit gelukkig zijn geweest met Hawkin in huis.' Hij spuugde minachtend op de betonvloer, draaide zich toen abrupt om en liep met grote stappen naar de andere kant van de stal.

'Let maar niet op de jongen,' zei David Carter vermoeid. 'Zijn mond werkt harder dan zijn hersens. Hawkin is een idioot, maar volgens Ruth vindt hij Alison geweldig. En ik geloof mijn zuster eerder dan die zoon van me.' Hij draaide zich hoofdschuddend om en keek naar Brian, die bezig was met een of andere machine. 'Ik dacht dat hij een beetje verstandiger zou worden als hij met Denise was getrouwd. IJdele hoop, ben ik bang.' Hij zuchtte. 'We gaan straks mee zoeken, meneer Bennett. En ik denk na over wat u hebt gezegd. Eens kijken of ik ergens op kan komen.'

Ze schudden elkaar de hand. George voelde hoe Carters koele ogen hem opnamen toen hij Clough naar buiten volgde, het grijzige licht in van de dageraad. 'Brian en de landheer zijn niet bepaald vrienden,' merkte George op toen ze terugliepen naar de auto.

'Als ik Grundy mag geloven, zegt hij niets wat de rest van Scardale niet denkt. We hebben gisteren een praatje met hem gemaakt nadat we de huizen langs waren gegaan. Volgens hem denken alle dorpelingen dat Hawkin verliefd is op het geluid van zijn eigen stem. Hij laat de mensen heel duidelijk merken wie de baas is, en daar houden ze niet zo van in Scardale. Het is hier altijd traditie geweest dat de dorpelingen het land bewerken op de manier die zij goed achten en dat de landheer zijn pacht int en zich er verder buiten houdt. Dus we zullen nog heel wat klachten over Hawkin horen,' zei Clough.

Hij had er niet meer naast kunnen zitten.

8

Vrijdag 13 december 1963, 12.45 uur

Vier uur later meende George alle bewijzen voor erfelijkheid te hebben gezien waar hij ooit behoefte aan zou hebben. De achternamen mochten via strikt genealogische lijnen variëren, maar de fysieke kenmerken leken willekeurig te zijn verspreid. Het uit steen gehouwen gezicht van David Carter, de haakneus van Ma Lomas, de katachtige ogen van Janet Carter werden allemaal samen met net zulke karakteristieke kenmerken in verschillende combinaties herhaald. George voelde zich als een kind dat met een van die boeken speelt waarvan de bladzijden horizontaal zijn verdeeld en de lezer ogen, neuzen en monden zelf bij elkaar kan passen.

Wat de dorpelingen van Scardale ook gemeen hadden, was hun volkomen mystificatie van de verdwijning van Alison. Zoals Clough al had voorspeld, waren maar weinigen bereid tot het kleine beetje informatie dat Brian Carter had gegeven. De meeste gesprekken verliepen uiterst moeizaam. George stelde zich voor en hield zijn korte praatje. De dorpelingen keken peinzend voor zich uit en schudden dan hun hoofd. Nee, er was niets ongewoons gebeurd. Nee, ze hadden geen vreemden gezien. Nee, ze dachten niet dat iemand uit het dorp Alison ook maar een haar kon krenken. En dan nog iets: Charlie Lomas was zo goedaardig als een jongen maar kon zijn en verdiende het niet als een misdadiger te worden behandeld.

Het enige interessante was dat niemand ook maar met een vinger naar de landheer wees. Er werd geen klacht tegen hem geuit, geen stem tegen hem verheven. Het was waar: niemand stak de loftrompet over hem, maar aan het eind van de ochtend zou het verleidelijk zijn geweest om te denken dat Brian Carter de enige in Scardale was die dacht dat er ook maar enige kritiek op Philip Hawkin te leveren viel.

Ten slotte trokken George en Clough zich met lege handen terug in de caravan, die leeg was, afgezien van een agente die meteen toen ze binnenkwamen opsprong en thee ging zetten. 'Je zat er goed naast,' zuchtte George.

'Meneer?' Clough maakte zijn pakje sigaretten open en tikte er een uit zonder de moeite te nemen het George eerst te vragen.

'Jij zei dat we een heleboel klachten over Hawkin te horen zouden krijgen. Maar niemand heeft ook maar een kik gegeven, behalve dat jonge heethoofd, Brian Carter.'

Met een frons die zijn brede voorhoofd rimpelde als het vel op een karamelpudding zat Clough een ogenblik na te denken. 'Misschien is dat het. Hij is jong genoeg om te denken dat het in een zaak als deze belangrijk is dat Hawkin niet een van hen is. De anderen zijn wijs genoeg om te begrijpen dat er nogal een verschil is tussen iemand niet mogen omdat hij je vertelt hoe je je land moet bewerken en hem verdenken van de ontvoering van een kind.'

George nam voorzichtig een slokje van zijn thee. Niet zo heet dat hij zijn mond zou branden. Hij dronk de beker halfleeg om zijn droge keel wat verlichting te geven. Wat de mensen van Scardale ook mochten zijn, erg vrijgevig met hun warme dranken waren ze niet. Ze waren bij Diane Lomas in de keuken geweest, waar de vrouw met een pot thee voor zich had gezeten zonder hun ook maar een kopje aan te bieden. 'Misschien, maar we mogen niet vergeten dat dit een heel hechte gemeenschap is. Precies het soort dorp waar ze vinden dat de lynchwet de beste manier is om met hun moeilijkheden om te gaan. Het is mogelijk dat ze denken dat Hawkin erachter zit en dat wij te stom zijn om hem te pakken. Misschien gaan ze er wel vanuit dat ze het beste kunnen wachten tot wij de hoop Alison nog te vinden opgeven en weggaan, om daarna de zaak met hem af te handelen. En dan een akelig ongeluk op de boerderij en het is dag met je handje voor landheer Hawkin. Dan zit ik met twee problemen. Ten eerste is er geen enkele reden behalve vooroordeel om te denken dat Philip Hawkin iets te maken heeft gehad met de verdwijning van Alison. Ten tweede wil ik zijn bloed niet aan mijn handen, of hij er nu bij betrokken is of niet.'

Op het gezicht van Clough lag een beleefd sceptische uitdrukking. 'Als u mijn baas niet was, zou ik zeggen dat u te veel televisie hebt gekeken,' zei hij. 'Maar als ik het vanuit uw gezichtspunt bekijk, zou ik zeggen dat het een interessant idee is, meneer.'

George keek Clough recht in zijn ogen. 'Het is een idee dat we in ons achterhoofd zullen houden, brigadier,' was alles wat hij zei. Hij hield zijn beker omhoog voor de agente. 'Zit er nog iets in de pot?'

Voordat ze hem weer kon inschenken, ging de deur open en verscheen Peter Grundy. De agent uit Longnor knikte tevreden. 'Ik dacht wel dat ik jullie hier zou vinden. Een bericht van hoofdinspecteur Carver, meneer. Of u hem zo snel mogelijk in Buxton wilt bellen.'

George stond op en pakte ondertussen zijn thee. Met een paar grote slokken werkte hij het grootste deel naar binnen en gebaarde Clough toen hem te volgen. 'We kunnen maar beter naar het crisiscentrum gaan,' zei hij, terwijl hij naar zijn auto liep. Plotseling zwaaide voor hem het portier van een Ford Anglia open, waar het rossige hoofd van Don Smart uit te voorschijn kwam.

'Goeiemorgen, inspecteur,' zei hij opgewekt. 'Al een beetje geluk gehad? Valt er iets te melden? Ik verwachtte u op de persconferentie van tien uur te zien, zoals u gisteren hebt gezegd, maar u had kennelijk iets beters te doen.'

'Dat klopt,' zei George, terwijl hij om het autoportier heen stapte. 'De politiemensen met wie u vanmorgen in Buxton hebt gesproken, waren volledig op de hoogte van de situatie.'

'Hebt u ons verhaal gelezen?'

'Ik zit midden in een groot onderzoek, meneer Smart. Als u commentaar wilt van de politie van Derbyshire zult u daarvoor de geëigende wegen moeten bewandelen. En als u me nu wilt excuseren...'

Smarts roofdierachtige glimlach verscheen. 'Als u mijn suggestie over verbanden met andere zaken niet serieus wilt nemen... hebt u een helderziende overwogen?'

George fronste zijn voorhoofd. 'Een helderziende?'

'Het kan u in de juiste richting wijzen. Uw aandacht concentreren in plaats van de zoektocht te breed te maken.'

George schudde verbaasd zijn hoofd. 'Ik houd me bezig met feiten, meneer Smart, niet met krantenkoppen.' Hij verwijderde zich met een paar kordate stappen van de journalist en draaide zich toen abrupt om. 'Als u echt iets voor Alison Carter wilt doen in plaats van voor uw eigen carrière, zou u een foto van haar kunnen plaatsen.'

'Ik neem aan dat dat betekent dat er geen enkele doorbraak is?' zei Smart tegen Clough terwijl George naar zijn auto liep.

Op gedempte maar vastberaden toon en met een open, glimlachend gezicht, zei Clough: 'Waarom flikker je niet op, terug naar Manchester?' Zonder op het effect van zijn woorden te wachten, volgde hij George.

'Hij ziet eruit als een vos en hij doet zijn uiterlijk eer aan,' zei George bitter, terwijl de auto de helling op zwoegde. 'Ik word er misselijk van. Het leven van een meisje staat op het spel en hij ziet het als een mogelijkheid om carrière te maken.'

'Hij kan het zich niet veroorloven om zo te denken. Als hij dat deed, zou hij nooit het verhaal kunnen schrijven,' merkte Clough op.

'Dat zou voor iedereen weleens beter kunnen zijn,' zei George. Hij was nog steeds gespannen van ergernis toen hij de consistoriekamer binnenstapte en naar de dichtstbijzijnde tafel met een telefoon liep.

Hij torende boven de agent uit die zat te bellen en stond met het uiteinde van een niet-brandende Gold Leaf tegen het pakje te tikken. De agent wierp een blik op hem, en het wit van zijn ogen verraadde hoe zenuwachtig hij was.

'Dat was alles, mevrouw, dank u zeer,' dreunde hij, en zijn hand ging al naar de haak om het gesprek af te breken voordat hij uitgesproken was. 'Ga uw gang, meneer,' voegde hij eraan toe, terwijl hij George ongerust de hoorn toestak.

'Dit is inspecteur Bennett voor hoofdinspecteur Carver,' zei George kortaf.

Er volgde een korte stilte. Toen hoorde hij de nasale Midlands-stem van zijn baas. 'Bennett, ben jij dat?'

'Ja, meneer. Ik kreeg bericht dat u me wilde spreken.'

'Ze hebben de tijd genomen om het door te geven,' morde Carver. George had al ontdekt dat Carver in zijn dertig jaar bij de politie het klagen tot kunstvorm had verheven. George had zich zijn eerste maand in Buxton steeds beziggehouden met verontschuldigen en zijn tweede met sussen. Toen had hij gemerkt hoe alle anderen met Carvers geklaag omgingen en had hij geleerd het te negeren.

'Zijn er nieuwe ontwikkelingen, meneer?'

'Je hebt brigadier Lucas instructies voor de dagploeg gegeven,' zei Carver beschuldigend.

'Dat klopt, ja.'

'De bekende verdachten aanhouden is meestal tijdverspilling voor alle betrokkenen.'

George zei niets en wachtte. De boosheid door zijn ontmoeting met Smart was verborgen achter een professionele onverstoorbaarheid, maar dankzij het geklaag van Carver begon het gewicht van zijn woede een kritische massa te bereiken. Het laatste wat zijn carrière kon gebruiken was een woede-uitbarsting over Carvers hoofd heen, dus ademde hij diep in en liet de adem langzaam door zijn neus ontsnappen.

'Maar deze keer hebben we misschien geluk gehad,' vervolgde Carver. De knorrige woorden kwamen er met ergerniswekkende traagheid uit. Het klonk alsof hij die maatregel liever had zien mislukken, dacht George met ongelovige bitterheid.

'Is dat zo, meneer?'

'We blijken iemand in de boeken te hebben. Exhibitionisme ten aanzien van schoolmeisjes. Slipjes van vrouwen van waslijnen stelen. Niet echt ernstig en niet echt recent,' voegde Carver er op een ontevreden en terloopse manier aan toe. 'Maar het interessante aan deze speciale zedenovertreder is dat hij de oom is van Alison Carter.'

George voelde zijn mond openvallen. 'Haar oom?' wist hij even later uit te brengen.

'Peter Crowther.'

George slikte hard. Hij had niet eens geweten dat er een Peter Crowther was. 'Mag ik bij het verhoor aanwezig zijn, meneer?'

'Waarom denk je dat ik je heb gebeld? Ik zit hier te creperen van de pijn met die enkel. Bovendien zal Crowther nou niet bepaald de doodschrik op het lijf worden gejaagd als ik daar rondhuppel als Manke Nelis, nietwaar? Zorg dat je hier onmiddellijk naartoe komt.'

'Ja, meneer.'

'O, en Bennett?'

'Ja, meneer.'

'Breng wat vis en chips voor me mee, wil je? Op dat kantinevoedsel red ik het niet. Daar krijg ik een ongelooflijke indigestie van.'

Hoofdschuddend hing George op. Hij stak een sigaret op, kneep zijn ogen tot spleetjes, draaide zich om en liet zijn blik door de zaal gaan. Clough stond achteloos tegen een tafel geleund een van de stafkaarten te bestuderen die aan de muur waren gehangen. Grundy hing bij de deur rond, onzeker of hij moest blijven of gaan. 'Clough, Grundy,' zei George door een mondvol rook. 'Naar de auto, nu. We gaan naar Buxton.'

De portieren waren nauwelijks dichtgeslagen of George draaide zich om op zijn stoel, keek dreigend naar Grundy en zei: 'Peter Crowther.'

'Peter Crowther, meneer?' Grundy probeerde de heilige onschuld te spelen, maar dit mislukte door zijn nerveus heen en weer schietende ogen.

'Ja, Grundy. Alisons oom, die oom die een strafblad heeft voor zedendelicten. Die Peter Crowther,' zei George sarcastisch, terwijl hij zo hard op het gaspedaal trapte en de weg naar Longnor opstoof dat ze allemaal achteruitschoten.

'Wat is er met hem, meneer?'

'Hoe komt het dat ik van de hoofdinspecteur voor het eerst van Peter Crowther hoor? Hoe komt het dat je, met al je plaatselijke kennis, Peter Crowther nooit hebt genoemd?' George had zijn sarcastische toon laten varen en opteerde nu voor de vleiende vriendelijkheid van de sadistische leraar die zijn nietsvermoedende leerlingen een gevoel van valse veiligheid geeft voordat hij ze onderuithaalt.

'Ik dacht niet dat het belangrijk was. Ik bedoel, hij woont in Buxton, al twintig jaar of nog langer. Ik heb nooit aan hem gedacht,' zei Grundy met knalrode oren.

'Dat is nou precies waardoor je nog een gewone agent bent, Grundy,' zei Clough, terwijl hij zich omdraaide in zijn stoel en de agent de harde, beledigende blik toewierp die een verontrustend aantal gevangenen tot gewelddadig gedrag had gebracht dat de straffen voor hun oorspronkelijke vergrijpen meer dan verdubbeld had. 'Je denkt niet na.'

'Dat is waar, Clough, maar je hoeft geen hersenen te hebben om een paar jaar als verkeersagent in het centrum van Derby te werken,' zei George, de redelijkheid zelve vermomd als heer. 'Alleen dorpsdienders worden geacht voor zichzelf te kunnen denken. Dus, Grundy, tenzij je echt uit bent op een verandering van functie raad ik je aan de kilometers tussen hier en Buxton te gebruiken om ons alles te vertellen wat je weet over Peter Crowther.'

Grundy wreef met de knokkel van zijn wijsvinger over zijn wenkbrauw. 'Peter Crowther is de broer van Ruth Hawkin,' zei hij, als een man die in zijn hoofd een ingewikkelde rekensom zit uit te werken. 'Diane is de oudste, dat is de vrouw van Terry Lomas. Dan Peter, dan Daniel, dan Ruth. Peter moet zo'n tien jaar ouder zijn dan Ruth. Dat zou betekenen dat hij rond de vijfenveertig is.

Ik heb Peter nooit echt gekend. Hij was allang uit Scardale weg voordat ik in Longnor werd gestationeerd. Maar ik had over hem horen praten. Hij heeft ze kennelijk niet allemaal op een rijtje. Zijn broer Daniel hield altijd een oogje op hem toen hij nog in Scardale woonde, maar toen is er iets gebeurd – ik weet niet wat, dat weet niemand buiten Scardale – en hebben ze besloten dat hij niet langer in het dal mocht blijven. Dus hebben ze hem naar Buxton gestuurd. Hij woont in een pension voor alleenstaande mannen in de buurt van de golfbaan van Waterswallows. En hij werkt in die sociale werkplaats achter het spoorwegemplacement, waar ze lampenkappen en prullenmanden maken. Ik wist dat hij was opgepakt als gluurder, maar dat stelde niet veel voor.'

George zuchtte zwaar. 'Je wist dat allemaal van Peter Crowther en je bent nooit op het idee gekomen om het te vertellen?'

Grundy verplaatste zijn gewicht van de ene op de andere bil. 'U zult het begrijpen als u hem ziet. Peter Crowther is bang van zijn eigen schaduw. Ik denk niet dat hij iemand zou kunnen lastig vallen, laat staan ontvoeren.'

Met vlijmscherp sarcasme en een koude blik in zijn blauwe ogen kwam Clough ertussen. 'Maar hij had Alison niet hoeven ontvoeren, nietwaar? Hij was haar oom. Ze zou niet bang van hem zijn geweest. Als hij heeft gezegd: "Hé, Alison, ik heb een paar rolschaatsen die jou, denk ik, passen. Heb je zin om mee te gaan en ze te bekijken?" had ze er geen twee keer over hoeven nadenken om met hem mee te gaan. Hij mag dan een beetje vreemd zijn, haar oom Peter, maar hij was nou niet bepaald een vreemde, nietwaar, agent Grundy?' Hij slaagde erin de rang als een belediging te laten klinken.

'Dat durft hij helemaal niet,' zei Grundy koppig. 'Bovendien meende ik het toen ik zei dat ze hem niet meer in het dal wilden zien. Voor zover ik weet is Peter Crowther in zo'n twintig jaar niet terug geweest in Scardale. En de dorpelingen uit Scardale zullen ook niet bij hem in de buurt zijn geweest. Ik betwijfel dat hij Alison ook maar zou herkennen als hij haar op straat zou tegenkomen.'

'Dat moeten we dan maar eens zien,' mompelde Clough met een gezicht dat net zo grimmig stond als zijn ogen zich samenknepen tegen de rook van zijn sigaret.

Janet Carter had na de verdwijning van Alison gebeden en gesmeekt om niet naar school te hoeven. Ze had zich de moeite kunnen besparen. In 1963 werden kinderen niet geacht gevoelens te hebben als volwassenen. Grote mensen vertelden ze allerlei verhalen om dingen voor ze verborgen te houden in de veronderstelling ze zo te beschermen. De ergste misdaad in de ogen van volwassenen was de normale gang van zaken doorbreken, want voor de jongere generatie zou niets er zo duidelijk op wijzen dat er echt iets mis was. Dus had de wereld zo ongeveer kunnen vergaan in het dal, maar Janet en de andere kinderen werden nog steeds naar school gestuurd en naar het eind van de landweg gebracht alsof het een ochtend was als elke andere.

Maar toen ze de ochtend na Alisons verdwijning op school was gekomen, was het onverwacht opwindend geweest. Voor het eerst stond Janet in het middelpunt van de belangstelling. Iedereen wist dat Alison was verdwenen. De politie was op de school om Alisons klasgenootjes en haar leraren te ondervragen. Op de speelplaats was maar één gespreksonderwerp geweest en Janet had de vertrouwelijke informatie. Ze was, op haar eigen bescheiden manier, een beroemdheid. Het was genoeg om haar te laten vergeten dat ze de halve nacht van angst had wakker gelegen en zich had afgevraagd waar Alison was en wat er met haar was gebeurd.

Er hing een soort heerlijke vrees in de lucht, het gevoel dat er iets verbodens was gebeurd waar geen van de kinderen echt de betekenis van kon bevatten. Zelfs degenen die niet op boerderijen woonden. Ze wisten wat dieren deden, maar op de een of andere manier wisten ze nooit het verschil tussen de soorten te overbruggen. Natuurlijk hadden ze allemaal wel gehoord over meisjes die werden 'lastig gevallen', maar ze wisten geen van allen echt wat dat betekende, behalve dat het iets te maken had met 'daar beneden' en de dingen die gebeurden als je een jongen 'te ver' liet gaan. Maar hoe ver te ver was, daar hadden ze eigenlijk geen idee van.

Dus was de atmosfeer op Peak Girls' High zeer geladen toen Alison was verdwenen. Hoewel de meeste van haar klasgenootjes net zo bang, ongerust en bijna net zo van streek waren als Janet zelf, werd er iets in hen geprikkeld op een manier die aangenaam was, ook al wisten ze dat ze niet geacht werden zich zo te voelen. Met al die emoties die daar rondgingen, was zowel de donderdag als de vrijdag een uitputtende schooldag geweest. Tegen de tijd dat de bel ging, kon Janet aan niets anders denken dan aan naar huis gaan en zich door haar moeder laten verwennen met een kopje thee.

Ze had weinig reserves over voor de schok die haar wachtte in de schoolbus. De chauffeur kon niet wachten met het nieuws dat Alisons oom voor verhoor naar het politiebureau was gebracht. Ze reageerde onmiddellijk. Het was alsof ze zich in zichzelf opsloot. Ze zat op de voorste bank, waar ze altijd met Alison had gezeten, zo dicht bij de chauffeur als maar kon. 'Welke oom?' vroeg Derek.

De chauffeur kwam nog met de gebruikelijke grap en zei dat iedereen in Scardale familie van elkaar was, maar hij merkte dat Janet niet in de stemming was. Dus zei hij alleen: 'Peter Crowther.'

Janet fronste haar wenkbrauwen. 'Dat moet een andere Crowther zijn, niet een uit Scardale. Alison heeft geen oom die Peter heet.'

'Dat is alles wat jij weet,' zei hij met een knipoog. 'Peter Crowther is de getikte broer van haar moeder die ze uit Scardale hebben weggestuurd.'

Janet keek Derek aan, die net zo verbijsterd en verward was als zij en zijn schouders ophaalde. Ze hadden nooit een woord gehoord over een tweede broer Crowther. Zijn naam was nooit genoemd.

De hele weg terug naar het begin van de landweg bleef de buschauffeur maar doorgaan over Peter Crowther: dat hij in een pension woonde en in een sociale werkplaats werkte voor gekken die volgens de gemeente niet gestoord genoeg waren om opgesloten te worden en dat er blijkbaar een of ander duister geheim in zijn verleden was en dat de politie nu dacht dat hij Alison van kant had gemaakt. Janet richtte haar ogen op zijn dikke rode nek en wenste hem dood.

Maar wat ze nog meer wenste, was de waarheid horen. Aan het eind van de landweg stond haar vader te wachten tot de bus de kinderen zou afzetten. Hij stond er al tien minuten: niemand in Scardale wilde nog een risico nemen. Het eerste dat Janet zei toen de deur van de bus achter haar dicht was gevallen, was: 'Pap, wie is Peter Crowther? En wat heeft hij gedaan?'

Ray Carter – zo zat hij in elkaar – vertelde het haar. Toen wenste ze dat hij dat niet had gedaan.

Grundy had in elk geval op één punt gelijk gehad, dacht George, tegen de muur van de verhoorkamer leunend. Peter Crowther was bang van zijn eigen schaduw – en van die van iedereen. Het eerste dat hem was opgevallen toen hij de benauwde kamer was binnengekomen, was de dunne, zurige lucht geweest van Crowthers angst, een geur die sterk verschilde van de kaasachtige, ongewassen stank van zijn tengere lichaam. 'Dat wordt kettingroken,' had Clough binnensmonds gemopperd terwijl hij zijn neus optrok bij het contact met Crowthers persoonlijke uitwaseming.

'Wat?' had George ten antwoord gemompeld, terwijl ze op de drempel stonden en Crowther bewust opnamen om de man meer vrees in te boezemen.

'Je moet kettingroken anders ga je overgeven,' lichtte Clough toe.

George knikte begrijpend. 'Jij begint,' zei hij, terwijl hij tegen de muur ging staan en Clough in de stoel tegenover Crowther liet plaatsnemen. George maakte met zijn hoofd een beweging naar de deur, en de agent die op wacht had gestaan verdween met een opgeluchte blik naar buiten.

'Goed, Peter?' zei Clough, terwijl hij naar voren leunde op zijn ellebogen.

Peter Crowther leek nog meer in elkaar te zakken. Zijn hoofd had de kleur en vorm van een punt Dairylea-kaas, besloot George. Dairylea-kaas met wat verspreide takjes waterkers op de bovenkant. Vreemd dat hij er zo vettig bleek uitzag terwijl hij zo goor rook. Hij zag er niet echt smerig uit. Zijn gladgeschoren puntige kin was bijna tegen zijn borst getrokken en zijn kattenogen keken omhoog naar Clough. De man had kunnen dienen als het voorbeeld van een kruiper in een geïllustreerd woordenboek. Hij zei niets als reactie op Cloughs opening, hoewel zijn lippen bewogen en zwijgend woorden vormden.

'Vroeger of later ga je tegen me praten, Peter,' zei Clough op vertrouwelijke toon, terwijl hij zijn hand in zijn zak stopte en zijn sigaretten te voorschijn haalde. Hij stak er nonchalant een op en blies de rook naar Peter Crowther. Toen de rook hem bereikte, trok Crowther zijn neus op en inhaleerde gretig. 'Het kan maar beter vroeger zijn,' vervolgde Clough. 'Dus vertel eens, waarom besloot je afgelopen woensdag terug te gaan naar Scardale?'

Crowther fronste zijn voorhoofd. Hij leek oprecht verbaasd. Waar hij zich ook schuldig over mocht voelen, het leek niets met Scardale te maken te hebben. 'Peter niet,' zei hij, en zijn hoger wordende intonatie duidde meer op twijfel dan op de valse verontwaardiging van de echt schuldigen. 'Peter woont in Buxton. Waterswallows Lodgings nummer zeventien. Peter woont niet meer in Scardale.'

'Dat weten we, Peter. Maar jij bent woensdagmiddag teruggegaan naar Scardale. Het heeft geen zin te ontkennen; we weten dat je daar was.'

Crowther huiverde. 'Peter niet.' Deze keer klonk hij vastberaden. 'Peter kan niet terug naar Scardale. Hij mag niet. Hij woont in Buxton. Waterswallows Lodgings nummer zeventien.'

'Wie zegt dat je dat niet mag?'

Crowther sloeg zijn ogen neer. 'Onze Dan. Als Peter ooit nog een voet in Scardale zet, hakt hij Peters handen af, zegt hij. Dus gaat Peter er niet heen. Mag Peter een peuk?'

'Zo,' zei Clough, terwijl hij achteloos nog meer rook naar Crowther blies. 'En Alison? Wanneer heb je Alison voor het laatst gezien?'

Crowther keek weer op; op zijn ongeruste gezicht lag verwarring. 'Alison? Peter kent geen Alison. Er is een Angela, die werkt naast hem. Ze zet de franjes aan de lampenkappen. Bedoelt u Angela? Peter vindt Angela aardig. Ze heeft een leren jack. Dat heeft ze van haar broer. Hij werkt in de looierij bij Whaley Bridge. De broer van Angela dus. Peter werkt met Angela. Peter maakt geraamtes voor lampenkappen.'

'Alison. Je nichtje Alison. De dochter van je zuster Ruth,' hield Clough vol.

Toen hij de naam van Ruth hoorde, ging er een schok door Crowther heen. Zijn knieën kwamen omhoog naar zijn borst en hij sloeg zijn armen er strak omheen. 'Peter niet,' hijgde hij. 'Peter niet!'

George liep naar de tafel, legde zijn vuisten erop en boog zich voorover. 'Je wist niet dat Ruth een dochter had?' vroeg hij vriendelijk.

'Peter niet.' Crowther bleef het herhalen als een bezwering.

George gebaarde onopvallend naar Clough dat hij zich terug moest trekken. De brigadier ging achteroverzitten en richtte zijn rook op het plafond. George pakte zijn eigen sigaretten, stak er een op en hield hem Crowther voor, die nu bevend bleef mompelen: 'Peter niet. Peter niet.' Het duurde een paar seconden voor Crowther het aangebodene opmerkte. Hij keek argwanend naar de sigaret en toen naar George. Eén hand kwam te voorschijn en greep hem. Hij hield de sigaret in de palm van zijn hand, de punt tussen zijn duim en wijsvinger geklemd, alsof hij bang was dat iemand hem zou afpakken. Hij inhaleerde met snelle halen, terwijl zijn ogen heen en weer schoten tussen George, Clough en de sigaret.

'Wanneer heb je voor het laatst met iemand uit Scardale gesproken, Peter?' vroeg George vriendelijk, terwijl hij op de stoel naast Clough ging zitten.

Crowther haalde gespannen zijn schouders op. 'Weet ik niet. Soms ziet Peter familie op de markt op zaterdag. Maar familie praat niet met Peter. Eén keer, in de zomer, was Peter in de tijdschriftenwinkel om sigaretten te kopen en toen kwam onze Diane binnen. Ze knikte, maar ze zei niks. Ik denk dat ze wel wilde, maar ze wist dat onze Dan Peter kwaad zou doen als ze dat deed. Dan maakt Peter altijd bang. Daarom gaat Peter nooit terug naar Scardale.'

'En je wist echt niet dat Ruth een dochter had,' zei Clough, de scepticus.

Crowther bewoog krampachtig en zijn gezicht klemde zich rond zijn sigaret. 'Peter niet,' jammerde hij. Hij boog zich voorover naar zijn knieën en begon te wiegen. 'Peter niet.'

George keek naar Clough en schudde zijn hoofd. Hij stond op en liep naar de deur. 'We laten je zo een kop thee brengen, Peter.' Clough volgde hem naar de gang. 'Hij verbergt iets,' zei George stellig.

'Maar ik denk niet dat het iets met Alison te maken heeft,' zei Clough.

'Ik ben er niet zeker van,' zei George. 'Maar ik spreek me niet uit voordat ik weet waarom zijn familie hem uit Scardale heeft gegooid. Wat het ook was, het moet ernstig zijn geweest als zijn eigen zuster twintig jaar later nog niet met hem praat.'

'U wilt hem dus vasthouden?' vroeg Clough, niet in staat de twijfel uit zijn stem te houden.

'Ja, ik denk het wel. Het is de veiligste plek voor hem, denk je niet?' zei George over zijn schouder, terwijl hij naar de recherchekamer liep. 'Hoofdinspecteur Carver is ervan overtuigd dat hij onze man is, en er is meer voor nodig dan mijn mening om hem van gedachten te doen veranderen. Bovendien is een politiebureau altijd zo lek als een mandje: voor sluitingstijd zal de halve stad weten dat Peter Crowther is ondervraagd in verband met de verdwijning van Alison. Ik betwijfel dat Waterswallows Lodgings nummer zeventien onder die omstandigheden de beste plaats voor hem is.' Hij duwde de deur open en keek nadenkend naar de hoofdinspecteur die, zijn in gips gestoken been op een prullenmand rustend, de avondkrant zat te lezen. In de hele ruimte hing nog de onmiskenbare geur van vis en chips, gedrenkt in azijn en gewikkeld in krantenpapier.

'Heeft hij je al verteld waar het meisje is?' vroeg Carver.

'Ik denk niet dat hij het weet, meneer,' zei George, hopend dat zijn stem niet zo vermoeid klonk als hij zich voelde.

Carver snoof. 'Is dat wat een universitaire opleiding voor je doet?

Ongelooflijk. Ik geef je tot morgenochtend om die zielige zak in de cel alles te laten vertellen wat hij weet.' Hij hield zich plotseling in. 'Hij zit toch nog in de cel, neem ik aan? Je hebt hem niet laten lopen?'

'Meneer Crowther is nog in hechtenis.'

'Goed. Ik ga nu naar huis; het ligt in jouw handen. Als je de waarheid er morgen nog niet uit hebt, neem ik het over, gipspoot of geen gipspoot. Hij praat, geloof me maar. Hij zal tegen me praten.'

'Daar ben ik van overtuigd, meneer. Als u me nu wilt verontschuldigen, ik moet terug naar Scardale.' George trok zich terug voordat Carver nog meer beledigingen aan zijn adres kon laten horen.

'Doen we dat?' vroeg Clough, terwijl hij George naar de auto volgde. 'Teruggaan naar Scardale?'

'Ik moet weten wat Peter Crowther heeft gedaan,' zei George kortaf. 'En omdat hij het ons niet gaat vertellen, zal iemand anders dat moeten doen. Ik ben het zat dat die mensen in Scardale ons niet vertellen wat we moeten weten.'

9

Vrijdag 13 december 1963, 16.05 uur

George begon te denken dat hij voor de rest van zijn leven van de weg naar Scardale zou dromen. In de vallende schemering van een donkere winternamiddag stortte de auto zich omlaag door de nauwe bergpas.

Als de zon zich die dag door de wolken en mist heen had vertoond, had hij het in elk geval gemist, dacht hij, terwijl hij langzamer ging rijden toen de dorpsweide naderbij kwam. Bij de politiecaravan liepen mannen rond, en bekers thee gaven wolkjes damp af, die zich bij de nevelflarden voegden die door het dal omlaag kwamen kruipen. Met het wegsterven van het licht, was de vergeefse zoektocht van die dag voorbij.

George negeerde hen en liep over de dorpsweide naar Tor Cottage. Het was tijd dat Ma Lomas ophield zich te gedragen als een personage uit een Victoriaans melodrama en verantwoordelijkheid begon te nemen voor wat er met Alison zou kunnen gebeuren als de matriarch en haar familie hun mond bleven houden, hield hij zichzelf vastbesloten voor. Toen hij om de stapel hout heen liep die het pad naar haar voordeur bijna blokkeerde, bleef zijn voet ergens achter hangen en dook hij naar voren. Alleen het snelle gebaar waarmee Clough zijn arm greep voorkwam dat hij een beschamende tuimeling maakte.

'Verdomme, wat is...?' riep George uit, terwijl hij struikelend zijn evenwicht wist te hervinden. Hij draaide zich om en tuurde in het vallende duister naar Charlie Lomas, die kreunend op zijn rug tussen een verspreide stapel houtblokken lag.

'Ik denk dat u mijn enkel gebroken hebt,' jammerde Charlie.

'Wat was je in godsnaam aan het doen?' vroeg George, terwijl hij boos over de plek op zijn arm stond te wrijven waar Clough zijn sterke vingers in had gezet.

'Ik zat hier gewoon in mijn eentje om een paar minuten rust te krijgen. Is dat ook al een misdaad?' Charlie ging moeizaam overeind zitten. Hij wreef met de rug van zijn handen verwoed over zijn gezicht, en in het lichtschijnsel dat door het raam van het huisje viel, zag

George dat de ogen van de jongen vol stonden met tranen. Hij zag er nog niet uit of hij een kat kon ontvoeren, laat staan een meisje.

'Moest je aan Alison denken?' vroeg George vriendelijk.

'Het is een beetje laat om mij als een menselijk wezen te gaan behandelen, niet?' Charlie trok opstandig zijn schouders op. 'Wat denken jullie eigenlijk. Ze was mijn nichtje. Mijn familie. Hebben jullie soms niemand om wie je geeft dat je denkt dat het verdomme zo vreemd is dat we allemaal van streek zijn?'

Charlies woorden brachten George iets in herinnering. Hij had al vroeg in zijn leven bij de politie geleerd dat hij het werk niet zo goed kon doen als hij wilde tenzij hij zijn persoonlijke gevoelens vastbesloten uitschakelde om zichzelf te beschermen tegen de rauwe pijn en de vele onprettige kanten van zijn werk. Hij wist de Chinese Muur over het algemeen goed overeind te houden. Maar af en toe, zoals nu, kwamen de twee werkelijkheden met elkaar in botsing. George herinnerde zich plotseling dat er nu nog iemand was om wie hij gaf.

Er kwam een glimlach op zijn gezicht. Hij kon het niet helpen. Hij zag de minachting in de ogen van Charlie Lomas en de verbazing in die van Clough. Maar het plotselinge bewustzijn van het kind dat Anne droeg was onweerstaanbaar.

'Wat is er verdomme zo grappig?' barstte Charlie uit.

'Niets,' zei George nors, terwijl hij zichzelf terugbracht in de gepaste staat. 'Ik moest aan mijn familie denken. En je hebt gelijk. Ik zou er kapot van zijn als er iets met ze gebeurde. Het spijt me als ik je voor het hoofd heb gestoten.'

Charlie stond op en klopte zich schoon met zijn handen. 'Zoals ik al zei, daar is het een beetje laat voor nu.' Hij draaide zijn hoofd om, waardoor zijn ogen verduisterd werden in de schaduw. 'Zoeken jullie mij of mijn oma?'

'Je oma. Is ze thuis?'

Hij schudde zijn hoofd. 'Ze is nog niet terug.'

'Terug van waar?'

'Ik heb haar gezien toen we terugkwamen van onze zoektocht naar Alison. Ze liep over de velden, ergens tussen de plek waar jullie Shep hebben gevonden en waar we gisteren waren toen jullie die... spullen vonden.' Charlie fronste zijn wenkbrauwen, alsof hij iets terugzocht dat half begraven was. 'Het leek alsof ze dezelfde weg liep als de landheer woensdag tegen etenstijd deed.'

Er zijn momenten waarop een bepaalde combinatie van woorden de wereld even langzamer laat draaien. Toen de betekenis van de woorden van Charlie Lomas tot hem doordrong, had George het merkwaardig duizelingwekkende gevoel van een man van wie de zintuigen op een hogere versnelling zijn overgegaan, waardoor de buitenwereld in een meelijwekkend tempo voorbijkruipt. Hij knipperde hard, schraapte zijn keel en zei toen zorgvuldig: 'Wat zei je daarnet, Charlie?'

'Ik zei dat mijn oma over de velden liep. Alsof ze in de richting van het grote huis ging, maar aan de achterkant,' voegde hij eraan toe. Hij was blijkbaar tot de conclusie gekomen dat het, ondanks de manier waarop ze hem hadden behandeld, in het belang was van Alison om die vreemde politieman te helpen die zich anders gedroeg dan elke smeris die hij ooit in levenden lijve of in de bioscoop in Buxton had gezien.

George had moeite zijn zelfbeheersing te bewaren. Hij wilde Charlie bij de strot grijpen en tegen hem schreeuwen, maar alles wat hij zei was: 'Je zei dat ze dezelfde weg liep als de landheer woensdag tegen etenstijd heeft gedaan.'

Charlie kneep zijn ogen tot spleetjes. 'En? Waarom zou de landheer niet over zijn eigen velden lopen?'

'Woensdag tegen etenstijd, zei je.'

'Dat klopt. Ik herinner me dat zo goed door alle toestanden later toen Alison werd vermist.'

George wisselde een blik uit met Clough. Zijn ongeloof werd door Clough beantwoord met woede. 'We hebben je gevraagd of je woensdag iemand op de velden of in de bossen hebt gezien,' gromde Clough.

'Dat is niet waar,' zei Charlie verdedigend.

'Ik heb het je zelf gevraagd,' siste Clough tussen zijn strakke lippen door.

'Nee, dat is niet waar,' hield Charlie vol. 'U hebt gevraagd of we vreemden hadden gezien. U vroeg of we iets ongewoons hadden gezien. En dat heb ik niet. Ik heb alleen hetzelfde gezien als ik duizend keer eerder heb gezien: de landheer die over zijn eigen land loopt. Bovendien kan het niets met de vermissing van Alison te maken hebben. Want het was nog licht genoeg om duidelijk te zien wie het was, en afgaande op wat jullie zeiden, ging Alison pas naar buiten toen het bijna donker was. Er is dus geen enkele reden om die toon tegen me aan te slaan,' voegde hij eraan toe, terwijl hij zijn schouders rechtte in een poging tot volwassenheid die hij niet verdiende. 'Daar komt nog bij dat jullie het veel drukker hadden met mij ermee in verband te brengen dan om te luisteren naar wat ik misschien te vertellen had.'

George wendde zich walgend af, waarbij hij een ogenblik zijn ogen sloot. 'We hebben hier een verklaring over nodig,' zei hij. Zijn opwinding over de nieuwe mogelijkheden die deze informatie bood, overwon zijn frustratie over de tijd die verspild was doordat de rechtlijnige geesten van Scardale niet verder keken dan de letterlijk gestelde vraag. 'Ga naar de kerk en vertel een van de agenten daar dat ik je heb gestuurd. En geef hem elk detail. De tijd, de richting waarin meneer Hawkin liep, of hij iets bij zich had, wat hij droeg... Doe het nu, alsjeblieft, meneer Lomas, voordat ik toegeef aan de verleiding om je te arresteren voor het belemmeren van een politieonderzoek.'

Hij keek op tijd over zijn schouder om Charlies ogen groot te zien worden van schrik. 'Dat heb ik niet gedaan,' zei hij, op bijna kinderlijke toon. 'Hij heeft me niet gevraagd naar de landheer.'

'Ik heb je ook niet gevraagd naar de hertog van Edinburgh, maar als hij over de velden liep, zou ik verwachten dat je het mij zou vertellen,' snauwde Clough. 'En ik wil dat je geen tijd meer verspilt. Zorg dat je daar op die weg komt voordat ik besluit om je een handje te helpen met mijn schoen.'

Charlie liep langs hen heen en begon over de dorpsweide naar een van de bemodderde Landrovers te rennen die daar geparkeerd stonden. 'Dat is toch niet te geloven,' zei George. 'Godallemachtig, ik begin me af te vragen of die mensen hier echt wel willen dat Alison Carter gevonden wordt.' Hij zuchtte diep. 'We moeten hier met Hawkin over praten. Hij heeft tegen ons gelogen en ik wil weten waarom.' Hij keek op zijn horloge. 'Maar ik wil ook weten hoe het met Peter Crowther zit.'

'Afhankelijk van wat de landheer te vertellen heeft, kan het zijn dat Peter Crowther niet meer belangrijk is,' merkte Clough op.

George fronste zijn wenkbrauwen. 'Dat meen je toch niet serieus... Hawkin?'

Clough haalde zijn schouders op. 'Of ik denk dat hij ertoe in staat is? Ik heb geen idee; ik heb de man nauwelijks gesproken. Aan de andere kant... hij heeft tegen ons gelogen.' Hij telde de mogelijkheden af op zijn korte, sterke vingers. 'Hij heeft iets te verbergen, of hij beschermt iemand anders die hij heeft gezien, of hij is misdadig verstrooid.'

Voordat George kon antwoorden, werd het dilemma opgelost door de verschijning van Ma Lomas, goed ingepakt in een winterjas en een sjaal. Ze hield haar hoofd scheef en zei: 'Jullie blokkeren mijn pad.'

De twee mannen stapten opzij. Zonder ook maar een bedankje liep ze verder naar haar deur. 'We moeten met u praten,' zei George.

'Ik hoef niet met jullie te praten,' antwoordde ze vinnig, terwijl ze een grote ijzeren sleutel in het slot van de deur probeerde te krijgen. 'We hebben nooit onze deuren op slot hoeven doen voordat Ruth Carter vreemden naar het dal heeft gebracht.' Met een gierend knarsen van metaal op metaal ging de deur open.

‘Kan het u niet schelen wat er met uw eigen vlees en bloed gebeurt?’ vroeg George.

Met samengeknepen ogen draaide ze zich om en zei: ‘Jij weet helemaal niks, jij.’ Toen deed ze de deur open.

‘Nadat we met u hebben gesproken, gaan we met de landheer praten,’ merkte Clough op toen ze op het punt stond naar binnen te verdwijnen. Ze stopte op de drempel en stond doodstil, als een muis onder een biddende havik. ‘We weten dat hij precies zo over het veld heeft gelopen als u net hebt gedaan, mevrouw Lomas, en we moeten Peter Crowther kunnen uitsluiten van ons onderzoek als hij onschuldig is.’

Ze dacht een ogenblik na en liet deze zinnen, die zo op het oog niets met elkaar te maken hadden, tot zich doordringen. Toen hield ze haar hoofd weer scheef, keek Clough met een berekenende blik aan en knikte. ‘Kom dan maar binnen,’ zei ze. ‘Denk eraan je voeten te vegen. En geen gerook hierbinnen. Het is slecht voor mijn borst.’

Ze volgden haar naar een zitkamer die nog geen drie meter in het vierkant was. De donkere ruimte had maar één klein raam en rook vaag naar kamfer en eucalyptus. De stenen vloer was bezaaid met verschoten lappenkleedjes. Twee leunstoelen stonden aan beide kanten van een haard, geflankeerd door twee zwarte ijzeren ovens, elk ter grootte van een bierkrat. Op een van de ovens stond een ketel, waaruit een dampkrul ontsnapte naar de schoorsteen. Aan de andere kant van de kamer stond een dressoir, waarvan het oppervlak vol stond met dieren van houtsnijwerk en ruw gepolijste stukken kalksteen die fossielen bevatten. In de kleine erker verhieven drie grote stoelen met lattenruggen zich boven een kleine eettafel alsof ze hem met een pak slaag bedreigden.

De enige decoraties waren tientallen schreeuwerige ansichtkaarten met afbeeldingen die varieerden van Spaanse stranden tot barokke Scandinavische gemeentehuizen. Toen ze de verblufte blik van George zag, zei Ma Lomas: ‘Ze zijn van Charlie. Hij doet zoiets als penvrienden, maar dan met ansichtkaarten. Hij is een dromer. Wat ik vermakelijk vind is dat er honderden mensen over de hele wereld zijn die naar de ansichtkaart kijken die de landheer van Scardale heeft gemaakt en denken dat het dorpsleven in Derbyshire eruitziet als melkwitte schapen in een zonovergoten weiland.’ Ze strompelde naar de stoel die tegenover de deur stond, liet zich erin zakken en wurmde met haar schouders tot ze comfortabel gezeten was.

‘Mag ik gaan zitten?’ vroeg George.

‘Die leunstoel zal je niet bevallen,’ zei ze tegen hem. Ze gebaarde met haar hoofd naar de harde stoelen. ‘Die zijn ook beter voor je rug.’

Ze draaiden een paar stoelen naar haar toe en gingen zitten. Ze wachtten terwijl ze zich vooroverboog en de gloeiende kolen oppookte. 'Peter Crowther zit in hechtenis in Buxton,' zei George toen ze zich behaaglijk had geïnstalleerd.

'Ja, dat heb ik gehoord.'

'Is dat terecht, denkt u?'

'Jij bent de politie, ik niet. Ik ben alleen maar een oude vrouw die nooit buiten een dal in Derbyshire heeft gewoond.'

'We zouden een heleboel tijd kunnen verspillen door te proberen Peter Crowther met Alison te verbinden,' vervolgde George, die weigerde zich te laten afleiden. 'Tijd die we beter kunnen gebruiken om haar te vinden.'

'Het probleem met jou en je rechercheurs, dat heb ik je al eerder gezegd, is dat jullie niets van dit dorp begrijpen,' zei ze op een geïrriteerde toon.

'Ik probeer het te begrijpen. Maar de mensen in Scardale lijken me eerder te willen belemmeren dan dat ze me willen helpen. Ik heb net ontdekt dat uw kleinzoon iets verzuimd heeft te noemen dat belangrijk bewijsmateriaal kan zijn.'

'Dat hoeft je niet te verbazen als je nagaat hoe jullie de jongen hebben behandeld. Hoe komt het dat niemand van jullie ook maar op het idee kwam om te vragen of hij iets te maken kon hebben met de verdwijning van Alison? Want dat kan niet. Toen ze verdween, was hij hier bij mij in huis. Dat is toch wel een alibi, niet?' vroeg ze smalend.

'Weet u dat zeker?' vroeg George twijfelend.

'Ik mag dan oud zijn, maar er is niks mis met mijn bovenkamer. Charlie kwam kort voor halfvijf binnen en begon aardappels te schillen. Ik kan het niet meer met mijn artritis, dus moet hij het doen. Dat gaat elke middag zo. Hij was niet met Alison aan het rotzooien; hij was hier om voor mij te zorgen.'

George haalde diep adem. 'Het had ons heel veel tijd bespaard als u of Charlie ons dat had verteld, mevrouw Lomas. Als kinderen vermist worden, zijn de eerste achtenveertig uur cruciaal. Die tijd is bijna om, en we zijn nog geen stap verder gekomen naar het vinden van een jong meisje dat familie van u is.' George was zo gefrustreerd dat zijn stem hoger werd. 'Mevrouw Lomas, ik zweer dat ik Alison Carter ga vinden. Vroeger of later zal ik weten wat hier twee dagen geleden is gebeurd. Als dat betekent dat ik elk huis in het dorp binnenstebuiten moet keren, zal ik dat doen. Als ik elke akker en tuin in het dal moet omspitten, zal ik dat doen, en jullie gewassen en vee zullen me een rotzorg zijn. Als ik jullie stuk voor stuk moet arresteren en beschuldigen van belemmering of zelfs medeplichtigheid, zal ik dat doen.' Hij zweeg abrupt en boog zich voorover. 'Dus zeg eens: denkt u dat Peter Crowther iets te maken heeft met de verdwijning van Alison?'

Ze schudde ongeduldig haar hoofd. 'Voor zover ik weet, en geloof me, ik weet bijna alles hier in Scardale, heeft Peter geen voet meer in dit dal gezet sinds het eind van de oorlog. Ik denk dat hij niet eens van het bestaan van Alison weet. En ik wil met mijn hand op de bijbel zweren dat zij zijn naam nooit heeft gehoord.' Ze perste haar lippen op elkaar, waarbij haar neus en haar kin elkaar naderden als de punten van een krompasser.

'Dat kunnen we niet zeker weten. Het meisje ging in Buxton op school. Ze lijkt op haar moeder. Vergeet niet dat mevrouw Hawkin ongeveer van Alisons leeftijd moet zijn geweest toen haar broer voor het laatst tijd met haar doorbracht. Bij iemand van wie de bovenkamer een beetje leeg is, kan het zien van Alison op straat allerlei herinneringen hebben losgemaakt.'

Ma Lomas sloeg haar armen stevig voor haar borst en schudde heftig haar hoofd terwijl George sprak. 'Nee,' zei ze. 'Ik kan het niet geloven.'

'Dus, mevrouw Lomas, moeten we Peter Crowther verhoren?' vroeg George, en zijn stem was weer vriendelijker als reactie op haar duidelijke ontsteltenis.

'Als hij ook maar een stap in het dal had gezet, hadden we dat allemaal geweten. Bovendien zal hij aan het werk zijn geweest,' voegde ze er wanhopig aan toe.

'Op woensdagmiddag zijn ze vrij. Hij kan hier geweest zijn. Mevrouw Lomas, wat heeft Peter Crowther gedaan. Waarom is hij weggestuurd?'

'Dat is nu niet belangrijk meer,' zei ze met klem. Ze had haar ogen nu samengeknepen alsof de vuurgloed de middagzon was.

'Ik moet het weten,' hield George vol.

'Nee, dat hoef je niet.'

Tommy Clough leunde naar voren, zijn ellebogen op zijn knieën en zijn blocnote bungelend tussen zijn kuiten. George benijdde hem zijn vermogen om ontspannen te lijken, zelfs tijdens een ondervraging die zo gespannen was geworden als deze. 'Ik denk dat Peter Crowther geen vlieg kwaad zou kunnen doen,' zei hij. 'Jammer genoeg ben ik niet degene die de beslissingen neemt. Ik denk dat het even kan duren voor Peter weer daglicht ziet. Voor een vrouw als u, mevrouw Lomas, die nooit buiten een dal in Derbyshire heeft geleefd, is er geen reden om te weten wat gevangenen doen met mannen van wie ze denken dat ze kinderen kwaad hebben gedaan. Wat ze doen is genoeg om gezonde mannen gek te maken. Ze hangen zich op aan de tralies voor hun ramen. Ze drinken bleekwater. Ze snijden hun polsen door met een botermesje als iemand dom genoeg is om ze er een te geven. Uw Peter zal erger gebruikt en misbruikt worden dan een prostituee in oorlogsgebied. Ik denk niet dat u dat voor hem wilt... U niet en niemand in Scardale. Als jullie dat wilden, hadden jullie twintig jaar geleden gezorgd dat hij kreeg wat hij verdiende. Maar jullie hebben hem laten gaan. Jullie hebben hem de kans gegeven om een beetje een eigen leven op te bouwen. Wat heeft het voor zin om nu toe te kijken en niets te doen als hij dat kwijtraakt?'

Het was een overtuigende, maar vergeefse toespraak. 'Ik kan het jullie niet vertellen,' zei ze, bijna onwaarneembaar haar hoofd schuddend.

George duwde lawaaiig zijn stoel naar achteren, waarbij de poten een schurend geluid maakten op de stenen vloer. 'Ik kan hier verder geen tijd aan verspillen,' zei hij. 'Als het u niet kan schelen wat er met Peter Crowther gebeurt en of we Alison vinden, ga ik naar iemand die het wel iets kan schelen. Ik weet zeker dat mevrouw Hawkin ons alles zal vertellen wat we willen weten. Hij is tenslotte haar broer.'

Het hoofd van Ma Lomas schoot omhoog alsof iemand een ruk aan haar haar had gegeven. Haar ogen verwijdden zich. 'Niet Ruth. Nee, alsjeblieft niet. Niet Ruth.'

'Waarom niet?' vroeg George, die iets van zijn boosheid liet ontsnappen. 'Ze wil dat Alison gevonden wordt. Ze wil niet dat we onze tijd aan verkeerde aanwijzingen verspillen. Ze zal ons alles vertellen wat we willen weten, geloof me.'

Ze keek hem woest aan, en haar heksengezicht stond zo boosaardig als een Halloween-masker. 'Ga zitten,' siste ze. Het was een bevel, geen verzoek. George trok zich terug op zijn stoel. Ma Lomas stond op en bewoog zich onvast naar het dressoir. Ze deed de deur open en haalde er een fles uit die volgens het etiket whisky moest bevatten. De inhoud was echter zo kleurloos als gin. Ze vulde een sherryglas met het vocht en dronk het in één keer leeg. Ze hoestte twee keer scherp, met op en neer bewegende schouders, en wendde zich toen met waterige oogjes weer tot hen. 'Peter was van het begin af aan een probleem,' zei ze langzaam.

'Hij had altijd smerige gedachten,' vervolgde ze, terwijl ze terugliep naar haar stoel. 'Vies. Schunnig. Je kon hem altijd op het veld vinden, waar hij naar parende dieren zat te staren. En hoe ouder hij werd, hoe erger het werd. Hij volgde elk vrijend paartje, zijn eigen familieleden, wanhopig om te zien wat ze deden. Je wist precies wanneer de ram de ooien dekte, want je liep het bos in en je vond daar Peter met zijn...' Ze zweeg, perste haar lippen op elkaar en ging toen verder. 'Met zijn "ding" in zijn hand, ogen op stokjes, kijkend naar wat die beesten deden. Of je hem nu sloeg of tegen hem schreeuwde, of hem schopte of tot de orde riep, het had geen enkel effect. Na een tijdje leek het minder belangrijk. In een dorp als Scardale moet je maar leven met wat je niet kunt verhelpen.'

Ze staarde in het vuur en zuchtte. 'Toen begon Ruth van een meisje in een jonge vrouw te veranderen. Peter leek geobsedeerd. Hij liep achter haar aan als een hond achter een loopse teef. Daniel betrapte hem een paar keer op een ladder voor het raam van haar slaapkamer, waar hij door een kier in de gordijnen naar haar stond te gluren. We probeerden hem allemaal aan het verstand te brengen dat dat niet kon – ze was zijn eigen zusje. Maar Peter trok zich er niks van aan. Uiteindelijk dwong Dan hem het huis uit te gaan en hier bij mij te slapen.'

Ma Lomas zweeg en wreef over haar gesloten oogleden. George en Clough bewogen geen spier, vastbesloten om het verhaal niet te onderbreken. 'Op een avond kwam Dan terug uit Longnor. Hij had wat gedronken. Dit was in de oorlog, dus alles moest verduisterd zijn. Zodra hij in het dal kwam, zag hij een lichtstraal uit het dorp schijnen, als een baken in de duisternis. Hij fietste zo hard hij kon om degene die het betrof te waarschuwen dat er licht te zien was voordat de politie het zou zien en hem zou beboeten. Hij was nog ruim een halve kilometer verwijderd toen hij besefte dat het uit zijn eigen huis moest komen. Toen zette hij er echt vaart achter. En al snel zag hij uit welk raam het kwam: het slaapkamerraam van Ruth. Hij wist dat hun Diane alleen was met Ruth en was ervan overtuigd dat er iets vreselijks met een van hen was gebeurd.' Ze draaide zich half om en keek haar geboeide toehoorders aan.

'Nou, hij had wel en niet gelijk. Hij kwam als een wervelwind het huis binnenstormen, nam de trap met twee treden tegelijk en stootte bijna zijn hoofd tegen de balken. Hij gooide de deur van Ruths kamer open en daar stond Peter, met zijn broek op zijn enkels bij het bed van Ruth, en de lantaarn wierp een schaduw op het plafond die zijn lul eruit deed zien als een bezemsteel. Het meisje was diep in slaap geweest, maar doordat Dan als een dolle haar kamer was binnengestormd was ze wakker geworden. Ze moet gedacht hebben dat ze een nachtmerrie had. Ik kon haar aan de andere kant van de dorpsweide horen gillen.

Het volgende wat ik hoorde was het gegil van Peter. Er waren drie mannen nodig om Dan van hem af te krijgen. Hij zat onder het bloed als een kalf na een zware geboorte en ik dacht dat hij dood was. We hebben hem in een lammerschuur opgesloten tot zijn lichaam een beetje genezen was en toen heeft landheer Castleton een plaats voor hem geregeld in het pension in Buxton. Dan zei tegen hem dat hij hem met zijn blote handen zou vermoorden als hij ooit nog in de buurt van Ruth of Scardale zou komen. Peter geloofde hem toen en hij gelooft hem nu nog. Ik weet het: jullie denken dat dit betekent dat hij Ruth in Alison kan hebben gezien en haar iets verschrikkelijks kan hebben aangedaan. Maar dat is een vergissing. Het betekent precies het tegenovergestelde. Als je Peter Crowther smekend om genade over de grond wil zien kruipen, hoef je hem alleen maar te vertellen dat Ruth en Dan naar hem op zoek zijn. De laatste plaats waar hij ooit zou komen is Scardale. De laatste persoon bij wie hij in de buurt zou komen is iemand die verbonden is met Scardale. Geloof me, ik weet het.'

Haar verhaal was afgelopen en ze ging achteroverzitten in haar stoel. De mondelinge traditie zou niet sterven zolang Ma Lomas leefde, dacht George. Ze was de belichaming van de dorpsoudste die de geschiedenis van de stam bewaart, waarvan de integriteit slechts beschermd wordt door haar persoonlijke vaardigheden. Hij had nooit verwacht zo iemand in 1963 in Derbyshire nog aan te treffen. 'Bedankt dat u het ons hebt verteld, mevrouw Lomas,' zei hij formeel. 'U hebt ons geweldig geholpen. Nog één ding en dan laten we u met rust. Charlie zei dat hij Hawkin op woensdagmiddag in het veld heeft gezien tussen het bos en het kreupelbosje. Hij zei dat u zojuist precies de route volgde die hij had genomen. Betekent dit dat u de landheer woensdag ook hebt gezien?'

Met ogen zo scherp als die van een papegaai wierp ze hem een berekenende blik toe. 'Niet nadat Alison verdwenen was.'

'Maar daarvoor?'

Ze knikte. 'Ik had een kop thee gedronken bij onze Diane. Toen ik wegging, stapte Kathy net in de Landrover om naar het eind van de landweg te gaan en Alison, Janet en Derek af te halen van de schoolbus. Ik zag David en Brian bij het melkhuis, bezig de koeien binnen te brengen. En ik zag de landheer over het veld lopen.'

'Waarom hebt u dat niet verteld?' vroeg George geërgerd.

'Waarom zou ik? Er was niets ongewoons aan. Het is zijn grond; waarom zou hij er niet lopen? Hij loopt altijd buiten rond te struinen en foto's te maken als je het het minst verwacht. Bovendien, dat zei ik al, was Alison nog niet eens thuis uit school op dat moment. Hij had verdomd langzaam moeten lopen om nog steeds op het veld te zijn toen zij wegging om Shep uit te laten. En met dit weer loopt niemand in Scardale langzaam,' voegde ze er gedecideerd aan toe, alsof ze een eind maakte aan een meningsverschil.

George sloot zijn ogen en ademde diep in door zijn neus. Toen hij ze weer opende, had hij kunnen zweren dat er een glimlach om de mondhoeken van de oude vrouw lag. 'Ik laat hier een verklaring van opstellen,' zei hij. 'Ik verwacht dat u deze zult tekenen.'

'Als het een getrouwe weergave is van wat ik heb verteld, zal dat geen probleem zijn. Laat je Peter nu gaan?'

George stond op en zette de stoel bewust terug onder de tafel. 'We nemen datgene wat u ons hebt verteld in onze overwegingen mee wanneer we een beslissing nemen.'

'Hij is niet gewelddadig, inspecteur,' zei ze. 'Zelfs als hij Alison heeft gezien, zelfs als ze hem aan Ruth herinnerde, hoefde ze hem alleen maar weg te duwen. Hij is een lafaard. Zorg dat je je tijd niet aan Peter verspilt en een schuldig man vrij laat rondlopen.'

'U lijkt ervan overtuigd te zijn dat wat er ook met Alison gebeurd mag zijn, iemand het heeft laten gebeuren,' zei Clough, terwijl hij opstond, maar zijn notitieboekje bewust nog openhield.

Haar gezicht leek zich in zichzelf te keren: de ogen knepen zich samen, de lippen tuitten zich en de neus rimpelde. 'Wat ik denk en wat jullie weten zijn twee verschillende dingen. Probeer ze maar wat dichter bij elkaar te brengen, brigadier Clough. Misschien weten we dan allemaal wat er met ons meisje is gebeurd.' Ze keek naar de klok. 'Ik dacht dat jullie nog met de landheer wilden gaan praten?'

'Ja,' zei George.

'Dan kun je maar beter de benen erin zetten. Hij wil om zes uur precies zijn eten op tafel hebben en ik zie hem voor jullie nog niet zijn gewoonten veranderen.'

Ze lieten zichzelf uit. 'Wat denk jij ervan, Tommy?' vroeg George.

'Ze vertelt ons de waarheid zoals zij die ziet.'

'En het alibi voor Charlie?'

Clough haalde zijn schouders op. 'Het kan zijn dat ze voor hem liegt. Ze zou voor hem liegen, daar twijfel ik niet aan. Maar zolang we niemand vinden die iets anders zegt, of iets zegt wat hem echt met de verdwijning van Alison in verband brengt, hebben we geen reden om aan haar woorden te twijfelen. En, voor wat het waard is, wat Crowther betreft, ben ik het met haar eens.'

'Ik ook.' George wreef met zijn hand over zijn gezicht. De huid voelde ruw van vermoeidheid, alsof de botten dichter bij de oppervlakte lagen. Hij zuchtte.

'We moeten hem laten gaan,' zei Clough, terwijl hij zijn sigaretten uit zijn zak viste en er een aan George gaf. 'Hij zal echt niet weglopen. Hij kan nergens heen. Ik kan het bureau vanuit de telefooncel bellen en ze vertellen dat ze hem moeten vrijlaten. Ze kunnen hem strikte voorwaarden geven: dat hij niet binnen vijf kilometer van Scardale mag komen, dat hij in het pension moet blijven en dat hij zich dagelijks moet melden. Maar er is echt geen reden om hem vast te houden.'

'Je denkt niet dat we hem blootstellen aan een volksgericht?' vroeg George.

'Hoe langer we hem vasthouden, hoe slechter het er voor hem uitziet. We kunnen de agent van dienst vragen om de jongens van de kranten in te seinen dat Crowther nooit een verdachte is geweest, alleen een kwetsbaar volwassen familielid dat we naar het bureau hebben gebracht om hem weg van de druk van de buitenwereld te kunnen ondervragen. Dat soort flauwekul. En ik kan nog wijzen op de noodzaak hetzelfde verhaal in de cafés te vertellen.' Er lag een koppige uitdrukking op Cloughs gezicht. Hij had een punt, en George was te moe om in discussie te gaan over een zaak die hem uiteindelijk niet zo belangrijk leek.

'Goed, Tommy. Bel ze maar en zeg dat het in opdracht van mij is. En zorg dat iemand de hoofdinspecteur op de hoogte brengt. Hij zal het niet leuk vinden, maar dat is zijn probleem. Ik zie je in de caravan. Als ik niet wat warms naar binnen krijg, ga ik van mijn stokje voordat ik ook maar iets uit de landheer weet te krijgen.'

George wachtte niet eens op een antwoord. Hij liep recht over de dorpsweide naar de politiecaravan. Geen prikkel van intuïtie maakte dat hij zich omdraaide om brigadier Clough tegen te houden. Clough was er tenslotte van overtuigd dat dit de juiste maatregel was. Zelfs de instincten van Ma Lomas hadden het niet uitgeschreeuwd tegen de vrijlating van Peter Crowther.

Het was een gewetenslast die ze allemaal in gelijke mate zouden dragen.

10

Vrijdag 13 december 1963, 17.52 uur

Ruth Hawkin veegde haar handen aan haar schort af toen ze de keukendeur van Scardale Manor opende. Even was er een sprankje hoop in haar ogen te zien, maar ze vond niets in hun gezichten om die vonk tot een vlam aan te wakkeren. De hoop verloren, liet de vrees geen tijd verloren gaan om zijn plaats in te nemen. Te oordelen naar de donkere kringen onder haar ogen en haar grauwe huid, was ongerustheid zelden afwezig geweest in de voorgaande twee dagen. Toen hij haar pijn zag, zei George snel: 'We hebben geen nieuws, mevrouw Hawkin. Het spijt me. Kunnen we even binnenkomen?'

Ruth knikte en stapte zwijgend opzij, terwijl ze nog steeds haar handen afveegde aan het ruwe bloemetjeskatoen van haar jasschort. Haar schouders hingen en haar bewegingen waren traag en afwezig. George en Clough liepen langs haar heen en bleven ongemakkelijk in het midden van de keuken staan. De onmiskenbare geur van rundvlees en niertjes hing in de keuken, wat beide mannen deed watertanden van de honger. George vroeg zich een ogenblik af wat Anne voor hem klaar zou hebben als hij ooit thuis zou komen. Eén ding was zeker: als het nog lang zou duren, zou het niet erg smakelijk meer zijn. 'Is uw man thuis?' vroeg hij. 'Eerlijk gezegd willen we hem even spreken.'

'Hij is aan het zoeken geweest met jullie mensen,' zei ze snel. 'Hij is uitgeput thuisgekomen en in bad gegaan. Is het iets waar ik jullie mee kan helpen?'

George schudde zijn hoofd. 'Het is niets om u zorgen over te maken. We moeten hem alleen even spreken.'

Ze keek naar de gedeukte emaille wekker op een plank bij het fornuis. 'Hij zal met tien minuten beneden zijn voor zijn eten.' In een onbewust vertoon van onrust kauwde ze op de rechterhoek van haar onderlip. 'Het zou beter zijn als jullie later terug kunnen komen. Nadat hij gegeten heeft. Om halfzeven misschien? Ik zal hem zeggen dat hij jullie kan verwachten.' Ze glimlachte nerveus.

'Als u het niet erg vindt om het eten even te laten wachten, mevrouw Hawkin, praten we met uw man zodra hij beneden komt,' zei George vriendelijk. 'We willen geen tijd verliezen.'

De huid rond haar ogen en mond verstrakte. 'Denkt u dat ik dat niet begrijp? Maar hij zal aan zijn eten toe zijn nadat hij de hele middag in het dal is geweest.'

'Dat begrijp ik, maar we zullen het zo snel mogelijk afhandelen.'

'Wat zult u zo snel mogelijk afhandelen, inspecteur?'

George draaide zich half om. Hij had niet gehoord dat Hawkin de deur achter hem had geopend. De landheer droeg een camelkleurige ochtendjas van ruwe stof over een gestreepte pyjama. Op zijn huid lag een roze gloed van het bad en zijn haar lag nog gladder tegen zijn schedel dan tevoren. Hij had zijn ene hand in zijn zak gestoken; de andere hield een sigaret vast in een houding die in een theater in het West End had kunnen doorgaan voor minzame vriendelijkheid, maar die er in een boerenkeuken in Derbyshire alleen maar in slaagde belachelijk te zijn. George knikte even ter begroeting. 'We hebben een paar minuten van uw tijd nodig, meneer Hawkin.'

'Ik sta op het punt te gaan eten, inspecteur,' zei hij humeurig. 'Ik vermoed dat mijn vrouw u dat al verteld zal hebben. Misschien kunt u later terugkomen?'

Interessant, dacht George, dat Hawkin niet eens had gevraagd of er nieuws was dat de politie had teruggebracht naar zijn keuken. Geen woord over Alison, geen enkel teken dat hij ook maar ergens anders aan dacht dan aan zijn buik vullen. 'Ik ben bang van niet, meneer Hawkin. Zoals ik al eerder heb gezegd, geloven wij dat het bij onderzoeken van deze aard essentieel is geen tijd te verliezen. Dus als mevrouw Hawkin het niet erg vindt uw eten warm te houden, zouden we u graag even spreken.'

Hawkins zucht was theatraal luid. 'Ruth, je hebt de inspecteur gehoord.' Hij liep naar de tafel, haalde zijn hand uit zijn zak en reikte naar de rugleuning van zijn stoel.

'Een andere plaats zou beter zijn,' zei George.

Hawkin trok zijn wenkbrauwen op. 'Neem me niet kwalijk?'

'We ondervragen getuigen bij voorkeur onafhankelijk van elkaar. En omdat uw vrouw hier dingen te doen heeft, lijkt het voor de hand te liggen dat wij naar een andere ruimte gaan. De woonkamer, misschien?' George was uiterst beleefd, maar onverbiddelijk in zijn vastbeslotenheid.

'Ik ga niet naar de woonkamer. Het zal daar bijzonder koud zijn en ik ben niet van plan om voor uw genoegen een longontsteking op te lopen.' Hij probeerde zijn woorden te verzachten met een snelle driehoek van een glimlach, die op George niet erg overtuigend overkwam. 'Mijn studeerkamer is warmer,' voegde Hawkin eraan toe, en hij liep naar de deur.

Ze volgden hem door de ijskoude hal naar een kamer die eruitzag als een herenclub. Twee leren leunstoelen flankeerden een schoorsteenmantel waar een oliekachel voor stond. Hawkin liep recht naar de stoel die naar het raam gekeerd stond. Een breed bureau, met een gehavende leren bovenkant, nam de andere kant van de kamer in beslag; het blad van het bureau was bezaaid met decoratieve presse-papiers. Langs de muren stonden mahoniehouten boekenkasten vol met in leer gebonden boeken, variërend van dikke grootboeken tot kleine pockets. Een parketvloer, die door jaren van gebruik ongelijk was afgesleten, was deels bedekt door een versleten en verschoten Turks tapijt. Naast de deur stond een wapenkast met glazen deuren waarin zich een stel bij elkaar passende geweren bevonden. George wist niets van geweren, maar zelfs hij kon zien dat deze exemplaren niet de gewone boerengeweren waren om de roeken af te schrikken. 'Een prachtige kamer,' zei hij, terwijl hij naar de leunstoel tegenover Hawkin liep.

'Ik denk niet dat mijn oom sinds de dagen van zijn grootvader ook maar iets heeft veranderd,' zei hij. 'Ik wil het wel wat moderniseren: dat kitscherige oude bureau eruit gooien en wat boeken wegdoen om plaats te maken voor wat dingen van deze tijd. Ik heb ook ruimte nodig om mijn fotoboeken en negatieven te bewaren.'

George beet op zijn tong. Hij zou niets liever willen dan zo'n kamer hebben, een kamer waarin heden en verleden met elkaar verbonden waren en waarvan hij zich kon voorstellen dat hij hem aan zijn zoon zou doorgeven. Als hij het geluk zou hebben een zoon te krijgen. De gedachte aan wat Hawkin ermee zou kunnen doen was pijnlijk, hoewel hij erkende dat het zijn zaak natuurlijk niet was. Maar de man werd hem er bepaald niet sympathieker door. Hij keek over zijn schouder naar Clough, die op de bureaustoel was gaan zitten en zijn notitieboekje en potlood in de aanslag had. De brigadier knikte. George schraapte zijn keel en verlangde naar het gezag dat een paar jaar meer automatisch zou meebrengen. 'Voordat ik bij de belangrijkste reden van ons bezoek kom, wil ik eerst vragen of er nog sprake is geweest van enige communicatie waarin om losgeld voor Alison is gevraagd.'

Hawkin fronste zijn voorhoofd. 'Niemand zal toch veronderstellen, inspecteur, dat ik over zoveel geld beschik? Alleen omdat ik wat land bezit?'

'Mensen kunnen zich allerlei ideeën in het hoofd halen, en met die Sinatra-ontvoering in het nieuws, kan het geen kwaad om het als mogelijkheid in ons achterhoofd te houden.'

Hawkin schudde treurig zijn hoofd. 'Ik heb niets gehoord, geen briefje, geen telefoontje. We hebben vandaag verscheidene brieven gehad van mensen uit Buxton die over de verdwijning van Alison hadden gehoord, maar dat waren allemaal mensen die hun medeleven betuigden, geen brieven waarin om geld werd gevraagd. U kunt ze rustig inkijken, ze liggen op de ladekast in de keuken.'

'Mocht zoiets gebeuren, meneer Hawkin, dan is het belangrijk dat u het ons laat weten. Zelfs als u gewaarschuwd zou worden dat u het ons niet mag vertellen, moet u ons in het belang van Alison op de hoogte stellen. Wat dit betreft hebben we uw medewerking nodig.'

Hawkin lachte nerveus. 'Geloof me, inspecteur, als iemand denkt dat hij zowel mijn geld als mijn stiefdochter in handen kan krijgen, staat hem nog een verrassing te wachten. Reken er maar op dat ik onmiddellijk contact met u opneem als iemand op het belachelijke idee zou komen dat ik in de positie verkeer om Alison vrij te kopen. Maar, waar wilde u me over spreken? Ik ben de hele middag in het dal geweest en ik ben uitgehongerd.'

'We hebben een kleine tegenstrijdigheid in de verklaringen ontdekt en we willen deze graag ophelderen. Alison vinden is onze hoogste prioriteit, dus eventuele misverstanden moeten zo snel mogelijk uit de wereld worden geholpen.'

'Uiteraard,' zei Hawkin, terwijl hij zich opzij draaide om zijn sigaret uit te drukken in de asbak die op een stapel kranten naast zijn stoel stond.

'U hebt verklaard dat u op de middag van Alisons verdwijning in uw donkere kamer was?'

Hawkin hield zijn hoofd scheef en er verscheen een behoedzame blik in zijn ogen. 'Ja?' zei hij langzaam.

'De hele middag?'

'Wat maakt het uit wanneer ik naar mijn donkere kamer ben gegaan?' zei hij. 'Ik begrijp niet wat mijn activiteiten die middag met Alison te maken hebben.'

'Als u even wilt luisteren, meneer, kunnen we dit probleem snel oplossen. Kunt u ons vertellen wanneer u naar uw donkere kamer bent gegaan?'

Hawkin wreef met zijn wijsvinger over de zijkant van zijn smalle neus. 'We hebben zoals gewoonlijk om halfeen de middagmaaltijd gebruikt, en daarna ben ik hierheen gegaan om de krant te lezen. Een van de nadelen van het landelijke leven is dat de post en de ochtendkrant zelden voor het middaguur arriveren. Dus heb ik mijn kleine ritueel dat ik me na het middageten hier terugtrek om de post af te handelen en de *Express* te lezen. Op woensdag waren er een paar brieven die ik moest beantwoorden, dus ben ik waarschijnlijk zo rond halfdrie naar mijn donkere kamer gegaan. Het is een klein bijgebouw aan de achterkant van het huis dat al stromend water had. Ik heb het laten verbouwen. Bent u geïnteresseerd in fotografie, inspecteur? Ik kan u verzekeren dat u geen donkere kamer hebt gezien die zo goed is uitgerust en ingericht als de mijne.' George had nog niet eerder een glimlach op Hawkins gezicht gezien die zo in de buurt kwam van onbevangen openhartigheid.

'Ik zou er later graag een kijkje willen nemen.'

'U bent welkom. Op de avond van Alisons verdwijning hebben uw agenten er rondgekeken om te controleren of ze zich daar niet verborgen had, maar ik heb ze uitgelegd dat de ruimte normaal gesproken op slot wordt gehouden. Vanwege de waardevolle apparatuur. U kunt het zelf ook controleren. En als u ooit een beroepsfotograaf nodig hebt...' Hawkin knikte naar de glanzende gouden ring aan de vinger van George. 'Misschien een portret van u en uw vrouw?'

De gedachte dat Hawkin zijn gladde saloncharme op Anne zou richten, ook al was het via een camera, was buitenproportioneel weerzinwekkend voor George. Maar hij verborg zijn afkeer en zei alleen: 'Dat is een bijzonder aardig aanbod, meneer Hawkin. Maar, wat woensdagmiddag betreft: u zei dat u rond halfdrie naar uw donkere kamer bent gegaan. Hoe lang bent u daar gebleven?'

Hawkin fronste zijn voorhoofd en pakte zijn sigaretten. 'Ik had nog wat achterstallig werk liggen. Afdrukken maken voor een wedstrijd. Dus het was belangrijk om het goed te doen. Ik ben pas kort voor etenstijd weer het huis binnengegaan. In de keuken trof ik mijn vrouw en Kathy Lomas aan, die verschrikkelijk ongerust waren over Alison. Is daarmee uw vraag beantwoord, inspecteur?'

'Mijn vraag is beantwoord, maar mijn probleem is niet opgelost. Getuigen hebben u namelijk buiten zien lopen, van het bos waar we Shep hebben gevonden naar het kreupelbosje waar we sporen hebben aangetroffen van een worsteling waarvan we denken dat Alison erbij betrokken kan zijn geweest. U bent daar naar het schijnt rond vier uur op woensdagmiddag gezien. Kunt u uitleggen waarom iemand dat zou zeggen, meneer Hawkin?'

Het waren Hawkins oren die het eerst kleurden: een dieprood dat zich via zijn kaken naar zijn wangen verspreidde. 'Omdat het stomme boeren zijn, inspecteur?'

George schoot rechtop in zijn stoel, verbaasd over de kwaadaardigheid van Hawkins reactie. 'Neem me niet kwalijk?'

'Inteelt, inspecteur, al eeuwen. Een dorp met drie achternamen? Ze zullen niet bepaald de prijs voor 'De Beste van de Klas' winnen, denkt u niet? Sommigen weten nauwelijks wat voor jaar het is, laat staan wat voor dag het is. Dat een van die halve garen dinsdag voor woensdag heeft aangezien... nou ja, dat is nauwelijks iets om serieus te nemen, nietwaar? Luister, inspecteur, mijn oom heeft dit dorp niet voor niets geleid alsof het een soort persoonlijke hobby was. Hij wist dat de mensen van Scardale zonder de bescherming van een landheer nooit zouden overleven. Ze zijn gewoon niet uitgerust voor de moderne wereld.' Hawkin had plotseling geen venijn meer over. Hij streek met zijn hand over zijn haar en wist een van zijn fijne driehoekige glimlachjes te voorschijn te toveren. 'Geloof me, inspecteur, ik ben woensdagmiddag niet uit mijn donkere kamer geweest. Wie u iets anders heeft verteld, heeft zich vergist.'

Voordat George kon reageren, kwam Clough ertussen met de perfecte timing die komische duo's tot sterren maakt. Hij bladerde met veel vertoon terug in zijn notitieboekje en zei verontschuldigend: 'Meneer Hawkin, er waren twee verklaringen. Twee mensen beweren dat ze u rond vier uur op woensdagmiddag op dezelfde plaats hebben gezien. Eerlijk gezegd, meneer, hebben wij de laatste paar dagen genoeg gezien om precies te weten wat u bedoelt. Dus als het er maar één was geweest, maar twee... Dat is een beetje vreemder.'

Deze keer leek Hawkins glimlach oprechter. Voor het eerst had George een idee van wat een weduwe uit Scardale als Ruth Hawkin in hem had aangetrokken. Wanneer hij glimlachte, had Hawkin iets duivels dat aan de jonge David Niven deed denken. En iets glads, voegde George er in gedachten aan toe, terwijl Hawkin beide politiemannen met een groots gebaar een sigaret aanbood. 'Godzijdank is er een volkomen begrijpelijke verklaring voor,' zei hij, met een stem die zijn best deed om luchtig te klinken.

'En die is?' vroeg George, terwijl hij zich vooroverboog om een vuurtje te accepteren zonder zijn ogen ook maar een moment van die van Hawkin los te maken.

'Ik loop vaak door het dal. Ik maak foto's. Ik loop over mijn land om te controleren of alles is zoals het behoort te zijn. Je moet ze achter de broek blijven zitten, weet u, anders zouden de muren niets anders meer zijn dan stapels kalkbrokken. En wat de hekken betreft...' Getuitte lippen, schudden met het hoofd. 'Maar goed, op dinsdag was ik dus op het veld dat u noemde. Het is duidelijk dat ik daar door een paar dorpelingen ben gezien. Nadat Alison was verdwenen, zullen ze het er met elkaar over hebben gehad op welke dag ze me hebben gezien. Als ik nou een Carter of een Crowther of een Lomas was geweest, hadden ze me het voordeel van de twijfel gegund en waren ze het er allemaal over eens geweest dat ze me op dinsdag daar hadden gezien. Maar ik ben een buitenstaander, dus staan ze altijd klaar om het ergste van me te denken. En laten we niet vergeten dat het net kinderen zijn: ze spelen altijd op het publiek. Dus als er enige twijfel is geweest in datgene wat bij de Carters, de Crowthers en de Lomases voor hersenen moet doorgaan, zullen ze automatisch die versie van de gebeurtenissen kiezen die hen interessant en mij slecht maakt.' Hawkin leunde achterover in zijn stoel en legde zijn ene been over het andere, zodat er een benige enkel en een paar centimeter witte, behaarde huid te voorschijn kwamen tussen pyjamabroek en pantoffel.

'U weet zeker dat het niet woensdag is geweest?' vroeg George.

'Absoluut zeker.'

'En u bent bereid dit onder ede te verklaren?' vroeg George. Niets van wat Hawkin had gezegd had hem ervan overtuigd dat Ma Lomas en Charlie zich hadden vergist, maar het bleef hun woord tegen het zijne. En George wist wie als getuige het meest overtuigend zou overkomen.

Binnen enkele minuten waren ze terug in de keuken. Ruth Hawkin zat aan de keukentafel, een vergeten sigaret in de asbak naast haar, die voor drie kwart veranderd was in gemergelde grijze as. Ze had haar hand voor haar mond geslagen en haar ogen waren gericht op de voorpagina van een krant die voor haar op de tafel lag.

'Wat is er aan de hand?' vroeg Hawkin, en in zijn stem klonk meer zorg om zijn vrouw dan George ooit eerder bij hem had gehoord.

Zonder een woord te zeggen, schoof ze de krant naar de drie mannen toe. Het was de *High Peak Courant* van die week, die diezelfde middag was gedrukt. George keek naar de koppen op de voorpagina en kon nauwelijks geloven wat hij las.

FAMILIELID IN HECHTENIS IN VERBAND MET VERMIST MEISJE

De politie van Buxton heeft een man voor ondervraging opgepakt in verband met de verdwijning van Alison Carter, een schoolmeisje uit Scardale.
De man, die de politie helpt bij haar onderzoek, zou een familielid zijn van het vermiste 13-jarige meisje, dat sinds woensdagmiddag niet meer is gezien.
Alison is met haar hond Shep een wandeling gaan maken in de bossen bij de rivier de Scarlaston, zoals ze vaak deed nadat ze uit school was thuisgekomen.
De politie heeft het afgezonderde dal twee dagen lang met behulp van speurhonden uitge-

kamd. De plaatselijke boeren hebben hun geïsoleerde bijgebouwen doorzocht en de reddingsbrigade van High Peak heeft afgelegen ravijnen doorzocht waar Alison een val kan hebben gemaakt.

Voor het weekend zijn nog meer zoektochten gepland. Vrijwilligers wordt gevraagd zich zaterdagochtend om halfnegen te verzamelen bij de methodistenkerk aan de B8673 ten zuiden van Longnor.

De man die in hechtenis is genomen, zou naaste familie zijn van Alison Carter, en bekend zijn met de omgeving van Scardale, hoewel hij al twintig jaar niet meer in het dal woont.

Hij zou in een pension voor alleenstaande mannen wonen aan de buitenrand van Buxton. Men zegt dat hij werkzaam is in een sociale werkplaats in de stad, waar hij vanochtend toen hij op zijn werk kwam door de politie werd opgewacht.

Een woordvoerder van de politie weigerde het verhaal in de *Courant* te bevestigen of te ontkennen en wilde alleen mededelen dat het uitgebreide onderzoek naar Alisons verdwijning wordt voortgezet.

Tot degenen die zijn ondervraagd behoren onder andere Alisons klasgenootjes van Peak Girls' High...

George kon nauwelijks geloven wat hij zag. In zijn jacht op eer had hoofdinspecteur Carver geen tijd verspild en het verhaal onmiddellijk naar de plaatselijke pers laten lekken. Hij moest al met ze aan de telefoon hebben gezeten voordat Peter Crowther ook maar op het bureau was. George voelde de moed in zijn schoenen zakken. Hij dacht dat Clough en hij Crowther hadden beschermd door het zo te organiseren dat bekend zou worden dat de man niets met de verdwijning van zijn nichtje te maken had. Maar ze hadden geen rekening gehouden met de Buxtonse tamtam en de vroege deadline van de wekelijks verschijnende *Courant*. Die krant verscheen nu in de straten van Buxton. En dankzij hem gold dat ook voor Peter Crowther.

Toen zag hij het verslagen gezicht van Ruth Hawkin en hield zich voor dat zijn woede zou moeten wachten. 'Het spijt me,' zei hij. 'Er is geen enkele reden om aan te nemen dat hij iets te maken heeft gehad met Alisons verdwijning. Hij is vrijgelaten. Dat verhaal had nooit gepubliceerd mogen worden.'

'Waar hebben jullie het over?' vroeg Hawkin, en hij klonk oprecht verbaasd. Hij rukte de krant dichter naar zich toe en las de eerste paar paragrafen opnieuw. 'Ik begrijp het niet. Welk familielid is gearresteerd? Waarom hebben wij daar niets over gehoord? En waarom hebben jullie mij lastig gevallen met zinloze vragen als jullie al iemand in hechtenis hebben?'

'Dat zijn een heleboel vragen,' zei George. 'Om ze met één tegelijk te beantwoorden: de man naar wie het verhaal verwijst, is de broer van uw vrouw, Peter Crowther.'

'Nee, dat klopt niet. Haar broer heet Daniel,' protesteerde Hawkin.

'De andere broer van mevrouw Hawkin heet Peter,' hield George vol.

Hawkin keek dreigend naar zijn vrouw. 'Welke andere broer, Ruth?' Zijn stem was zo gespannen als een vislijn met een zalm eraan.

Ze kon nog steeds geen woord uitbrengen en schudde alleen haar hoofd. George kwam haar te hulp. 'Peter Crowther paste hier niet, dus heeft de familie het zo geregeld dat hij in Buxton ging wonen en werken. Hij is in geen twintig jaar in de buurt van Scardale geweest, en er is geen reden om aan te nemen dat hij hier op woensdag was.'

'Maar jullie hebben hem gearresteerd,' bracht Hawkin hier tegenin.

'Dat zegt de krant niet,' zei George, en hij was zich ervan bewust dat hij er omheen draaide. 'In het artikel worden alleen toespelingen gemaakt en een paar feiten gebruikt om dat te suggereren. Peter Crowther is naar het politiebureau gebracht voor ondervraging omdat de hoofdinspecteur dacht dat de omstandigheden daar beter waren voor een verhoor dan op zijn werk of in de kamer die hij met een andere bewoner van het pension deelt. Hij is ondervraagd en nu is hij weer vrij.' Hij wendde zich weer tot Ruth, trok de stoel naast haar onder de tafel vandaan en ging zitten. 'Het spijt me echt, mevrouw Hawkin, dat dit is gebeurd. We zijn op de hoogte van de omstandigheden en het laatste wat we wilden was u nog meer van streek maken. Wilt u dat een van ons het uitlegt aan uw man of wilt u liever zelf met hem praten?'

Ze schudde haar hoofd. Ze haalde haar hand voor haar mond weg, reikte naar de opgebrande sigaret en scheen verbaasd daar niets anders aan te treffen dan een filter en een vingerlange askegel. Clough voorzag haar van een sigaret voordat ze die van haarzelf had kunnen pakken. 'Vraag het maar aan Ma,' zei ze mat, en ze wierp Hawkin een smekende, vermoeide blik toe. 'Zij vertelt het wel. Alsjeblieft. Ik kan het niet.'

Hawkin kwam overeind. 'Die verdomde boeren,' mopperde hij. Hij draaide zich met een scherpe beweging weg van de tafel, liep met grote stappen de keuken uit en smeet de deur achter zich dicht.

Ruth zuchtte. 'Was Peter bang?' vroeg ze.

'Ik vrees van wel,' zei George.

'Goed.' Ze keek peinzend naar haar sigaret. 'Heel goed.'

Vrijdag 13 december 1963, 21.47 uur

Toen zijn ogen zich niet meer op de getuigenverklaringen konden concentreren, was George naar huis gegaan. Er was een bijeenkomst geweest van de uniformdienst en de recherche om de zoektochten van de vrijwilligers voor de volgende ochtend te organiseren. Er was een vertegenwoordiger van het waterbedrijf gekomen om het leeglopen van de twee waterreservoirs te bespreken die binnen zes kilometer van Scardale lagen, één in het sombere hoogland van Staffordshire, de ander in de groenere heuvels tussen Scardale en Longnor. George had de gretigheid van de man een beetje walgelijk gevonden.

Toen alles voor de volgende ochtend was geregeld, had hij Tommy Clough voorgesteld even iets te gaan drinken. Ze waren naar de kleine Baker's Arms gereden en hadden zich, ieder met een groot glas bier, in de donkerste hoek geïnstalleerd. 'Ik heb het pension gebeld,' zei Clough. 'Crowther is na zijn vrijlating rechtstreeks teruggegaan. Hij heeft gegeten en is ongeveer een uur later weggegaan. Hij zei niet waar hij heen ging, maar daar is niets ongewoons aan. De beheerder gaat ervan uit dat hij iets is gaan drinken. Er is niemand langsgekomen die naar hem op zoek was, dus het ziet ernaar uit dat hij niet als een schuldige wordt gezien.'

'Dat hoop ik maar. Ik heb genoeg aan mijn hoofd zonder me verantwoordelijk te moeten voelen voor wat er met Peter Crowther gebeurt.'

'Dat is niet uw fout, meneer. Als er iets gebeurt, ligt de verantwoordelijkheid bij de hoofdinspecteur en die stommeling van een Colin Loftus van de *Courant*. Als er ooit een argument is geweest voor verdrinking bij de geboorte is het Loftus.'

'Ik heb opdracht gegeven om Crowther vrij te laten,' bracht George hem in herinnering.

'En dat was volkomen terecht. We hadden geen enkele reden om hem vast te houden. Hij is er niet geschikt voor.'

'Ervan uitgaande dat er een "er" is,' zei George somber.

'We weten allebei dat er een of andere "er" is. Achtenveertig uur en nog geen spoortje behalve wat tekenen van een worsteling en een beetje bloed? Ze is dood, daar kunnen we niet meer omheen.'

'Dat hoeft niet. Het is mogelijk dat ze door iemand gevangen wordt gehouden.'

Clough wierp zijn baas een sceptische blik toe. 'Net als met de Lindbergh-baby? Ik denk het niet.'

George staarde naar zijn bier. 'Ik zal haar vinden, Tommy. Liefst levend. Maar ik zal Alison Carter vinden, hoe dan ook. Wat ik ook moet doen, mevrouw Hawkin zal weten wat er met haar dochter is gebeurd.' Hij sloeg de rest van zijn bier in één keer achterover en stond op. 'Ik ga terug om wat verklaringen te lezen. Jij bent hard aan slaap toe, en dat is een bevel.'

Hij had het lezen van getuigenverklaringen moeten opgeven doordat honger en uitputting tegen hem samenzweerden. Toen hij thuiskwam, werd hij opgewacht door Anne, die rustig in haar leunstoel zat te breien en tv zat te kijken. Enkele minuten na zijn vermoeide terugkeer had ze een kom soep voor hem neergezet. Hij zat aan de keukentafel, en de monotone beweging van het overbrengen van de lepel van de kom naar zijn mond was hem bijna te veel geweest. Achter hem had Anne bij het fornuis gestaan, bezig met het maken van een soort hachee van spek, ui, aardappel en ei.

'Hoe voel je je?' wist hij haar te vragen, tussen de soep en het hoofdgerecht door.

'Goed,' zei Anne, terwijl ze met een kop thee tegenover hem ging zitten. 'Ik ben in verwachting, niet ziek. Je hoeft je geen zorgen te maken. Het is geen aandoening. Ik maak me meer zorgen om jou, zoals je aan het werk bent, zonder fatsoenlijk eten of rust.'

George staarde naar zijn eten en kauwde automatisch. 'Ik kan er niets aan doen,' zei hij. 'Alison Carter heeft een moeder. Ik kan haar niet aan haar lot overlaten. Ze moet weten wat er met haar dochter is gebeurd. Ik kan maar niet uit mijn hoofd zetten hoe ik me zou voelen als mijn kind werd vermist, zonder dat iemand wist wat er met haar was gebeurd of waar ze was, zonder dat iemand ook maar iets leek te kunnen doen om te helpen.'

'In godsnaam, George, je neemt veel te veel op je nek. Je bent niet de enige politieman die verantwoordelijk is voor wat daar gaande is. Je trekt het te veel naar jezelf toe,' zei Anne, met een lichte irritatie in haar stem.

'Dat is gemakkelijk te zeggen, maar ik blijf maar met het gevoel zitten dat het een race tegen de klok is. Ze kan nog in leven zijn. Zolang dat nog een mogelijkheid is, moet ik alles geven wat ik kan.'

'Maar ik dacht dat jullie iemand in hechtenis hadden genomen? Dan kun je het nu toch wel iets rustiger aan doen?' Ze boog zich over de tafel om hem nog wat thee in te schenken.

George snoof. 'Jij gelooft weer wat je in de kranten hebt gelezen, hè?' zei hij op een beetje plagende, maar ook grimmige toon.

'Nou, de *Courant* liet weinig ruimte voor twijfel.'

'Het verhaal in de *Courant* is één grote warboel van toespelingen en onnauwkeurigheid. We hebben inderdaad de oom van Alison Carter opgepakt. En hij is inderdaad veroordeeld voor zedendelicten. En daar eindigt de overeenkomst tussen de waarheid en de berichtgeving in de krant. Hij is een triest geval, een man die schrikt van zijn eigen schaduw. Hij heeft ze niet allemaal op een rijtje. Het enige waar hij ooit voor is gepakt, is exhibitionisme, en dat was jaren geleden. Maar toen hoofdinspecteur Carver van hem hoorde, raakte hij wat al te opgewonden en kwam in actie als een spoetnik.'

'Nou ja, dat kun je hem niet echt kwalijk nemen, George. Je gaat helemaal in deze zaak op. Het is niet zo vreemd als iemand zijn gevoel voor verhoudingen kwijtraakt. Die oom moet een voor de hand liggende verdachte hebben geleken. De arme man,' zei Anne. 'Wat zal hij bang zijn geweest.' Ze schudde haar hoofd. 'Deze zaak lijkt zo vol van pijn.'

'En niets wijst erop dat het beter wordt.' Hij schoof zijn lege bord weg. 'Bij de meeste zaken zie je duidelijk in welke richting je moet gaan. Het is duidelijk wie wat heeft gedaan, of op zijn slechtst, waar je moet zoeken. Maar bij deze zaak is het anders, die zit vol doodlopende steegjes en donkere hoeken. We hebben het hele dal nu afgezocht en niets gevonden dat naar Alison Carter leidt. Iemand moet weten wat er met haar is gebeurd.' Hij zuchtte van ergernis. 'Kon ik er maar achter komen wie dat was.'

'Je zult erachter komen, lieverd,' zei Anne, terwijl ze hem nog een kop thee inschonk. 'Als iemand dat kan, ben jij het. Probeer je nu te ontspannen. Dan kun je morgen weer met een frisse blik naar de dingen kijken.'

'Ik hoop het maar,' zei George vurig. Hij stak zijn hand uit naar zijn sigaretten, maar voor hij er een uit het pakje kon halen, ging de telefoon. 'O god,' zuchtte hij. 'Daar gaan we weer.'

11

Vrijdag 13 december 1963, 22.26 uur

George zat voorovergebogen op de passagiersstoel van de Zephyr van Tommy Clough en keek gespannen door de voorruit. Buiten zag hij, in de lichtbundels van de straatlantaarns, schuinvallende gordijnen van sneeuw die in de wind wervelden als vitrages in de tocht. Het was echter niet het weer waarin George geïnteresseerd was. Het was de veldslag die zich heen en weer bewoog in de poelen van licht voor het pension voor alleenstaande mannen aan Waterswallows.

'Niet te geloven,' zei hij hoofdschuddend. 'Je zou denken dat ze op een avond als deze niets liever zouden doen dan rechtstreeks van de kroeg naar huis gaan. Zou jij niet liever in je hoekje bij de haard zitten dan het risico lopen van een dubbele longontsteking en een afranseling met de wapenstok van een agent?'

'Als je genoeg glazen Pedigree naar binnen hebt gewerkt, maakt het je niet meer uit,' zei Clough cynisch. Hij was zelf in het café geweest toen hij gehoord had dat er een lynchmeute onderweg was naar het mannenpension aan Waterswallows. Nadat hij alleen de tijd had genomen om het bureau te bellen, was hij onmiddellijk naar het huis van George gereden in de wetenschap dat zijn baas wel gewaarschuwd zou zijn. Nu zaten ze naar een stuk of tien agenten te kijken die met een beheerste wreedheid, die zo volmaakt gechoreografeerd was als een ballet, bezig waren zo'n dertig woedende dronkenlappen te verspreiden. George voelde een diepe dankbaarheid dat het niet plaatsvond onder weersomstandigheden die helder genoeg waren om er foto's van te maken. Het laatste wat hij kon gebruiken was een stel strijders voor burgerrechten die de politie zouden uitmaken voor misdadigers, terwijl ze niets anders deden dan voorkomen dat een groep dronken burgers de kans kreeg een onschuldige man in elkaar te slaan.

Plotseling doemden drie vechtende mannen voor de auto op: twee agenten en een man met schouders van een meter breed en een bebloed gezicht. Een wapenstok kwam omhoog en daalde neer over de mans schouders en hij viel bewusteloos op de motorkap van de Zephyr. 'O geweldig, nu kunnen we hem nog pakken voor vandalisme ook,' zei Clough spottend, terwijl een van de agenten de handen van de man op zijn rug boeide en hem, een spoor van bloed en slijm achterlatend, zachtjes op de grond liet glijden.

'Ik geloof dat we ze maar een handje moeten gaan helpen,' zei George met de geestdrift van een man die een tandartsbehandeling moet ondergaan zonder verdoving.

'Als u het zegt. Ik ben bang dat we de verwarring alleen maar groter maken doordat we niet in uniform zijn.'

'Dat is een goed punt. Misschien kunnen we beter wachten tot die jongens het een beetje onder controle hebben.' Ze bleven zwijgend zitten kijken. Na tien minuten waren zo'n tien mannen, in verschillende toestanden van bewustzijn, in een boevenwagen geladen. Een paar agenten hielden een zakdoek voor hun neus, terwijl een andere op zoek was naar de pet die hij in de schermutseling was kwijtgeraakt. Uit het sneeuwgordijn dook Bob Lucas op, die de kraag van zijn overjas had opgezet tegen het weer. Hij trok het achterportier van de auto open en dook naar binnen.

'Wat een avond,' zei hij, en zijn stem klonk zo bijtend als het weer. 'We weten allemaal aan wie we dit te danken hebben, nietwaar?'

'De *Courant*?' vroeg Clough op onschuldige toon.

'Ja ja,' zei Lucas. 'Ik denk eerder aan degene die vond dat de *Courant* het moest weten. Als het een van mijn mensen was, zou ik hem levend villen.'

'Tja,' zei Clough met een zucht, 'we weten allemaal dat het niet een van jouw mensen was, Bob. Niemand van de uniformdienst zou het ook maar wagen om vertrouwelijke informatie aan de pers te geven.' Hij verzachtte de verhulde belediging met een scheef lachje over zijn schouder. 'Je hebt ze veel te goed getraind.'

'Is Crowther veilig?' vroeg George, terwijl hij zich omdraaide en de brigadier een sigaret aanbood.

Lucas knikte dankbaar en hielp zichzelf. 'Hij is niet thuis. Nadat we hem hadden vrijgelaten is hij hierheen gegaan, heeft wat gegeten en is weer weggegaan. Ze worden geacht om negen uur thuis te zijn, want dan gaat de deur op slot. Maar volgens de beheerder is Crowther niet komen opdagen. Hij heeft hem nog een kwartier respijt gegeven, omdat hij wist wat voor een dag de man had gehad, maar toen heeft hij zoals gewoonlijk afgesloten. Hij zegt dat niemand heeft aangebeld of op de deur heeft geklopt voordat dit stelletje kwam opdagen. Gelukkig was hij zo verstandig niet open te doen en waren zij er nog niet in geslaagd de deur in te trappen voordat wij hier arriveerden.'

'Waar zou hij dan zijn?' vroeg Clough, terwijl hij zijn ventilatieraampje een stukje opendraaide om de rook door de bitterkoude wind te laten afvoeren.

'We hebben geen idee,' gaf Lucas toe. 'Zijn vaste kroeg is de Wagon, dus denk ik erover daar op de terugweg naar het bureau even langs te gaan om te kijken wat ze te vertellen hebben.'

'Dat gaan we nu doen,' zei George resoluut, blij met wat actie om zijn gedachten te kunnen afleiden van de constante, knagende zorg van het onderzoek.

'Ik moet hier nog wat dingen afronden,' protesteerde Lucas.

'Prima, als jij dat doet, gaan wij eens even met de baas van de Wagon praten.' George knikte als teken dat het gesprek beëindigd was. Lucas wierp hem een zure blik toe, nam een diepe haal van de sigaret en verliet zonder een woord te zeggen de auto. Als hij er op aangesproken was, had hij gezegd dat de wind het autoportier had dichtgeslagen.

'Ken je de kroegbaas?' vroeg George, terwijl Clough voorzichtig wegreed over de slipbaan die Fairfield Road was geworden.

'Vuist Ferguson? Ja, ik ken hem.'

'Vuist?'

'Ja, hij was vroeger profbokser. Toen heeft hij zich, zo wordt beweerd, laten omkopen om een gevecht te verliezen. Hij werd betrapt en verloor zijn vergunning. Daarna heeft hij een tijdje zijn brood verdiend in het illegale blote-knokkels-circuit. Daar heeft hij genoeg aan overgehouden om de kroeg te kunnen kopen.'

'Je vraagt je wel af wie de autoriteiten in godsnaam nog een drankvergunning zouden weigeren,' merkte George op, terwijl de auto tegen de stoeprand gleed voor de onaantrekkelijk uitziende kroeg die de Wagon Wheel heette. Achter de gesloten deur en de dichtgetrokken gordijnen voor de ramen was geen licht te zien.

'De kroeg staat op naam van zijn vrouw.'

Ze haastten zich uit de auto naar de zijkant van het gebouw en stonden bij elkaar in de luwte van een stapel bierkratten. Clough roffelde op de deur. 'Ik heb weinig zin in een doorzoeking morgen, als dit zo doorgaat,' zei hij, terwijl hij zijn hoofd achterover boog om naar de bovenramen te kijken. Hij bonsde weer op de deur.

Boven hun hoofd verscheen een groezelig geel vierkant. Toen kwam er een kaal hoofd te voorschijn, dat het meeste licht wegnam. 'Doe open, Vuist. Het is Tommy Clough.'

Ze hoorden stampende voeten van een trap af komen. Achter de deur klonk gerammel van grendels. Toen ging hij open en zagen ze een man die het grootste deel van de beschikbare ruimte in de smalle doorgang in beslag nam. Hij droeg een soort wollen pyjama, die ooit wit was geweest, maar nu de kleur had van gedroogd snot. 'Wat wil je verdomme op dit uur van de nacht? Als je op zoek bent naar een borrel, maak dan maar dat je wegkomt.' Hij stond buitensporig aan zijn ballen te krabben.

'Ook goeienacht, Vuist,' zei Clough. 'Heb je een minuutje?'

Ferguson stapte met tegenzin achteruit. Ze liepen naar binnen, George achteraan. 'En wie mag dat wel zijn?' vroeg Ferguson, met een dikke vinger naar hem wijzend.

'Mijn baas. Zeg maar hallo tegen inspecteur Bennett.'

Ferguson liet een vreemd grommend geluid horen, waarvan George aannam dat het een lach moest zijn. 'Hij ziet er jong genoeg uit om je zoon te zijn. Wat is er? Het moet heel wat belangrijker zijn dan overtreding van de sluitingswet als je de grote man hebt meegebracht, Tommy.'

'Peter Crowther is een van je klanten,' zei Clough.

'Niet na vanavond,' zei Ferguson, terwijl zijn handen zich onwillekeurig tot vuisten balden. 'Iemand die met jonge meisjes rotzooit moet ik niet in mijn bar.'

'Wat is er vanavond gebeurd?' vroeg George.

'Crowther kwam op zijn gewone tijd opdagen. Ik dacht dat hij meer lef had dan ik had verwacht, maar toen bleek dat hij geen idee had dat iemand wist dat hij de hele dag op het politiebureau had gezeten. Ik schoof de krant onder zijn neus en hij barstte bijna in tranen uit. Ik zei tegen hem dat hij beter op zoek kon gaan naar een kroeg waar niemand kon lezen, als hij vanavond nog wat te drinken wilde krijgen in Buxton. Toen zei ik dat hij er voor de rest van zijn leven niet meer inkwam.' Ferguson had een grote borst opgezet en zijn schouders waren naar achteren gebogen.

'Tjonge, dat is dapper van je,' zei Clough droog. 'Ik neem aan dat de heer Crowther is weggegaan?'

'Natuurlijk is hij weggegaan,' zei Ferguson verontwaardigd.

'Weet je waar hij naartoe is gegaan?' vroeg Clough.

'Dat weet ik niet en het interesseert me ook geen zier,' zei Ferguson achteloos.

'Om het maar even duidelijk te maken, Ferguson,' zei George, 'de heer Crowther had niets te maken met de verdwijning van zijn nichtje. Dat verhaal in de *Courant* van deze week is helemaal verzonnen. Ik zou het zeer op prijs stellen als je hem weer toelaat voordat je vergunning verlengd moet worden.' Hij draaide zich abrupt om en liep het barre winterweer weer in, dat ineens een stuk mensvriendelijker leek dan de kroegbaas.

'Je kunt maar beter naar meneer Bennett luisteren,' zei Clough, terwijl hij George volgde. 'Hij is hier voorlopig nog niet weg.' Ferguson keek George woest na, maar zei niets.

Ze zaten in de auto en staarden mismoedig naar de dikke sneeuwvlagen. 'We kunnen beter naar het bureau gaan en een verzoek aan de patrouilles doen om uit te kijken naar Crowther,' zuchtte George. 'Denk jij dat morgen een beetje beter wordt dan vandaag?'

Zaterdag 14 december 1963, 7.18 uur

Omdat hij weinig kon bijdragen aan de plannen voor de zoektochten, die de uniformdienst voor die dag bezig was te maken, liep George de trap op naar zijn kantoor om aan de vermoeiende taak te beginnen van het doorploegen van getuigenverklaringen op zoek naar iets wat een aanwijzing zou kunnen zijn. Hij las net de verklaring van de leraar Engels van Alison door toen Tommy Clough zijn hoofd om de hoek van de deur stak.

'Hebt u de *Daily News* van vandaag gelezen?' vroeg hij.

'Nee, de kiosk was nog dicht toen ik hier kwam.'

Clough stapte naar binnen en sloot de deur achter zich. 'De trein is net binnen uit Manchester. Ik heb er een van de chauffeur. Ik denk niet dat het u zal bevallen.' Hij legde de krant voor George neer, opengevouwen op pagina drie.

HELDERZIENDE WERKT MEE AAN ZOEKTOCHT NAAR VERMISTE ALISON

Van onze verslaggever

Een vooraanstaande Franse helderziende heeft exclusief aan de *Daily News* onthuld dat het vermiste schoolmeisje Alison Carter nog in leven is.

Ze heeft haar diensten aangeboden bij de zoektocht naar het 13-jarige meisje wier verdwijning de politie voor raadsels stelt.

Madame Colette Charest heeft de politie in haar eigen land verbaasd doen staan over haar krachten als helderziende en ze gelooft dat ze Alison, die woensdag uit haar ouderlijk huis is verdwenen, kan helpen vinden.

Met toestemming van Alisons ongeruste ouders heeft iemand van onze redactie Mme Charest gebeld en haar bijzonderheden gegeven over Alisons gaan en staan nadat ze van school thuis was gekomen in het gehucht Scardale in Derbyshire, waar ze woont met haar moeder en stiefvader.

Gezond en wel

Mme Charest zei ervan overtuigd te zijn dat het meisje nog in leven is.
'Ze is veilig,' vertelde ze onze verslaggever. 'Ze is weggegaan met iemand die ze kende en ze reisden in een auto.
Ze bevindt zich in een klein huis dat deel uitmaakt van een rij dezelfde huizen. Ik denk dat het in een stad is, maar kilometers verwijderd van haar ouderlijk huis.
Ze is in gevaar geweest, maar ik voel dat ze voorlopig in veiligheid is.'
Mme Charest legde uit dat ze geen gedetailleerdere informatie kon geven zonder een foto van Alison en een kaart van de omgeving. Deze zijn per expres naar Lyon in Frankrijk gestuurd, en een volledig rapport met de conclusies van Mme Charest zal te lezen zijn in de *News* van maandag.

Belofte van de politie

Een woordvoerder van de politie zei: 'We hebben geen plannen een helderziende te raadplegen, hoewel we de opmerkingen van Mme Charest niet op voorhand verwerpen. Er zijn wel vreemdere dingen gebeurd.'
Over Mme Charest zouden Franse gendarmes hebben gezegd dat haar krachten 'mysterieus' waren, nadat ze had geholpen bij zaken waarin de politie op dood spoor zat.
Als het weer het toestaat, zullen vrijwilligers de politie van Derbyshire vandaag terzijde staan bij haar verdere speurtocht in de sombere heuvels en dalen rond Scardale.

George verfrommelde de krant tot een stevige bal en gooide die door de kamer. 'Die verdomde Smart,' riep hij, met wangen die rood waren tegen de donkere kringen onder zijn ogen. 'Kun je dat geloven? Gezond en wel?'

'Ik neem aan dat het mogelijk is.' Clough leunde tegen een dossierkast en stak een sigaret op.

'Natuurlijk is het mógelijk,' barstte George uit. 'Het is mógelijk dat Martin Bormann gezond en wel in Chesterfield woont, maar erg waarschijnlijk is het verdomme niet! Wat zal dit voor Ruth Hawkin betekenen? Ik vind het ongelooflijk dat een krant zich zo onverantwoordelijk gedraagt! En wie heeft ze dat belachelijke citaat gegeven?'

'Niemand, waarschijnlijk. Het is heel goed mogelijk dat Smart het uit zijn duim heeft gezogen.'

'O god,' zuchtte George. 'Wat kunnen we hierna verwachten, Tommy?' Hij stak een sigaret op uit een pakje dat al open op zijn bureau lag en inhaleerde diep. 'Ik zal een nieuwe krant voor je kopen,' zei hij verontschuldigend. 'Welke je maar wilt, behalve de *News*. O god, hij zal straks natuurlijk breed grijnzend op de persconferentie zitten.'

'U kunt de chef vragen om hem de toegang te ontzeggen.'

'Die voldoening gun ik hem niet.' George duwde zijn stoel achteruit en stond op. 'Laten we naar Scardale gaan. Ik kan deze vier muren niet meer zien.'

Smart was er eerder dan zij. Toen ze bij de dorpsweide tot stilstand kwamen, zagen ze hoe hij een krant door de brievenbus van Crag Cottage duwde. Terwijl ze zaten te kijken, liep Smart naar Meadow Cottage en leverde er weer een af. 'Al moet ik ervoor hangen,' zei George, terwijl hij het portier van de auto opende en met grote passen over de dorpsweide naar de journalist liep. Met een zucht stapte Clough uit en volgde hem.

'Gefeliciteerd,' zei George smalend, toen hij nog een paar stappen van Smart verwijderd was.

'Een goed verhaal, hè,' zei Smart. Op zijn vossengezicht lag een aangenaam verraste uitdrukking. 'Maar ik had niet gedacht dat het bij een ontwikkeld man als u in de smaak zou vallen.'

'O, ik feliciteer u niet met het verhaal,' zei George, die nu vlak bij de man stond. 'Ik feliciteer u met uw prijs.'

'Prijs?'

Clough kon niet geloven dat Smart er regelrecht intuinde. Hij beet op zijn lip om zijn glimlach te verbergen.

'Ja, uw prijs,' vervolgde George met duidelijk valse jovialiteit. 'De Politieprijs voor Onverantwoordelijke Journalist van het Jaar.'

'O hemeltje, inspecteur, hebben ze u op de universiteit niet geleerd dat sarcasme de laagste vorm van geestigheid is?' Smart leunde tegen de muur van Meadow Cottage en sloeg zijn armen over elkaar.

'Niemand kan de laagste vorm van wat dan ook zijn zolang u nog in leven bent, meneer Smart. Hebt u zich ook maar één minuut afgevraagd hoe wreed het is om mevrouw Hawkin weer hoop te geven?'

'Wilt u zeggen dat ze de hoop moet opgeven? Is dat het officiële standpunt van de politie?' Smart boog zich naar voren, met waakzame ogen en een baard die bijna stijf stond van nieuwsgierigheid.

'Natuurlijk niet, maar wat u vanmorgen met die flutkrant van u aanbood, was valse hoop. U bent alleen maar op koppen uit, zonder na te denken over de gevolgen.' George schudde zijn hoofd in afkeer. 'Bestaat ze, die madame Charest? Of is ze net zo verzonnen als het citaat van een politiewoordvoerder.'

Nu was het Smarts beurt om rood te worden van woede. Zijn huid zag er zo gevlekt uit als corned beef. 'Ik verzin geen dingen. Ik sta alleen open voor dingen. Het zou goed voor u kunnen zijn om hetzelfde te doen, inspecteur. Stel dat madame Charest gelijk heeft. Stel dat Alison kilometers hiervandaan is, opgesloten in een huis in Manchester of Sheffield of Derby? Wat doet u om dat na te gaan?'

Met een ongelovige uitdrukking zei George: 'Wilt u beweren dat we in elke stad van Engeland huis-aan-huis zouden moeten zoeken vanwege de minieme kans dat een of andere charlatan in Frankrijk geluk heeft gehad met haar fantasieën? U bent nog stommer dan ik dacht.'

'Natuurlijk beweer ik dat niet. Maar jullie zouden een oproep in het nieuws kunnen doen: "Heeft iemand dit meisje gezien? Het is mogelijk dat Alison Carter bij iemand verblijft die ze kent. Als u iemand weet die sinds een paar dagen een tienermeisje in huis heeft of als u iemand kent die connecties heeft met Scardale of Buxton en zich vreemd gedraagt, neem dan contact op met de politie van Derbyshire op dit nummer." Dat is wat ik tijdens de persconferentie vanmorgen aan uw baas ga voorstellen.' Met een triomfantelijk gezicht rechtte Smart zijn schouders. 'Ja, dat ga ik voorstellen. En dan wil ik uw gezicht weleens zien als u naast hem zit terwijl hij zegt dat het een geweldig idee is.'

'Dit is ziek, weet je dat, Smart?' George wist niet beter te reageren, en terwijl hij het zei, wist hij dat het zwak was.

'Jij was degene die zei dat je alles zou doen wat nodig was om erachter te komen wat er met Alison Carter is gebeurd. Ik geloofde je op je woord. Ik dacht dat je een beetje bijzonder was, George, maar als puntje bij paaltje komt, ben je net zo vastgeroest als de rest van het stel. Nou, God moge Alison Carter helpen als jij haar beste hoop bent.' Smart stapte opzij in een poging langs George heen te lopen.

De politieman legde zijn hand midden op Smarts borst. Hij duwde hem niet echt, maar hield hem gewoon stevig op zijn plaats. 'Ik zal te weten komen wat er met Alison is gebeurd,' zei hij met een stem die dik was van emotie. 'En als het zover is, ben jij de laatste die het zal weten.' Hij stapte achteruit en liet de journalist los, die zijn blik beantwoordde.

Toen glimlachte Smart, een strakke, scherpe sikkel die geen invloed had op de harde, dreigende blik in zijn ogen. 'O, dat betwijfel ik sterk,' zei hij. 'Je wilt het misschien liever niet horen, George, maar jij en ik, wij zijn van hetzelfde slag. Het maakt ons niet uit wie we in de weg lopen als we ons werk maar zo goed doen als we kunnen doen. Je bent het misschien niet meteen met me eens, maar als jij weggaat en er met je mooie vrouw over praat, zul je weten dat ik gelijk heb.'

George haalde zo diep adem dat zijn lichaamsomvang letterlijk toenam. Clough kwam haastig naar voren en legde een hand op de arm van zijn baas. 'Ik denk dat u er maar beter vandoor kunt gaan, meneer Smart,' zei hij. De journalist hoefde maar een blik op zijn gezicht te werpen of hij glipte om de twee mannen heen en liep met grote passen naar zijn auto.

'Hoeveel jaar zou ik krijgen, denk je, als ik die grijns met een wapenstok van zijn gezicht zou vegen?' vroeg George met stijve lippen.

'Dat hangt af van de vraag of de jury hem kent of niet. Thee?' Ze liepen samen naar de caravan, waar zelfs zo vroeg agentes al bezig waren met thee zetten. George staarde in zijn beker thee en sprak zachtjes. 'Ik neem aan dat jij eerder met zo'n zaak te maken hebt gehad, Tommy? Vol doodlopende sporen en frustraties?'

'Ja, een of twee,' gaf Clough toe, terwijl hij drie lepels suiker door zijn thee roerde. 'Het punt is, dat je gewoon moet doorzwoegen. Het voelt misschien alsof je met je hoofd tegen een muur loopt, maar vaak genoeg is een deel van die muur alleen maar karton dat eruitziet als steen. Vroeger of later komt er meestal een doorbraak. En het is nog vroeg, ook al voelt het niet zo.'

'Maar stel dat de doorbraak niet komt. Stel dat we er nooit achter komen wat er met Alison Carter is gebeurd. Wat dan?' George keek op, en zijn ogen waren groot van ongerustheid over wat een dergelijke mislukking zou betekenen, zowel voor hem persoonlijk als voor zijn carrière.

Clough haalde diep adem en liet de adem toen langzaam ontsnappen. 'Dan gaat u door met de volgende zaak. U neemt uw vrouw mee uit dansen, gaat naar de kroeg om een biertje te drinken en probeert 's nachts niet wakker te liggen van dingen die toch niet te veranderen zijn.'

'En is dat een recept dat werkt?' vroeg George somber.

'Dat zou ik niet weten, meneer, ik heb geen vrouw.' Clough glimlachte enigszins spottend, maar dit kon niet verhullen wat ze allebei wisten: als ze niet zouden ontdekken wat er met Alison Carter was gebeurd, zou dat voor beiden beschadigend zijn.

'Die van mij is zwanger.' De woorden waren eruit voordat George wist dat hij ze ging zeggen.

'Gefeliciteerd.' Clough zei het op een merkwaardig vlakke toon. 'Het is niet het beste moment om dat nieuws te krijgen. Hoe is het met mevrouw Bennett?'

'Tot nu toe prima. Ze heeft nog geen last van ochtendziekte. Ik hoop alleen... ik hoop alleen dat ze het niet te moeilijk krijgt. Want ik kan me niet aan dit onderzoek onttrekken, hoe lang het ook mag duren.' George staarde door de beslagen ramen van de caravan, zonder het geleidelijk lichter worden van de hemel op te merken dat het begin aangaf van een nieuwe dag van zoeken.

'Het blijft niet lang zo intensief als nu,' zei Clough, waarmee hij George herinnerde aan wat de jongere man in theorie wel wist, maar waar hij weinig ervaring mee had. 'Als we haar na ongeveer tien dagen niet hebben gevonden, volgend weekend, zeg maar, stoppen we met zoeken. Het crisiscentrum wordt opgeheven en we gaan terug naar Buxton. Nieuwe aanwijzingen zullen we nog steeds volgen, maar als we na een maand niet verder zijn gekomen, wordt de zaak op een laag pitje gezet. U en ik zullen tot aan onze nek in andere zaken zitten, maar we zullen deze niet afsluiten. De zaak zal openblijven; we zullen er elke drie maanden of zo een bespreking over hebben, maar we zullen er niet meer aan werken zoals we nu doen.'

'Dat weet ik, Tommy, maar er is iets met deze zaak. Ik heb als agent in Derby aan een onopgeloste moordzaak gewerkt, maar die hield me lang niet zo bezig als deze. Misschien doordat het slachtoffer in de vijftig was. Je had het gevoel dat hij in elk geval een leven had gehad. Het ziet er nu steeds meer naar uit dat we Alison niet levend zullen vinden en dat maakt me woedend omdat ze nauwelijks begonnen was te leven. Ook al zou ze nooit iets anders doen dan in Scardale blijven en kinderen krijgen en truien breien, dan is haar dat nog steeds afgenomen en ik wil dat de wet hetzelfde doet met degene die haar dat heeft aangedaan. Het enige wat ik jammer vindt, is dat we dat soort beesten niet meer ophangen.'

Clough boog zich naar voren. 'Gelooft u nog steeds in ophangen dan?' vroeg hij.

'Als het om moord in koelen bloede gaat, ja. Als het in een opwelling gebeurt, ligt het anders. Zulke mensen zou ik gewoon voor de rest van hun leven opsluiten, zodat ze genoeg tijd krijgen om spijt te hebben van wat ze hebben gedaan. Maar dat soort monsters dat het op kinderen heeft voorzien, of de schoften die een of andere onschuldige voorbijganger vermoorden omdat hij ze in de weg liep bij een roofoverval, ja, die zou ik ophangen. Jij niet?'

Clough nam de tijd om te antwoorden. 'Ik dacht er ook zo over. Maar een paar jaar geleden heb ik dat boek gelezen over Timothy Evans, *Ten Rillington Place*. Na zijn terechtstelling dacht iedereen dat het volkomen terecht was. Hij had zijn vrouw en zijn zoontje vermoord. De jongens in Londen hadden zelfs een bekentenis. Toen bleek dat Evans' huisbaas minstens vier andere vrouwen had vermoord, dus is er een kans dat hij ook verantwoordelijk was geweest voor Beryl Evans. Maar dan is het te laat om naar Timothy Evans te gaan en te zeggen: "Sorry, jongen, we hebben er een puinhoop van gemaakt."'

George liet een klein glimlachje van erkenning zien. 'Dat mag dan zo zijn, maar ik kan geen verantwoordelijkheid nemen voor fouten en slechte praktijken van anderen. Ik geloof niet dat ik een onschuldige ooit gedwongen heb tot een bekentenis of dat ooit zou doen, en ik ben bereid de verantwoordelijkheid voor mijn eigen resultaten te nemen. Als Alison Carter is vermoord, zoals we nu waarschijnlijk allebei denken, zal ik de man die het heeft gedaan met plezier aan de galg zien bungelen.'

'Dat kan nog als de rotzak een vuurwapen heeft gebruikt. Vergeet niet dat ze daarvoor nog steeds gehangen kunnen worden.'

George kreeg de kans niet om te reageren. De deur van de caravan schoot open en Peter Grundy stond in de deuropening met een gezicht dat zo bloedeloos grauw was als de rotsen van Scardale. 'Ze hebben een lichaam gevonden,' zei hij.

12

Zaterdag 14 december 1963, 8.47 uur

Het lichaam van Peter Crowther lag op een hoopje in de luwte van een stapelmuurtje, hemelsbreed vijf kilometer ten noorden van Scardale. Het lag opgerold in een foetushouding, de knieën tegen de kin en de armen rond de onderbenen geslagen. De nachtelijke vorst, die de wegen verraderlijk had gemaakt, had het een suikerlaagje van rijp gegeven, waardoor het op de een of ander manier iets onschuldigs had. Maar de dood was onmiskenbaar aanwezig.

De dood was aanwezig in de blauwige huid, de starende ogen, het bevroren kwijl op de kin. George Bennett keek naar het omhulsel van een menselijk wezen, en de erkenning verkilde hem meer dan het bitterkoude weer. Hij keek op naar de wonderlijk blauwe hemel, merkwaardig verrast dat een winterzonnetje scheen alsof het iets te vieren had. Voor hem gold dat beslist niet. Hij voelde zich ziek, zowel geestelijk als lichamelijk. Hij proefde de bittere smaak van verantwoordelijkheid scherp in zijn mond. Hij had zijn werk niet goed gedaan, en nu had een man het leven verloren.

George boog zijn hoofd en wendde zich af; hij liet het aan Tommy Clough over om op zijn hurken te gaan zitten en het lichaam een minuut nauwkeurig te bekijken. Hij liep naar het hek dat het veld afsloot, waar twee agenten op wacht stonden tot de patholoog zou komen. 'Wie heeft het lichaam gevonden?' vroeg hij.

'De boer. Hij heet Dennis Dearden. Hoewel, technisch gezien was het zijn herdershond. Meneer Dearden was bij het eerste licht naar buiten gegaan om naar zijn vee te kijken, zoals hij altijd doet. Het was de hond die hem op de aanwezigheid van de overledene opmerkzaam maakte,' zei de andere agent.

'Waar is de heer Dearden nu?' vroeg George.

'Daar is zijn huis, iets verder aan de weg.' De agent wees naar een laag huisje een paar honderd meter verderop.

'Als iemand me nodig heeft, ben ik daar.' Met stappen die zo zwaar waren als zijn hart liep George de landweg op. Voor de deur van het kleine huis stond hij stil om zich te vermannen. Voordat hij kon aankloppen, ging de deur open en tegenover hem verscheen een gezicht als een gerimpelde appel, met bruine ogen als pitjes aan weerszijden van een neus die zo vormloos was als een kwak slagroom.

'Jij moet de baas zijn,' zei de man.

'Meneer Dearden?'

'Ja, jongen, ik ben de enige hier. Mijn vrouw is naar haar zuster in Bakewell. Ze gaat er in december altijd een paar dagen heen en koopt dan alle kerstspullen op de markt. Kom binnen, jongen, je moet zo ongeveer bevroren zijn daarbuiten.' Dearden stapte achteruit en ging George voor naar een keuken waar de zon verblindend binnenviel. Alles glansde: het emaille van het fornuis, het hout van de tafel, stoelen en kasten, het chroom van de ketel, het glasservies in een hoekkast en zelfs de gashaard. 'Ga maar bij de kachel zitten,' voegde Dearden er gastvrij aan toe terwijl hij een bewerkte houten stoel naar George toe duwde. Zelf liet hij zich stijfjes op een rechte stoel zakken en glimlachte. 'Dat is beter, hè? Je moet een beetje warmte in je botten krijgen. Verdraaid nog aan toe, je ziet er slechter uit dan Peter Crowther.'

'Kende u hem?'

'Niet persoonlijk, maar ik wist wie hij was. Ik heb in de loop der jaren wat zaken gedaan met Terry Lomas. Ik ken ze allemaal in Scardale. Maar ik zal je zeggen: een verschrikkelijk moment lang dacht ik dat het het meisje was. Ik moet steeds aan haar denken, net als alle anderen hier in de buurt, neem ik aan.' Hij haalde een bruyèrepijp uit zijn vest en begon erin te porren met een knipmes. 'Wat een toestand. Haar arme moeder moet halfgek van ongerustheid zijn. We hebben allemaal naar haar uitgekeken, om er zeker van te zijn dat ze niet gewond in een greppel lag of zich verstopt had in een stal of een schapenschuur. Dus je begrijpt, toen ik dat zag... nou, ik dacht natuurlijk eerst dat het de jonge Alison moest zijn.' Hij zweeg even om zijn pijp te vullen, waardoor George zijn eerste echte gelegenheid kreeg om iets te zeggen.

'Wat is er precies gebeurd?' vroeg hij, opgelucht dat hij eindelijk met een getuige te maken had die graag informatie leek te willen geven. Na slechts drie dagen in Scardale had hij een nieuwe waardering ontwikkeld voor loslippigheid.

'Toen ik het hek opendeed, ging Sherpa er als een pijl uit de boog vandoor langs de muur. Ik wist meteen dat er iets mis was. Ze is geen hond die zomaar wegloopt, niet zonder reden. En halverwege het weiland zakte ze ineen op haar buik, alsof ze geveld was. Kop omlaag, tussen haar voorpoten, en ik kon haar van een half veld afstand horen jammeren. Net als ze zou doen als ze een dode ooi had gevonden. Maar ik wist dat het geen schaap was want dat weiland is leeg nu. Ik had het hek alleen opengedaan omdat het een kortere weg is naar het lager gelegen deel.' Dearden stak een lucifer aan en zoog aan zijn pijp. De tabak was geurig en vulde de lucht met het aroma van kersen en kruidnagelen. 'Steek zelf maar op als je zin hebt, jongen.' Hij schoof een versleten zakje van wasdoek over de tafel. 'Mijn eigen mengsel.'

'Bedankt, maar nee.' Met een verontschuldigend gezicht pakte George zijn sigaretten.

'Ja, in jouw werk heb je waarschijnlijk geen tijd voor iets ingewikkelders dan saffies. Je zou toch over een pijp moeten denken. Het is fantastisch voor de concentratie. Als ik ergens ben waar ik niet kan roken, kan ik de kruiswoordpuzzel wel vergeten.' Hij gebaarde met zijn duim naar de *Daily Telegraph* van de vorige dag. George probeerde niet te laten merken dat hij onder de indruk was. Iedereen wist dat de kruiswoordpuzzel van de *Telegraph* minder moeilijk was dan die van *The Times*, maar hij wist ook dat het geen geringe prestatie was om hem regelmatig te maken. Achter de losse tong van Dennis Dearden verborg zich duidelijk een goed stel hersens.

'Dus toen ik het gedrag van de hond zag, klopte mijn hart me in mijn keel,' vervolgde Dearden. 'Ik wist maar van één vermiste persoon en dat was Alison. Ik kon de gedachte niet verdragen dat ze daar dood zou liggen, op een paar minuten van mijn voordeur. Dus rende ik zo hard ik kon over het weiland, wat dezer dagen niet zo erg hard meer is. Ik schaam me om het te zeggen, maar ik was wel een beetje opgelucht toen ik zag dat het Peter was.'

'Bent u meteen naar het lichaam gelopen?' vroeg George.

'Dat hoefde niet. Ik kon wel zien dat Peter niet meer wakker zou worden voor het laatste bazuingeschal.' Hij schudde droevig zijn hoofd. 'De arme stumper. Van alle avonden waarop hij het in zijn hoofd had kunnen halen om terug te lopen naar Scardale moest hij de slechtste kiezen. Hij was te lang van het land weg geweest. Hij was vergeten wat het soort weer als dat van gisteren met mensen kan doen. De sneeuw doorweekt je tot op je huid. En als de lucht dan helder wordt en het begint te vriezen, heb je geen weerstand. Je ploetert verder, maar de kou trekt recht je botten in. En het enige wat je dan nog wilt doen, is gaan liggen en voor altijd slapen. En dat heeft Peter gisteren gedaan.' Hij trok aan zijn pijp en liet een rookpluim ontsnappen uit zijn mondhoek. 'Hij had in Buxton moeten blijven. Hij wist hoe hij veilig kon zijn in de stad.'

George klemde zijn lippen strak om zijn sigaret. Nu niet meer, dacht hij. Peter Crowther had geen uitweg meer gezien. Het idee dat hij de tweede plek zou kwijtraken waar hij zich ooit veilig had gevoeld, had hem ondanks zijn angst teruggedreven naar de plek die hem had afgewezen. Het was precies wat George had gevreesd. Maar ondanks zijn bezorgdheid had hij zich door Tommy Clough laten overhalen om Crowther vrij te laten, want het was de gemakkelijkste manier geweest om met het probleem om te gaan. En dankzij een lekkende recherche en een op sensatie beluste plaatselijke krant was Peter Crowther nu een bevroren lijk op een schapenweide in Derbyshire.

'Uw boerderij staat toch een beetje buiten de gebaande weg voor iemand die van Buxton naar Scardale gaat?' vroeg hij. Het was het enige wat hem ook maar een beetje grond gaf voor twijfel aan Deardens verhaal over hoe Peter Crowther was gestorven.

Dearden grinnikte. 'Je denkt als een autorijder, jongen. Peter Crowther dacht als een plattelander. Als je teruggaat, moet je maar eens op een stafkaart kijken. Als je een lijn trekt van Scardale naar Buxton en de ergste stijgingen en dalingen vermijdt, loopt de route recht door dat weiland. Vroeger, voordat we allemaal Landrovers hadden, zag je minstens één keer per dag iemand uit Scardale over mijn land lopen. Op de kaart is het trouwens niet als een voetpad aangegeven. Er is geen recht van overpad. Maar iedereen hier uit de buurt heeft respect voor het vee, dus heb ik het nooit erg gevonden, en voor mij mijn vader niet, dat de mensen uit Scardale ons land gebruikten om een stuk te kunnen afsnijden.' Hij schudde zijn hoofd. 'Ik had nooit gedacht dat het voor een van hen de dood zou worden.'

George stond op. 'Bedankt voor uw hulp, meneer Dearden. En voor de warmte. We komen nog terug voor een formele verklaring. En ik zal zorgen dat u het hoort wanneer het lichaam verwijderd is.'

'Dat zou fijn zijn.' Dearden volgde hem naar de voordeur. De oude man tuurde langs hem heen naar de weg, waar een bruine Jaguar met twee wielen in de berm geparkeerd stond. 'Dat zal de dokter zijn,' zei hij.

Toen George over de weg teruggelopen was naar het weiland, kwam de politiearts net overeind en klopte zijn breedgeschouderde camel overjas af. Door een bril met vierkante glazen en een zwaar, zwart montuur keek hij nieuwsgierig naar George. 'En jij bent?' vroeg hij.

'Dit is inspecteur Bennett,' zei Clough voor hem. 'Inspecteur Bennett, dit is dokter Blake, de politiearts. Hij heeft zojuist een voorlopig onderzoek gedaan.'

De dokter gaf hem een nors knikje. 'Nou, hij is beslist dood. Afgaande op de rectale temperatuur zou ik zeggen dat hij dat al tussen de vijf en acht uur is. Geen tekenen van geweld of verwonding. Als ik naar zijn kleding kijk – geen winterjas, geen overschoenen – zou ik zeggen dat de doodsoorzaak waarschijnlijk bevriezing is. We weten het uiteraard niet zeker voordat de patholoog hem op zijn tafel heeft gehad, maar ik zou zeggen dat dit een natuurlijke oorzaak is. Tenzij jullie een manier hebben gevonden om het weer van Derbyshire van moord te beschuldigen,' voegde hij er met een sardonisch trekje van zijn mond aan toe.

'Bedankt, dokter,' zei George. 'Dus ergens tussen... wat? Eén en vier uur vannacht?'

'Niet alleen een knap gezicht, hè? O, jij bent natuurlijk die doctorandus waar we zoveel over gehoord hebben,' zei de dokter met een neerbuigend glimlachje. 'Ja, inspecteur, dat is juist. Als jullie eenmaal weten wie hij is, kun je er misschien ook achterkomen waarom hij in godsnaam midden in de nacht door de heuvels van Derbyshire dwaalde op een paar versleten schoenen die met dit weer nauwelijks geschikt waren voor de stad, laat staan voor deze contreien.' Blake trok een paar dikke leren handschoenen aan.

'We weten wie hij is en wat hij hier deed,' zei George vriendelijk. Hij was wel eerder uit de hoogte behandeld door experts en was niet van plan zich op stang te laten jagen door een opgeblazen zak die niet meer dan vijf jaar ouder kon zijn dan hij.

De dokter trok zijn wenkbrauwen op. 'Tjonge. Kijk eens aan, brigadier, het perfecte voorbeeld van de manier waarop een opleiding onze politiemensen beter geschikt maakt om de misdaad te bestrijden. Nou, ik laat het verder aan jullie over. Jullie hebben mijn rapport begin volgende week.' Hij stapte met een vluchtige zwaai om George heen en ging op weg naar het hek.

'Eerlijk gezegd, dokter, wil ik het morgen graag hebben,' zei George.

Blake stond stil en draaide zich half om. 'Het is weekend, inspecteur, en het kan nauwelijks dringend zijn, want de identiteit van de overledene is al bekend en ook de reden voor zijn aanwezigheid hier.'

'Inderdaad, maar zijn dood houdt verband met een groter onderzoek en ik heb het rapport morgen nodig. Het spijt me als dat niet in uw plannen past, maar dat is dan ook de reden waarom de overheid u er zo royaal voor betaalt.' George glimlachte vriendelijk, maar hij keek Blake aan zonder een spier te vertrekken.

De dokter mompelde iets en zei toen: 'O, goed dan. Maar we zijn hier niet in Derby, inspecteur. Dit is een kleine gemeenschap. De meesten van ons proberen daar rekening mee te houden.' Hij liep met grote stappen weg.

'Het is kennelijk mijn week om vrienden te maken,' merkte George op terwijl hij zich omdraaide naar Clough.

'Het is een luie kerel,' zei Clough achteloos. 'Het was tijd dat iemand hem er eens aan herinnerde wie voor zijn Jag en zijn lidmaatschap van de golfclub betaalt. Je zou toch verwachten dat hij een beetje nieuwsgierig was naar de identiteit van een dode waar hij net intiem mee was geweest, nietwaar? Ik wed dat hij vanmiddag aan de telefoon hangt om te vragen welke naam hij op zijn rapport moet zetten.'

'We zullen het nieuws aan mevrouw Hawkin moeten vertellen,' zei George. 'En snel. De tamtam zal al wel geklonken hebben. Ze zal gehoord hebben dat er een dode gevonden is in de heuvels en ze zal natuurlijk het ergste denken.' Hij schudde zijn hoofd. 'Het is een slechte dag als het nieuws dat je broer dood is voor goed nieuws moet doorgaan.'

Kathy Lomas was bezig de varkens te voeren. Ze vulde de troggen met een mengsel van verlept koolraaploof en groenteafval en etensresten van het dorp. Het gestamp van rennende voeten over bevroren grond trok haar aandacht, en toen ze zich omdraaide zag ze Charlie Lomas over het achterveld rennen alsof hij door hellehonden op de hielen werd gezeten. Hij was recht langs haar heen gerend als ze niet een van zijn zwaaiende armen had gegrepen.

Door zijn vaart draaide hij rond en schoot tegen de muur van de varkensstal, waar hij regelrecht in de drek zou zijn beland als zijn tante hem niet bij de rug van zijn zware leren wambuis had gegrepen.

'Wat is er aan de hand, Charlie?' vroeg Kathy. 'Wat is er gebeurd?'

Naar adem snakkend, klapte hij dubbel, met zijn handen op zijn knieën en zwoegende borst. Ten slotte wist hij stamelend uit te brengen: 'De hond van de ouwe Dennis Dearden heeft een lichaam in een van de schapenweiden gevonden.'

Kathy's hand vloog naar haar borst. 'O, nee, Charlie. Nee,' hijgde ze. 'Dat kan niet kloppen. Nee, ik wil het niet geloven.'

Hijgend en steun zoekend tegen de muur kwam Charlie half overeind. 'Ik was beneden bij de Scarlaston. Ik heb daar wat illegale vallen staan en ik wilde ze weghalen voordat de zoekploegen zo ver in Denderdale zouden komen. Op de terugweg ben ik door Carter's Copse gegaan om een stuk af te snijden en toen hoorde ik een paar agenten erover praten. Het is echt waar, tante Kathy, ze hebben een lichaam gevonden op het land van Dennis Dearden.'

Kathy stak haar armen krampachtig naar haar neef uit en klampte zich aan hem vast. Ze stonden daar in een onhandige omhelzing tot Charlie weer op adem was. 'Je moet het aan Ruth vertellen,' zei ze ten slotte.

Hij schudde zijn hoofd. 'Ik kan het niet. Ik kan het niet. Ik wilde het aan Ma vertellen.'

'Ik ga met je mee,' zei Kathy vastberaden. Ze pakte hem bij zijn bovenarm en leidde hem over de achtervelden naar het grote huis. 'De stomme klootzakken,' mompelde ze kwaad, terwijl ze voortliepen. 'Hoe durven ze erover te kletsen voordat iemand op het idee is gekomen om het aan Ruth te vertellen. Nou, ik verdom het om te wachten tot zij zo vriendelijk zijn om met het nieuws te komen.'

Zonder op de deur te kloppen, sleepte Kathy Charlie mee de keuken in. Ruth en Philip zaten aan de keukentafel bij de resten van een ontbijt. Zijn ontbijt, zag Kathy. Ze dacht niet dat Ruth sinds de verdwijning van Alison iets anders had gehad dan thee en sigaretten.

'Charlie heeft jullie wat te vertellen,' zei ze ronduit. Ze wist hoe zinloos het was om slecht nieuws in mooie woorden te verpakken.

Met een ongeruste blik op Ruth herhaalde Charlie haperend zijn woorden. Als ze niet had gezeten, was ze in elkaar gezakt. De kleur die ze nog in haar gezicht had gehad, trok weg tot ze eruitzag als een wassen pop. Toen begon ze te rillen alsof ze koorts had. Haar tanden klapperden en haar hele lichaam beefde. Met een paar grote stappen liep Kathy de keuken door, sloeg haar armen om haar heen en wiegde haar zoals ze haar kinderen had gewiegd.

Philip Hawkin leek zich niet bewust van wat er om hem heen gebeurde. Net als Ruth was hij bleek geworden bij het nieuws. Maar dat was het enige dat hun reacties gemeen hadden. Hij duwde zijn stoel terug van de tafel en liep als een slaapwandelaar de keuken uit. Kathy was te zeer op Ruth gericht om het meteen op te merken, maar Charlie stond hem met open mond na te staren, niet in staat te geloven wat hij zojuist had gezien.

Ruth Hawkin droeg schone kleren, merkte George op. Een bruine tricot jurk onder een bobbelig, heidekleurig vest wees erop dat ze waarschijnlijk voor het eerst sinds Alison was verdwenen naar bed was gegaan en geprobeerd had te slapen. De donkere kringen van slapeloosheid vertelden dat het vergeefs was geweest. Ze zat in elkaar gedoken aan de keukentafel en hield een sigaret in haar trillende vingers. Kathy Lomas stond met over elkaar geslagen armen en een frons op haar gezicht tegen het fornuis geleund.

'Ik begrijp het niet,' zei Kathy. 'Waarom zou Peter op het idee zijn gekomen om nu terug te gaan naar Scardale. Terwijl die hele toestand hier gaande is?'

Ruth Hawkin zuchtte. 'Hij zal niet zo gedacht hebben, Kathy,' zei ze vermoeid. 'Er dringt niets tot hem door behalve dingen die hem direct raken. Hij zal van streek zijn geweest doordat hij op het politiebureau had gezeten, en vervolgens, toen hij iets wilde gaan drinken op een plaats waar hij dacht dat hij veilig was, is hij bedreigd door de kroegbaas. Hij kent maar twee plaatsen: Buxton en Scardale. Maar hij moet wel doodsbang zijn geweest als hij dacht dat teruggaan naar Scardale de gemakkelijkste oplossing was.' Ze drukte haar sigaret uit en wreef in een rondgaande beweging over haar gezicht. 'Ik kan het niet verdragen.'

'Het was jouw fout niet,' zei Kathy op bittere toon. 'We weten wie hier schuldig aan zijn.' Ze perste haar lippen op elkaar en keek woedend naar George en Clough.

'Nee, niet Peter. Dat kan ik verdragen. Om hem heb ik geen verdriet. Denken aan Alison, dat kan ik niet verdragen. Toen Charlie hier binnen kwam rennen en vertelde dat er een dode was gevonden op het land van Dearden, kon ik geen adem meer krijgen. Het was alsof ik een stomp op mijn borst had gehad. Alles vanbinnen hield op met werken.'

Ze had nog steeds niet gefunctioneerd toen hij was gekomen, dacht George. Ruth had met haar handen over haar hoofd geslagen aan de tafel gezeten, alsof ze niets wilde horen en niets wilde zien. Kathy had naast haar gezeten, een arm om haar schouders, terwijl ze met haar andere hand haar haar streelde. De man van Ruth was nergens te bekennen geweest. Toen George naar hem had gevraagd, had Kathy bitter gezegd dat Philip doodsbleek was geworden toen Charlie het nieuws had verteld en daarna het huis uit was gelopen. 'Hij zal niet ver zijn gegaan,' zei ze. 'Er is een grote kans dat hij in die donkere kamer van hem zit. Daar gaat hij altijd heen als er iets gebeurt waar hij niets mee te maken wil hebben.'

George had besloten dat Ruth meer recht had om het nieuws zo snel mogelijk te horen dan haar man het recht had het met haar te delen. Hij had zijn boodschap er in één zin uitgegooid. 'Het is een man, het lichaam dat we hebben gevonden.'

Ruth had haar hoofd met een ruk opgeheven. Bij de stralende blijdschap op haar gezicht zou de kerstverlichting in Regent Street zijn verbleekt.

'Ze is het niet?' had Kathy uitgeroepen.

'Het is Alison niet,' zei George bevestigend. Hij haalde diep adem. 'Ik vrees dat we niet alleen maar goed nieuws hebben. We hebben het lichaam voorlopig geïdentificeerd. Het zal nog bevestigd moeten worden door iemand van de familie, maar we geloven dat de dode man Peter Crowther is.'

Hierop volgde een lange, verbijsterde stilte. Ruth had hem alleen maar aangestaard, alsof ze alles in zich had opgenomen wat ze kon met het nieuws dat het lichaam in het weiland niet dat van haar dochter was. Kathy zag er ontzet uit. Toen was ze overeind gesprongen, met afkeer op haar gezicht. Ze had even rusteloos heen en weer gebeend en was tot stilstand gekomen tegen het fornuis, waar ze nog steeds stond, met een woedende uitdrukking op haar gezicht. Ze wist inderdaad wie de schuldige was, dacht George.

'Het enige wat ik kan denken, is dat het godzijdank niet mijn Alison is,' vervolgde Ruth. 'Is dat niet verschrikkelijk? Peter was ook een mens, maar ik betwijfel of iemand om hem zal rouwen.'

'Het zou niet nodig moeten zijn dat we om iemand moeten rouwen,' zei Kathy, en haar stem stak George als een bos brandnetels. 'Toen Ma Lomas met haar hel en verdoemenis begon en zei dat we allemaal nog zouden boeten omdat we vreemden naar het dal hadden gehaald, dacht ik dat ze het zoals gewoonlijk erger maakte dan het was. Maar ze heeft geen ongelijk gekregen. Het is jullie niet gelukt om Alison te vinden, en nu is een van ons dood.'

'Als jullie hem meer als een van jullie hadden behandeld toen hij nog in leven was, zou hij misschien nog in leven zijn,' klonk een stem van achteren. George draaide zich om en zag Philip Hawkin. Hij had geen idee hoe lang Hawkin al in de halfopen deur had gestaan. Maar het was duidelijk dat hij het grootste deel van het gesprek had gehoord. 'Ze hebben hem uit het dorp gejaagd en de Gestapo heeft hem teruggejaagd,' vervolgde hij. 'God, de domheid van mensen. Hij was duidelijk ongevaarlijk. Hij was nooit gewelddadig geweest. Hij had nooit, voor zover ik weet, ook maar een vrouw aangeraakt. Ik kan het niet helpen, maar ik heb medelijden met de arme kerel.'

'U moet opgelucht zijn dat het niet het lichaam van Alison was,' zei Clough, de galspuwerij van Hawkin negerend.

'Uiteraard. Wie zou dat niet zijn? Ik moet echter zeggen, inspecteur, dat ik teleurgesteld ben in u en uw mannen. Tweeënhalve dag en geen nieuws over Alison. U ziet hoe ongerust mijn vrouw is. Uw gebrek aan resultaten is een marteling voor haar. Kunt u niet iets meer doen? Uw fantasie gebruiken? Grondiger zoeken? Hoe zit het met die helderziende die de krant heeft geraadpleegd? Kunt u geen aandacht schenken aan haar bevindingen?' Hij had zijn handen op de tafel gelegd en leunde voorover. Op zijn bleke wangen waren twee kleurige vlekken te zien. 'We leven onder een vreselijke spanning, inspecteur. We verwachten geen wonderen, we willen alleen dat u uw werk doet en erachter komt wat er met ons meisje is gebeurd.'

George probeerde zijn frustratie te verbergen achter het masker van zijn officiële gezicht. 'We doen ons best, meneer Hawkin. Op dit moment gaan er weer groepen mensen op weg om te zoeken. We hebben honderden vrijwilligers uit Buxton, Stoke, Sheffield en Ashbourne en daarnaast mensen uit de omgeving. Als ze daar ergens te vinden is, zullen we haar vinden, dat beloof ik u.'

'Ik weet dat jullie dat zullen doen,' zei Ruth zacht. 'Phil weet dat jullie je best doen. Het is alleen... dat niet weten. Het is een langzame marteling.'

George boog zijn hoofd in erkenning. 'We houden u op de hoogte van elke ontwikkeling.'

Buiten sneed de ruwe winterlucht door zijn longen toen hij diep inademend over de dorpsweide liep. Bijna dravend om hem bij te houden, zei Tommy Clough: 'Er is iets aan Philip Hawkin dat niet goed voelt.

Zijn antwoorden zitten er allemaal net naast. Zoals wanneer je een vreemde taal spreekt die je op een avondcursus hebt geleerd. Je hebt misschien alle grammatica en de uitspraak goed, maar je zult nooit doorgaan voor iemand die zijn moedertaal spreekt, want zo iemand hoeft er nooit over na te denken.' George liet zich op de passagiersstoel van de auto zakken. 'Maar dat hij niet past, wil nog niet zeggen dat hij een ontvoerder of een moordenaar is.'

'Maar toch...' Clough startte de auto.

'Maar toch kunnen we maar beter gaan en de zaak onder ogen zien op de persconferentie. De commissaris zal klaar staan om iemand aan het kruis te nagelen nu dit is gebeurd en zo zeker als morgen de zon opkomt kun je erop rekenen dat Carver zijn genoegdoening het eerst zal krijgen.' George ging achteroverzitten en stak een sigaret op. Hij sloot zijn ogen en vroeg zich af waarom hij bij de politie was gegaan. Hij had met zijn rechtenstudie voor een of ander gerieflijk advocatenkantoor in Derby kunnen kiezen en daar als stagiair kunnen beginnen. Dan was hij nu misschien op weg geweest om een partner te worden, gespecialiseerd in zoiets rustigs als overdrachts- en erfrecht. Gewoonlijk stond dat idee hem absoluut tegen. Maar die ochtend leek het hem merkwaardig aantrekkelijk.

Toen hij zijn ogen opende, zag hij lange kettingen van mannen die zich minder dan een armlengte van elkaar verwijderd door het dal bewogen. 'Daar is niets anders te vinden dan wat eerdere teams hebben gemist,' zie hij bitter.

'Ze zullen de mensen die het minst in conditie zijn hier in het dal gebruiken,' zei Clough, als een kenner. 'Ze bewaren de beste mensen voor de steilere rotsen en de dalen die van de gebaande paden liggen. Bij terreinen als deze zullen er altijd plekken zijn die we missen doordat we ze gewoon niet kennen als onze broekzak.'

'Denk je dat ze iets zullen vinden?'

Clough kneep zijn ogen samen. 'Dat hangt af van wat er te vinden is. Of ik denk dat ze een lichaam zullen vinden? Nee, dat denk ik niet.'

'Waarom niet?'

'Als we het lichaam inmiddels niet gevonden hebben, is het goed verstopt. Dat betekent dat het verborgen is door iemand die het terrein veel beter kent dan de mensen die aan het zoeken zijn. Dus nee, ik denk niet dat we een lichaam vinden. Ik denk dat we alles al gevonden hebben wat we zullen vinden zolang er niet meer aanwijzingen zijn.'

George schudde zijn hoofd. 'Ik kan zo niet denken, Tommy. Dat is ongeveer hetzelfde als niet alleen zeggen dat we Alison niet zullen vinden, maar dat we ook degene die haar heeft ontvoerd en waarschijnlijk vermoord niet zullen vinden.'

'Ik weet dat het moeilijk is, meneer, maar dat is precies waar onze collega's in Cheshire en Manchester mee te maken hebben gehad. Ik weet dat u niet herinnerd wilt worden aan wat Don Smart heeft geschreven, maar we zouden misschien kunnen leren van hun ervaring al zou het alleen maar gaan om de vraag hoe je ermee omgaat als je absoluut niets bereikt.' Ineens stopte Clough de auto. Langs de hele weg was geen parkeerplek te bekennen. Overal langs de kanten stonden personenauto's, busjes en Landrovers. De openingen die er nog tussen waren, waren bezet door motorfietsen en scooters.

'O, lieve hemel, wat moet ik nu doen?'

Er was maar één verstandige oplossing. George stond bij de methodistenkerk en keek toe hoe Clough de grote auto deskundig keerde en terugreed over de weg naar Scardale. Hij rechtte zijn schouders, nam een laatste trek van zijn sigaret en gooide hem op de weg. Hij had geen enkele behoefte aan wat hem in de kerk wachtte, maar uitstellen had geen zin.

13

Zaterdag 14 december 1963, 10.24 uur

De kwelling van de persconferentie was sneller voorbij dan George had verwacht, dankzij de kordate militaire aanpak van commissaris Martin. Hij behandelde de dood van Peter Crowther met een laconieke uitdrukking van spijt. Toen een van de verslaggevers hem had getart door over de lekken naar de *Courant* te beginnen, had Martin zijn geschut op de betreffende man gericht: 'De verantwoordelijkheid voor de roekeloos speculatieve berichtgeving in de *Courant* ligt bij de krant zelf,' zei hij met de stem van een drilsergeant die duidelijk niet gewend is aan tegenspraak. 'Als ze het gerucht dat ze hadden opgepikt op waarheid hadden gecontroleerd, hadden ze hetzelfde te horen gekregen als elke andere verslaggever: dat een man voor zijn eigen gemoedsrust naar het politiebureau was overgebracht voor ondervraging en zonder ook maar een smet op zijn karakter weer was vrijgelaten. Ik laat geen zondebokken maken van mijn mensen als de pers zich onverantwoordelijk gedraagt. Zo, er moet een vermist meisje gevonden worden. Ik beantwoord verder alleen vragen die daarop betrekking hebben.'

Er waren een paar routinevragen, en toen kwamen onvermijdelijk de vosachtige trekken van Don Smart in beeld op het moment dat hij zijn hoofd ophief van zijn notitieblok. 'Ik weet niet of u het artikel gelezen hebt in de *News* van vandaag?'

Martins bulderende lach was zo hard als zijn woorden waren. 'Tot ik u leerde kennen, meneer Smart, had ik in vredestijd alleen maar hoeren van het vrouwelijk geslacht ontmoet. Maar misschien zit ik ondanks de bakkebaarden niet zo ver naast het doel, want het enige waar uw werk goed voor is, meneer, zijn de kolommen van het meest sensatiebeluste damesblad. Ik ben niet van plan uw armzalige pogingen om verwarring te zaaien met een commentaar van mijn kant te honoreren. Het enige wat ik wil zeggen, meneer, is dat het onzin is, klinkklare nonsens. Ik was geneigd u de toegang tot deze persconferenties verder te ontzeggen, maar ik heb me er met tegenzin door mijn collega's van laten overtuigen dat u daardoor nu precies de bekendheid zou krijgen waar u zo naar verlangt. U mag dus blijven, maar vergeet niet dat deze bijeenkomst wordt gehouden met het doel een kwetsbaar jong meisje te vinden dat van huis wordt vermist, niet om meer exemplaren te verkopen van dat verachtelijke vod van u.'

Aan het eind van zijn tirade was Martins nek zo rood als een hanenkam. Don Smart haalde alleen zijn schouders op en richtte zijn ogen weer op zijn notitieblok. 'Ik zal dat maar als "geen commentaar" beschouwen,' zei hij zacht.

Kort daarna had Martin de persconferentie tot een snel einde gebracht. Terwijl de verslaggevers mompelend en aantekeningen vergelijkend naar buiten liepen, zette George zich schrap. Nu de commissaris zich had opgewarmd in zijn confrontatie met Smart, verwachtte hij in stukken te worden gescheurd en voor dood te worden achtergelaten. Martin draaide aan de peper-en-zoutkleurige borstelharen van zijn snor en keek naar George. Zonder zijn blik van hem af te wenden, haalde hij zijn Capstans uit zijn zak en stak er een op. 'En?' zei hij.

'Meneer?'

'Jouw versie van wat er gisteren is gebeurd.'

George schetste in korte bewoordingen zijn persoonlijke bemoeienis met Crowther. 'Dus gaf ik brigadier Clough opdracht de dienstdoende agent in Buxton te zeggen dat Crowther moest worden vrijgelaten. We spraken ook af dat de dienstdoende agent gevraagd zou worden zowel via de pers als plaatselijk via de patrouillerende agenten te laten weten dat er geen enkele verdenking bestond tegen Crowther.'

'Je had het verhaal in de *Courant* niet gezien?' vroeg Martin.

'Nee, meneer. We waren de hele dag in Scardale geweest. De krant komt daar pas op zaterdag en we waren niet in de gelegenheid geweest de vroege editie te lezen.'

'En de dienstdoende agent heeft niets tegen brigadier Clough gezegd over het verhaal?'

'Ik neem aan van niet. Als hij dat wel had gedaan, zou Clough eerst bij mij terug zijn gekomen voordat hij opdracht gaf de man vrij te laten.'

'Daar ben je zeker van?'

'U zou het aan Clough moeten vragen, maar als ik hem een beetje ken zou hij een dergelijk verhaal hebben beschouwd als een verandering in de omstandigheden die invloed zou kunnen hebben op de beslissing die ik had genomen.' George zag de frons op Martins gezicht en bereidde zich voor op de genadeklap.

Die kwam niet. In plaats daarvan knikte Martin alleen. 'Ik had al het gevoel dat het een communicatieprobleem was. Twee smetten op ons blazoen dus. Ten eerste dat een van onze mensen de pers iets heeft verteld dat niet naar buiten had mogen komen. Ten tweede dat de dienstdoende agent de functionarissen in het veld niet de informatie heeft gegeven die relevant was voor hun besluitvorming. We mogen dankbaar zijn dat de familie van de heer Crowther te zeer in beslag wordt genomen door haar andere verlies om veel aandacht te schenken aan onze rol in zijn dood. Wat zijn je plannen voor vandaag?'

George gebaarde met zijn duim naar een stapeltje kartonnen dozen bij een van de schragentafels. 'Ik heb de getuigenverklaringen van Buxton naar hier laten overbrengen, zodat ik ze kan doornemen en toch ter plaatse kan zijn als de zoektochten iets opleveren.'

'Ze stoppen om vier uur met zoeken, nietwaar?'

'Zo ongeveer,' zei George, verbaasd over de vraag.

'Als er niets nieuws uitkomt, verwacht ik dat je om vijf uur thuis bent.'

'Meneer?'

'Ik ben op de hoogte van de manier waarop Clough en jij aan deze zaak hebben gewerkt, en ik zie geen reden waarom jullie jezelf zouden doodwerken. Jullie hebben vanavond geen dienst, en dat is een bevel. Je hebt een belangrijke dag morgen, en ik wil dat je uitgerust bent.'

'Morgen, meneer?'

Martin maakte een ongeduldig gebaar. 'Heeft niemand je dat verteld? Goeie god, we moeten iets doen aan de communicatie in dit district. Morgen, Bennett, hebben we het genoegen twee collega's van andere korpsen hier te ontvangen – een uit Manchester en een uit Cheshire. Zoals je ongetwijfeld al wist voordat de heer Smart van de *Daily News* onze aandacht erop vestigde, hebben beide korpsen recent te maken gehad met raadselachtige verdwijningen van jonge mensen. Ze zijn geïnteresseerd in een ontmoeting om te bespreken of er enige belangrijke verbanden lijken te zijn tussen hun zaken en die van ons.'

George voelde de moed in zijn schoenen zinken. Zijn tijd verspillen met diplomatiek optreden tegen andere korpsen hielp hem niet om erachter te komen wat er met Alison Carter was gebeurd. De politie van Manchester had meer dan vijf maanden gehad om Pauline Reade te vinden en Cheshire had nu zonder enig resultaat ruim drie weken naar John Kilbride gezocht. De rechercheurs in die zaken klampten zich aan iedere strohalm vast. Ze waren meer geïnteresseerd in de schijn wekken dat ze nog enige activiteit ontplooiden in hun doodgelopen zaken dan in hem helpen met zijn onderzoek. Als hij van een gok had gehouden, had hij willen wedden dat de bijeenkomst al onderwerp was van een persbericht van de andere twee korpsen. 'Zou het niet beter zijn als hoofdinspecteur Carver zich met deze bijeenkomst zou bezighouden?' vroeg hij wanhopig.

Martin keek met een uitdrukking van afkeer naar zijn sigaret. 'Jij bent veel beter op de hoogte van de bijzonderheden van de zaak,' zei hij kortaf. Hij draaide zich om en begon naar de deur te lopen. 'Elf uur, op het hoofdbureau,' zei hij, zonder zich nog om te draaien of zijn stem te verheffen.

Lang nadat Martins kaarsrechte rug was verdwenen, stond George nog naar de deur te staren. Hij voelde een mengeling van boosheid en wanhoop. Andere mensen schreven de verdwijning van Alison al af als onoplosbaar. Of er nu een verband kon worden gevonden met de andere zaken of niet, duidelijk was dat zijn superieuren niet meer van hem verwachtten dat hij haar zou vinden, laat staan dat hij haar levend zou vinden. Hij klemde zijn kaken op elkaar, rukte een stoel naar de dossierdozen en begon de overgebleven getuigenverklaringen door te lezen. Het was waarschijnlijk zinloos, dat wist hij. Maar er was een kleine kans dat dat niet zo zou zijn. En kleine kansen leken de enige te zijn die hij nog over had.

Zondag 15 december 1963, 10.30 uur

Voor één keer had een van de kranten goed werk verricht. Elk exemplaar van de *Sunday Standard* bevatte een poster van dertig bij achtenveertig centimeter. Extra exemplaren waren verspreid naar elke krantenverkoper in het land, en elke kiosk die George onderweg naar het politiebureau was gepasseerd had hem duidelijk opgehangen. Onder de vette zwarte kop:

**HEBT U DIT MEISJE
GEZIEN?**

had de krant een van Philip Hawkins uitstekende portretfoto's van Alison gedrukt. Daaronder stond de volgende tekst:

> **Alison Carter wordt sinds woensdag 13 december om halfvijf vermist uit haar ouderlijk huis in Scardale, Derbyshire.**
> **Beschrijving: 13 jaar, 1,50 meter lang, slank postuur, blond haar, blauwe ogen, lichte huid, schuin litteken over rechterwenk-**

brauw; draagt marineblauwe duffelse jas over schooluniform bestaande uit zwarte blazer, bruin vest, bruine rok, wit overhemd, zwart met bruine stropdas, zwarte wollen maillot en zwarte laarsjes van schapenvacht. Voor informatie kunt u contact opnemen met de politie van Derbyshire in Buxton of met de politie in uw woon- of verblijfplaats.

Dat was de manier waarop journalisten de politie konden helpen, dacht George. Hij hoopte dat Don Smart in zijn ontbijt was gestikt toen de poster uit zijn exemplaar van de *Sunday Standard* was gegleden. Hij vroeg zich ook af hoeveel huizen in het gebied de poster die avond voor het raam zouden hebben hangen. Hij dacht dat er achter de ramen van de huizen in High Peak weleens meer foto's van Alison Carter te zien konden zijn dan kerstbomen.

Het was een goed begin van de dag, dacht hij opgewekt. Die was daarvoor ook al goed begonnen. Omdat hij niet bij het eerste daglicht de deur had hoeven uitrennen, hadden Anne en hij de kans gehad rustig wakker te worden en nog even heerlijk te liggen praten. Hij had een pot thee naar boven gebracht, en ze hadden een zeldzaam aangenaam uurtje gehad dat de bezegeling was geweest van de avond die ze samen hadden doorgebracht. Als het hem van tevoren was gevraagd, zou George vurig hebben ontkend dat hij Alison Carter langer dan twee minuten uit zijn hoofd had kunnen zetten. Maar op de een of andere manier had Annes kalme gezelschap hem in staat gesteld om de frustraties van zijn onderzoek even te vergeten. Ze hadden bij kaarslicht gegeten en toen samen op de bank genesteld naar de radio geluisterd en voorzichtig vorm gegeven aan hun dromen voor hun ongeboren kind. Het was een te korte onderbreking geweest, maar het had hem, ondanks een onrustige slaap, wel verfrist en zijn zelfvertrouwen hersteld.

Met punaises die hij van een paar officiële mededelingen haalde, bevestigde George de poster op het mededelingenbord van de recherche. Het zou de bezoekende rechercheurs er duidelijk aan herinneren dat zijn zaak nog zeer levend was. 'Dat ziet er goed uit.' De stem van Tommy Clough galmde door de ruimte, terwijl de deur achter hem dichtviel. Hij trok zijn jas uit en gooide hem over de kapstok.

'Ik had geen idee dat ze hiermee bezig waren,' zei George, en hij tikte met zijn vingernagel op de poster.

'Dat is gisterochtend allemaal geregeld,' zei Clough terloops. Hij liep het vertrek door, deed ondertussen het bovenste knoopje van zijn overhemd dicht en trok zijn stropdas strak.

George schudde zijn hoofd. 'Ik wou dat ik aangesloten was op jouw inlichtingencircuit, Tommy. Er gebeurt hier niets wat jij niet weet.'

Clough grinnikte. 'Tegen de tijd dat u hier net zolang bent als ik, bent u meer vergeten dan ik ooit zal weten. Ik kwam er alleen achter dat ze met de poster bezig waren doordat ik bij de balie rondliep toen de koerier kwam om de foto op te halen. Ik was van plan het te vertellen, maar het is me door het hoofd geschoten, meneer.'

George draaide zich om en bood hem een sigaret aan. 'Nu we zo nauw samenwerken, kun je me net zo goed George noemen wanneer we met z'n tweeën zijn.'

Clough pakte een sigaret, hield zijn hoofd scheef en zei: 'Een goed idee, George.'

Voor ze nog iets konden zeggen, zwaaide de deur open en kwam commissaris Martin binnen. Hij werd gevolgd door twee mannen, die bijna identiek gekleed waren in marineblauw pak, vilthoed en regenjas. Ondanks hun gelijksoortige uitdossing waren ze uitstekend uit elkaar te houden. De een had brede schouders en een stevige romp die gedragen werden door benen die bijna komisch kort waren en ertoe leidden dat hij maar net aan de lengte-eis van een meter zeventig voldeed. De ander haalde ruimschoots de een meter tachtig, maar zag eruit alsof hij zou verdwijnen als hij achter een telefoonpaal stond. Martin stelde beiden voor. De potige man was hoofdinspecteur Gordon Parrott van de politie van Manchester, de ander hoofdinspecteur Terry Quirke van het korps van Cheshire County.

Martin liet hen alleen en beloofde thee uit de kantine te laten brengen. In het begin waren de vier mannen zo behoedzaam als vreemde honden die zich zo goed mogelijk gedragen in een niet vertrouwde omgeving. Maar geleidelijk aan, terwijl ze bijzonderheden over hun eigen zaak vertelden zonder dat iemand aanmerkingen maakte, begonnen ze zich te ontspannen. Een paar uur later waren ze het er alle vier over eens dat er net zoveel reden was om aan te nemen dat de drie kinderen door één persoon waren meegenomen als er waren om aan te nemen dat er sprake was van drie verschillende daders. 'Dit betekent dat we eigenlijk niets hebben om van uit te gaan,' zei Parrott mismoedig.

'Behalve dat je niet vaak zaken hebt zonder ook maar één enkele aanwijzing voor wat er is gebeurd,' zei George. 'Dat is wat jullie allebei hebben. Ik heb in elk geval nog een hond die in een bos was vastgebonden en tekenen van een worsteling in een ander bosje. Dat is het cruciale verschil tussen de verdwijning van Alison Carter en die van Pauline Reade en John Kilbride.'

Rond de tafel klonk een instemmend gemompel. 'Ik zal jullie iets zeggen,' voegde Clough eraan toe. 'Ik wed dat Pauline en John door iemand meegenomen zijn in een auto. Misschien zelfs door twee daders. Eén om te rijden en één om het slachtoffer onder controle te houden. Als de ontvoerder te voet was geweest, hadden er getuigen moeten zijn. Iemand in een auto krijgen, is een kwestie van seconden. Maar ondanks het oudere echtpaar uit Longnor, dat een Landrover bij de kerk geparkeerd heeft zien staan, zie ik niet hoe dat met Alison kan zijn gebeurd. Een ontvoerder kan haar nooit van Scardale naar de methodistenkerk hebben gedragen, tenzij hij gebouwd was als Tarzan. En in het dorp zijn die middag geen onbekende auto's gezien.'

'En die zouden gezien zijn,' bevestigde George. 'Als een muis zou niezen in Scardale zou het dier uit een stuk of vijf zelfgemaakte verkoudheidsmiddeltjes kunnen kiezen voordat hij de kans had gekregen zijn neus te snuiten.'

Parrott zuchtte. 'We hebben onze tijd verspild.'

George schudde zijn hoofd. 'Gek genoeg is dat niet waar. Het heeft de dingen voor mij wat opgehelderd. Ik weet nu wat we niet hebben. Hoe meer ik vanmorgen heb gepraat en geluisterd, hoe zekerder ik ervan ben dat wij niet te maken hebben met ontvoering door een vreemde. Wat er ook met Alison is gebeurd, ze wist met wie ze te maken had.'

Maandag 16 december 1963, 7.40 uur

De opgewekte stemming die George door een nieuwe dag van vruchteloos zoeken had geholpen, verdween met de maandagochtendeditie van de *Daily News*. Deze keer had de meegaande helderziende van Don Smart hem de voorpagina opgeleverd.

VERMIST MEISJE: FRANSE HELDERZIENDE KOMT MET DRAMATISCHE AANWIJZING

Exclusief van onze verslaggever

Het onderzoek naar de verdwijning van de 13-jarige Alison Carter nam vandaag een dramatische wending toen een helderziende de politie belangrijke nieuwe aanwijzingen gaf over haar verblijfplaats.

Madame Colette Charest is met bijzonderhe-

den gekomen over wat Alison volgens haar heeft gedaan toen ze vijf dagen geleden uit het kleine gehucht Scardale in Derbyshire verdween.
Vanuit haar huis in Lyon, Frankrijk, heeft Mme Charest haar bevindingen doorgegeven, gebaseerd op een stafkaart van het district, een foto van het knappe blonde meisje en artikelen uit de *News*.

Onder de indruk

De bijzonderheden zijn gisteravond doorgegeven aan hoofdinspecteur M.C. Carver, die aan het hoofd staat van het team van rechercheurs dat de mysterieuze verdwijning onderzoekt. Hij zei: 'We kunnen ons niet veroorloven ook maar iets te negeren. Haar rapport ziet er indrukwekkend uit.'
Mme Charest heeft met haar helderziende gaven indruk gemaakt op de Franse politie, die ze bij verscheidene onderzoeken terzijde heeft gestaan.
De 47-jarige Franse weduwe zei dat ze Alison door een bos 'zag' lopen met een man die ze kende. Hij was tussen de 35 en 45 jaar oud en had donker haar.
Ze zei dat Alison bij water op de man had gewacht en dat ze bedroefd en bang was geweest.

Nog in leven

Het meest opmerkelijke is dat Mme Charest volhardde in haar overtuiging dat Alison nog in leven is en veilig is. 'Ze woont in een stad. Ze is in een huis dat deel uitmaakt van een rij stenen huizen op een heuvel.
Ze is daar gekomen in zoiets als een klein busje. Het was avond toen ze arriveerde en ze is sindsdien nog niet buiten geweest. Ze is niet vrij om weg te gaan, maar ze heeft geen pijn.
Dicht bij het huis is een schoolplein. Ze kan

> de kinderen horen spelen en dat maakt haar verdrietig.'
>
> Intussen hebben vrijwilligers onvermoeibaar samengewerkt met politie en reddingsteams om de heuvels en dalen rond Scardale af te zoeken.
>
> Honden en dregankers zijn ingezet bij het afzoeken van een groot veengebied waar zich verschillende meertjes en bronnen bevinden.
>
> Hoofdinspecteur Carver zei: 'We maken de zoektocht zo breed mogelijk.
>
> Het publiek werkt fantastisch mee, maar we hebben nog steeds informatie nodig over Alisons gangen nadat ze woensdagmiddag met haar hond het huis heeft verlaten.
>
> Misschien dat deze nieuwe informatie iemand ergens aan herinnert. Hoe onbelangrijk het ook mag lijken, als iemand denkt iets te weten, willen we dat graag horen.'

'Waar denkt Carver mee bezig te zijn?' mopperde hij tegen Anne. 'Het laatste wat we willen is zoiets aanmoedigen. Straks krijgen we alle halfbakken waarzeggers van het land over ons heen.'

Anne smeerde rustig wat boter op haar toast en zei: 'Waarschijnlijk hebben ze zijn woorden verdraaid.'

'Je hebt vast gelijk,' gaf George toe. Hij vouwde de krant dicht en schoof hem over de tafel naar zijn vrouw terwijl hij opstond. 'Ik ga ervandoor. Je ziet me wel weer verschijnen.'

'Probeer op een fatsoenlijke tijd thuis te zijn, George. Ik wil niet dat je de gewoonte ontwikkelt om alle uren van de dag aan het werk te zijn. Ik wil niet dat ons kind opgroeit zonder zijn vader te kennen. Ik heb gehoord hoe de andere vrouwen over hun man praten. Het is bijna alsof ze het over een verre verwant hebben die ze niet echt mogen. Die mannen lijken hun huis als een laatste toevluchtsoord te gebruiken, een plek waar ze heen gaan als de cafés en de clubs dicht zijn. De vrouwen zeggen dat zelfs de vakanties een belasting zijn. Elk jaar weer is het alsof ze met een vreemde op pad zijn die zich de hele tijd loopt te ergeren en niet te genieten is, of gaat drinken en gokken.'

George schudde zijn hoofd. 'Zo'n soort man ben ik niet, dat weet je.'

'Volgens mij geloofden de meesten van hen ook niet dat ze daarmee te maken zouden krijgen toen ze net getrouwd waren,' zei Anne droogjes. 'Jouw baan is niet zomaar een baan. Je laat hem aan het eind van de werkdag niet gewoon achter. Ik wil dat je weet dat je leven meer inhoudt dan misdadigers pakken.'

'Hoe kan ik dat vergeten als ik jou heb om naar terug te gaan?' Hij boog zich om haar een kus te geven. Ze rook zoet, als warme koekjes. Het was, dat wist hij nu, haar eigen, speciale ochtendgeur. Ze had hem verteld dat zijn geur een beetje muskusachtig was, als de vacht van een schone kat. Dat was het moment geweest waarop hij zich had gerealiseerd dat iedereen zijn eigen geur heeft. Hij vroeg zich af of de herinnering aan de aromatische handtekening van haar dochter een van de dingen was die een marteling waren voor Ruth Hawkin. Hij onderdrukte een zucht, knuffelde Anne even en haastte zich naar zijn auto voordat zijn emoties hem te veel zouden worden.

Toen hij bij het hoofdbureau kwam om Tommy Clough op te pikken, besloot George de persconferentie van die ochtend over te slaan. Commissaris Martin kon Don Smart veel beter aan dan hij ooit zou kunnen, en het laatste wat hij kon gebruiken was een openbare confrontatie die door zijn woede bijna onvermijdelijk was. 'Laten we met de Hawkins gaan praten,' zei hij tegen de brigadier. 'Ze moeten diep vanbinnen weten dat er steeds minder hoop is. Ze zullen het niet willen toegeven, noch voor zichzelf noch aan anderen. We zijn het aan ze verplicht om eerlijk te zijn over de situatie.'

Terwijl ze door de heuvels richting Scardale reden, veegden de ruitenwissers met geesteloze monotonie de regen van de voorruit. Ten slotte zei Clough mistroostig: 'Ze kan niet daarbuiten zijn in dit weer en nog in leven zijn.'

'Ze kan nergens nog in leven zijn. Het is niet alsof je een klein kind ontvoert, dat je de stuipen op het lijf kunt jagen en ergens in een kelder kunt opsluiten. Een meisje van die leeftijd gevangenhouden, is wel wat anders. Bovendien willen sexmoordenaars niet op hun beloning wachten. Ze willen die meteen. En als ze ontvoerd was door iemand die gek genoeg was om te denken dat Hawkin genoeg geld had om losgeld de moeite waard te maken, zou dat inmiddels geëist zijn.' George zuchtte en stak zijn hand op om de druipende agent te groeten die nog steeds op wacht stond bij het hek naar Scardale. 'De familie Hawkins is één ding. *Wij* moeten het feit onder ogen zien dat we nu naar een stoffelijk overschot op zoek zijn.'

Het geluid van de ruitenwissers was het enige dat de stilte doorbrak tot ze naast de caravan bij de dorpsweide stilstonden. De twee mannen renden door de regen en schuilden in het kleine portiek tot Ruth Hawkin op het geklop van George zou reageren. Tot hun verrassing werd de deur door Kathy Lomas geopend. Ze stapte achteruit om hen binnen te laten. 'Jullie kunnen maar beter binnenkomen,' zei ze kortaf.

Ze liepen de keuken in. Met nietsziende ogen en los, ongekamd haar zat Ruth in een roze, gewatteerde, nylon ochtendjas aan de keukentafel. Tegenover haar zat Ma Lomas, gekleed in meerdere vesten en daaroverheen een geruite sjaal die op haar borst met een veiligheidsspeld was vastgezet. George herkende de vierde vrouw in de keuken als Diane, de zuster van Ruth en moeder van Charlie Lomas. De drie jongere vrouwen rookten, maar de borst van Ma Lomas scheen daar geen problemen mee te hebben.

'Hoe staat het ervoor?' vroeg Ma Lomas, voordat George ook maar iets had kunnen zeggen.

'We hebben niets nieuws te melden,' gaf George toe.

'In tegenstelling tot de kranten dus,' zei Diane Lomas bitter.

'Ja, die hebben altijd wel wat te vertellen,' voegde Kathy eraan toe. 'Of het nou flauwekul is of niet, al die onzin dat Alison in een of ander rijtjeshuis in een stad zou zitten. Je kunt iemand niet in een stad verbergen die niet verborgen wil worden. Dat soort huizen, die hebben muren van karton. Kunnen jullie niet zorgen dat ze ophouden met die flauwekul te drukken?'

'We leven in een vrij land, mevrouw Lomas. Wat de krant van vanmorgen schrijft, bevalt mij net zomin als u, maar ik kan er niets tegen doen.'

'Kijk eens hoe ze eraan toe is,' zei Diane met een hoofdbeweging naar Ruth. 'Ze denken niet aan het effect dat het op haar heeft. Het is niet eerlijk.'

George perste zijn lippen tot een smalle streep. Ten slotte zei hij: 'Dat is voor een deel waarom we nu bij u langskomen, mevrouw Hawkin.' Hij trok een stoel naar achteren en ging tegenover Ruth en haar zuster zitten. 'Is uw man thuis?'

'Hij is naar Stockport,' zei Ma minachtend. 'Hij heeft wat chemicaliën nodig voor zijn foto's. Hij kan natuurlijk gaan en komen wanneer hij zin heeft. Niet zoals de mensen die in Scardale geboren en getogen zijn.' Haar woorden hingen in de lucht als een handschoen die geworpen was.

George weigerde hem op te pakken. Zijn eigen geweten zat hem al genoeg dwars over zijn aandeel in de dood van Peter Crowther zonder Ma Lomas de vrije teugel te geven met haar scherpe tong. Hij knikte alleen even als teken van erkenning en ging toen door. 'Ik wilde u beiden vertellen dat we naar Alison blijven zoeken. Maar ik zou mijn plicht verzaken als ik u niet zou vertellen dat het volgens mij steeds onwaarschijnlijker wordt dat we haar nog levend vinden.'

Toen keek Ruth op. Haar gezicht was een masker van berusting. 'Dachten jullie dat dat nieuws voor me was?' zei ze vermoeid. 'Vanaf het moment dat het tot me doordrong dat ze weg was, heb ik niets anders verwacht. Ik kan dat verdragen omdat ik moet. Wat ik niet kan verdragen is niet weten wat er met mijn kind is gebeurd. Dat is alles wat ik vraag, dat jullie erachter komen wat er met haar is gebeurd.'

George haalde diep adem. 'Geloof me, mevrouw Hawkin, ik ben vastbesloten om dat te doen. U hebt mijn woord dat ik het onderzoek niet opgeef.'

'Mooie woorden, jongen, maar wat betekenen ze?' De sardonische stem van Ma Lomas sneed door de emotionele sfeer.

'Het betekent dat we blijven zoeken. Het betekent dat we vragen blijven stellen. We hebben het dal al van de ene tot de andere kant afgezocht; we hebben het gebied eromheen afgezocht. We hebben waterreservoirs afgedregd en de politieduikers hebben de Scarlaston afgezocht. En we hebben niets meer gevonden dan we in de eerste vierentwintig uur hebben gevonden. Maar we geven het niet op.'

Ma snoof, en haar neus en kin raakten elkaar bijna toen ze haar gezicht samenkneep. 'Hoe kunnen jullie daar zitten en Ruth in de ogen kijken en zeggen dat jullie het dal hebben afgezocht? Jullie zijn nog niet eens bij de oude loodmijn geweest.'

14

Maandag 16 december 1963, 9.06 uur

George zag verbijsterd hoe zijn verbazing weerspiegeld werd in de gezichten tegenover hem. Ruths wenkbrauwen rimpelden zich, alsof ze niet zeker wist of ze het goed had gehoord. Diane leek verbluft. 'Welke oude loodmijn, Ma?' vroeg ze.

'Je weet wel, in de Scardale Crag.'

'Nog nooit van gehoord,' zei Kathy. Ze klonk een beetje beledigd.

'Wacht eens even. Wacht eens even,' onderbrak George hen ruw. 'Waar hebben we het over? Over welke mijn hebben we het?'

Ma zuchtte geërgerd. 'Moet ik het nog duidelijker zeggen? In de Scardale Crag is een oude loodmijn. Tunnels en kamers en weet ik niet wat. Het stelt niet veel meer voor, maar het is er wel.'

'Hoe lang geleden is het dat hij in gebruik was?' vroeg Clough.

'Hoe zou ik dat moeten weten?' protesteerde de oude vrouw. 'Niet zolang ik leef, dat weet ik zeker. Hij kan er wel geweest zijn sinds de Romeinen hier waren. Ze hadden lood- en zilvermijnen in deze streken.'

'Ik heb nog nooit van een loodmijn in de rotsen gehoord,' zei Diane. 'En ik heb hier mijn hele leven gewoond.'

Met moeite wist George de neiging te onderdrukken om tegen de vrouwen te schreeuwen. 'Waar is die loodmijn precies?' vroeg hij. Clough was blij dat die stem, die sneed was als een mes, niet tegen hem was gericht. Hij had niet geweten dat George die scherpte in zich had, maar voor Clough bevestigde dit dat hij op de juiste man had gewed.

Ma Lomas haalde haar schouders op. 'Hoe moet ik dat weten? Zoals ik al zei, is hij tijdens mijn leven niet in gebruik geweest. Alles wat ik weet is dat je er ergens aan de achterkant van het kreupelbosje inkomt. Vroeger liep daar een stroompje, maar dat is jaren geleden opgedroogd, toen ik nog jong was.'

'Dus er is een kans dat niemand van het bestaan ervan weet,' zei George teleurgesteld. Wat een mogelijkheid had geleken om achteraan te gaan, brokkelde in zijn handen af, dacht hij.

'Nou, ik weet ervan,' zei Ma met nadruk. 'De landheer heeft het me laten zien. In een boek. De oude landheer. Niet Philip Hawkin.'

'Welk boek?' zei Ruth, die voor het eerst sinds de komst van de mannen een teken van levendigheid toonde.

'Ik weet niet hoe het heette, maar ik kan het waarschijnlijk wel herkennen,' zei de oude vrouw, terwijl ze haar stoel achteruitschoof van de tafel. 'Heeft die man van je de boeken van de landheer weggegooid?' Ruth schudde haar hoofd. 'Kom op, laten we eens kijken.'

In afwezigheid van Philip Hawkin was zijn studeerkamer zo koud als de ijzige hal. Ruth rilde en trok haar ochtendjas strakker om haar lichaam. Diane liet zich in een van de stoelen zakken en pakte haar sigaretten. Ze stak er een op zonder de anderen aan te bieden en krulde toen in de stoel om zichzelf heen als een grijzige kat met een muis in zijn poten. Kathy speelde wat met een paar prisma's op het bureau, die ze tegen het licht hield en alle kanten op draaide. Intussen bekeek Ma met een onderzoekend oog de boekenkasten en hield George zijn adem in.

Ongeveer halverwege de middelste plank, wees ze met een knokige vinger naar een boek. 'Daar,' zei ze op een tevreden toon. *Een verzameling curiosa uit het dal van de Scarlaston.* George stak zijn arm uit en pakte het boek. Het was duidelijk een mooi boek geweest, maar nu aangetast door gebruik en de tand des tijds. Het was gebonden in verschoten rood marokijn, bijna tweeënhalve centimeter dik en mat vijfentwintig bij twintig centimeter. Hij legde het op het bureau en sloeg het open.

'*Een verzameling curiosa uit het dal van de Scarlaston in Derbyshire, waarin opgenomen de Reuzenrots en de mysterieuze bron van de rivier zelf. Als verteld door de eerwaarde Onesiphorus Jones. Gepubliceerd door King, Bailey & Prosser uit Derby mdcccxxii*,' las George. '1822,' zei hij. 'En waar vinden we de mijn, mevrouw Lomas?'

Haar vingers, met hun artritische knokkels, kropen over het titelblad en bladerden naar de pagina met de inhoud. 'Ik herinner me dat het ongeveer in het midden was,' zei ze zacht. George boog zich over haar schouder en liet zijn ogen snel over de inhoud gaan.

'Is dat het?' vroeg hij, wijzend naar *Hoofdstuk xiv – De geheime mysteries van Scardale Crag; De vroege dalbewoner; Pyriet en onedel metaal van de alchemist.*

'Ja, ik denk het.' Ze stapte achteruit. 'Het is lang geleden. De landheer praatte graag met mij over de geschiedenis van het dal. Zijn vrouw was een buitenstaander, begrijp je.'

George luisterde maar half. Hij bladerde door de dikke bladzijden in gebroken wit die hier en daar roestbruine vlekken vertoonden tot hij bij het hoofdstuk kwam waar hij naar zocht. Daar vond hij, begeleid door vaardige pentekeningen waaraan elke sfeer ontbrak, het verhaal over de loodwinning in Scardale. De lood- en pyrietaders waren in de late Middeleeuwen ontdekt maar pas volledig ontgonnen in de achttiende eeuw, toen vier hoofdgangen en een paar grotten waren uitgegraven. De lagen bleken echter minder productief te zijn dan men had verwacht en rond 1790 was de commerciële exploitatie van de mijn stopgezet. In de tijd dat het boek was geschreven, was de mijn afgesloten met een houten palissade.

George wees naar de beschrijving. ‘Zijn deze aanwijzingen goed genoeg om de weg naar die mijn te kunnen vinden?’

‘Jullie zouden hem nooit vinden,’ zei Diane. Ze was achter hem komen staan en tuurde om zijn arm heen. ‘Maar ik weet iemand die het wel kan.’

‘Wie?’ vroeg George. Je haalt nog eerder lood uit de grond dan informatie uit Scardalers, dacht hij vermoeid.

‘Ik wed dat onze Charlie hem kan vinden,’ zei Diane, die zich niet bewust was van zijn ergernis. ‘Hij kent het dal beter dan welke levende ziel dan ook. En hij is zo fit als een hoentje. Als er geklommen of in grotten gekropen moet worden, moet je hem hebben. Onze Charlie, meneer Bennett, die moet u hebben. Als hij wil tenminste, na de manier waarop jullie hem hebben behandeld.’

Maandag 16 december 1963, 11.33 uur

Charlie Lomas was zo dartel als een jonge hond die met de geur van konijnen in zijn neusgaten staat te trappelen van ongeduld. Net als George had hij, zodra hij hoorde wat er gaande was, door het dal willen rennen naar het punt waar rivier en rots elkaar ontmoetten. Maar in tegenstelling tot George, die geleerd had dat geduld een schone zaak is, zag hij geen enkel voordeel in wachten tot de ervaren grotonderzoekers er zouden zijn. Wat Charlie betrof, was het voordeel genoeg om een Scardaler te zijn als het erom ging de mysteries van de Scardale Crag te ontrafelen. Dus liep hij kettingrokend bij de caravan heen en weer te benen en dronk ondertussen nerveuze slokjes uit een beker thee toen de thee allang ijskoud moest zijn.

George zat boos uit het caravanraampje naar het dorp te staren. ‘We hebben wel vaker te maken met mensen die informatie achterhouden, maar gewoonlijk zit er een begrijpelijk motief achter. Ze doen het meestal om zichzelf of iemand anders te beschermen. Of het zijn gewoon stijfkoppige schurken die er plezier in hebben ons te frustreren. Maar hier? Het is alsof je ijzer met handen moet breken.'

Clough zuchtte. 'Ik geloof niet dat het boos opzet is. De helft van de tijd weten ze niet eens dat ze het doen. Het is een gewoonte die ze in de loop van de eeuwen hebben ontwikkeld en die ik ze niet zomaar even zie veranderen. Het is alsof ze vinden dat niemand het recht heeft om zich met hun zaken te bemoeien.'

'Het gaat verder dan dat, Tommy. Ze hebben al zo lang op elkaars lip gezeten dat ze alles weten wat er over Scardale en over elkaar te weten valt. Al die kennis is zo vanzelfsprekend voor ze dat ze vergeten dat het voor ons anders ligt.'

'Ik begrijp wat je bedoelt. Steeds als we iets ontdekken dat ze ons hadden moeten vertellen, is het alsof ze stomverbaasd zijn dat we het nog niet wisten.'

George knikte. 'Dit is het perfecte voorbeeld. Ma Lomas heeft nooit, op geen enkel moment, gezegd: "O, wisten jullie dat er een oude loodmijn is in de Scardale Crag? Het is misschien de moeite waard om daar te zoeken." Nee, net als de anderen ging ze ervan uit dat we van het bestaan ervan op de hoogte waren, en de enige reden waarom ze de mijn noemde, was om mij op mijn huid te zitten omdat ze vindt dat de politie niet goed genoeg heeft gezocht.'

Clough stond op en begon heen en weer te lopen in de kleine ruimte van de caravan. 'Het is om woest te worden, maar we kunnen er niets aan doen want we weten nooit wat we niet weten voordat we erachter komen dat we het niet wisten.'

George wreef vermoeid in zijn ogen. 'Ik blijf maar denken dat we Alison hadden kunnen redden als het me beter was gelukt om de dorpelingen te laten vertellen wat ze wisten.'

Clough stond stil en staarde naar de vloer. 'Ik denk dat je het mis hebt. Ik denk dat het al te laat was voor Alison Carter toen het eerste telefoontje op het politiebureau van Buxton binnenkwam.' Hij sloeg zijn ogen op en keek George aan. Niet in staat te verdragen wat hij daar zag, voegde hij eraan toe: 'Maar misschien zeg ik maar wat omdat ik het alternatief ook niet kan verdragen.'

George wendde zich af en keek weer naar de tekst in het negentiende-eeuwse boek; hij probeerde de beschrijving in overeenstemming te brengen met de grootschalige stafkaart. Tommy Clough, die zijn beperkingen inzag, ging weer bij het raam zitten en keek naar een paar merels, die onder de dichte beschutting van een oude taxusboom wat over de grond liepen te scharrelen. Binnenkort moest er weer gewerkt worden, maar voor nu stelde hij zich tevreden met wat zitten en nadenken.

De grotonderzoekers arriveerden in een Commer-busje, met rijen stoelen die aan de vloer geklonken waren. *Peak Park Cave Rescue* was in amateuristisch schrift op de deuren geschilderd. Er kwamen een stuk of zes mannen uit, die kennelijk niets merkten van de regen en allerlei uitrustingsstukken uit de achterklep van het busje haalden. Een van de mannen maakte zich los van de groep en liep naar de caravan. Charlie stopte met ijsberen en keek hem in gespannen verwachting aan, als een jachthond, klaar om op het wild af te gaan. De man verscheen in de deuropening en zei: 'Zo, wie is de baas hier?'

George stond op, enigszins gebogen onder het lage plafond. 'Inspecteur George Bennett,' zei hij, zijn hand uitstekend.

'Je lijkt op Jimmy Stewart, heeft iemand je dat ooit gezegd?' zei de grotonderzoeker terwijl hij George kort de hand schudde.

George zag Clough grijnzen en fronste zijn wenkbrauwen. 'Bedankt dat jullie gekomen zijn.'

'Met plezier. We hebben in tijden geen fatsoenlijke redding gehad. We zitten te popelen om iets wat een beetje anders dan anders is. Hoe dacht je dit aan te pakken?' Hij ging op de bank zitten, waarbij het rubber van zijn duikerspak over zijn platte maag rimpelde.

'We hebben een vaag idee waar de ingang van die mijn kan zijn,' zei George. Hij gaf een korte schets van wat ze te weten waren gekomen van het boek en de kaart. 'Charlie komt hier vandaan. Hij kent het dal, dus hij kan ons waarschijnlijk wat aanwijzingen op de grond geven. Als we de mijn vinden, wil ik met jullie mee als jullie naar binnen gaan.'

De grotonderzoeker trok een bedenkelijk gezicht. 'Heb je ervaring met grotten? Met klimmen?'

George schudde zijn hoofd. 'Ik ben fit en ik ben sterk. Ik zal geen blok aan jullie been zijn.'

'Dat zul je wel zijn, wat je ook zegt. We zijn een team; we zijn gewend samen te werken en voor elkaar te zorgen. Je zult ons ritme verstoren. Ik wil echt geen onbekend grottenstelsel binnengaan met iemand die niet weet hoe het werkt.' Hij wreef nerveus met zijn knokkels over zijn wang. 'Er gaan mensen dood in grotten,' voegde hij eraan toe. 'Daarom is ons team ook opgezet.'

'Je hebt gelijk,' zei George. 'Er gaan inderdaad mensen dood in grotten. Dat is precies de reden waarom ik met jullie mee moet. Het is mogelijk dat daar een misdrijf is gepleegd. En ik ben niet bereid eventueel bewijsmateriaal te laten verstoren. Jullie hebben je eigen specialisme, dat ontken ik niet. Maar dat heb ik ook. En omdat dat zo is, gaan jullie niet naar binnen zonder mij. Dus de vraag is of jullie een extra uitrusting hebben, want anders moet ik een van je mensen vragen zijn pak uit te trekken en het aan mij te geven.'

De grotonderzoeker zag er opstandig uit. 'Ik ga mijn team niet in gevaar brengen door jouw onervarenheid.'

'Dat vraag ik ook niet. Ik blijf achteraan. Ik laat jullie voorop gaan om eventuele gevaren te onderzoeken. Ik volg jouw orders. Maar ik moet erbij zijn.' George was onvermurwbaar.

'Ik wil ook helemaal mee,' barstte Charlie los, niet in staat nog langer zijn mond te houden. 'Ik ben in grotten geweest. Ik heb ervaring met grotonderzoek en met klimmen. Ik ken het terrein. Jullie moeten me meenemen.'

Tommy legde een hand op zijn arm. 'Dat is geen goed idee, Charlie. Als Alison daar is, zal ze er waarschijnlijk niet zo mooi uitzien. Je zou van streek raken en zonder dat je het wilt misschien bewijsmateriaal vernietigen. Bij mijn eerste moordzaak dacht ik dat ik het volgende slachtoffer was. Ik kotste de hele plek van de misdaad onder en de hoofdinspecteur zag eruit alsof hij míj ging vermoorden. Geloof me. Het is beter als je ons alleen helpt om de weg naar binnen te vinden.'

De jongen fronste zijn voorhoofd en streek zijn haar uit zijn gezicht. 'Ze is familie, meneer Clough. Er zou daar iemand voor haar bij moeten zijn.'

'Je kunt erop vertrouwen dat inspecteur Bennett alles voor haar zal doen wat hij kan,' zei Tommy. 'Je weet dat hij dit net zo graag wil oplossen als jij.'

Charlie liet zijn schouders hangen en draaide zich om. 'Waar wachten we nog op?' vroeg hij, waarbij zijn stoere houding werd verraden doordat zijn stem even stokte. 'Ik moet me omkleden,' zei George. 'Ik weet niet hoe je heet,' voegde hij eraan toe tegen de grotonderzoeker.

'Ik ben Barry.' Hij zuchtte. 'Goed dan. We hebben een reservepak dat je wel zal passen. Je hebt wel je eigen laarzen nodig.'

'Ik heb een paar rubberlaarzen in de auto. Zijn die goed?'

In Barry's blik lag enige minachting. 'Dat moet maar.'

Twintig minuten later vormden ze een vreemde optocht door het dal en door het bosgebied waar Charlie de plek had ontdekt van de worsteling met Alison. Hij liep voorop, onmiddellijk gevolgd door George en Clough. Achter hen liepen de grotonderzoekers op een kluitje: ze liepen vrolijk te lachen, te praten en te roken, alsof ze voor niets veeleisenders stonden dan de gebruikelijke zondagse verkenning van een of ander fascinerend grottenstelsel.

Toen ze beneden in de kloof waren, gingen de grotonderzoekers onder de dichtstbijzijnde boom zitten en wachtten op instructies. Charlie bewoog zich langzaam langs de rand van het kalksteen; hij duwde kreupelhout opzij en klom zo nu en dan over gevallen rotsblokken om na te gaan of ze de overblijfselen van een honderdvijftig jaar oude palissade verborgen. George volgde waar hij kon, maar vergeleek de topografie voortdurend met de beschrijving in het boek en liet het zoeken grotendeels aan Charlie over.

Charlie drong door een bosje van jonge bomen en dode varens heen, klom toen over een groep kleine rotsblokken en liet zich aan de andere kant omlaag zakken. Hij was niet meer te zien, maar zijn stem was duidelijk te horen voor de wachtende mannen. 'Er is hier een opening in de rots. Het ziet eruit alsof... het ziet eruit alsof er een versperring is geweest, maar die is weggerot.'

'Wacht daar, Charlie,' beval George. 'Brigadier, kom met me mee. We moeten kijken of er nog ander sporen zijn te zien dan die van Charlie.'

Ze zochten moeizaam hun weg over de groep rotsblokken, waarbij ze probeerden te voorkomen dat ze in het gezicht werden gezwiept door overhangende takjes of zouden struikelen over de taaie uitlopers van de doornstruiken die dwars door het kreupelhout heen liepen. Clough klonk duidelijk gefrustreerd toen hij zei: 'Het is onmogelijk te zien of hier iemand is geweest. Je kunt hier door de bossen komen of via de andere kant door het dal. Als plaats van een misdaad is het erger dan nutteloos.'

Ze klauterden over de rotsblokken en kwamen aan de andere kant, waar Charlie ongeduldig van de ene voet op de andere stond te dansen. 'Kijk,' riep hij zodra hij hen zag. 'Dit moet het zijn, denkt u niet, meneer Bennett?'

Wat ze zagen, was moeilijk in overeenstemming te brengen met de tekening van de mijningang die George de hele ochtend had bestudeerd. Stukken steen waren weggevallen van de mond van de tunnel, waardoor deze een heel andere vorm had gekregen. De boog die door eenvoudige gereedschappen in het zachte kalksteen was uitgehakt, zag er nu meer uit als een smalle, driehoekige spleet die minstens twee keer zo hoog was als destijds. Allerlei soorten varens stonden zo hoog als hun middel, terwijl een vlierboom het hogere deel verhulde van wat eruitzag alsof het de ingang zou kunnen zijn. 'Ziet u?' zei Charlie trots. 'Je kunt de overblijfselen zien van de ijzeren nagels die ze erin hebben geslagen om de houten palen vast te zetten.' Hij wees naar een paar zwarte staken die aan de ene kant uit de rotsen staken. 'En hier... ' Hij trok de varens opzij om de verrotte resten te laten zien van dikke palen. 'Ik dacht dat ik elke centimeter van dit dal kende, maar dat dit er was wist ik niet.'

George keek moedeloos om zich heen. Charlie had de boel als een jonge olifant vertrapt. Als Alison daarlangs was gekomen, alleen of onder dwang, zouden er geen sporen meer van te vinden zijn. Hij haalde diep adem en riep: 'Barry? Kun je hierheen komen met je mannen?' Hij wendde zich tot Clough. 'Brigadier, ik wil graag dat u en meneer Lomas teruggaan naar de caravan. Ik heb hier wat agenten nodig om het gebied af te zetten. En nog geen woord tegen de pers.'

'U hebt gelijk, meneer.' Clough legde een hand op Charlies schouder. 'Het is tijd voor ons om het aan de deskundigen over te laten.'

'Ik moet naar binnen,' zei Charlie, en hij trok zich los en dook op de ingang af. George zette precies een voet tussen zijn benen. Charlie knalde tegen de grond, rolde om en keek met een blik van gekwetste woede naar George op.

'Zo staan we quitte,' zei George. 'Kom op, Charlie, maak het niet moeilijker dan het is. Ik beloof je, als we iets vinden ben jij de eerste die het hoort.'

Charlie stond op en plukte stukken varen uit zijn haar. 'Ik ga mijn oma vertellen wat ik heb gevonden,' mompelde hij uitdagend.

Maar George had zijn aandacht al op de grotonderzoekers gericht, die over de gevallen rotsblokken zwermden alsof ze niet meer waren dan een rimpeling op hun weg. Nu er echt werk aan de winkel was, waren ze kalm en methodisch. Elke man controleerde zijn eigen uitrusting. Barry gaf George een helm met een mijnwerkerslamp aan de voorkant. 'Ik zeg je hoe we het gaan doen. Jij blijft steeds achteraan. We weten niet hoe het er daarbinnen uit zal zien. Te oordelen naar de toestand waarin de zaak verkeert, is het niet zo veelbelovend. Of veilig. Dus wij gaan eerst, en jij volgt wanneer ik het zeg en niet eerder. Is dat duidelijk?'

George knikte en paste de riem van de helm aan. 'Maar als we ook maar iets tegenkomen dat op een recent spoor lijkt, moeten jullie dat met rust laten. En als het meisje daarbinnen is... nou, dan zullen we er meteen weer uit moeten.'

Barry maakte een hoofdbeweging naar een van zijn maten. 'Trevor heeft een speciale camera waarmee hij foto's onder de grond kan maken. We hebben hem voor alle zekerheid maar meegebracht.' Hij keek om zich heen. 'Goed dan. Des, jij gaat voorop. Ik ga achteraan om te zorgen dat George hier doet wat hem gezegd wordt. Jullie hebben hem gehoord, jongens, nergens aankomen als je iets vindt. O, en George... er wordt daar beneden niet gerookt. Je weet nooit wat voor kleine verrassingen de aarde voor je in petto heeft.'

Het was als het betreden van de onderwereld. De kloof in de heuvel slokte hen op en beroofde hen vrijwel onmiddellijk nadat ze de ingang waren gepasseerd van licht. Zwakke bundels van geelachtig licht spatten tegen streperige witte wanden van koolstofhoudend kalksteen. Hier en daar glinsterde kwarts, zo nu en dan glansden vochtige druppels van nat druipsteen, en mineralen streepten en stippelden het gesteente met hun specifieke kleuren. George herinnerde zich een tochtje dat Anne en hij hadden gemaakt naar de publieksgrotten bij Castleton, maar hij wist niet meer welke tekeningen bij welke mineralen hoorden. Het duurde een hele tijd voordat hij erachter was dat hij in een smalle doorgang was van ruim een meter breed en een kleine een meter zeventig hoog. Hij moest met gebogen knieën lopen om niet met zijn helm tegen de vreemde uitgroeisels te botsen die opbloeiden aan het plafond.

De lucht was vochtig maar merkwaardig fris, alsof ze steeds werd ververst. Er was een voortdurend maar onregelmatig gespetter te horen van druppels van stalactieten die te zwaar werden en hun oppervlaktespanning verloren. De grond onder zijn voeten was ongelijk en glibberig, en George moest met zijn zaklantaarn omlaag schijnen om te voorkomen dat hij zou struikelen over een van de vele opkomende stalagmieten die de vloer van de doorgang bezaaiden.

‘Fantastisch, vind je niet?’ riep Barry over zijn schouder, waarbij zijn licht George een ogenblik verblindde.

‘Indrukwekkend.’

‘Laat het honderdvijftig jaar met rust en het is goed op weg om een publieksgrot te worden. Ik kan je wel vertellen dat we als we vandaag niets vinden in het weekend terug zullen gaan om de zaak hier eens goed te onderzoeken. Je weet dat de Scarlaston gewoon uit de grond lijkt te sijpelen? Dat betekent dat hier in de buurt een ondergronds grottenstelsel moet zijn, en deze mijn zou weleens de weg daarnaartoe kunnen zijn.’ Barry sprak met een ademloze opwinding die George een beetje misselijk maakte. Hij was niet claustrofobisch, maar het onverhulde verlangen van de man om uren door te brengen onder die tonnen vijandige steenmassa was hem volkomen vreemd. Hij hield te veel van de zon en de lucht op zijn huid om zich aangetrokken te voelen tot deze vreemde tussenwereld.

Voordat George kon antwoorden, echode van voor hen een kreet in hun richting die zo vervormd was dat George hem niet kon verstaan. Hij wilde naar voren lopen, maar Barry hield hem met zijn arm tegen. ‘Wacht,’ beval de grotonderzoeker. ‘Ik ga kijken wat er aan de hand is. Ik kom meteen terug.’

Ongeduldig stond George te luisteren en probeerde iets te begrijpen van het gemompel voor hem. Het voelde alsof hij daar eindeloos stond. Maar binnen enkele minuten stond Barry weer voor hem. ‘Wat is er?’ vroeg George.

'Het is geen lichaam,' zei Barry snel. 'Maar er liggen wat kleren. Verderop. Je kunt maar beter een kijkje nemen.'

De grotonderzoekers drukten zich tegen de muur om George voorbij te laten gaan. Een paar meter verder verwijdde de gang zich op een plaats die duidelijk een knooppunt van vier gangen was geweest. De andere gangen waren afgesloten door rotsblokken en puin, waardoor een kleine holte was ontstaan van zo'n drie meter doorsnede en ruim twee meter hoog. Aan de andere kant, nauwelijks zichtbaar bij het licht van de lampen, was iets te onderscheiden dat op kledingstukken leek.

'Heeft iemand een wat krachtiger lamp?' vroeg George.

Handen gaven een zware lamp naar hem door. Hij zette hem aan en richtte de krachtige lichtbundel op de kleren. Er lag iets donkers op een hoopje tegen de rots. Wat er eerst had uitgezien als twee donkere strepen, bleek een kapotte maillot te zijn. Het donkere stukje stof dat er vlakbij lag, realiseerde George zich met een steek van pijn en walging, was een gescheurd broekje.

Hij dwong zichzelf diep adem te halen. 'We gaan allemaal weg nu. Wil de achterste man zich gewoon omdraaien en ons voorgaan naar buiten? Alle anderen volgen hem. Ik sluit de rij.' Een ogenblik lang bewoog niemand zich. 'Ik zei nu,' schreeuwde George, waarbij een deel vrijkwam van de opgebouwde spanning die zijn zenuwen strakker maakte dan de bovenste snaar van een viool.

Hij stond ze dreigend aan te kijken. Ten slotte draaiden ze zich om en liepen terug, waarbij hun zekere gang een bespotting was van zijn halfstruikelende stappen. Toen ze het daglicht weer zagen, had hij het gevoel dat ze uren binnen waren geweest, maar een blik op zijn horloge maakte hem duidelijk dat het nog geen vijftien minuten in beslag had genomen. Pas nu verschenen twee agenten in uniform van het pad door het bosje, die de mijn moesten beschermen tegen nieuwsgierige ogen en vernietigende voeten.

George schraapte zijn keel en zei: 'Barry, ik zou graag willen dat collega Trevor hier bij mij blijft om wat foto's te maken. Wat de anderen betreft, ik zou het bijzonder op prijs stellen als jullie hier wachten tot we het gebied goed hebben afgeschermd. Als jullie nu naar het dorp teruggaan, zal onmiddellijk het gerucht gaan dat we iets gevonden hebben en krijgen we de hele handel over ons heen.'

De grotonderzoekers lieten een instemmend gemompel horen. Barry viste een pakje sigaretten uit een waterbestendig zakje dat om zijn nek hing. 'Je ziet eruit alsof je er een kunt gebruiken,' zei hij.

'Bedankt.' George wendde zich tot de twee agenten en zei: 'Een van jullie gaat terug naar de caravan om brigadier Clough te vertellen dat we wat kledingstukken hebben gevonden en een volledig team nodig hebben om het gebied af te zetten. En doe het alsjeblieft discreet. Als iemand iets vraagt, hebben we absoluut geen lichaam gevonden. Ik wil geen herhaling van het krantenartikel van vrijdag.'

Een van de agenten knikte zenuwachtig, draaide zich om en draafde het pad op naar de kern van het dorp. 'Jij zorgt dat niemand die niet van de politie is binnen twintig meter van de mijningang komt,' zei George tegen de andere agent voordat hij zich weer tot Barry wendde. 'Dat centrale gedeelte daarbinnen... is er een kans dat een van de andere gangen daarvandaan toegankelijk is?'

Barry haalde zijn schouders op. 'Het ziet er niet naar uit. Maar ik ben er niet zeker van voordat ik het nog een keer goed heb onderzocht. Het is altijd mogelijk dat er een doorgang was en dat iemand die achter zich heeft dichtgegooid om het er ontoegankelijk uit te laten zien. Maar het is een mijn, geen grottenstelsel. Er is een grote kans dat er maar één echte ingang en één echte uitgang is. Iemand die zich een weg in de heuvel heeft gegraven, zal daar nog zijn, maar waarschijnlijk niet erg levend. Ik verwacht niet dat ze daar is, jongen.' Hij legde zijn hand even op de arm van George en liep toen naar zijn maten die op de rotsen hurkten.

Het duurde zeven uur voordat de grot grondig was doorzocht. Trevor, de grotonderzoeker, ging met zijn camera naar binnen en fotografeerde nauwgezet elke centimeter van de muren en de vloer. Behalve de nauwe doorgang was er geen manier om erin of eruit te komen. Geen van de afgesloten gangen toonde enig teken van recente verstoring. Er was geen spoor te bekennen van een lichaam dat in de mijn zou zijn achtergelaten. George wist niet of hij dat deprimerend of bemoedigend moest vinden.

Halverwege de middag waren een duffelse jas met een ontbrekend 'houtje', een maillot die zo woest kapot was gescheurd dat hij vrijwel doormidden was en een marineblauw gymbroekje, zorgvuldig ingepakt om alle sporen te bewaren, onderweg naar het gerechtelijk laboratorium. Maar George had geen wetenschapper nodig om te weten dat de vlekken op de vochtige kledingstukken van menselijke aard waren.

Hij was te lang bij de politie om bloed en sperma niet te herkennen.

Twee andere ontdekkingen waren, indien mogelijk, nog verontrustender. In de wand van de grot had een agent een stukje verwrongen metaal gevonden dat ooit een kogel was geweest. Dit had geleid tot een uiterst nauwkeurig onderzoek van de gescheurde kalksteen. Diep in een spleet was een tweede stukje metaal gevonden.

Deze keer was er geen enkele twijfel aan de functie ervan. Het was onmiskenbaar een kogel.

Deel Twee: De lange termijn

Daily News, vrijdag 20 december 1963, p. 5

HARTVERSCHEURENDE KERSTDAGEN VOOR MOEDER VERMIST MEISJE

Van onze verslaggever Donald Smart

Mevrouw Ruth Hawkin zal dit jaar geen kerstcadeau kopen voor haar dochter Alison. Maar Alisons stiefvader, Philip, heeft de kamer van het vermiste meisje volgezet met vrolijk ingepakte pakjes die platen, boeken, kleren en make-up bevatten.
Mevrouw Hawkin, de 34-jarige moeder van Alison, kan het niet aan om kerstinkopen voor haar dochter te doen. Negen dagen geleden zwaaide ze haar dochter goeiendag die het ouderlijk huis in het gehucht Scardale in Derbyshire verliet om haar hond te gaan uitlaten.
Ze heeft haar 13-jarige dochter niet meer teruggezien.
Een lid van de familie zei: 'Als Alison niet wordt gevonden, zal het een zeer ongelukkige kerst zijn voor iedereen in Scardale.
We zijn een zeer hechte gemeenschap en dit heeft ons heel hard geraakt. Iedereen is van zijn stuk door de verdwijning van Alison. Ze is een schat van een meisje en niemand kan ook maar enige reden bedenken waarom ze zou zijn weggelopen.'
De politie heeft, vergeefs, duizenden mensen ondervraagd, de afgelegen heuvels en dalen uitgekamd, rivieren en waterreservoirs afgedregd in de zoektocht naar het knappe blonde schoolmeisje.
Ook twee andere gezinnen zullen een lege stoel hebben aan de kersttafel. Een maand geleden verdween John Kilbride, 12 jaar, uit zijn ouderlijk huis aan Smallshaw Lane, Ashton-u-Lyne. Hij is het laatst gezien op de markt van Ashton. Vijf maanden geleden ver-

liet de 17-jarige Pauline Reade het huis van haar ouders in Wiles Street, Gorton, Manchester, om naar een plaatselijke dansavond te gaan. Van beiden is sindsdien taal noch teken vernomen.

I

Het was niet de Kerstmis die George zich een paar maanden daarvoor had voorgesteld. Hij had zich verheugd op hun eerste kerstdagen in hun eigen huis, alleen Anne en hij. Hij had geen rekening gehouden met de druk van familiekant. Anne was enig kind, dus waren er geen conflicterende eisen aan het adres van haar ouders; en omdat ze nog maar kort getrouwd waren, richtten de ouders van George zich automatisch op hen. Anne, die zich gerealiseerd had dat het hun eerste en laatste kans was om een kerst alleen te vieren, had haar best gedaan om de familie ervan te overtuigen dat een samenkomst op tweede kerstdag hun uitstekend leek. Maar het was haar niet gelukt. Waar het op neerkwam, was dat ze nog net hadden kunnen ontsnappen aan de zuster en zwager van George met hun drie kleine kinderen.

Maar het was een heerlijke lunch geweest. Anne had al weken van tevoren plannen en voorbereidingen gemaakt om alles soepel te laten verlopen. Zelfs de verdwijning van Alison Carter had haar niet van haar voornemen af kunnen brengen dat haar eerste kerst in haar eigen huis voorbeeldig zou zijn. En dat was het geweest. Nadat de cadeaus waren geopend en hij de gepaste uitroepen van verrukking had laten horen over sokken, overhemden, truien en sigaretten, had George weinig anders hoeven doen dan zorgen dat alle glazen gevuld bleven met sherry en mousserende wijn voor de vrouwen en bier voor de mannen.

Zoals ze van tevoren hadden afgesproken, hadden ze na de toespraak van de koningin medegedeeld dat Anne zwanger was. De moeders staken elkaar naar de kroon in hun opwinding en verdwenen, met de afwas als excuus, al snel naar de keuken om de aanstaande moeder van goede raad te voorzien. Annes vader feliciteerde George kortaf en installeerde zich vervolgens met een feestelijke cognac en een sigaar voor de tv. George en zijn vader Arthur bleven aan de eettafel zitten. Zoals gewoonlijk voelden ze zich niet helemaal op hun gemak bij elkaar, maar het nieuws van de baby had een deel van de afstand overbrugd die een universitaire studie had teweeggebracht tussen George en zijn vader, die treinmachinist was.

'Je ziet er moe uit, jongen,' zei Arthur.

'Het zijn een paar zware weken geweest.'

'Dat vermiste meisje?'

George knikte. 'Alison Carter. We hebben allemaal lange dagen gemaakt, maar we zijn niet veel verder dan op de avond waarop ze verdwenen is.'

'Heb ik niet ergens in een krant gelezen dat je wat van haar kleren hebt gevonden?' vroeg Arthur, terwijl hij een perfecte rookkring in de richting van de lamp blies.

'Ja, dat klopt. In een ongebruikte loodmijn. Maar het enige wat we daar echt uit kunnen opmaken, is dat ze niet van huis is weggelopen. Het heeft ons niet geholpen om erachter te komen wat er met haar is gebeurd of waar ze nu is. We hebben verder alleen een paar kogels in de kalksteenrotsen gevonden,' voegde hij eraan toe. 'Een ervan was te veel vervormd om nog iets mee te doen, maar met de andere hadden we geluk. Die was in een spleet in de rotswand terechtgekomen en de technische jongens hebben hem er min of meer intact uit kunnen halen. Als we ooit het wapen vinden waarmee ze zijn afgevuurd, kunnen we een positieve identificatie maken.'

Zijn vader nipte van zijn cognac en schudde droevig zijn hoofd. 'Arm kind. Ze zal niet meer in leven zijn als je haar vindt, hè?'

George zuchtte. 'Ik zou er maar geen weddenschap op sluiten. Ik heb er nachten van wakker gelegen. Vooral nu met Anne in haar toestand. Het verandert de dingen, niet? Ik had er nooit zo over nagedacht. Je weet hoe het werkt... je gaat ervan uit dat je het juiste meisje vindt, gaat trouwen en een gezin sticht. Zo gaan de dingen als je geluk hebt. Maar ik heb nooit echt nagedacht over wat het zou betekenen om vader te zijn. Maar weten dat dat gaat gebeuren, en dat midden in een onderzoek als dit te horen krijgen... Nou, je gaat je vanzelf afvragen hoe jij je zou voelen als het jouw kind was.'

'Ja.' Zijn vader ademde zwaar door zijn neusgaten. 'Je hebt gelijk, George. Als je een kind krijgt, besef je hoeveel gevaren er in de wereld zijn. Maar je wordt gek als je er te lang bij stilstaat. Je moet jezelf gewoon voorhouden dat er niets met je eigen kinderen gebeurt.' Hij glimlachte een beetje spottend. 'Jij bent er min of meer heelhuids doorheen gekomen.'

Het was een teken voor verhalen over de gevaren waarmee George in zijn kindertijd in aanraking was gekomen. Maar hij was voor een deel ongevoelig voor de verandering van onderwerp. Diep vanbinnen zat Alison Carter vast als een kruimel in een luchtpijp. Ten slotte drukte George zijn sigaar uit en stond op. 'Als je het niet erg vindt, pa, ga ik er een uurtje vandoor. Mijn brigadier heeft zich vrijwillig aangemeld voor de kerstdienst en ik denk dat ik even naar het bureau wip om hem een vrolijke kerst te wensen.'

'Ga maar, jongen. Ik ga wel bij Annes vader zitten en doen alsof ik tv kijk.' Hij knipoogde. 'We zullen ons best doen niet te hard te snurken.'

George stopte een doos met vijftig sigaretten die hij van een tante had gekregen in zijn zak en reed de stad door naar het politiebureau. Tommy Clough zat niet aan zijn bureau, waarop een ballistisch rapport lag van de kogels die in de mijn waren gevonden. Zijn jasje hing over de rugleuning van zijn stoel, dus kon hij niet ver weg zijn, dacht George. Hij pakte het vertrouwde dossier en bladerde het nog eens door. Een van de twee kogels was reddeloos verloren voor onderzoek, maar de andere, die in een spleet in het gesteente was gevonden, had een duidelijk verhaal aan de wapendeskundige verteld.

'*Het bewijsstuk is een loodkogel met afgeronde punt en metalen huls*,' las hij. '*Het kaliber is .38. De kogel heeft zeven velden en groeven: de velden smal en de groeven breed. De groeven laten een rechtshandige trek zien. Deze trekken komen overeen met een projectiel dat afgevuurd is met een Webley-revolver*.'

De deur zwaaide open en Tommy Clough kwam naar binnen, die met gefronst voorhoofd een telex las. 'Vrolijk Kerstmis, Tommy,' zei George, en hij gooide het doosje sigaretten door de kamer.

'Op je gezondheid, George,' zei Tommy verbaasd. 'Wat brengt jou hier? Heibel in de familie?' Hij liep de kamer door, ging zitten en stopte de telex in het dossier.

'Ik zat daar met mijn feestmuts op sterretjes aan te steken en knalbonbons te eten en gans naar binnen te werken en vroeg me af wat voor kerst ze zouden hebben in Scardale Manor.'

Clough trok het cellofaan van de doos sigaretten. Hij ging rechtop zitten in zijn stoel, schoof het dossier opzij en hield George de open doos voor. 'Dat hangt ervan af denk ik, hoe slim Ruth Hawkin is. En of we haar deze telex laten zien.'

'En dat betekent?'

Clough nam de tijd om een sigaret op te steken. 'Omdat het via de officiële kanalen niet lukte om Hawkin met een Webley in verband te brengen, besloot ik het via een omweg te proberen. Ik heb een verzoek rondgestuurd om informatie over eventuele gestolen Webleys. Tussen al het waardeloze materiaal was er één die een beetje interessant leek. Uit St. Albans. Twee jaar geleden heeft ene Richard Wells een inbraak in zijn woning gemeld. Onder de gestolen spullen was een Webley .38.'

Aan zijn verwachtingsvolle houding kon George zien dat er meer kwam. 'En?' vroeg hij.

'De heer Wells woont twee deuren verwijderd van de moeder van Philip Hawkin. De twee families speelden eens per week bridge. Wells had zijn Webley bewaard als aandenken aan de oorlog en schepte er volgens de dienstdoende rechercheur die ik sprak nogal vaak over op. Ze hebben de inbreker nooit gepakt. De familie was die week op vakantie en het kan dus op elk moment in die week zijn gebeurd.' Clough grinnikte. 'Vrolijk Kerstmis, George.'

'Dat is een beter cadeau dan een doos peuken.'

'Heb je zin om er even heen te gaan, gewoon om een luchtje te scheppen?'

'Ja, waarom niet.'

Tijdens het grootste deel van de rit zwegen ze. Toen ze de weg naar Scardale insloegen, zei George: 'Wil je dat eens uitleggen wat je straks zei, dat hun kerst afhankelijk zou zijn van hoe slim mevrouw Hawkin is?'

'Het is niets wat we de laatste dagen niet al tientallen keren besproken hebben,' zei Clough. 'Ten eerste hebben we de tegenstelling tussen wat Hawkin ons heeft verteld over zijn gangen op de middag van Alisons verdwijning en de verhalen van Ma Lomas en Charlie. Ten tweede hebben we de loodmijn. Afgezien van Ma Lomas ontkent iedereen ooit van de oude mijn te hebben gehoord, laat staan dat ze wisten waar die was. Maar het boek waarin de exacte lokatie van de ingang te vinden is, staat toevallig in de boekenkast van Philip Hawkin.'

'En laten we de uitslagen van het lab niet vergeten,' zei George zacht. De conclusie van wat ze in de loodmijn hadden gevonden was dat Alison Carter verkracht en bijna zeker vermoord was. Het bloed dat de kleding had bevlekt was uitsluitend groep O, wat overeenkwam met Alisons bloedgroep. Aan de hand van de spermavlekken in Alison Carters broekje wist de politie nu dat de bloedgroep van haar aanvaller A was. Dat was iets wat Philip Hawkin gemeen had met tweeënveertig procent van de bevolking. En het gold ook voor drie andere mannen uit het dal: twee van Alisons ooms en haar neef Brian. Wat hen onderscheidde van Philip Hawkin was dat ze stuk voor stuk een alibi hadden voor het moment van haar verdwijning. Eén oom was in een café in Leek geweest na een bezoek aan de veemarkt, en haar neef Brian was samen met zijn vader bezig geweest de koeien te melken. Als Alison was aangevallen door iemand uit het dal, begon het ernaar uit te zien dat er maar één mogelijke kandidaat was.

'Het kan iemand geweest zijn die van Denderdale naar het dal van de Scarlaston is gekomen. Iemand die haar uit Buxton kende. Een leraar of een medeleerling. Of een of andere viezerik die haar op school heeft gezien,' zei Clough toen hij weer in de auto stapte nadat hij het hek had gesloten dat de weg naar het dorp afsloot.

'Die hadden er nooit op tijd kunnen zijn. Het is ruim anderhalf uur lopen van de weg in Denderdale langs de rivieroever omhoog naar het dal. En ze hadden daar nooit in het donker met Alison omlaag kunnen klimmen, of ze nu dood of levend was. Ze zouden allebei in de rivier zijn geëindigd,' zei George resoluut. 'Ik ben het met je eens. Alle indirecte bewijzen duiden op één man. Maar we hebben geen lichaam en we hebben geen harde bewijzen. Zolang we die niet hebben, kunnen we hem niet oppakken voor ondervraging, laat staan ergens van beschuldigen.'

'Dus, wat moeten we doen?'

'Ik wou dat ik het wist,' zuchtte George. De auto kwam tot stilstand naast de bruine plek gras waar de politiecaravan had gestaan. Op bevel van commissaris Martin was deze de vrijdag voor de kerst teruggesleept naar Buxton. Aan de zoektochten was diezelfde dag een eind gekomen. Er was geen plek meer over waar ze konden zoeken.

George stapte de koude avondlucht in. Het dorp zag er merkwaardig onaangeraakt uit door wat er was gebeurd. Afgezien van de krantenposter die op de achterkant van de telefooncel was geplakt, wees niets erop dat er iets was veranderd. De kleine huizen stonden nog steeds dicht bij elkaar rond de dorpsweide. Achter gordijnen brandden lampen en zo nu en dan doorbrak het geblaf van een hond de stilte. Er waren geen kerstbomen te zien achter de ramen, dat was waar. Ook hingen er geen hulstkransen op de deuren van Scardale. Maar George was er niet van overtuigd dat die er in Scardale tijdens een andere kerst wel waren geweest.

Clough en hij leunden tegen de motorkap van de Zephyr en rookten in stilte. Na een paar minuten verscheen er een gelige lichtvlek voor de deur van Tor Cottage. De onmiskenbare gedaante van Ma Lomas verscheen, afgetekend tegen het interieur. Toen verdween het licht net zo onverwacht als het verschenen was. George zag even niets meer en knipperde met zijn ogen. De oude vrouw had hen al bijna bereikt voor hij zich realiseerde dat ze niet terug naar binnen was gegaan.

'Hebben jullie geen thuis om naartoe te gaan?' vroeg ze.

'Hij heeft dienst,' zei George.

'Wat is jouw excuus?'

'Kerst is voor kinderen, is dat niet wat ze zeggen? Er is één kind dat ik niet uit mijn hoofd kon zetten.'

'Lieve hemel, een smeris met een hart,' zei Ma spottend. Ze opende haar volumineuze jas en uit een stroperszak kwam een fles te voorschijn met de heldere drank waarvan zij een paar flinke slokken had genomen toen ze haar aan het begin van het onderzoek hadden ondervraagd. Uit een andere zak haalde ze drie dikke glazen. 'Ik dacht dat jullie wel iets konden gebruiken om de kou uit je botten te houden.'

'Dat zou werkelijk een daad van christelijke naastenliefde zijn,' zei Clough.

Ze keken toe hoe ze de glazen op de motorkap zette en ze rijkelijk vol schonk. Toen overhandigde ze ieder van hen met een plechtig gebaar een glas en hief het hare op om te proosten.

'Waar drinken we op?' vroeg George.

'Dat jullie genoeg bewijs vinden,' zei ze met een stem die ijziger was dan de nachtlucht.

'Ik drink liever op het vinden van Alison,' zei hij.

Ze schudde haar hoofd. 'Als jullie Alison hadden kunnen vinden, had je haar nu gevonden. Waar hij haar ook heeft gelaten, het is alleen nog een kwestie van toeval. Het enige dat ons nog overblijft, is de hoop dat je hem kunt laten boeten.'

'Had u iemand in gedachten?' vroeg Clough.

'Volgens mij dezelfde als jullie,' zei ze droog, en ze draaide zich om naar het grote huis en hief haar glas op. 'Op bewijs.'

George nam een slok van zijn drank en stikte bijna. 'Zo'n honderdzestig procent zou ik zeggen,' hijgde hij toen hij weer een woord kon uitbrengen. 'Godallemachtig, wat is dit voor spul. Raketbrandstof?'

De oude vrouw lachte zachtjes. 'Onze Terry noemt het "hellevuur". Het is gedestilleerd van vlierbloesem en kruisbessenwijn.'

'We hebben geen stokerij gevonden toen we het dorp doorzochten,' merkte Clough op.

'Nou, dat had je toch ook niet verwacht, hè?' Ze leegde haar glas. 'Dus wat gebeurt er nu? Hoe krijgen jullie hem?'

George dwong zichzelf de rest van het vuurwater naar binnen te werken. Toen hij zijn spraakvermogen terug had, zei hij: 'Ik weet niet of het ons lukt. Maar, dat gezegd hebbende, ik geef het niet op.'

'Laat ik niet merken dat je dat doet,' zei ze grimmig. Ze stak haar hand uit voor de lege glazen, draaide hun haar rug toe en keerde terug naar haar huisje.

'Dat was duidelijke taal,' zei Clough

'En jij verdomme ook nog een Vrolijk Kerstmis.'

Op de eerste maandag van februari zat George om acht uur achter zijn bureau. Een paar minuten later klopte Tommy Clough op de deur met een paar dampende bekers thee in één grote hand. 'Hoe was het weer?' vroeg hij.

'Beter dan we hadden mogen verwachten,' zei George. 'Het vroor, maar de zon scheen elke dag. We vinden de kou niet erg zolang het maar droog is, en Norfolk is zo vlak dat Anne kilometers kon wandelen.'

Clough installeerde zich tegenover George en stak een sigaret op. 'Je ziet er goed uit. Eerder alsof je twee weken aan de Costa Brava hebt gezeten dan een week in Wells-next-the-Sea.'

George grinnikte. 'Onze drilsergeant had dus gelijk.' Hij had zich heftig verzet toen commissaris Martin erop had gestaan dat hij wat vakantie nam na de eindeloze uren die hij in het onderzoek naar Alison Carter had gestoken. Toen Jack Martin zijn suggestie in een bevel had omgezet, had hij er uiteindelijk met tegenzin in toegestemd en Anne gevraagd een pension te bespreken in de badplaats in Norfolk. Ze waren de enige gasten geweest, en vertroeteld door de pensionhoudster die vond dat iedereen minstens drie stevige maaltijden per dag moest eten. Na een week van regelmatige maaltijden, frisse lucht en de onverdeelde aandacht van zijn vrouw was George vol energie en vastbeslotenheid teruggekomen.

'Hij heeft mij op mijn nek gezeten om hetzelfde te doen,' gaf Clough toe. 'Misschien doe ik het wel, nu jij terug bent.'

'Nog nieuwe ontwikkelingen?' vroeg George, terwijl hij zachtjes op zijn thee blies.

'Nou, ik heb die nieuwe agente van Chapel-en-le-Frith op vrijdagavond meegenomen naar een optreden van Acker Bilk and his Paramount Jazz Band en we hebben een bijzonder plezierige avond gehad. Ik denk erover haar te vragen of ze zin heeft mee te gaan naar die film met Albert Finney in het Opera House. *Tom Jones*, heet-ie. Naar wat ik gehoord heb is het precies de juiste film om een jongedame mee naar toe te nemen als je haar in de stemming wilt brengen,' zei Clough met een onschuldige grijns.

'Ik bedoelde de zaak, niet jou armzalige liefdesleven,' antwoordde George goedgehumeurd.

'Gek genoeg was er iets. Zondag kregen we een telefoontje van Philip Hawkin. Hij zei dat hij in de krant bij de Zoek-de-bal-wedstrijd een foto had gezien en dat hij kon zweren dat een van de mensen onder de toeschouwers naast het doel Alison was.' Met zijn ogen tot spleetjes geknepen keek hij George aan. 'Wat denk je daarvan?'

George voelde een vreemde opwinding in zijn buik. 'Ga door, Tommy. Ik ben een en al oor.' Hij vergat zijn thee, boog zich naar voren en keek aandachtig naar zijn brigadier.

'Ik ben er onmiddellijk heen gegaan om te kijken waar het precies om ging. Het was de *Sunday Sentinel* en de wedstrijd van Nottingham Forest. Zodra ik de foto zag, begreep ik waarom hij had gebeld. Het was weliswaar een kleine foto, maar het zag er echt uit als Alison. Dus heb ik contact opgenomen met de krant en gevraagd of ze een vergroting van het origineel konden maken. Ze hebben hem per posttrein verstuurd en ik kreeg hem op maandagmiddag.' Hij hoefde niet verder te gaan; zijn gezicht vertelde de rest van het verhaal. Bij nauwkeuriger onderzoek bleek het meisje in de voetbalmenigte heel iemand anders te zijn.

George haalde diep adem en sloot een ogenblik zijn ogen. 'Dank u, Heer,' zei hij zachtjes. Hij keek Clough aan en glimlachte. 'Weten wij toevallig ook of Philip Hawkin de *Manchester Evening News* leest?'

'Gek genoeg weet ik dat. Kathy Lomas noemde het toen ze me vertelde hoe de dagelijkse routine van de kinderen eruitzag. Omdat de dagelijkse krant pas rond het middaguur in Scardale komt, en Hawkin graag een krant bij zijn ontbijt wil hebben, stopt de nieuwsagent uit Longnor elke ochtend een *Evening News* in de postbus aan het eind van de landweg, en degene die de kinderen daar afzet voor de schoolbus brengt de krant naar het grote huis.'

De glimlach van George werd breder. 'Dat dacht ik al.' Hij sprong overeind en rukte de la van zijn dossierkast open. Hij rommelde tussen de dossiers en haalde een grote gelige envelop te voorschijn. 'Dit noem ik nou eens interessant.'

Het dossier zeilde door de lucht en Clough ving het op. Op de voorkant van de envelop stond 'Pauline Catherine Reade'. Hij opende de envelop en een dun stapeltje knipsels verspreidde zich over het bureau. Hij fronste zijn wenkbrauwen toen hij de datums zag die in rode ballpoint op de rand van de knipsels waren geschreven. 'Je hebt deze zaak van het begin af aan gevolgd, vanaf juli vorig jaar. Dat was vier maanden voordat Alison verdween,' zei hij, op een toon waaruit bleek hoe vreemd hij dat gedrag vond.

George streek zijn blonde haar van zijn voorhoofd. 'Ik ben altijd geïnteresseerd in zaken die misschien op onze weg zullen komen,' was alles wat hij zei.

'Waar zoek ik naar?' vroeg Clough, terwijl hij de knipsels bekeek.

'Dat weet je zodra je het ziet.' Met zijn armen over elkaar geslagen en een koele glimlach om zijn lippen stond George tegen de dossierkast geleund.

Ineens verstijfde Clough. Zijn wijsvinger ging aarzelend naar een van de knipsels, alsof het hem zou kunnen bijten. 'Wel heb je ooit,' zei hij zachtjes.

Manchester Evening News, maandag 2 november 1963, p. 3

Foto slaat hoop moeder de bodem in

Een paar uur lang leefde mevrouw Reade in de hoop haar 16-jarige dochter terug te zien door de foto van toeschouwers in de *Manchester Evening News & Chronicle Football Pink*.

Haar hoop werd echter de bodem ingeslagen toen mevrouw Reade een speciaal vergroot exemplaar van de foto in handen kreeg. Bedroefd zei ze vandaag in haar huis in Wiles Street, Gorton: 'Het is toch Pauline niet.'

Pauline wordt sinds 12 juli vermist, toen ze naar een dansavond ging en niet terugkeerde.

De 15-jarige zoon Paul van mevrouw Reade zag een foto in de *Football Pink* van afgelopen zaterdag van een deel van de toeschouwers bij de Lancashire Rugby League Cup Final in Swinton en dacht dat Pauline erop stond.

Clough keek op. 'Hij moet wel denken dat we op ons achterhoofd gevallen zijn.'

'Weet je zeker dat het Hawkin was en niet zijn vrouw die Alison meende te herkennen?'

'Hij was degene die opbelde en met de eer wilde gaan strijken. Toen ik mevrouw Hawkin vroeg wat zij van de gelijkenis dacht, zei ze dat ze vrij zeker was toen ze de foto voor het eerst had gezien, maar niet meer zo zeker was toen ze hem opnieuw bekeek. Hij leek een beetje geïrriteerd toen ze dat zei, alsof ze verondersteld werd helemaal achter hem te staan en zich niet gedroeg als het plichtsgetrouwe vrouwtje hoort te doen.'

George pakte zijn sigaretten en begon al pratend heen en weer te benen. 'Dus wat hij probeerde, was een goede indruk maken. Waarom heeft hij dat nu gedaan?' Clough wachtte. Hij wist dat de baas zijn eigen vraag zou willen beantwoorden. 'Waarom? Omdat hij had verwacht dat we de zaak-Alison Carter allang zouden hebben opgegeven en met iets anders bezig waren gegaan. Hij is verontrust omdat jij en ik nog steeds twee tot drie keer per week in Scardale rondlopen, met de mensen praten, alles doornemen en de zaak niet laten rusten. Hij is niet gek; hij moet beseffen dat we aan hem denken voor wat er ook met zijn stiefdochter is gebeurd, om maar te zwijgen van het feit dat Ma Lomas denkt dat hij het heeft gedaan, en ik denk niet dat zij zich achter zijn rug minder terughoudend opstelt dan recht in zijn gezicht.'

'Alleen heeft iedereen in dat dorp het dak boven zijn hoofd en het brood op de plank aan Philip Hawkin te danken,' bracht Clough hem in herinnering. 'Zelfs Ma Lomas bedenkt zich misschien nog wel een keer voordat ze hem recht in zijn gezicht zegt dat hij volgens haar Alison Carter heeft verkracht en vermoord.'

George erkende het punt met een knikje van zijn hoofd. 'Goed, daar heb je gelijk in. Maar hij moet zich ervan bewust zijn dat de dorpelingen hem ervan verdenken iets verschrikkelijks met Alison te hebben gedaan, al zou het alleen al zijn omdat hij een buitenstaander is. Dus als duidelijk wordt dat die hele zaak niet zomaar in de vergetelheid raakt, besluit Hawkin dat het tijd is om een goede indruk te maken. En hij herinnert zich het verhaal dat hij in de *Manchester Evening News* heeft gelezen over Pauline Reade.' Hij stond stil en leunde op het bureau. 'Wat denk je, Tommy? Is het genoeg om hem op te pakken voor ondervraging?'

Clough perste zijn lippen op elkaar en bewoog ze naar binnen en buiten als een goudvis. 'Ik weet het niet. Wat zouden we hem moeten vragen?'

'Of hij de *Evening News* leest. Hoe zijn relatie met Alison was. De gebruikelijke vragen. Alle belangrijke punten. Nam ze het hem kwalijk dat hij haar vaders plaats had ingenomen? Vond hij haar aantrekkelijk? Jezus, Tommy, we kunnen hem vragen wat zijn lievelingskleur is. Ik wil hem gewoon hier hebben, onder druk zetten en kijken wat er gebeurt. We hebben hem tot nu toe met rust gelaten omdat we niet genoeg hadden om hem als iets anders te behandelen dan een bezorgde ouder, maar volgens mij hebben we nu wel iets.'

Clough krabde op zijn hoofd. 'Weet je wat ik denk?'

'Wat?'

'Ik denk dat ze ons niet genoeg betalen om de hele verantwoordelijkheid voor zo'n beslissing te nemen. Ik denk dat de hoofdinspecteur en de commissaris daarvoor hun geld krijgen. Als ik jou was, zou ik dit verhaal aan hen voorleggen en kijken wat zij ervan vinden.'

George trok een ontmoedigd gezicht en liet zich als een zak aardappelen in zijn stoel vallen. 'O, Tommy, je vindt toch niet dat ik onzin sta te verkopen?'

'Nee, ik denk dat je gelijk hebt. Ik denk dat Hawkin degene is die weet wat er met Alison is gebeurd. Maar ik weet niet of dit het juiste moment is om hem onder druk te zetten, en ik wil hem niet kwijtraken doordat we al te gretig zouden zijn. George, we zitten te dicht op deze zaak. We zijn er zeven weken lang mee opgestaan en mee naar bed gegaan. We zien door de bomen het bos niet meer. Ga met Martin praten. En als het dan fout loopt, kunnen ze dat niet gebruiken als een stok om ons mee te slaan.'

George lachte bitter. 'Denk je dat echt? Tommy, als dit fout loopt, staan wij voor de rest van onze carrière in Derby het verkeer te regelen.'

Clough haalde zijn schouders op. 'Dan kunnen we het maar beter goed doen.'

2

Clough bracht Hawkin naar de verhoorkamer, waar George al zat te wachten. Hij zat aan de tafel en ging helemaal op in de inhoud van een dossiermap. Toen Hawkin binnenkwam, keek George niet eens op. Hij ging gewoon door, een frons van concentratie op zijn gezicht. Het was de eerste stap in een zorgvuldig georkestreerd proces. Clough gebaarde Hawkin zwijgend dat hij tegenover George moest plaatsnemen. Met samengeknepen lippen en ogen waarin niets te lezen viel, deed Hawkin zoals hem verzocht werd. Clough pakte een stoel en draaide hem om, zodat hij tussen Hawkin en de deur stond. Hij zette zijn stevige benen aan beide kanten neer en legde zijn notitieblok op de rug. Hawkin ademde zwaar door zijn neus, maar zei niets.

Ten slotte sloeg George het dossier dicht, legde het recht voor zich op tafel en keek Hawkin kalm aan. Hij nam de dure overjas op, die over zijn arm geslagen was, het op maat gemaakte colbertje over een poloshirt van fijne wol en de over elkaar geslagen benen in de roomkleurige keperstof. Hij durfde er een maandsalaris om te verwedden dat Hawkin een deel van zijn erfenis had gebruikt om zijn uitdossing als landjonker te kopen als een ongeregelde partij in Austin Reed. Het stond absoluut niet bij een man die eruitzag alsof hij in het goedkope blauwe pak van een bankbediende thuishoorde. 'Dank u voor uw komst, meneer Hawkin,' zei George, met een stem waaraan elke verwelkomende klank ontbrak.

'Ik wilde vandaag toch al naar Buxton, dus was het geen grote moeite,' zei Hawkin temerig. Hij leek volledig op zijn gemak, een vaag glimlachje om zijn beheerste, driehoekige mond.

'We zijn niettemin altijd blij als leden van het publiek hun plicht erkennen om de politie te helpen,' zei George schijnheilig. Hij pakte zijn sigaretten. 'U bent een roker, nietwaar?'

'Dank u, inspecteur, maar ik hou het bij die van mezelf,' zei Hawkin, het aangeboden pakje Gold Leaf met een lichte sneer afwijzend. 'Gaat dit lang duren?'

'Dat hangt van u af,' bromde Clough van achter Hawkins rechterschouder.

'Ik geloof niet dat de toon van uw brigadier mij bevalt,' zei Hawkin geprikkeld.

George keek Hawkin aan en zei helemaal niets. Toen de oudere man wat in zijn stoel heen en weer schoof, zei George formeel: 'Ik wil u een aantal vragen stellen in verband met de verdwijning van uw stiefdochter, Alison Carter, op de elfde december vorig jaar.'

'Uiteraard. Waarvoor zou ik hier anders zijn? Het is niet erg waarschijnlijk dat ik bij iets misdadigs betrokken ben, niet?' Hawkin grijnsde zelfgenoegzaam, alsof hij een geheim had dat de anderen nooit zouden raden.

'Tijdens mijn afwezigheid vorige week hebt u contact met ons opgenomen omdat u meende Alison te zien op een foto van de Zoek de Bal-wedstrijd.'

Hawkin knikte. 'Ik had het helaas mis. Ik had durven zweren dat zij het was.'

'En u hebt natuurlijk een fotografenoog voor die dingen. U verwachtte niet dat u ernaast zou zitten,' vervolgde George.

'U hebt volkomen gelijk, inspecteur.' Hawkin wierp hem een neerbuigend glimlachje toe en pakte zijn sigaretten. Zoals George had verwacht, ontspande hij zich nu.

'Dus het was u, niet uw vrouw, die de gelijkenis ontdekte?'

Hawkin begon zich nu op zijn borst te slaan. 'Mijn vrouw heeft vele uitstekende kwaliteiten, inspecteur, maar bij ons thuis ben ik degene die dingen opmerkt.' Toen, alsof hij zich plotseling de reden voor het gesprek herinnerde, trok hij zijn gezicht in de plooi en keek weer ernstig. 'Bovendien, inspecteur, moet u wel beseffen dat mijn vrouw de gewoonte om belangstelling te hebben voor de buitenwereld is kwijtgeraakt sinds Alison uit ons leven is verdwenen. Het lukt haar maar net om enige schijn van normaal gedrag in ons huiselijk leven te handhaven. Ik sta daar uiteraard op. Het is het beste voor haar om zich te blijven richten op dagelijkse zaken als koken en het huishouden doen.'

'Dat is zeer attent van u,' zei George. 'Die foto stond in de *Sunday Sentinel*, nietwaar?'

'Dat klopt, inspecteur.'

Met een lichte frons zei George: 'Welke kranten leest u regelmatig?'

'We hebben altijd de *Express* en de *Evening News* gehad. En de *Sentinel* op zondag. Met alle aandacht in de pers voor de verdwijning van Alison heb ik uiteraard gezorgd dat we alle kranten kregen zolang u nog uw dagelijkse persconferenties hield. Iemand moet tenslotte nagaan of ze het niet allemaal fout hebben. Ik wilde niet dat ze onware dingen over ons zouden schrijven. En ik wilde gewaarschuwd zijn. Ik wilde voorkomen dat Ruth van streek zou raken doordat iemand haar nogal tactloos zou vertellen wat er in de kranten stond zonder dat ze erop voorbereid zou zijn. Dus zorgde ik dat ik op de hoogte was.' Hij tikte de as van zijn sigaret en glimlachte. 'Vreselijke mensen, die verslaggevers. Ik begrijp niet hoe u het aankunt om met ze om te gaan.'

'In ons werk moeten we met allerlei soorten mensen omgaan,' zei George arrogant.

Hawkin tuitte zijn lippen, maar zei niets. George boog zich licht naar voren. 'Dus u leest de *Evening News*?'

'Dat heb ik al gezegd,' zei Hawkin ongeduldig. 'We krijgen hem natuurlijk pas de volgende ochtend, maar het is de enige krant die ze op tijd voor het ontbijt kunnen brengen, dus zal ik genoegen moeten nemen met het bekrompen wereldbeeld ervan.'

George sloeg zijn map open en haalde er een doorzichtige plastic envelop uit. Daarin zat een krantenknipsel. Hij schoof het over de tafel. 'Dan zult u zich dit verhaal herinneren, neem ik aan?'

Hawkin stak zijn hand niet uit naar het knipsel. Het enige wat bewoog, waren zijn ogen, die over de regels schoten. De as aan zijn vergeten sigaret groeide en krulde zacht omlaag onder zijn eigen gewicht. Ten slotte sloeg hij zijn ogen op naar George en zei langzaam en weloverwogen: 'Ik heb dit verhaal nooit eerder gezien.'

'Het is een vreemd toeval, vindt u niet?' zei George. 'Een vermist meisje, een familielid dat een gelijkenis ziet op een foto van toeschouwers bij een sportevenement, maar de hoop van de familie wordt de bodem ingeslagen als het een tragische vergissing blijkt te zijn. En dit verhaal verscheen in een krant die zes dagen per week bij u thuis wordt bezorgd.'

'Ik zei u al, ik heb dit verhaal nooit eerder gezien.'

'Het is moeilijk over het hoofd te zien. Het stond op pagina drie van de krant.'

'Niemand leest de *Evening News* van voor naar achter door. Ik moet het verhaal over het hoofd hebben gezien. Waarom zou ik er in geïnteresseerd zijn geweest?'

'U bent de stiefvader van een tienermeisje,' zei George rustig. 'Ik had gedacht dat verhalen over wat er met tienermeisjes kan gebeuren interessant voor u zouden zijn. Het was tenslotte een tamelijk nieuwe ervaring voor u. U moet het gevoel hebben gehad dat u heel wat te leren had.'

Hawkin drukte zijn sigaret uit. 'Ruth hield zich met Alison bezig. Het is de taak van de moeder om voor de kinderen te zorgen.'

'Maar u was kennelijk heel gek op het meisje. Ik heb haar slaapkamer gezien, vergeet dat niet. Prachtig meubilair, nieuw tapijt. Wat haar betreft bent u niet zuinig geweest, nietwaar?' hield George vol.

Hawkin fronste geërgerd zijn voorhoofd voor hij antwoordde. 'Het meisje had al jarenlang zonder vader geleefd. De meeste dingen die voor andere meisjes vanzelfsprekend zijn, had zij niet gehad. Ik was goed voor haar vanwege haar moeder.'

'Weet u zeker dat dat alles was,' kwam Clough ertussen. 'U hebt een platenspeler voor haar gekocht. U kocht elke week nieuwe platen voor haar. Alles wat Charlie Lomas haar opgaf, kocht u voor haar. Als u het mij vraagt, gaat dat verder dan goed voor haar zijn vanwege haar moeder.'

'Dank u, brigadier,' onderbrak George hem abrupt. 'Meneer Hawkin, hoe hecht was de band tussen Alison en u?'

'Wat bedoelt u?' Hij pakte weer een sigaret. Hij moest verschillende pogingen doen voordat zijn aansteker aanging. Hij inhaleerde dankbaar en herhaalde de vraag. 'Hoe bedoelt u? Hoe hecht we waren? Dat heb ik u gezegd, ik liet Alison aan haar moeder over.'

'Mocht u haar?' vroeg George.

Hawkins donkere ogen knepen zich samen. 'Wat voor strikvraag is dat? Als ik nee zeg, zegt u dat ik haar kwijt wilde. Als ik ja zeg, zult u suggereren dat er iets onnatuurlijks was in mijn gevoelens voor haar. Wilt u de waarheid? Het meisje liet me grotendeels onverschillig. Kijk...' hij boog zich naar voren en deed een poging tot een glimlach van mannen onder elkaar. 'Ik ben om drie redenen met haar moeder getrouwd. Ten eerste vond ik haar redelijk aantrekkelijk. Ten tweede had ik iemand nodig die voor mij en voor het huis zou zorgen, en ik wist dat geen enkele huishoudster die ook maar een beetje goed was, in zo'n godvergeten gat als Scardale zou willen wonen. En ten derde wilde ik door de dorpelingen niet langer behandeld worden als een soort marsmannetje. Ik ben niet met haar getrouwd omdat ik bepaalde bedoelingen met haar dochter had. Dat vind ik ziek, eerlijk gezegd.' Na deze uitbarsting ging hij achteroverzitten, alsof hij George uitdaagde om nog iets te zeggen.

George bekeek hem met koele nieuwsgierigheid. 'Ik heb dat nooit gesuggereerd. Ik vind het interessant dat u daar uit eigen beweging mee komt. Wat ik ook interessant vind, is dat u steeds als u over Alison praat de verleden tijd gebruikt.'

Zijn woorden hingen net zo voelbaar in de lucht als de sigarettenrook. Hawkins wangen kleurden donkerrood, maar hij slaagde erin zijn mond te houden. Het kostte hem duidelijk moeite.

'Alsof u praat over iemand die niet meer in leven is,' vervolgde George onverbiddelijk. 'Hoe denkt u dat dat komt?'

'Dat is gewoon een manier van spreken,' snauwde Hawkin. 'Ze is al zo lang weg. Het betekent niets. Iedereen praat nu zo over Alison.'

'Eigenlijk, meneer Hawkin, doen ze dat niet. Het is mij opgevallen tijdens mijn bezoeken aan Scardale. Ze praten nog steeds over Alison in de tegenwoordige tijd. Alsof ze even weg is, maar binnenkort terug zal zijn. Het is niet alleen uw vrouw die zo praat. Iedereen doet het. Iedereen behalve u.' George stak een sigaret op en probeerde een kalm zelfvertrouwen tentoon te spreiden dat hij niet voelde. Toen hij zich met Clough op de ondervraging had voorbereid, waren ze er absoluut niet zeker van geweest hoe Hawkin zou reageren. Het gaf veel voldoening om hem een beetje van slag te zien, maar ze waren nog een heel eind verwijderd van enige bruikbare bekentenis.

'Ik denk dat u zich vergist,' zei Hawkin abrupt. 'Zo, als u verder geen vragen hebt?' Hij schoof zijn stoel achteruit.

'Ik ben nog nauwelijks begonnen, meneer Hawkin,' zei George, en zijn strenge uitdrukking accentueerde zijn gelijkenis met James Stewart. 'Ik wil graag teruggaan naar de middag waarop Alison is verdwenen. Ik weet dat we u hier al over hebben ondervraagd, maar ik wil het nog een keer doornemen om het vast te leggen.'

'O, in 's hemelsnaam!' barstte Hawkin uit.

Wat hij ook op het punt stond te zeggen, hij werd onderbroken door een klop op de deur. Toen deze openging, zagen ze het slaperige en verontschuldigende gezicht van agent Cragg. 'Het spijt me, meneer. Ik weet dat u niet gestoord wilde worden, maar ik heb een dringend telefoontje voor u.'

George probeerde de boosheid en teleurstelling die hij voelde niet te tonen. Het ritme van de ondervraging was in zijn richting gegaan en nu was te stemming verpest. 'Kan het niet wachten, Cragg?' vroeg hij kortaf.

'Ik denk het niet, meneer. Nee. Ik denk dat u dit gesprek wilt voeren.'

'Wie is het?' vroeg George.

Cragg keek even ongerust naar Hawkin. 'Ik... eh... dat kan ik niet zeggen, meneer.'

George sprong overeind en zijn stoel kletterde op de vloer. 'Brigadier, blijf hier bij de heer Hawkin. Ik ben zo snel mogelijk terug.' Hij liep met grote passen de kamer uit en gebruikte zijn laatste beetje zelfbeheersing om de deur niet achter zich dicht te gooien.

'Wat is er in godsnaam aan de hand?' siste hij tegen Cragg, terwijl hij door de gang naar zijn kantoor liep. 'Ik heb je duidelijk gezegd dat ik niet gestoord wilde worden. Heb je moeite met duidelijke taal, Cragg?'

De jonge rechercheur holde achter hem aan en wachtte tot er ruimte kwam in de tirade. 'Het is mevrouw Hawkin, meneer,' wist hij eindelijk uit te brengen.

George stond zo plotseling stil dat Cragg tegen hem aanknalde. Hij draaide zich om. 'Wat?' zei hij ongelovig.

'Het is mevrouw Hawkin. Ze is verschrikkelijk opgewonden, meneer. Ze vroeg naar u.'

'Zei ze ook waarom?' George draaide zich weer om en rende zo ongeveer naar zijn telefoon.

'Nee, meneer, alleen dat ze u dringend moest spreken.'

'Jezus,' mompelde George, en hij had de telefoon al in zijn hand voor hij zat. 'Hallo, met inspecteur Bennett.'

'Meneer Bennett?' De stem was verstikt van tranen.

'Bent u dat, mevrouw Hawkin?'

'Ja, meneer Bennett. O...' Haar snikken rezen tot een verschrikkelijk crescendo.

'Wat is er gebeurd, mevrouw Hawkin?' vroeg hij, terwijl hij zich wanhopig afvroeg of er een agente was die dienst had.

'Kunt u komen, meneer Bennett? Kunt u nu komen?' Haar woorden kwamen tussen gesnik en geslik door.

'Ik heb uw man hier, mevrouw Hawkin. Wilt u dat ik hem mee naar huis breng?'

'Nee!' Het was bijna een gil. 'Alleen u. Alstublieft!'

'Ik ben zo snel mogelijk bij u, mevrouw Hawkin, probeer een beetje rustig te worden. Vraag iemand van de familie om u gezelschap te houden. Ik kom eraan.' Hij gooide de hoorn op de haak en bleef een ogenblik staan, verbijsterd door de intensiteit van het telefoongesprek. Hij had geen idee waarom Ruth Hawkin hem vroeg om te komen, maar het was duidelijk iets traumatisch. Ze kon toch geen lijk gevonden hebben... Hij verwierp het idee al voor het zich goed kon vormen.

'Cragg,' brulde hij toen hij zijn kamer uitkwam. 'Ga brigadier Clough aflossen. Blijf bij de heer Hawkin tot we terug zijn. Laat hem niet weggaan. Leg hem beleefd uit dat we weggeroepen zijn voor een noodgeval en dat hij moet wachten tot we terug zijn. Als hij erop staat om weg te gaan, ga je met hem mee. Laat je niet door hem intimideren.'

Cragg zag er stomverbaasd uit. Dit was niet het tempo waaraan hij gewend was bij de recherche van Buxton. 'Stel dat hij in zijn auto stapt.'

'Hij heeft zijn auto niet hier. Hij is met brigadier Clough meegereden. Kom op, Cragg!'

George pakte Cloughs overjas en zijn eigen regenjas en drukte zijn hoed op zijn hoofd. Zodra Clough met een verbijsterd gezicht uit de verhoorkamer kwam, greep George hem bij zijn arm en trok hem mee de trap af. 'Het was Ruth Hawkin,' zei George voordat Clough hem kon vragen wat er aan de hand was. 'Ze belde me en ze was helemaal overstuur. Ze vroeg me onmiddellijk naar Scardale te komen.'

'Waarom?' vroeg Clough, terwijl ze zich naar de binnenplaats haastten en naar zijn auto liepen.

'Ik weet het niet. Ze was te verward om er iets van te kunnen begrijpen. Ik weet alleen dat ze helemaal uit haar dak ging toen ik vroeg of ik Hawkin mee terug moest brengen. Ik weet niet wat het is, maar het is belangrijk.'

Clough startte de motor. 'Dan kunnen we maar beter opschieten.'

George had niet geweten dat de afstand naar Scardale in zo'n korte tijd kon worden afgelegd. Clough overtrad elke maximumsnelheid en de meeste verkeersregels toen hij de grote auto door de bochten liet razen. Ze spraken weinig onderweg; ze waren allebei te gespannen bij het vooruitzicht dat de zaak-Alison Carter weer in beweging zou komen. Toen ze bij de dorpsweide stilstonden, zei George: 'Het wordt tijd dat we een beetje geluk hebben, Tommy. We hebben hem in het nauw gedreven. Als Ruth Hawkin iets voor ons heeft, zou het nu weleens kunnen gaan gebeuren.'

Ze renden over het pad naar het grote huis. Voordat een van hen kon aankloppen, zwaaide de deur open en werden ze begroet door Ma Lomas. 'We hebben jullie werk weer gedaan,' zei ze.

Ruth Hawkin zat aan het hoofd van de tafel. Haar gezicht was vlekkerig van tranen en make-up en haar ogen waren bloeddoorlopen en gezwollen. Kathy zat naast haar. Hun rode werkhanden waren zo strak ineengeklemd dat de knokkels wit waren. Op de tafel voor hen lag een hoopje geruite stof. De stof was besmeurd met vuil, maar onheilspellender was dat er grote bruinrode vlekken op zaten die een opmerkelijke gelijkenis vertoonden met gedroogd bloed.

'Jullie hebben iets gevonden,' zei George, terwijl hij de keuken doorliep en tegenover Kathy ging zitten.

Ruth haalde bevend adem en knikte. 'Het is een overhemd. En een... En een...' Haar stem brak en begaf het.

George haalde een pen te voorschijn en duwde de stof uit elkaar. Het was inderdaad een overhemd, gemaakt van fijne katoenen keper. De naam van de maker stond in een etiket in de kraag. Hij had Philip Hawkin ontelbare keren in dat soort overhemden gezien. Midden op het overhemd lag een revolver. George wist niet veel van wapens, maar hij had er een jaar salaris om durven verwedden dat dit een Webley .38 was. 'Waar hebt u deze spullen gevonden, mevrouw Hawkin?'

Kathy keek hem scherp aan. 'Hebben jullie Phil Hawkin nog op het politiebureau?'

'Meneer Hawkin helpt ons met ons onderzoek,' zei Clough vastberaden vanaf het andere hoofdeind van de tafel, waar hij met zijn opengeslagen notitieboekje zat. 'Hij zal hier niet zomaar komen binnenlopen.'

Kathy omklemde Ruths handen nog steviger. 'Toe maar, Ruth. Vertel het hem maar.'

'Ik wacht meestal tot hij overdag weggaat om zijn donkere kamer schoon te maken. Hij vindt het vreselijk als ik hem in de weg loop, dus wacht ik meestal tot ik weet dat hij een paar uur het huis uit zal zijn,' begon ze. 'Ik weet niet wat me bezielde om het te doen... Ik dacht dat ik de vloeren eens even een flinke beurt kon geven; ik werd bijna gek van het nietsdoen...'

George wachtte geduldig. Ruth trok haar handen uit die van Kathy en sloeg ze voor haar gezicht. 'O god, ik heb een sigaret nodig,' zei ze onduidelijk.

George gaf haar een sigaret en slaagde erin haar vuur te geven, ondanks haar trillende vingers. Hij wenste dat hij wat bruikbare woorden kon vinden, maar hij wist dat het geen zin had om tegen Ruth te zeggen dat het allemaal wel goed zou komen. Voor deze vrouw zou het nooit meer goed komen. Het enige wat hij kon doen, was rustig wachten en toekijken hoe ze haar longen vol rook zoog tot ze haar bonzende hart voldoende tot rust had gebracht om haar verhaal te kunnen vervolgen.

Toen ze weer begon te praten, was het op een bijna dromerige toon. 'Zijn werkbank is eigenlijk een oude tafel. Er zitten laden in. Ik trok hem weg van de muur. Het was een verschrikkelijk karwei, want hij is echt zwaar. Maar ik wilde achter de tafel komen om goed schoon te maken. Toen zag ik die stof uit een gat steken waar vroeger een la in zat. Ik vroeg me af wat het kon zijn. Dus trok ik het eruit.'

'Ze gilde als een varken dat gekeeld wordt,' viel Ma Lomas haar in de rede. 'Ik kon haar helemaal over de velden horen.'

George haalde diep adem. 'Er kan een onschuldige verklaring voor zijn, mevrouw Hawkin.'

'O ja?' sneerde Ma. 'Laat er maar eens een horen dan. Neem het mee en onderzoek dat bloed, jongen. Kijk eens waar dat bloed zit, stuk onbenul. Allemaal aan de voorkant, precies waar je het zou verwachten. En het wapen? Hoe onschuldig kan een revolver zijn? Onderzoek het maar. Ik wed dat daarmee de kogel is afgevuurd die je in de mijn hebt gevonden.' Ze schudde vol weerzin haar hoofd. 'Ik dacht dat jullie dit huis hadden doorzocht.'

'Ik meen me te herinneren dat meneer Hawkin nogal gevoelig was als het om zijn donkere kamer ging,' zei George.

'Des te meer reden om er van onder tot boven doorheen te gaan,' zei Kathy grimmig. 'Gaan jullie hem nu arresteren?'

'Hebben jullie een papieren zak om het overhemd en de revolver in te doen?' vroeg George.

Ruth keek Kathy smekend aan. Kathy sprong op, rommelde in de kast onder de gootsteen en kwam terug met een grote bruine papieren zak. George tilde het overhemd op met de punt van zijn pen en stopte het zonder het verder aan te raken in de zak. Daarna haalde hij een schone zakdoek uit zijn zak, wikkelde het wapen er zorgvuldig in en legde het op het overhemd. 'Ik moet terug naar Buxton,' zei hij kalm. 'Brigadier Clough blijft hier en zorgt dat niemand het bijgebouw binnengaat waarin zich de donkere kamer bevindt.' Hij zuchtte. 'Zodra ik een bevel tot huiszoeking heb, stuur ik een politieteam om een grondig onderzoek te doen.'

'Maar gaan jullie hem arresteren?' drong Kathy aan.

'Jullie worden volledig op de hoogte gehouden van nieuwe ontwikkelingen,' zei George.

De vrouwen wisselden een vreemde blik uit. 'Als jullie hem niet arresteren, kun je hem maar beter hier uit de buurt houden,' zei Ma Lomas. 'Voor zijn eigen gezondheid.'

George keek haar lang en kalm aan. 'Ik doe alsof ik dat dreigement niet gehoord heb, mevrouw Lomas.'

Hij reed in de auto van Tommy Clough, waarmee hij niet vertrouwd was, terug naar Buxton. Hij voelde een vreemde mengeling van zwaarte en opwinding. Hij parkeerde zorgvuldig en liep met kalme vastbeslotenheid de trap op naar de verhoorkamer. Hij wist dat hij met hoofdinspecteur Carver of commissaris Martin zou moeten spreken voor hij zou handelen, maar het was zijn zaak. George duwde de deur open en keek Hawkin aan, wiens pruilende klacht hem op de lippen bestierf toen hij de uitdrukking zag op het gezicht van de inspecteur.

George haalde diep adem. 'Philip Hawkin, ik arresteer u op verdenking van moord.'

3

George liet geen tijd verloren gaan. Jammerend over verzonnen leugens en roepend om een advocaat werd Hawkin naar de cel gebracht. George luisterde niet naar hem. Voor Hawkin zou later nog tijd genoeg zijn. Als hij gelijk had, zou niemand later twijfelen aan zijn maatregelen. Als hij geen gelijk had, zou niemand ze hem kwalijk nemen. Niemand behalve misschien hoofdinspecteur Carver, die alles wat George deed als een verwijt beschouwde en zou genieten van de schande en oneer die zijn ondergeschikte over zich zou afroepen. Maar het laatste dat George op dat moment bezighield, was bij hoofdinspecteur Carver in een goed blaadje blijven staan.

Toen de deur dichtgeslagen was achter de nog steeds protesterende Hawkin nam George agent Cragg terzijde. 'Cragg, ik wil dat je contact opneemt met de recherche in St. Albans, waar Hawkin vandaan kwam. We weten dat hij geen strafblad heeft want dat heeft brigadier Clough al gecontroleerd. Wat ik wil weten is of er ooit over hem is gepraat. Of er geruchten zijn geweest, roddels in de buurt waar hij woonde. Eventuele aantijgingen zonder genoeg bewijs om hem te beschuldigen.'

'Bedoelt u zedendelicten?'

'Ik bedoel alles, Cragg. Maak een praatje met die jongens daar en hoor ze een beetje uit.' Hij realiseerde zich dat hij nog steeds de papieren zak in zijn hand had met daarin het bevlekte overhemd en het zorgvuldig ingepakte wapen. In zijn haast was hij vergeten de spullen van een etiket te voorzien en naar het lab te sturen. Hij keek op zijn horloge. Het was bijna twaalf uur. Als hij snel was, zou hij nog een van de rechters te pakken kunnen krijgen van de rechtbank van High Peak. Hij was ervan overtuigd dat het geen probleem zou zijn om een bevel tot huiszoeking getekend te krijgen. Iedereen wilde dat de verdwijning van Alison Carter werd opgehelderd en Hawkin had nog geen tijd gehad om veel invloedrijke vrienden te maken in een stad waar mensen van tien kilometer verder nog steeds als vreemden werden beschouwd. Hij vulde snel een aanvraagformulier in en haastte zich het bureau uit. Hij liet zijn auto staan, rende Silverlane af en liep via de markt naar de rechtbank. Tien minuten later verliet hij de rechtbank van High Peak met een getekend huiszoekingsbevel voor

Scardale Manor en de bijgebouwen. Toen hij weer buiten verscheen, verscheen ook de zon en bescheen hem met een korte stralenbundel van bleek winterlicht. Het was moeilijk om hier niet een soort voorteken in te zien.

Toen hij terugkwam op het hoofdbureau, nog steeds met de papieren zak bij zich, zag hij opgelucht dat brigadier Bob Lucas dienst had. Het leek alleen maar passend dat de politieman die de eerste keer met hem naar Scardale was gereden beschikbaar was voor het onderzoek dat mogelijkerwijs de doorbraak in de zaak zou zijn. George gaf hem een beknopt verslag van de gebeurtenissen en handelde eindelijk het formele papierwerk af om het overhemd en het wapen naar het lab te sturen, het materiaal dat de inhechtenisneming van Hawkin rechtvaardigde. Intussen vormde Lucas een klein opsporingsteam van twee agenten en een stagiair, alles wat hij kon missen van de drukke dagploeg.

De patrouillewagen volgde de niet gemarkeerde personenwagen van George de stad uit en door het kale februarilandschap naar Scardale. Het gerucht over de ontdekking die Ruth had gedaan, had zich kennelijk net zo snel verspreid als de oorspronkelijke melding van Alisons verdwijning. Vrouwen stonden in de deuropeningen en mannen leunden tegen muren en volgden met hun blik de politiemannen toen ze langs het grote huis naar het bijgebouw liepen waar Philip Hawkin zijn hobby uitoefende. Hun zwijgen was nog onrustbarender dan hun blikken waren.

Toen George daar arriveerde, stond Clough met een sigaret uit zijn mondhoek hangend en zijn armen over elkaar geslagen bij de deur van het kleine stenen bijgebouw. 'Geen problemen?' vroeg hij.

Clough schudde zijn hoofd. 'Het moeilijkste was buiten blijven.'

George opende de deur van het bijgebouw en wierp voor het eerst een blik in de donkere kamer van Hawkin. Het was duidelijk dat zes politiemensen er nauwelijks inpasten, laat staan goed zouden kunnen zoeken. 'Goed,' zei hij. 'Brigadier Clough en ik nemen de donkere kamer. Brigadier Lucas, ik wil graag dat jij en je mannen het huis nemen. Zoals jullie weten is het al doorzocht. Maar waar we toen vooral naar hebben gezocht, waren verborgen boodschappen van Alison of tekenen van geweldpleging of moord. Nu zoeken we naar alles wat enig licht kan werpen op de relatie van Philip Hawkin met zijn stiefdochter. Of iets dat ons inzicht geeft in de man zelf. Zonder een lijk hebben we elk beetje bewijsmateriaal nodig dat we maar kunnen vinden om Hawkin onder druk te kunnen zetten. Jullie kunnen beginnen met zijn studeerkamer.'

'Uitstekend, meneer,' zei Lucas grimmig. 'Kom op, jongens, laten we deze tent tot op het bot uitkleden.' De vier mannen in uniform liepen naar de achterdeur. George zag Kathy Lomas door het keukenraam kijken. Toen ze zijn blik opving, wendde ze de hare af.

'Oké, Tommy, laten we beginnen.' George stapte de drempel over en drukte op een lichtknop. De kamer werd overspoeld door rood licht. 'Geweldig,' mompelde hij. Hij keek naar de muur en zag een tweede lichtknop. Toen hij daarop drukte, ging er een gewone elektrische lamp aan en verdween de spookachtige rode gloed. Hij keek om zich heen om een inventarisatie te maken van wat doorzocht moest worden. Afgezien van de zware tafel, die in een hoek tegen de muur stond, was alles bijna griezelig netjes. Tegen de muur bevonden zich een paar zware stenen spoelbakken, die eruitzagen alsof ze daar al sinds de Middeleeuwen stonden, hoewel de kranen en afvoeren gloednieuw en glanzend waren. Hetzelfde gold voor de fotoapparatuur.

In een hoek stonden twee staalgrijze dossierkasten tegen de muur. George liep naar ze toe en trok aan de laden. Ze waren op slot. 'Verdomme,' zei hij zachtjes.

'Geen probleem,' zei Clough, terwijl hij zijn baas opzij duwde. Hij greep de dichtstbijzijnde dossierkast, trok hem naar zich toe en duwde hem, toen hij ongeveer vijftien centimeter van de muur was, schuin naar achteren. 'Kun je hem zo voor me vasthouden?' vroeg hij. George leunde tegen de kast en hield hem in de schuine hoek. Clough ging op de vloer zitten en rommelde een minuutje onder de kast. George hoorde het glijden en klikken van een slot dat opengaat en toen een tevreden grom van Clough. 'Kijk eens aan, George. Erg slordig van meneer Hawkin om weg te gaan zonder zijn dossierkasten op slot te doen.'

'Ik begin met deze kast,' zei George. 'Neem jij de tafel en de planken maar.' Hij trok de bovenste la open en begon aan de tientallen hangmappen die deze bevatte. In elke map zaten stroken negatieven, contactafdrukken en een variërend aantal fotoafdrukken. Hij wierp snel een blik in de andere laden. Het was overal hetzelfde. Hij kreunde. 'Hier zijn we dagen mee bezig,' zei hij.

Clough voegde zich bij hem. 'Er zijn er duizenden.'

'Ik weet het. Maar we zullen ze allemaal moeten doorzoeken. Als hij ooit gewaagde foto's heeft gemaakt, kunnen ze overal in deze laden tussen onschuldige foto's zitten.' Hij zuchtte.

'Zullen we eerst eens in de andere dossierkast kijken, zodat we een duidelijk beeld hebben van de omvang van het probleem?' vroeg Clough.

'Goed idee,' zei George. 'Op dezelfde manier?' Deze keer trok hij de kast zelf weg van de muur en liet Clough de zaak aan de onderkant regelen.

'Wacht even,' zei Clough, terwijl hij aan de onderkant van de kast bezig was. 'Mijn mouw zit ergens aan vast.' Hij liet zijn hand in zijn jaszak glijden en haalde er een aansteker uit. Hij draaide aan het wieltje en de vlam verlichtte de onderkant van de dossierkast. 'Allemachtig nog aan toe,' zei hij zachtjes. Hij keek op naar George. 'Dit zul je mooi vinden, George. Er is een gat in de vloer met een brandkast erin.'

Van schrik liet George de dossierkast bijna uit zijn handen glippen. 'Een brandkast?'

'Dat klopt.' Clough kwam onder de dossierkast vandaan en stond op. 'Laten we dit ding opzij zetten, dan zie je wat ik bedoel.'

Ze trokken de zware stalen kast van zijn plaats en sleepten hem opzij, zodat ze genoeg ruimte hadden om de brandkast te onderzoeken. George ging op zijn knieën zitten en keek ernaar. De groene metalen voorkant was ongeveer vijfenveertig centimeter in het vierkant, met een koperen sleutelgat en een handvat dat ongeveer drie centimeter boven de deur van de brandkast uitstak in de holte onder de bodem van de dossierkast. Hij zuchtte. 'We moeten dat handvat op vingerafdrukken van Hawkin laten onderzoeken. Ik wil niet dat hij onder de inhoud van die brandkast uit kan komen door te beweren dat iemand anders er verantwoordelijk voor moet zijn.'

'Weet je het zeker?' vroeg Clough twijfelend. 'We hebben geluk als we een deel van een vingerafdruk vinden op een handvat als dat. Waar het om gaat, is wat erin zit. Hij zal geen handschoenen gedragen hebben; zijn vingerafdrukken zullen hier overal te vinden zijn.'

George ging op zijn hurken zitten. 'Je hebt waarschijnlijk gelijk. Dus waar is de sleutel?'

'Als ik hem was, had ik hem bij me.'

George schudde zijn hoofd. Cragg heeft hem gefouilleerd voordat we hem in de cel stopten. De enige sleutels die hij had, waren van zijn auto. Hij dacht even na. 'Wil je Lucas gaan vragen of hij sleutels heeft gevonden die op sleutels van een brandkast lijken? Ik ga hier zoeken.'

George ging aan de tafel zitten en begon de twee laden te doorzoeken. De ene la bevatte een keurige verzameling nuttige gereedschappen – een schaar, precisiemessen, pincetten, zachte penseeltjes en fijne pennen. De andere bevatte de normale inhoud van een rommella – stukjes touw, punaises, een gebroken nagelvijl, een paar half opgebruikte rolletjes plakband, kaarsstompjes, zaklantaarnlampjes, lucifersdoosjes en wat schroeven. In geen van beide laden lag een sleutel. George stak een sigaret op en begon furieus te roken. Hij voelde zich als een horloge dat tot op springen is opgewonden.

Gedurende het hele onderzoek had hij zichzelf gedwongen voor alles open te blijven staan. Want hij wist hoe gemakkelijk het was om een vast idee te ontwikkelen en elke nieuwe informatie zo te forceren dat het zou passen in het vooraf opgevatte idee. Maar als hij eerlijk was, had hij zich nooit geheel onbevooroordeeld opgesteld ten opzichte van Philip Hawkin. Hoe waarschijnlijker het werd dat Alison dood was, hoe waarschijnlijker het werd dat haar stiefvader daarvoor verantwoordelijk was. Dat was wat de statistieken suggereerden, en het werd versterkt doordat hij de man niet mocht. Hij had geprobeerd deze instinctieve reactie te onderdrukken in de wetenschap dat vooroordeel een vijand was als het ging om het opbouwen van een solide zaak, maar steeds weer was Hawkin zijn bewustzijn binnengeslopen als de hoofdverdachte zodra moord de onvermijdelijke conclusie van hun onderzoek zou worden.

Nu kwam deze gedachte onweerstaanbaar naar boven. Zekerheid was op zijn plaats gevallen als de tuimelaars van een goed geolied slot. De enige vraag was of hij het bewijs kon verzamelen dat het in een overtuiging om te zetten.

George liep de donkere kamer uit en de schemerige kilte van de middag in. De lampen in de huizen brandden zachtgeel en hij kon gedaanten achter de ramen zien bewegen. Hij ving een glimp op van Ruth Hawkin, die door de keuken liep, en besefte dat hij opzag tegen het moment waarop hij datgene wat ze inmiddels allemaal al geloofden zou moeten bevestigen. Hoezeer ze zichzelf ook mocht hebben geleerd te berusten in het verlies van haar dochter, op het moment dat hij haar zou vertellen dat ze de verdwijning van Alison formeel als een moordonderzoek zouden behandelen, zou haar hart verscheurd worden van pijn.

Hij stak nog een sigaret op en beende in strakke kringetjes buiten de donkere kamer rond. Waar bleef Clough? Nu het onderzoek gaande was, kon hij het bijgebouw niet verlaten, anders zou de verdediging later kunnen argumenteren dat op een onbewaakt moment belastend bewijsmateriaal naar binnen was gebracht. Ook wilde hij niet verder gaan met het onderzoek omdat het bij zoveel indirect bewijsmateriaal cruciaal was dat er een getuige bij de vondst aanwezig was. George dwong zichzelf diep adem te halen en draaide zijn schouders in zijn jas om wat van de spanning weg te nemen van de strakke spieren in zijn nek.

Toen het laatste licht aan de westelijke rand van het dal verdween, verscheen Clough met een brede glimlach op zijn gezicht. 'Sorry dat het zolang duurde,' zei hij. 'Ik heb alle bureauladen doorzocht, maar niets. Toen merkte ik dat een van de laden niet helemaal goed sloot. Dus trok ik hem eruit, en bingo! Daar was de sleutel van de brandkast, met hansaplast tegen de achterkant van de la geplakt.' Hij liet de sleutel voor de ogen van George bungelen. 'Dezelfde soort pleister, overigens, waarmee de snuit van de hond was dichtgeplakt. '

'Mooi werk, Tommy.' Hij nam de sleutel aan en ging de donkere kamer weer binnen. Hij knielde boven de brandkast neer en keek over zijn schouder naar zijn brigadier. 'Ik ben bijna bang om hem open te maken.'

'Voor het geval er bewijs is dat ze dood is?'

George schudde zijn hoofd. 'Voor het geval er helemaal geen bewijs is. Ik ben nu overtuigd, Tommy. Te veel kleine toevalligheden. Hawkin heeft Alison vermoord en ik wil dat hij ervoor hangt.' Hij richtte zijn aandacht weer op zijn taak en stopte de sleutel in het slot. Hij draaide soepel en zonder geluid te maken. George sloot zijn ogen een paar seconden. Vijf minuten eerder had hij zichzelf nog een agnosticus genoemd. Nu was hij een gelovige.

Langzaam draaide hij aan het handvat en gebruikte het om de zware stalen deur te openen. Er lag niets anders in dan een stapeltje enveloppen. George haalde ze er bijna eerbiedig uit. Hij telde ze hardop, ten behoeve van Clough, die zijn notitieboekje al open had en zijn potlood in de aanslag. 'Zes bruine enveloppen,' zei hij, terwijl hij opstond en ze op de tafel legde. George ging zitten. Hij had het gevoel dat hij die steun nodig had. Hij trok zijn zachte, leren autohandschoenen aan en begon te werken.

De flappen waren allemaal naar binnen geslagen. George stopte zijn duim in de eerste envelop en maakte hem open. Hij bevatte foto's van twintig bij vijfentwintig centimeter. Hij haalde ze eruit door de zijkanten van de envelop iets naar binnen te duwen en de foto's eruit te laten glijden op de tafel, dit om geen vingerafdrukken te verwijderen die zich op de envelop of de foto's zouden kunnen bevinden. Er waren zes foto's, die hij met behulp van zijn pen verspreidde.

Op alle foto's stond Alison Carter, naakt. Haar gezicht, verstoken van zijn natuurlijke charme, was lelijk van angst. Haar lichaam drukte op de een of andere manier haar tegenzin uit om houdingen aan te nemen die bij een volwassene wellustig zouden zijn geweest, maar hartverscheurend tragisch waren bij een kind. Tenzij, uiteraard, de kijker het soort pedofiel was dat ze had gemaakt. Voor zo iemand zouden ze ongetwijfeld erotisch hebben geleken.

Clough keek over zijn schouder. 'Jezus nog aan toe,' zei hij met een stem die verstikt was van afschuw.

George kon geen woorden vinden. Hij verzamelde de foto's en deed ze terug in de envelop, die hij zorgvuldig terzijde legde. De tweede envelop bevatte stroken negatieven van groot formaat. Met behulp van de lichtbak op de tafel konden ze vaststellen dat het de negatieven waren waarvan de foto's waren gemaakt. Er waren zestien negatieven. Hawkin had tien ervan niet afgedrukt. Het waren negatieven waarop Alison leek te huilen.

De derde envelop was erger. De houdingen waren nog onthullender. Deze keer was er echter iets onbestemds aan het hoofd van het meisje, een afwezige blik in haar ogen. 'Ze is dronken of gedrogeerd,' zei Clough. George kon nog steeds geen woord uitbrengen. Hij deed de foto's methodisch terug in de envelop en stelde vast dat de negatieven in de vierde envelop overeenkwamen met de foto's die ze net hadden bekeken.

De inhoud van de vijfde envelop ging verder dan George zich ooit had kunnen voorstellen. Deze keer waren alle zestien negatieven afgedrukt. Deze keer stond Hawkin bij zijn stiefdochter op de foto's. De achtergrond was onmiskenbaar Alisons slaapkamer, waarvan de alledaagsheid een obscene tegenstelling vormde met de daden die er plaatsvonden. Het was een onschuldige achtergrond voor ervaringen die geen enkel kind van dertien zou moeten doormaken. In een serie afschuwelijke zwart-witbeelden stootte Hawkins opgerichte penis in Alisons vagina, anus en mond. Zijn vingers drongen haar lichaam met meedogenloze en weerzinwekkende efficiëntie binnen. Al die tijd staarde hij in de camera, verrukt van zijn macht.

'De vuile schoft,' kreunde Clough.

George duwde zich plotseling weg van de tafel, waardoor de stoel tegen de grond kletterde. Hij vloog langs Clough heen en was net de deur door toen de golf van misselijkheid die hij niet meer kon tegenhouden hem overmande. Met zijn handen op zijn knieën braakte hij tot zijn maag verkrampt was en er niets meer in hem was dan pijn. Het zweet brak hem uit en hij leunde half, viel half tegen de muur – de tranen stroomden over zijn wangen en hij was volkomen ongevoelig voor de kille nachtwind en de regenvlagen die door het dal sloegen.

Hij had liever haar lijk gevonden dan dat hij de beelden van haar misbruikte lichaam had moeten verdragen. Ze had genoeg motief gehad om weg te lopen. Maar de man die haar geschonden had, had nog meer motief als zij eindelijk in opstand was gekomen en gedreigd had zijn verachtelijke perversie te onthullen. George haalde een trillende hand over zijn vochtige gezicht en kwam met moeite overeind.

Clough, die vlak achter hem in de deuropening stond, gaf hem een al brandende sigaret. Zijn vlezige gezicht was zo bleek als de nachtelijke wolken. George inhaleerde diep en hoestte toen de rook in zijn keel kwam, die rauw was van het kokhalzen. 'Vind je de doodstraf nog steeds zo slecht?' vroeg hij hijgend. De regen plakte zijn haar tegen zijn hoofd, maar hij reageerde niet op de druppels ijzig water die over zijn gezicht stroomden.

'Ik zou hem eigenhandig kunnen vermoorden,' gromde Clough met een stem die diep uit zijn keel kwam.

'Bewaar hem maar voor de beul, Tommy. We doen het helemaal volgens het boekje. Hij krijgt geen ongelukjes; hij wordt niet toevallig in een cel gezet met een dronkenlap die een bloedhekel heeft aan zedendelinquenten. We zorgen dat hij heelhuids in de rechtbank verschijnt,' zei George schor.

'Dat zal niet eenvoudig zijn. Maar wat vertellen we aan Alisons moeder? De vrouw van dit... dit beest? Hoe zeg je tegen een vrouw: "Trouwens, die man met wie je getrouwd bent, meid, heeft je dochter aan alle kanten verkracht en waarschijnlijk vermoord?"'

'O god,' zei George, 'we hebben een agente nodig. En een dokter.'

'Ik denk niet dat ze een agente wil, George. Ze vertrouwt jou. En ze heeft haar familie om zich heen. Die zullen beter voor haar zorgen dan een dokter ook maar kan. We zullen gewoon naar binnen moeten en een manier vinden om het haar te vertellen.'

'We moeten ook Lucas en zijn mannen waarschuwen. Ze kunnen speciaal op foto's en negatieven letten.' Hij huiverde en ademde diep in. 'Laten we die enveloppen maar inpakken en van etiketten voorzien. Het lab zal ermee aan het werk willen.'

Ze dwongen zichzelf terug te gaan naar de donkere kamer en verzamelden de enveloppen met hun afschuwelijke inhoud. 'Breng deze maar naar brigadier Lucas,' zei George tegen Clough. 'Ik wil ze niet bij me hebben wanneer ik met Ruth Hawkin spreek. Ik kijk hier nog even rond voor het geval er nog iets opvallends is. We zullen hier een team naartoe moeten sturen om al die negatieven te bekijken. Maar niet vanavond.'

Clough verdween naar buiten. George keek de kamer rond, maar zag niets dat zijn aandacht verdiende. Toen stapte hij naar buiten, het ellendige weer in, en sloot de deur achter zich. Hij verzegelde de deur zorgvuldig om te voorkomen dat iemand met het bewijsmateriaal zou kunnen knoeien. Hij zou die nacht een agent op wacht moeten zetten bij het bijgebouw om de inhoud ervan te beschermen. Morgen zou hij een team organiseren om de hele ruimte overhoop te halen en aan de lange tocht te beginnen door Hawkins fotoverzameling. Er zou geen gebrek aan vrijwilligers zijn.

'Ik heb het bewijsmateriaal aan brigadier Lucas gegeven,' zei Clough, die uit de richting van het huis kwam rennen.

'Bedankt. Luister, ik wil het als volgt doen. Jij neemt de familieleden. Ik praat met Ruth Hawkin, alleen. Vertel ze dat we materiaal hebben gevonden dat erop wijst dat Hawkin betrokken kan zijn geweest bij de verdwijning van Alison en dat we vanavond nog minstens één ernstige aanklacht tegen hem indienen. We laten het aan Ruth over hoeveel meer ze hun wil vertellen.'

'Ze zullen alles willen weten. Vooral Ma Lomas,' waarschuwde Clough.

'Dan komen ze maar naar de rechtbank. Ik moet aan Ruth Hawkin denken. Vanaf dit moment is ze mijn belangrijkste getuige en ze heeft het recht te beslissen hoeveel haar familie op dit moment te weten komt,' zei George afwijzend. 'Vertel ze niet meer dan absoluut noodzakelijk is.' Hij rechtte zijn schouders en gooide zijn sigarettenpeuk de donkere lucht in. Toen haalde hij een hand over zijn kletsnatte haar, waardoor Clough besproeid werd met kleine druppels water. 'Goed.' Hij haalde diep adem. 'Laten we gaan.'

Ze liepen door de achterdeur en de hal naar de warme, rokerige keuken. Het ondersteunende groepje van Ma Lomas en Kathy was uitgebreid met Ruths zuster Diane en Janets moeder Maureen. De gezichten van de vijf vrouwen verstrakten van angst toen ze de grimmige uitdrukking op de gezichten van de mannen zagen. 'We hebben nieuws, mevrouw Hawkin,' zei George zwaar. 'Ik zou u graag alleen spreken, als dat goed is. De andere dames wil ik verzoeken met brigadier Clough mee te gaan, die zal uitleggen wat er aan de hand is.'

Kathy opende haar mond om hier tegenin te gaan, maar bij een tweede blik op het gezicht van George slikte ze haar protest in. 'We gaan naar de zitkamer,' zei ze gedwee.

Ruth zei niets toen ze de keuken verlieten. Haar gezicht was als een vergrendelde deur, stevig afgesloten, terwijl haar kaakspieren opzwollen van de inspanning het zwijgen te bewaren. Ze wendde haar blik geen ogenblik van George af terwijl hij aan de tafel tegenover haar ging zitten. Hij wachtte tot hij de deur achter Clough hoorde dichtgaan en zei toen: 'Er is geen gemakkelijke manier om dit te vertellen, mevrouw Hawkin. We hebben materiaal gevonden dat bewijst dat Philip Hawkin op ernstige wijze ontucht met uw dochter heeft gepleegd. Er is geen twijfel aan en hij zal vandaag nog in beschuldiging worden gesteld.'

Een zachte jammerkreet ontsnapte aan haar lippen, maar haar blik bleef onafgebroken op hem gericht. Hij verschoof op zijn stoel en reikte automatisch naar zijn sigaretten. Ze schudde haar hoofd toen hij ze aanbood, dus liet hij het pakje op de tafel tussen hen in liggen. 'Als we dat voegen bij het materiaal dat u in het bijgebouw hebt gevonden, het bevlekte overhemd en de revolver, kunnen we moeilijk om de conclusie heen dat hij haar hoogstwaarschijnlijk ook heeft vermoord. Het spijt me verschrikkelijk, mevrouw Hawkin.'

'Noem me niet zo,' zei ze, door een serie snikken heen die diep uit haar keel kwamen, 'noem me niet bij zijn naam.'

'Dat zal ik niet meer doen,' zei George, 'en ik zal mijn best doen om te zorgen dat ook de andere politiemensen dat niet meer doen.'

'Bent u er zeker van?' zei ze met strakke lippen. 'Bent u er in uw hart zeker van dat ze dood is?'

George wilde overal zijn behalve in de keuken van Ruth Carter, die hem met haar ogen probeerde te bezweren haar niet de waarheid te vertellen. 'Ja,' zei hij. 'Er is een grote hoeveelheid indirect bewijsmateriaal die me tot die conclusie brengt. Ik kan geen enkele reden vinden om er anders over te denken. God weet dat ik het niet wil geloven, maar ik moet wel.'

Ruth sloeg haar armen over haar borsten, klemde haar handen tot vuisten in haar oksels en begon heen en weer te wiegen op haar stoel. Haar hoofd viel achterover en aan haar keel ontsnapte een gekwelde kreet, de woordeloze schreeuw van een dodelijk gewond dier. George zat daar hulpeloos, als een blok hout. Op de een of andere manier wist hij dat hij haar niet moest aanraken, dat dat het ergste was dat hij zou kunnen doen.

Het geluid stopte en haar hoofd viel naar voren. Haar mond hing open, haar gezicht was rood en haar ogen glansden van niet vergoten tranen. 'Zorg dat hij hangt,' zei ze hard en duidelijk.

Hij knikte, pakte zijn sigaretten en stak er een op. 'Ik zal het proberen.'

Ze schudde haar hoofd. 'Niet proberen. Doen, George Bennett. Want als jij niet zorgt dat hij sterft, zal iemand anders het doen, en dat zal heel wat minder menselijk gaan dan wat de beul met hem zal doen.' Haar heftigheid leek haar laatste restje energie te hebben opgebruikt. Ze wendde zich af en zei buiten adem: 'Ga nu.'

George kwam langzaam overeind. 'Morgen kom ik terug om een verklaring op te stellen. Als u iets nodig hebt, het maakt niet uit wat, kunt u me bereiken op het politiebureau.' Hij zocht in zijn jaszak naar zijn notitieboekje, scheurde er een velletje papier uit en krabbelde daarop zijn privénummer. 'Als ik daar niet ben, kunt u me thuis bereiken. Het maakt niet uit hoe laat. Het spijt me.'

Hij liep achteruit naar de deur en graaide naar de kruk. Toen sloot hij de deur achter zich en leunde tegen de muur. De sigarettenrook kringelde in delen van krullen langs zijn arm omhoog. Het geluid van stemmen aan de andere kant van de hal leidde hem naar de ongezellige kamer waar de andere vrouwen Tommy Clough belegerden. 'Laat het knechtje maar zitten, hier komt de baas,' zei Maureen Carter toen ze George in het oog kreeg. 'Zeg het maar. Gaan jullie die schoft van een Hawkin ophangen of niet?'

'Die beslissing is niet aan mij, mevrouw Carter,' zei George, terwijl hij zijn best deed niet te laten merken dat hij niet meer tot argumenteren in staat was. 'Mag ik suggereren dat jullie je tijd en energie beter aan Ruth kunnen besteden? Ze heeft jullie steun nodig. Wij gaan zo weg, maar het bijgebouw zal vannacht door een agent worden bewaakt. Ik zou het zeer op prijs stellen als jullie nu naar Ruth zouden gaan en jullie hersens willen afzoeken naar het kleinste detail dat ons kan helpen met onze zaak tegen Hawkin.'

'Hij heeft gelijk, laat hem met rust,' zei Ma Lomas onverwacht. 'Hij is nog maar een jongen en hij heeft vandaag genoeg voor zijn kiezen gehad. Kom me, meiden. We kunnen beter naar Ruth gaan.' Ze werkte ze voor zich uit de deur door en draaide zich toen om voor het onvermijdelijke laatste woord. 'We laten je er in het vervolg niet meer zo gemakkelijk van afkomen, jongen. Het is tijd dat je je zaakjes op orde brengt.' Ze schudde haar hoofd. 'De schuld ligt bij de oude landheer. Hij had beter moeten weten. Een halfuur met Philip Hawkin en je weet één ding zeker. Zachte heelmeesters maken stinkende wonden.' De deur viel met een scherpe klik achter haar dicht.

Alsof het zo in het script stond, zakten George en Clough tegenover elkaar in een stoel neer met gezichten waarop de uitputting te lezen stond. 'Ik hoop dat ik dat nooit meer hoef te doen,' zei George onder het uitblazen van een wolk rook. Hij keek om zich heen of hij een asbak zag, maar geen van de snuisterijen bood wat dat betreft een mogelijkheid. Toen kneep hij de gloeiende peuk af met zijn vingers en gooide hem in de lege haard.

'Er is een grote kans dat je dat wel zal moeten voordat je met pensioen gaat,' zei Clough. In de hal ging de telefoon. Nadat hij zes of zeven keer was overgegaan, werd hij opgenomen. Er klonk een vragend gemompel en toen hoorden ze stappen naar de deur van de zitkamer komen. Diane Lomas stak haar hoofd om de hoek en zei: 'Het is voor de inspecteur. Iemand die Carver heet.'

George hees zich vermoeid uit de leunstoel en liep de kamer door. Hij pakte de hoorn op en zei: 'Inspecteur Bennett.'

'Waar denk je in godsnaam dat je mee bezig bent, Bennett? Ik heb hier een withete Alfie Naden, die beweert dat we zijn cliënt zonder enige aanleiding in de cel hebben gedonderd en hem daar in zijn vet hebben laten gaarsmoren terwijl jullie weer zonder ook maar iets te bereiken door Derbyshire dwalen.'

En hoe, vroeg George zich af, was de duurste advocaat van de stad er eigenlijk achter gekomen dat Hawkin in hechtenis zat? Cragg was een nutteloze onbenul, maar hij zou nooit zonder toestemming van hemzelf de advocaat hebben gebeld. Het zag ernaar uit dat Carver niets had geleerd van de dood van Peter Crowther en zich weer gedroeg alsof hij de wet zelf was. George slikte een boze reactie in en zei: 'Ik sta op het punt terug te gaan naar het bureau en Hawkin in staat van beschuldiging te stellen.'

'Beschuldiging? Waarvan? Volgens Naden heb je Hawkin verteld dat hij gearresteerd is op verdenking van moord. Je hebt geen moord waarvan je hem kunt beschuldigen!' Het duidelijke Midlands-accent van Carver werd altijd zwaarder wanneer hij onder druk stond. George herkende de tekenen van een man die op het punt staat een woedeaanval te krijgen. Dat gold dan voor hen allebei.

Hij bleef de woede de baas en zei kalm: 'Ik ga hem beschuldigen van verkrachting, meneer. Om te beginnen. Dat moet ons genoeg ruimte geven om de openbare aanklager te vragen of we hem van moord kunnen beschuldigen als er geen stoffelijk overschot is.'

Er volgde een ogenblik van verbijsterde stilte. 'Verkrachting?' Ongeloof maakte de lettergrepen twee keer zo lang.

'We hebben fotografisch bewijsmateriaal, meneer. Geloof me, dit is spijkerhard. Als u me wilt excuseren, meneer, ik moet nu gaan. Ik ben over ongeveer een halfuur terug op het bureau en zal u dan mijn bewijsmateriaal laten zien.' George legde de hoorn zachtjes op de haak. Toen hij zich omdraaide zag hij Bob Lucas in de deuropening van de studeerkamer staan. Hoofdinspecteur Carver wil dat we terugkomen naar Buxton, zei hij. 'En ik moet die enveloppen meenemen. Kan ik het aan jou overlaten om voor vannacht bewaking van de donkere kamer te regelen?'

'Ik zal ervoor zorgen. Wat ik nog wil zeggen, we hebben alle boeken op de planken in de studeerkamer doorgenomen en er zijn geen foto's te vinden. Maar we blijven zoeken. Succes met Hawkin.' Hij knikte bemoedigend. 'Laten we hopen dat hij het voor mevrouw Hawkin een beetje gemakkelijker maakt door alles te vertellen.'

'Ik betwijfel of hij dat doet, Bob,' zei Clough uit de deuropening. 'Volgens mij is hij daar veel te verwaand voor.'

'Nu ik eraan denk, ze wil niet dat we haar nog mevrouw Hawkin noemen. We moeten haar maar mevrouw Carter noemen,' zuchtte George. 'Geef het door.' Hij streek met zijn hand over zijn nog steeds natte haar. 'Goed. Laten we gaan en zorgen dat we de rotzak te pakken nemen.'

4

De foto's brachten Carver tot zwijgen. Het zou vast niet de laatste keer zijn dat ze dat effect hadden, dacht George. Carver zat ernaar te staren alsof hij met zijn blik de beelden zou kunnen uitwissen en vervangen door de ansichtkaarten van Scardale die Hawkin aan de plaatselijke winkels verkocht. Toen wendde hij zich abrupt af. Hij wees naar een vel papier. 'Nadens privénummer. Hij zal erbij willen zijn als je de gevangene verhoort.' Hij stond op en rukte zijn jas van de muurhaak achter zijn bureau.

'U blijft niet voor het verhoor?' vroeg George, met iets van verbijstering in zijn stem.

'Het is van het begin af aan jouw zaak geweest. Zorg maar dat je het tot een goed einde brengt,' zei Carver koel. Hij trok zijn jas aan. 'Jij en Clough, jullie samen.'

'Maar, meneer...' begon George. Toen zweeg hij. Hij wilde zeggen dat hij nog nooit zo'n ernstige zaak had geleid, dat hij nog nooit een verhoor had moeten afnemen waarbij hij zo weinig houvast had, dat het Carvers taak was als hoofd van de recherche om in een situatie als deze de leiding te nemen. De woorden stierven in zijn mond toen hij besefte dat Carver dacht dat deze zaak ergens zou ontsporen en dat hij niet in de buurt wilde zijn wanneer dat gebeurde.

'Maar wat?'

'Niets, meneer.'

'Nou, waar wacht je dan nog op? Ik kan mijn kamer niet afsluiten zolang jij nog midden op de vloer staat te leuteren, nietwaar?'

'Neem me niet kwalijk, meneer,' zei George, terwijl hij het vel papier van Carvers bureau pakte. Hij draaide zich om en liep de recherchekamer in. 'Brigadier,' riep hij naar Clough. 'Pak je jas. We gaan.'

Clough deed verbaasd wat hem werd gezegd. Carver zei op dreigende toon: 'Waar ga je heen? Je hebt een gevangene die je in staat van beschuldiging moet stellen en moet ondervragen.'

'Ik ga Naden bellen en hem vragen hier over een uur te zijn. Dan neem ik brigadier Clough met me mee naar huis voor een maaltijd. We hebben sinds het ontbijt nog niets gegeten en een belangrijk verhoor kan niet alleen op nicotine en cafeïne drijven, meneer,' zei George resoluut.

'Leren ze je dat op de universiteit?' zei Carver honend.

'Nee, meneer, dat heb ik eerlijk gezegd geleerd van commissaris Martin. Hij zegt dat je je troepen nooit moet inzetten op een lege maag.' George glimlachte. 'Zo, als u ons wilt excuseren, meneer, we hebben werk te doen.' Hij wendde zich af en pakte de telefoon. Terwijl hij het nummer draaide, voelde hij Carvers ogen in zijn rug branden. 'Hallo? Meneer Naden? Met inspecteur Bennett van de recherche in Buxton. Uw cliënt wordt verdacht van verkrachting en moord en ik ben van plan hem over een uur te gaan verhoren. Ik zou het zeer op prijs stellen als u hier dan aanwezig kunt zijn... Uitstekend, dan zie ik u over een uur. Dank u.' Hij beëindigde het telefoongesprek door op de haak te drukken en draaide weer een nummer. 'Anne? Met mij.' Hij draaide zich om en keek Carver strak aan, die snoof en met grote stappen naar de trap liep.

Precies een uur later, werd Alfie Naden naar de verhoorkamer gebracht. Hij zag er, met een buikje dat netjes was weggestopt in een driedelig pak van onberispelijk kamgaren, uit als de belichaming van de geslaagde plattelandsadvocaat. Een leesbril met een goudkleurig montuur rustte op een vlezige neus die geflankeerd werd door blozende wangen. Zijn kale hoofd glansde onder de lampen en zijn kin was zo glad alsof hij zich geschoren had alvorens zich op weg te begeven voor deze avondlijke afspraak. Je had hem gemakkelijk voor een opgeblazen dommerik kunnen houden, als zijn ogen er niet waren geweest. Ze waren klein en donker en glinsterden als de glazen ogen van een antieke teddybeer. Ze kwamen alleen tot rust wanneer hij een getuige ondervroeg en misten niets. Hij was een gehaaide tegenstander en George wenste dat Hawkin niet genoeg plaatselijke kennis had gehad om de man in te huren.

Toen Clough Hawkin uit de cel had gehaald, gingen ze snel door de formaliteiten heen. Hawkin zei niets; zijn lip krulde licht van afkeer. Hij zag er nog net zo verzorgd en zelfverzekerd uit als hij om tien uur die ochtend had gedaan.

George las hem zijn rechten voor en zei toen: 'Na uw arrestatie vanmorgen op verdenking van moord heb ik een huiszoekingsbevel gekregen van de rechtbank van High Peak.' Hij overhandigde het bevel aan Naden, die het nauwkeurig las en kort knikte. 'Samen met mijn mensen heb ik vanmiddag een huiszoeking uitgevoerd in Scardale Manor. Tijdens dat onderzoek hebben we een brandkast ontdekt die verborgen was onder de vloer van het bijgebouw dat u veranderd hebt in een donkere kamer. Nadat de brandkast geopend was met een sleutel die verborgen was in uw studeerkamer in Scardale

Manor vonden we zes bruine enveloppen.'

'Zes?' viel Hawkin hem in de rede.

'Zes enveloppen die bepaalde fotoafdrukken en negatieven bleken te bevatten. Op basis van deze vondst beschuldig ik u, Philip Hawkin, van verkrachting.'

Gedurende de formele toespraak van George was de uitdrukking op Hawkins gezicht niet veranderd. Hij zou dus niet bekennen, dacht George. Hij denkt dat hij het echte werk ongestraft heeft kunnen doen, dus houdt hij zijn mond en accepteert zijn straf voor de verkrachting.

'Mogen we de bewijsstukken zien?' vroeg Naden kalm.

George keek Hawkin vragend aan. 'Wilt u echt dat uw advocaat de foto's te zien krijgt? Ik bedoel, veel beter dan de heer Naden kunt u niet krijgen. Als ik u was zou ik niet het risico nemen dat hij het voor gezien houdt.'

'Meneer Bennett,' zei Naden waarschuwend.

'Hij kan me niet verdedigen als hij niet weet hoe jullie me erin luizen,' zei Hawkin. Sinds zijn aanmatigende houding van die ochtend was zijn woordgebruik enige graden gedaald op de sociale ladder.

George opende een map die voor hem lag. In het uur dat ze weg waren geweest, had Clough elke foto en elke strook negatieven apart in een plastic mapje gestopt. De dienstdoende rechercheur had ze stuk voor stuk van een etiket voorzien. Morgen zouden de gerechtelijk onderzoekers hun kans krijgen. Uiteindelijk zouden de fotografen van de politie kopieën maken van de negatieven, maar vanavond had George het bewijsmateriaal nog zelf nodig.

Zwijgend legde hij de eerste foto van Alison voor Hawkin en Naden neer. Hawkin sloeg zijn benen over elkaar en zei: 'Heb je sigaretten voor me meegenomen?'

Naden maakte zijn van afschuw vervulde ogen met moeite los van de foto en keek naar Hawkin alsof hij een wezen van een andere planeet was. 'Wat?' zei hij zwakjes.

'Sigaretten. Ik zit zonder,' zei Hawkin.

Naden knipperde snel achter elkaar een keer of tien met zijn ogen en deed toen zijn aktetas open. Hij haalde er een pakje Benson & Hedges uit waar het cellofaan nog omheen zat en gooide het voor Hawkin neer, die bewust niet meer keek naar de andere foto's die George methodisch voor Naden neerlegde. De advocaat leek gebiologeerd door het verslag van de ontering dat zich voor zijn ogen opstapelde. Toen de laatste foto voor hem lag, schraapte hij zijn keel.

'Ze zijn allemaal vervalst,' zei Hawkin. 'Iedereen weet dat je allerlei trucs met foto's kunt uithalen. Mijn stiefdochter is verdwenen en ze hebben haar niet kunnen vinden en nu luizen ze mij erin om er zelf goed vanaf te komen.'

'We hebben de negatieven ook,' zei George kalm.

'Met negatieven kun je ook knoeien,' zei Hawkin laatdunkend. 'Eerst vervals je een foto, dan maak je daar een foto van. En bingo, je hebt een negatief waar je een afdruk van kunt maken.'

'Ontkent u dat u Alison Carter hebt verkracht?' vroeg George ongelovig.

'Ja,' zei Hawkin resoluut.

'We zijn ook in het bezit van een met bloed besmeurd overhemd, dat tot in elk detail identiek is aan de overhemden die u bij een Londense kleermaker op maat hebt laten maken. Ook dat was verborgen in uw donkere kamer.'

Hawkin leek eindelijk te schrikken. 'Wat?'

'Het overhemd is sterk bevlekt met bloed, aan de voorkant, aan de onderkant van de mouwen en op de manchetten. Ik verwacht dat uit onderzoek zal blijken dat dit bloed overeenkomt met het bloed dat we eerder op Alisons ondergoed hebben gevonden.'

'Wat voor overhemd? Er was geen overhemd in mijn donkere kamer,' riep Hawkin uit, terwijl hij zich vooroverboog en met zijn sigaret in de lucht porde om zijn opmerking kracht bij te zetten.

'Toch is het daar gevonden, samen met het wapen.'

Hawkin zette grote ogen op. 'Welk wapen?'

'Een revolver. Een Webley .38. Identiek aan de revolver die enkele jaren geleden gestolen is van de heer Wells, de buurman van uw moeder.'

'Ik heb geen revolver,' hakkelde Hawkin. 'Je maakt een grote fout, Bennett. Je denkt misschien dat je mij hiervoor kunt laten opdraaien, maar je bent niet zo slim als je denkt!'

De glimlach van George was zo ijzig als de wind die buiten gierde. 'Ik moet u waarschuwen dat ik van plan ben deze informatie voor te leggen aan de openbare aanklager in de vaste overtuiging dat u op grond daarvan moord ten laste zal worden gelegd,' vervolgde hij onverbiddelijk.

'Dit is een schande!' barstte Hawkin uit. Hij ging verzitten en richtte zijn agressie op zijn advocaat. 'Zeg ze dat ze dit niet kunnen maken. Het enige wat ze hebben zijn een paar vervalste kolerefoto's. Zeg het!'

Naden zag eruit alsof hij wenste dat hij thuis was gebleven. 'Ik moet u aanraden niets meer te zeggen, meneer Hawkin.' Hawkin opende zijn mond om te protesteren. 'Niets meer, meneer Hawkin,' herhaalde Naden, en er klonk een scherpte in zijn stem die volkomen in tegenspraak was met zijn minzame voorkomen. 'Meneer Bennett, mijn cliënt zal op dit moment verder geen verklaring afleggen. Ook zal hij geen van uw vragen beantwoorden. Ik wil nu eerst onder vier ogen met mijn cliënt praten. Verder zullen we u morgenochtend voor de rechter zien.'

George zat naar de typemachine te staren. Voor het punt van de verkrachting moest hij een akte van beschuldiging opstellen voor de inspecteur van politie die naar de rechtbank zou gaan. Het was een standaardverzoek voor voorlopige hechtenis. Maar met Alfie Naden als verdediger van de landheer van Scardale voor een rechtbank van plaatselijke prominenten wilde George geen enkel risico nemen. Wat niet bepaald hielp, was dat hij zo'n knallende hoofdpijn had dat hij de neiging moest weerstaan om één oog dicht te knijpen in de hoop verlichting te vinden.

Hij zuchtte en stak weer een sigaret op. 'Redenen om geen borgtocht toe te kennen,' mompelde hij.

Er klonk een gebiedende klop op de deur. Op die tijd van de avond was het waarschijnlijk iemand van de nachtploeg die medelijden met hem had en een kopje thee bracht. 'Binnen,' riep hij.

Commissaris Martin duwde de deur open, gekleed in een onberispelijke smoking in plaats van een uniform. 'Ik stoor toch niet?' vroeg hij.

'U bent een zeer welkome onderbreking, meneer,' zei George, en hij meende het.

Martin nam plaats in de stoel tegenover George en haalde een zilveren heupflacon uit zijn achterzak. 'Heb je iets om uit te drinken?' vroeg hij.

George schudde zijn hoofd. 'Zelfs geen vuil kopje. Het spijt me.'

'Geeft niet. Dan doen we het op de legermanier,' zei Martin, en hij nam een teug uit de fles, veegde de bovenkant af en overhandigde hem aan George. 'Ga je gang. Ik wed dat je het kunt gebruiken.'

Dankbaar nam George een flinke slok cognac. Hij sloot zijn ogen en genoot van het brandende gevoel dat door zijn keel stroomde en zijn borst verwarmde. 'Ik wist niet dat u medische bevoegdheden had, meneer. Dat was precies wat de dokter had voorgeschreven.'

'Ik had een etentje van de vrijmetselaars. Hoofdinspecteur Carver was er ook. Hij heeft me verteld waar je mee bezig bent.' Martin keek George doordringend aan. 'Ik had het liever van jou gehoord.'

'De dingen… gingen nogal snel vandaag. Dat gedoe met die krantenfoto vorige week zat me niet lekker. Ik vond dat het verder onderzocht moest worden. Maar ik was alleen van plan Hawkin te ondervragen om te kijken of ik hem zo van zijn stuk kon brengen dat hij zich zou verspreken. En toen zijn vrouw belde... ik heb erover gedacht naar u toe te komen voordat we het huis gingen doorzoeken, maar als ik dat had gedaan was ik te laat bij de rechtbank geweest en u weet hoe moeilijk sommige rechters kunnen doen over het tekenen van een huiszoekingsbevel in wat ze als hun eigen tijd beschouwen. Dus... ben ik maar gewoon doorgegaan.'

'En hoe staan we er precies voor?'

'Ik heb hem beschuldigd van verkrachting. Hij komt morgen voor de rechter voor voorlopige hechtenis. Ik ben net met de papieren bezig. Ik moet u wel zeggen dat hij Alfie Naden als advocaat heeft. Als verdediging wil hij naar voren brengen dat wij de foto's hebben vervalst om het er te laten uitzien alsof we niet volkomen gefaald hebben in de zaak-Alison Carter.'

Martin zei snuivend: 'Dat lukt ze nooit. Ik denk dat we de fotograaf noch de apparatuur hebben om zoiets ingewikkelds in elkaar te flansen. Maar toch, het zal een heleboel rotzooi geven en het is mogelijk dat hij er zonder kleerscheuren doorheen weet te glippen. Je weet het maar nooit met jury's, en hij ziet er goed uit.' Hij viste een sigarenkoker uit de binnenzak van zijn jasje. Hij maakte zijn strikje los en maakte het bovenste knoopje van zijn overhemd open. 'Dat is beter,' zei hij. 'Sigaar?'

'Ik hou het bij mijn sigaretten, bedankt.' Ze staken hun respectievelijke rokertjes op.

Martin blies een blauwe rookpluim uit. 'Wat hebben we voor moord? Neem het eens met me door.'

George ging achteroverzitten. 'Ten eerste weten we dat hij zich vergreep aan zijn stiefdochter en pornografische foto's van haar maakte. Ten tweede beweert hij dat hij op de middag van haar verdwijning alleen in zijn donkere kamer was. Maar we hebben twee getuigen die hem over het veld hebben zien lopen tussen het bos waar Alisons hond is gevonden en het kreupelbosje waar sporen zijn gevonden van een worsteling waarbij ze betrokken was.'

'Suggestief,' merkte Martin op.

'Ten derde woonde de hond bij hem in huis. Als iemand zijn snuit had kunnen dichtplakken zonder gebeten te worden, was dat iemand met wie de hond vertrouwd was. We moeten een onderzoek doen bij de plaatselijke drogisten om na te gaan of een van hen zich herinnert hem een rol hansaplast te hebben verkocht. Ten vierde zegt niemand in het dorp met uitzondering van Ma Lomas ooit van de in ongebruik geraakte loodmijn te hebben gehoord. Maar een boek met de exacte lokatie van de ingang van de mijn is in de boekenkast in Hawkins studeerkamer gevonden.'

‘Suggestief maar indirect.’

George knikte. ‘Het is allemaal indirect, maar laten we wel wezen: hoe vaak krijgen we een bekrachtigd getuigenverslag van een moord?’

‘Dat is waar. Laat me de rest horen.’

George zweeg even om zijn gedachten op een rijtje te zetten. ‘Goed. Ten vijfde heeft Hawkin dezelfde bloedgroep als degene van wie sperma op Alisons ondergoed is gevonden. Op die kleding bevond zich ook bloed van dezelfde bloedgroep als die van Alison en als die van het bloed dat op de boom in het bosje is gevonden. Door de aanwezigheid van Barr-lichaampjes weten we dat het bloed van een vrouw was. We kunnen dus in alle redelijkheid aannemen dat Alison op zijn minst verwond en misschien gedood is door een zedendelinquent. En door de foto’s weten we dat Hawkin in die categorie valt. Ten zesde hebben we de veronderstelde identificatie van Alison op een krantenfoto van voetbalpubliek. Dit komt precies overeen met een verhaal in een krant over het vermiste meisje uit Manchester, Pauline Reade. Ik denk dat hij dat gebruikt heeft om zich voor te doen als een liefhebbende en bezorgde vader. Iets waar hij tot op dat moment absoluut niet in was geslaagd, moet ik eraan toevoegen.

Ten zevende zijn er twee kogels gevonden in de loodmijn. Een ervan was nog goed genoeg om geïdentificeerd te kunnen worden als een kogel afgevuurd met een Webley .38. Een soortgelijk wapen is gestolen uit een huis waar Hawkins een paar jaar geleden nog regelmatig op bezoek kwam. Een soortgelijk wapen, waarvan het serienummer was weggevijld, is in zijn donkere kamer gevonden. We weten nog niet of de eigenaar van het gestolen wapen dit wapen kan identificeren als het zijne. En we weten nog niet of dat het wapen is waarmee de kogels die we in de loodmijn hebben gevonden zijn afgevuurd. Maar dat weten we binnenkort.

En dan hebben we nog het met bloed bevlekte overhemd. Het komt precies overeen met de overhemden die hij op maat heeft laten maken in Londen, tot het etiket van de kleermaker in de kraag aan toe. Het is doorweekt met bloed. Als dat bloed overeenkomt met het bloed dat we indirect aan Alison hebben toegeschreven, brengt dit Hawkin in verband met geweld tegen haar.’ George trok zijn wenkbrauwen op. ‘Wat denkt u?’

‘Als we een lichaam hadden, zou ik zeggen: stel hem in staat van beschuldiging. Maar we hebben geen lichaam. We hebben geen direct bewijs dat Alison niet gezond en wel is. De openbare aanklager zal zonder een stoffelijk overschot nooit akkoord gaan met een moordaanklacht.’

George protesteerde. 'Er is een precedent. Haigh, de zuurbadmoordenaar. In dat geval was er geen lichaam.'

'Er waren bewijzen dat een lichaam was weggewerkt en sporen die naar het slachtoffer verwezen, als ik me goed herinner,' zei Martin.

'Er is nog een ander precedent met nog minder bewijs. Uit 1955. Een voormalige Poolse soldaat die beschuldigd werd van moord op zijn compagnon. De aanklager stelde dat hij het lichaam aan de varkens op hun boerderij had gevoerd. Het enige wat de aanklager had, was dat vrienden en buren zeiden dat de twee mannen ruzie hadden gehad. Er waren wat bloedvlekken in de keuken van de boerderij en de compagnon was verdwenen zonder ook maar een spoor achter te laten. Wat er nog wel was, was zijn spaarbankboekje. Wij hebben heel wat meer. Voor zover we weten is Alison Carter sinds haar verdwijning door niemand meer gezien. We hebben het bewijs dat ze seksueel is misbruikt en dat ze vrij veel bloed heeft verloren. De kans dat ze nog in leven is, is niet erg waarschijnlijk, nietwaar?'

Martin leunde achterover en liet zijn sigarenrook naar het plafond kringelen. 'Er is een groot verschil tussen "niet erg waarschijnlijk" en "zonder gerede twijfel". Zelfs met een vuurwapen. Als hij van dichtbij op haar heeft geschoten, waarom zaten er dan twee kogels in de rotswand?'

'Misschien wist ze eerst nog bij hem weg te komen en heeft hij geschoten om haar bang te maken. Misschien heeft ze zich verzet en heeft hij haar angst aangejaagd met de andere twee schoten? Om haar gedwee te maken?'

Martin dacht hierover na. 'Dat is mogelijk, maar de verdediging zal die twee kogels gebruiken om twijfel te zaaien bij de jury. En als hij het meisje in de mijn heeft vermoord, waarom zou hij het lichaam dan verwijderd hebben?'

George streek zijn haar van zijn voorhoofd. 'Ik weet het niet. Misschien wist hij een nog betere plek om het lichaam te verbergen. Dat moet hij toch gedaan hebben? Anders hadden we het nu wel gevonden.'

'Maar als hij een betere plek wist om het lichaam te verbergen, waarom zou hij dan bewijzen van het zedenmisdrijf in de mijn hebben achtergelaten?'

George zuchtte. Hoe frustrerend hij de vragen van Martin ook mocht vinden, hij wist dat de advocaten voor de verdediging nog honderd keer zo erg zouden zijn. 'Ik weet het niet. Misschien heeft hij gewoon de kans niet gekregen. Hij moest wel aan de eettafel verschijnen. Juist die avond kon hij zich niet veroorloven om te laat te zijn. En toen hij gegeten had, was inmiddels bekend dat Alison zoek was en kon hij het risico niet meer nemen om terug te gaan?'

'Het is zwak, George.' Martin ging rechtop zitten en keek George aan. 'Het is niet genoeg. Je moet haar lichaam vinden.'

Deel Drie: De rechtspraak

Voorlopige hechtenis

Het was in enkele minuten voorbij. George werd getroffen door de verbazing op de gezichten van de inwoners van Scardale die in grote getale waren komen opdagen. Ze waren gekomen vanuit een soort oerdrang om de man die zij als een schurk beschouwden in de beklaagdenbank te zien. Ze hadden ceremonie nodig om die drang te bevredigen, maar daar, in een moderne rechtszaal die meer weg had van de hal van een school dan van de Old Bailey die ze van film en televisie kenden, was niets te vinden dat aan die behoefte kon voldoen.

Alle gelaatsvarianten waren aanwezig in de zeven mannen en acht vrouwen die gekomen waren: van de haakneus van Ma Lomas tot de als uit steen gehouwen trekken van Brian Carter. De opvallende afwezige was Ruth Carter zelf.

De pers was, uiteraard, aanwezig, maar niet in de aantallen die er zouden zijn tijdens de hoorzitting over verlenging van voorarrest en het proces. Ze mochten zo weinig rapporteren in dat stadium, dat het nauwelijks de moeite waard was om te komen opdagen. Nu Hawkin ergens van beschuldigd was, moesten de hoofdredacteuren voorzichtig optreden volgens de regel dat een verdachte als onschuldig wordt beschouwd zolang schuld niet bewezen is. Elke suggestie dat Hawkin misschien ook nog van moord zou worden beschuldigd was verboden.

De gevangene werd de rechtszaal binnengeleid, waar hij voor twee mannelijke en een vrouwelijke rechter verscheen. Alfie Naden was er, klaar en wachtend. Ook de inspecteur van politie was er die rechtbankdienst had. Met zijn fris geschoren gezicht, dat een toonbeeld van onschuld was, en zijn zwarte haar dat glansde onder de lampen zag Hawkin er meer op zijn gemak uit dan alle anderen. Er klonk een gedempt gemompel uit het publiek, dat tot zwijgen werd gebracht door een scherp woord van de zaalwachter.

De griffier stond op en vatte de beschuldiging tegen Hawkin samen. Bijna voor hij was uitgesproken, was Naden al overeind gekomen. 'Edelachtbare heren, mevrouw, ik wil u het volgende voorleggen. Zoals u weet is het de plicht van de rechtbank onder sectie negenendertig van de Wet op Kinderen en Jonge Personen om de identiteit te beschermen van minderjarigen die slachtoffer zijn geworden van zedenmisdrijven. Op grond daarvan is het gebruikelijk dat de rechtbank de leden van de pers verbiedt de naam van de beschuldigde te vermelden omdat dit een indirecte manier zou zijn om het slachtoffer te identificeren wanneer er, zoals bij deze aanklacht, sprake is van een familierelatie. Daarom wil ik de rechtbank verzoeken in dit geval een dergelijke uitspraak te doen.'

Terwijl Naden ging zitten, stond de inspecteur op. Hij had dit al besproken met George en commissaris Martin. 'Ik wil mij uitspreken tegen een dergelijke uitspraak van de rechtbank,' zei hij zwaarwichtig. 'Ten eerste wegens de zeer ernstige aard van de omstandigheden in dit geval. Wij denken dat dit niet de eerste keer is dat de verdachte kinderen seksueel heeft misbruikt. Door zijn naam in de openbaarheid te brengen, is het mogelijk dat andere slachtoffers zich bij ons zullen melden.' Dat deel van het argument was weinig meer dan een vlieger oplaten: de pogingen van Cragg om wat roddel te ontlokken aan de politiemensen in St. Albans, waren volledig mislukt. George wilde Clough erheensturen voor een tweede poging, maar op dat moment was het niet meer dan giswerk.

'Ten tweede,' vervolgde de inspecteur, 'gaat de openbare aanklager ervan uit dat het slachtoffer niet meer in leven is en daarom de bescherming van de rechtbank niet nodig heeft.'

De mensen hielden hun adem in. Een van de vrouwen uit Scardale maakte een geluid als een licht gekreun. Verslaggevers keken elkaar verbijsterd aan. Konden ze deze verklaring publiceren omdat zij in het openbaar was afgelegd? Zou het toch onder minachting voor de rechtbank kunnen vallen? Was het afhankelijk van de uitspraak van de rechtbank?

Naden stond weer op. 'Edelachtbare heren, mevrouw,' protesteerde hij, als een toonbeeld van verontwaardiging, 'dit is een schandalige suggestie. Het is weliswaar zo dat het vermoedelijke slachtoffer van dit vermoedelijke misdrijf op dit moment wordt vermist, maar de suggestie van de politie dat ze niet meer in leven zou zijn is alleen bedoeld om stemming tegen mijn cliënt te kweken. Ik moet bij u aandringen op de uitspraak dat niets in de pers mag worden vermeld behalve het feit dat een man beschuldigd is van verkrachting.'

De rechters gingen in overleg met de griffier. George zat ongeduldig met zijn vingers op zijn knie te trommelen. Het maakte hem eerlijk gezegd niet zoveel uit of de pers Hawkin nu noemde of niet. Het enige wat hij wilde was doorgaan met zijn onderzoek.

Ten slotte schraapte de voorzitter zijn keel. 'We zijn het erover eens dat de pers met betrekking tot deze hoorzitting over voorarrest verboden wordt de naam van de verdachte te noemen. Deze uitspraak hoeft echter niet bindend te zijn voor de onderzoeksrechters bij een volgende hoorzitting over terugzending in voorarrest.'

Naden maakte een erkentelijke buiging. 'Dank u zeer,' zei hij.

Toen de hoorzitting voor verlenging van voorarrest werd vastgesteld voor vier weken later, sprong Naden weer overeind. 'Uwe edelachtbaren, ik moet u verzoeken de kwestie van borgstelling in overweging te nemen. Mijn cliënt is een vooraanstaand lid van de plaatselijke gemeenschap, zonder eerdere veroordelingen of een smet op zijn karakter. Hij is verantwoordelijk voor een groot landgoed en zijn afwezigheid zal beslist moeilijkheden voor zijn pachters geven.'

'Onzin,' brulde een stem achter uit de zaal. George herkende Brian Carter, wiens gezicht rood was van emotie. 'Zonder hem zijn we beter af.'

De voorzitter van de rechtbank keek verbaasd. 'Verwijder die man onmiddellijk,' zei hij, verontwaardigd over een dergelijk vertoon van oneerbiedigheid.

'Ik ga zelf wel,' schreeuwde Brian, en hij stond al op voordat iemand hem kon bereiken. Hij stormde de zaal uit en gooide de deur achter zich dicht. Hij liet de zaal in een verbijsterde stilte achter.

De voorzitter haalde diep adem. 'Als er nog meer uitbarstingen volgen, zal ik deze zaal ontruimen,' zei hij stijfjes. 'Meneer Naden, gaat u door.'

'Dank u. Zoals ik al zei, is de aanwezigheid van de heer Hawkin onontbeerlijk voor een goede bedrijfsvoering van Scardale. Zoals u al hebt gehoord, wordt zijn stiefdochter vermist en hij vindt dat hij aan de zijde van zijn vrouw moet zijn om haar hulp en steun te bieden. Hij is geen lamlendige misdadiger die van plaats naar plaats zwerft. Hij is niet van plan dit rechtsgebied te verlaten. Ik verzoek u hem onder deze uitzonderlijke omstandigheden op borgtocht vrij te laten.'

De inspecteur stond langzaam op. 'Uwe edelachtbaren, het openbaar ministerie verzet zich tegen borgtocht omdat de verdachte over voldoende middelen beschikt om een vluchtrisico in te houden. Hij heeft geen sterke wortels in dit gebied, want hij heeft zich nog maar iets meer dan een jaar geleden hier gevestigd, na de dood van zijn oom. We maken ons ook zorgen over mogelijke beïnvloeding van getuigen. Veel van de mogelijke getuigen tegen hem zijn niet alleen zijn pachters maar ook zijn werknemers, en er bestaat een zeer reële kans op intimidatie. Bovendien gaat het OM uit van een zeer ernstig misdrijf en het is mogelijk dat in de nabije toekomst nog andere ernstige beschuldigingen tegen hem zullen worden geuit.'

Met opluchting zag George dat de vrouwelijke rechter resoluut knikte bij elk punt dat de inspecteur noemde. Als de anderen zouden aarzelen, dacht hij, zou haar overtuiging genoeg zijn om hen tot andere gedachten te brengen. Toen ze zich teruggetrokken hadden om tot een beslissing te komen, klonk van de perstribune weer het geroezemoes van discussie. De groep uit Scardale zat daar zwijgend, onaandoenlijk, en hun ogen boorden gaten in de nek van Philip Hawkin. Hawkin zelf was diep in gesprek met zijn advocaat.

George wenste dat hij kon roken.

Enkele minuten later namen de rechters weer plaats op hun verhoging. 'Borgstelling is afgewezen,' zei de voorzitter op besliste toon. 'Neem de gevangene mee.'

Toen hij George passeerde, wierp Hawkin hem een uiterst hatelijke blik toe. George staarde recht door hem heen. Hij geloofde er altijd in zijn kruit droog te houden.

Daily News, donderdag 6 februari 1964, p. 2

MAN VERSCHIJNT VOOR DE RECHTBANK

Een man beschuldigd van verkrachting is gisteren in voorarrest gesteld door de rechtbank van High Peak, die zitting hield in Buxton. De man, van wie de naam om juridische redenen niet genoemd kan worden, woont in het dorp Scardale in Derbyshire.

Beschuldiging van moord

Het was vreemd, dacht George, dat alle publieke gebouwen zo op elkaar leken. Op de een of andere manier had hij verwacht dat de werkvertekken van de openbare aanklagers van het Openbaar Ministerie net zo groots zouden zijn als de titel. Hoewel het Regency-gebouw in Queen Anne's Gate niet minder had kunnen lijken op het moderne vierkante stenen blok waarin het regionale hoofdbureau van Buxton was gevestigd, zag hij van binnen de standaardoverheidsinrichting. De advocaat die Tommy Clough en hij vier dagen na de hoorzitting zouden ontmoeten, bevond zich in een vertrek dat zo op zijn eigen kantoor leek dat het bijna verwarrend was. Stapels mappen lagen boven op dossierkasten, een aantal wetboeken nam de vensterbank in beslag en de asbak moest nodig worden geleegd. Op de vloer lag hetzelfde linoleum en de muren waren in hetzelfde gebroken wit geschilderd.

Jonathan Pritchard voldeed evenmin aan zijn verwachtingen. Hij was halverwege de dertig en had het soort oranjerode haar dat niet te temmen is. Het stak over zijn hele hoofd in punten en plukken uit en stond aan één kant van zijn voorhoofd zelfs als een soort kam recht overeind. Zijn gelaatstrekken waren net zo onhandelbaar. Zijn ogen, in het grijsblauw van natte leisteen uit Wales, waren rond, stonden ver uit elkaar en hadden lange goudkleurige wimpers. Zijn lange, benige neus maakte aan het eind een plotselinge zwenking naar links en zijn mond helde in een licht spottende hoek. Het enige ordelijke aan hem was zijn onberispelijke donkergrijze krijtstreeppak, zijn verblindend witte overhemd en zijn keurig geknoopte Guards-das.

'Zo,' had de advocaat hen begroet, terwijl hij overeind sprong. 'Jullie zijn de jongens zonder lichaam. Kom binnen, ga zitten. Ik hoop dat jullie van tevoren hebben getankt, want een fatsoenlijke kop koffie kun je hier wel vergeten.' Hij bleef beleefd staan tot George en Clough zich hadden geïnstalleerd en liet zich toen in zijn eigen, gehavende houten draaistoel zakken. Hij trok een la open, haalde er nog een asbak uit en schoof die naar hen toe. 'Zover reikt onze gastvrijheid,' zei hij quasi-zielig. 'Vertel eens, wie is wie?'

Ze stelden zich voor. Pritchard maakte een aantekening op het schrijfblok dat voor hem lag. 'Neem me niet kwalijk,' zei hij, 'maar is het niet ongebruikelijk dat een zaak van deze omvang geleid wordt door een inspecteur? En dan nog door een inspecteur die pas vijf maanden in functie is?'

George onderdrukte een zucht en haalde zijn schouders op. 'De hoofdinspecteur had zijn enkel in het gips zitten toen het meisje verdween, dus kreeg ik de leiding over het onderzoek en rapporteerde aan commissaris Martin. Hij is de hoogste functionaris op het bureau van Buxton. Toen de zaak langer ging duren, wilde het hoofdbureau een van hun meer ervaren rechercheurs erop zetten, maar Martin weigerde. Hij zei dat hij het door zijn eigen mensen wilde laten doen.'

'Zeer prijzenswaardig, maar misschien niet iets waar het hoofdbureau zo blij mee was?' zei Pritchard.

'Dat zou ik niet weten.'

Clough boog zich naar voren. 'De commissaris heeft in het leger gezeten met de plaatsvervangend hoofdcommissaris, meneer. Dus de hoge pieten daar weten wel dat ze op zijn oordeel kunnen vertrouwen.'

Pritchard knikte. 'Ik heb als advocaat in het leger gezeten. Ik weet hoe het werkt.' Hij haalde een pakje sigaretten van het merk Black Sobranie uit zijn zak en stak er een op. George kon zich voorstellen welke indruk dat zou maken in de advocatenkamer in Buxton als Pritchard tijdens de volgende hoorzitting de openbare aanklager zou zijn. Godzijdank zouden de rechters daar niet zitten. 'Ik heb alle verslagen van de zaak gelezen,' zei Pritchard. 'En de foto's bestudeerd.' Hij huiverde onwillekeurig. 'Weerzinwekkender heb ik ze zelden gezien. Ik twijfel er niet aan dat we alleen op basis van die foto's een veroordeling krijgen voor verkrachting. Wat we nu moeten bespreken is of we genoeg bewijsmateriaal hebben om verder te gaan met een aanklacht voor moord. Het belangrijkste obstakel is, uiteraard, het ontbreken van een lichaam.'

George opende zijn mond, maar Pritchard hief een waarschuwende vinger op om tot stilte te manen. 'Wat we moeten doen, is het corpus delicti in ogenschouw nemen – niet, zoals de meeste mensen denken, het corpus, ofwel het lichaam, van het slachtoffer, maar het corpus van de misdaad. Dat wil zeggen, de essentiële elementen van een misdaad en de omstandigheden waaronder deze is gepleegd. In het geval van moord is het noodzakelijk om vast te stellen dat er sprake is van een sterfgeval, dat de dode de persoon is die vermoedelijk is vermoord en dat de dood van die persoon het gevolg is van een geweldsdaad. De eenvoudigste manier om dit aan te tonen is door de aanwezigheid van een stoffelijk overschot, nietwaar?'

'Er zijn precedenten voor veroordelingen wegens moord bij het ontbreken van een stoffelijk overschot,' zei George. 'Haigh, de zuurbadmoordenaar, en James Camb. En Michael Onufrejczyk, de varkensboer. Dat was de zaak waarin de rechter stelde dat de dood kon worden bewezen door indirect bewijs. Daar hebben we toch zeker genoeg aan om tot een aanklacht te kunnen komen?'

Pritchard glimlachte. 'Ik merk dat u de belangrijkste precedenten hebt bestudeerd. Ik moet zeggen, inspecteur Bennett, dat de omstandigheden van deze zaak me hevig intrigeren. We kunnen niet ontkennen dat er een aantal zo op het oog lastige problemen aan verbonden zijn, maar er is, zoals u terecht stelt, een aanzienlijke hoeveelheid indirect bewijsmateriaal. Dus zullen we dat materiaal eens doornemen?'

Twee uur lang namen ze elk detail door dat erop wees dat Philip Hawkin zijn stiefdochter had vermoord. Pritchard ondervroeg hen diepgaand en intelligent in een poging zwakke punten in de bewijslast bloot te leggen. De advocaat liet weinig merken van zijn persoonlijke mening over hun verklaringen, maar hij was duidelijk geboeid.

'Er was nog iets, iets wat nog niet in de verslagen was opgenomen,' merkte Clough ten slotte op. 'We hebben dat rapport pas gisteren in de namiddag ontvangen. Het bloed op het overhemd is van dezelfde bloedgroep als dat van Alison, en het is afkomstig van een vrouw, net als het andere bloed. Maar er is ook sprake van wat schroeiplekken en kruitsporen op het overhemd, zoals het geval zou zijn als er van dichtbij is geschoten. En het is een overhemd van Hawkin, daar is geen twijfel aan.'

'Allemaal koren op uw molen, brigadier. Zelfs zonder dit laatste beetje bewijsmateriaal twijfel ik er nauwelijks aan dat Hawkin het meisje heeft vermoord. Maar de vraag blijft of we een zaak kunnen opbouwen die een jury kan overtuigen.' Pritchard haalde een hand door zijn haar waardoor het een nog chaotischer geheel werd. George begreep waarom hij ervoor gekozen had om aanklager te worden: onder de pruik van paardenhaar zou hij er bijna normaal uitzien. En hoewel hij duidelijk van goede afkomst was, was zijn stem niet zo bekakt dat hij een jury van zich zou vervreemden.

'Waar het lichaam ook mag zijn, hij heeft het goed verstopt. We zullen het niet vinden, tenzij iemand er bij toeval over struikelt. Ik denk niet dat we veel meer zullen krijgen dan we nu hebben,' zei George, en hij probeerde niet zo moedeloos te klinken als hij zich altijd voelde wanneer hij in de vroege ochtenduren lag te piekeren nadat Annes onrustige slaap hem had gewekt.

Pritchard zat van links naar rechts in zijn stoel te draaien. 'Maar toch, het is een fascinerende uitdaging, vinden jullie niet? Ik kan me de laatste keer niet heugen dat ik verslagen heb gelezen van een zaak die het bloed weer eens wat sneller deden stromen. Wat een krachtmeting zal dat worden in de rechtszaal! Het moet toch geweldig zijn om dit van de grond te krijgen.'

'Wilt u dan als openbare aanklager optreden?' vroeg Clough.

'Omdat het duidelijk een controversiële zaak wordt, zouden we een hoger lid van de orde inzetten, zowel voor de hoorzitting voor verlenging van het voorarrest als voor het eigenlijke proces. Maar ik zou beslist als zijn assistent optreden en ik zou grotendeels verantwoordelijk zijn voor de voorbereiding van de zaak. Ik ben geneigd te zeggen dat ik hiermee door wil gaan.' Opnieuw hief hij een waarschuwende vinger op. 'Maar dat betekent niet dat jullie onmiddellijk met een beschuldiging kunnen komen. Ik zal het aan de grote baas zelf moeten voorleggen en hem ervan moeten overtuigen dat we onszelf niet belachelijk maken als we met deze zaak doorgaan. Jullie weten vast wel hoe een hekel onze meerderen eraan hebben om uitgelachen te worden,' voegde hij er met een spottend glimlachje aan toe.

'Wanneer horen we het?' vroeg George.

'Aan het eind van de week,' zei Pritchard op besliste toon. 'Hij zal er weken over willen nadenken, maar ik heb het gevoel dat tijd hier heel belangrijk is. Uiterlijk vrijdag horen jullie van mij.' Pritchard stond op en stak zijn hand uit. 'Inspecteur, brigadier.' Hij schudde hen de hand. 'Het was me een genoegen. Duimen, hè?'

Daily News, maandag 17 februari 1964, p. 1

VERMIST MEISJE: BESCHULDIGING VAN MOORD

Van onze verslaggever

In een sensationele nieuwe ontwikkeling heeft de politie gisteravond de 37-jarige Philip Hawkin beschuldigd van moord op zijn stiefdochter, het vermiste schoolmeisje Alison Carter.

Het ongebruikelijke aspect aan deze tenlastelegging is dat Alisons lichaam nooit is gevonden. Het knappe blonde 13-jarige meisje is niet meer gezien sinds ze op 11 december vorig jaar haar ouderlijk huis, in het kleine gehucht Scardale in Derbyshire verliet, om haar hond te gaan uitlaten.

Hawkin zal morgen voor de rechtbank van Buxton verschijnen voor een hoorzitting in verband met verlenging van het voorarrest.

Niet uniek

Het is niet voor het eerst dat iemand moord ten laste wordt gelegd hoewel er geen stoffelijk overschot is gevonden. In het geval van John George Haigh, de beruchte zuurbadmoordenaar, werd niets anders van zijn slachtoffer gevonden dan een galsteen, een paar beenderen en haar kunstgebit.
Deze overblijfselen waren echter voldoende bewijs dat er een lichaam was geweest, en Haigh werd gehangen voor moord.
James Camb, steward op een luxelijnschip dat tussen Zuid-Afrika en Engeland voer, werd beschuldigd van moord op een passagier, de actrice Gay Gibson.
Hij beweerde dat ze gestorven was door een beroerte toen hij alleen met haar in haar hut was. Bang beschuldigd te worden van moord was hij in paniek geraakt en had het lichaam door een patrijspoort geduwd.
Zijn verhaal werd niet geloofd en hij werd schuldig bevonden.
Een andere zaak heeft plaatsgevonden op een geïsoleerde boerderij in Wales, waar een Poolse oorlogsheld beschuldigd werd van het vermoorden van zijn compagnon en het voeren van diens lichaam aan de varkens op de boerderij die hun gezamenlijk eigendom was.

De hoorzitting

Op maandag 24 februari werd George om zes uur wakker. Hij glipte het bed uit om Anne niet te storen, trok zijn ochtendjas en pantoffels aan en liep zachtjes naar beneden. Hij maakte een pot thee en bracht die naar de woonkamer. Toen hij de gordijnen opentrok om te kunnen zien hoe de duisternis plaatsmaakte voor schemering zag hij verbaasd dat de auto van Tommy Clough voor het huis geparkeerd stond. Het gloeiende puntje van een sigaret maakte duidelijk dat zijn brigadier net zo klaarwakker was als hij.

Een paar minuten later zat Clough tegenover George met een dampende kop thee in een van zijn grote handen. 'Ik dacht wel dat je vroeg wakker zou zijn. Ik hoop dat Hawkin net zo slecht geslapen heeft als wij,' zei hij bitter.

'Met de rusteloosheid van Anne en de zorgen over deze hoorzitting kan ik me de laatste keer niet heugen dat ik acht uur achter elkaar heb geslapen,' zei George instemmend.

'Hoe gaat het met haar?'

George haalde zijn schouders op. 'Ze is snel moe. Vrijdagavond gingen we naar *The Great Escape* in het Opera House en ze viel halverwege in slaap. En ze maakt zich ongerust.' Hij zuchtte. 'Ik denk niet dat het helpt dat ze nooit weet wanneer ik thuis zal komen.'

'Na het proces zal het wel wat makkelijker worden,' zei Clough opbeurend.

'Dat neem ik aan. Ik blijf maar bang dat hij er ongestraft vanaf weet te komen. Ik bedoel, wij moeten tijdens de hoorzitting alles laten zien wat we hebben om te zorgen dat de rechters tot een tenlastelegging komen en er een proces komt. Daarna heeft hij minstens een paar maanden om een verdediging in elkaar te zetten, waarbij hij precies weet wat voor bewijsmateriaal we tegen hem hebben. Het is niet zoals bij Perry Mason dat we plotseling nog met een verrassingsargument kunnen komen.'

'De advocaten zouden er niet mee door willen gaan als ze niet meenden dat ze een goede kans hadden om te winnen,' bracht Clough hem in herinnering. 'We hebben ons steentje bijgedragen. We moeten het nu aan hen overlaten,' voegde hij er filosofisch aan toe.

George snoof. 'Moet ik me daardoor beter voelen? Ik vind dit het ergste stadium van een zaak, Tommy. Ik heb nergens meer de hand in, ik heb geen invloed op wat er gebeurt. Ik voel me zo machteloos. En als Hawkin niet wordt veroordeeld... nou, dan maken die advocaten niet uit; ik zal het gevoel hebben dat ík het niet goed heb gedaan.' Hij leunde achterover en stak een sigaret op. 'Ik zou het niet kunnen verdragen, om allerlei redenen. Ten eerste omdat een moordenaar dan vrij zou rondlopen. Maar ik ben ook menselijk genoeg om het als een persoonlijke nederlaag te zien. Kun je je voorstellen hoe tevreden hoofdinspecteur Carver dan zou zijn? Kun je je de krantenkoppen voorstellen die die rioolrat van een Don Smart ervan zou maken?'

'Kom op, George, iedereen weet hoe hard je hieraan hebt gewerkt. Als Carver de leiding had gehad, hadden we nooit het bewijs voor de verkrachting gevonden. En daar kan niemand omheen. Daar zal hij zich nooit uit kunnen draaien, wat er ook met het punt van de moord gebeurt. En je kunt er je laatste cent om verwedden dat elke rechter die het bewijsmateriaal hoort en dan een jury krijgt die stom genoeg is om hem niet schuldig te bevinden aan moord, de veroordeling wegens verkrachting zal gebruiken om Hawkin de hoogste straf op te leggen die hij maar kan. Het zal wel even duren voor hij weer in Scardale rondloopt.'

George zuchtte. 'Je hebt gelijk. Ik zou alleen willen dat we Hawkin directer in verband hadden kunnen brengen met de revolver. Ik bedoel, hoeveel pech kun je hebben? Er is één man die het wapen dat we hebben kan identificeren als de Webley die gestolen is in St. Albans. De voormalige eigenaar, Wells, de buurman van mevrouw Hawkin. En waar is hij? Hij zit een paar maanden bij zijn geëmigreerde dochter in Australië. En geen van zijn vrienden of buren heeft een adres van haar. Ze weten zelfs niet precies wanneer hij terug wordt verwacht. We vermoeden uiteraard dat Hawkins moeder, als de beste vriendin van de heer en mevrouw Wells, die gegevens wel heeft, maar ze zal ze zeker niet vertellen aan die akelige politiemensen die die vreselijke aantijgingen tegen haar geliefde zoon maken,' voegde hij er met een vernietigend sarcasme aan toe.

Hij stond op. 'Ik ga me even wassen en scheren. Wil jij een verse pot thee zetten? Ik zal Anne een kopje brengen als ik me ga aankleden. Daarna trakteer ik je op een ontbijt met alles erop en eraan in het chauffeursrestaurant.'

'Dat klinkt uitstekend. We kunnen wel een stevige bodem gebruiken. Het wordt een lange dag.'

De klok van het stadhuis sloeg tien, en de bastoon drong door in de rechtszaal aan de overkant. Jonathan Pritchard keek met verwachtingsvol opgetrokken wenkbrauwen op van de stapel papieren die voor hem lag. Naast hem, nog opgaand in zijn aantekeningen, bevond zich de potige gestalte van advocaat Desmond Stanley. Stanley, een voormalige rugbyspeler voor Oxford, was in de veertig en voorkwam dat hij dik werd door een strikt regime van oefeningen waar hij zich overal waar hij werkte aan hield. Afgezien van de gebruikelijke pruik, bef en toga van de aanklager bevatte Stanley's werktas altijd zijn halters. In kleedkamers over het hele land had hij gebogen en gestrekt, opdrukoefeningen en kniebuigingen gedaan alvorens de rechtszaal te betreden om de ergste misdadigers die het rechtssysteem maar op zijn weg kon brengen, aan te klagen of te verdedigen.

Het vreemde was dat hij er nooit gezond uitzag. Zijn huid had van nature een vaalgele tint, zijn lippen waren bloedeloos bleek en zijn donkerbruine ogen waren altijd waterig. Hij stopte altijd een felgekleurde zijden zakdoek in een van zijn mouwen, zodat hij regelmatig zijn druipende ogen kon deppen. De eerste keer dat George hem had ontmoet, had hij zich afgevraagd of Stanley lang genoeg zou leven om de zaak voor de rechter te kunnen brengen. Daarna had Pritchard deze twijfel rechtgezet. 'Hij overleeft ons allemaal,' zei hij. 'Wees blij dat we hem aan onze kant hebben en niet tegen ons, want Desmond Stanley is een haai. Vertrouw me maar.'

Pritchard was nog dankbaarder om Stanley aan zijn kant te hebben toen hij zag wie de advocaat van de tegenpartij was. Rupert Highsmith had zijn ontzagwekkende reputatie als een met chirurgische precisie en meedogenloosheid werkende ondervrager opgebouwd toen hij als jonge advocaat aan het begin van de jaren vijftig een aantal zaken had gedaan die sterk de aandacht hadden getrokken. Gedurende de volgende tien jaar in de advocatuur waren zijn vaardigheden niet afgestompt, maar had hij een serie nieuwe trucs geleerd die zijn opponenten hopeloos in de problemen brachten, en wel in zo'n mate dat de mindere talenten zich wel drie keer bedachten voordat ze zwak bewijsmateriaal aan hun getuigen onttrokken uit angst voor wat hij er tijdens het kruisverhoor mee zou kunnen doen.

Nu zat Highsmith zelfverzekerd achterovergeleund in zijn stoel en bekeek met een profiel dat zo scherp geometrisch was alsof het geconstrueerd was met houtblokken van een kind, de volle persbanken en de publiekstribune. Onvriendelijke collega's fluisterden dat hij cosmetische chirurgie had ondergaan om zijn kaaklijn zo strak te houden. Hij probeerde altijd zijn publiek te beoordelen, in te schatten welk effect zijn zaak zou hebben. Er was een goede opkomst vandaag, dacht hij. Hij zou alle kans krijgen zijn talenten tentoon te spreiden.

Hij was een van de weinige verdedigende advocaten die uitblonken tijdens dit soort hoorzittingen. Omdat deze hoorzitting alleen bedoeld was om te beslissen of de openbare aanklager voldoende bewijslast had tegen de verdachte, was het gewoonlijk alleen de aanklager die zijn zaak voor de rechter bracht. De enige gelegenheid die Highsmith zou hebben om zijn talenten te tonen was het kruisverhoor van de getuigen. En daarin was hij op zijn best.

Aan de zijkant van de rechtszaal ging een deur open en Hawkin kwam binnen, geflankeerd door twee politieagenten. Op bevel van George droeg hij geen handboeien. De rechercheur was vastbesloten om niets te doen wat ook maar de geringste sympathie voor Hawkin zou kunnen opwekken. Bovendien, dat wist hij, zou de advocaat voor de verdediging als eerste vragen om de handboeien te verwijderen, en de rechters zouden hier waarschijnlijk op ingaan, niet in de laatste plaats omdat het moeilijk voor hen zou zijn om landeigenaar Hawkin niet als een van hen te zien. En Pritchard had benadrukt hoe belangrijk het psychologisch was dat het eerste succesje niet naar de verdediging zou gaan.

Achttien dagen achter de tralies had weinig invloed gehad op het voorkomen van Philip Hawkin. Zijn donkere haar was korter dan anders, want gevangenen kunnen hun kapper niet kiezen en moeten maar nemen wat ze kunnen krijgen. Maar het was nog steeds glanzend en lag glad achterover gekamd van zijn brede, vierkante voorhoofd. Zijn donkerbruine ogen schoten even door de rechtszaal voordat ze zich op zijn advocaat richtten. De glimlach die eeuwig op zijn lippen leek te liggen, verbreedde zich als reactie op het korte knikje van Highsmith. Hawkin nam de tijd om de beklaagdenbank binnen te stappen en trok zorgvuldig de broek van zijn sobere, donkere pak op terwijl hij ging zitten.

De deur achter het rechtersgestoelte ging open. De griffier sprong overeind en riep: ‘Opstaan, alstublieft.’ Stoelen schraapten achteruit over de betegelde vloer toen de drie rechters binnenkwamen. Hawkin kwam als een van de eersten overeind, met een eerbied in zijn houding die Pritchard opmerkte en opsloeg voor later gebruik. Hawkin was ofwel een goede toneelspeler, of hij geloofde echt dat deze magistraten een macht over hem hadden die ze in zijn voordeel zouden gebruiken.

De drie mannen die rechter zouden spelen over de zaak die aangespannen werd door de openbare aanklager gingen zitten, gevolgd in schuifelende wanorde door alle anderen met uitzondering van de griffier. Hij herinnerde iedereen eraan dat de rechtbank in zitting was om vast te stellen of Philip Hawkin van Scardale Manor, Scardale, in het graafschap Derbyshire, in hechtenis zou blijven om berecht te worden.

Desmond Stanley stond op. 'Uwe edelachtbaren, ik treed op voor de officier van justitie in deze zaak. Philip Hawkin wordt beschuldigd van de verkrachting van Alison Carter, dertien jaar. Verder wordt hij ervan beschuldigd bij een andere gelegenheid, op of rond de elfde december 1963 voornoemde Alison Carter te hebben vermoord.'

De enige aanwezige in de rechtszaal die glimlachte, was Don Smart, die over zijn stenoboekje gebogen zat. De ceremoniemeester was opgestaan. Het circus was begonnen.

Nadat hij zijn getuigenverklaring had afgelegd en de zweep van Highsmiths scherpe kruisverhoor over zich heen had gehad, verliet George de getuigenbank en liep met opgeheven hoofd en twee brandende rode vlekken op zijn wangen terug door de volle rechtszaal. Morgen zou hij terugkomen en de rest van de hoorzitting bijwonen. Maar nu verlangde hij naar een sigaret en een uurtje rust. Hij wilde net de trap afrennen toen hij Clough zijn naam hoorde roepen. Hij draaide zich half om. 'Niet nu, Tommy. We zien elkaar in de Baker's zodra die opengaat.' De trapstijl als een spil gebruikend, ging hij met een zwaai de trap af en haastte zich het gebouw uit.

Binnen veertig minuten liep hij hijgend over de afgeronde top van Mam Tor, hoog op de kam waar kalksteen en gruis elkaar ontmoeten, de White Peak rechts, de Dark Peak links van hem. De wind sloeg de adem uit zijn mond, en de temperatuur zakte nog sneller dan de zon. George wierp zijn hoofd achterover en brulde zijn opgekropte frustratie tegen de voortjagende wolken en de onverschillige schapen.

Hij draaide zich om naar de massa van Kinder Scout, waarvan het eigenzinnige heidelandschap elk uitzicht naar het noorden belemmerde. Hij zwaaide negentig graden rond en tuurde langs de kam naar Hollins Cross, Lose Hill Pike en de verre verhoging van Win Hill, met Stanage Edge en Sheffield onzichtbaar daarachter. Toen weer een draai van negentig graden om een blik te werpen op het witte litteken van Winnats Pass en de hellingen en inzinkingen van de kalksteendalen daarachter. Ten slotte keek hij naar het oosten, naar de golving van Rushup Edge en de zachte afdaling naar Chapel-en-le-Frith. Daar ergens lag Alison Carter, haar lichaam ten prooi aan de natuur, haar leven gedoofd.

Hij had gedaan wat hij kon. Nu was het aan anderen om het over te nemen. Hij moest leren loslaten.

Later vond hij Clough met de resten van een glas bier aan een rustig tafeltje in de hoek van de Baker's Arms. De mensen daar wisten genoeg om hen met rust te laten, en de eigenaar had al drie verslaggevers bediening geweigerd, onder wie Don Smart, die gedreigd had een klacht in te dienen tijdens de volgende zitting van de vergunningenraad. De eigenaar had gegrinnikt en gezegd: 'Ze zouden me een medaille geven. Jij bent hier zo weer weg – wij moeten hier leven.'

George haalde een vers glas voor Clough en een voor zichzelf en ging zitten. 'Ik had wat frisse lucht nodig,' zei hij. 'Als ik was gebleven, had je me moeten opsluiten op beschuldiging van advocatenmoord.'

'Wat een gezeik,' zei Clough met een gebaar alsof hij op de vloer spuugde.

'Hij zou natuurlijk zeggen dat hij alleen maar zijn werk deed.' George nam een flinke slok van zijn bier. 'Ah, dat is beter. Ik ben op Mam Tor geweest om uit te waaien. Maar we weten nu in elk geval waar de verdediging heen wil. Het is een samenzwering van mij om Philip Hawkin erin te luizen en zo mijn toekomstige promoties veilig te stellen.'

'De rechters zullen daar niet in trappen.'

'Een jury misschien wel,' zei George bitter.

'Waarom zouden ze? Jij komt over als een fatsoenlijke vent. Je hoeft alleen maar naar Hawkin te kijken of de alarmbellen gaan rinkelen. Hij is zo iemand die onweerstaanbaar is voor vrouwen en onuitstaanbaar voor mannen. Tenzij Highsmith een jury weet te versieren die helemaal uit vrouwen bestaat, kan hij die verdediging wel vergeten.'

'Ik hoop dat je gelijk hebt. Maar goed, vrolijk me een beetje op. Vertel me wat ik heb gemist.'

Clough grinnikte. 'Je hebt Charlie Lomas gemist. Hij was heel netjes, dat moet ik hem nageven. Hij slaagde erin een pak te dragen zonder eruit te zien alsof hij in een dwangbuis zat. Zo nerveus als een kat in een hondenhok, maar de jongen hield voet bij stuk, dat moet ik toegeven. Stanley heeft de verdachtmakerijen van Highsmith goed onderuitgehaald. Hij liet Charlie praten over de loodmijn en hoe een buitenstaander als jij die nooit had kunnen vinden, zelfs met het boek niet. Hij liet Charlie ook uitleggen dat Hawkin weliswaar een nieuwkomer is in het dal, maar voor zijn ansichtkaarten heel wat aan verkenning heeft gedaan.'

George zuchtte opgelucht. 'Hoe deed hij het met Highsmith?'

'Hij hield gewoon voet bij stuk. Hij liet zich niet van zijn verhaal afbrengen. Ja, hij was er zeker van dat hij Hawkin op woensdag in de velden had zien lopen. Nee, het was niet dinsdag geweest. En ook niet maandag. Hij was zo vast als een huis, die Charlie. Hij maakte een goede indruk op de rechters, dat kon je zien.'

'God zij geloofd dat iemand dat deed.'

'Hou op met medelijden met jezelf hebben, George. Je hebt het uitstekend gedaan. Highsmith probeerde je eruit te laten zien alsof je corrupt bent, maar dat is hem niet gelukt. Als je nagaat hoe weinig hard bewijs we hebben, zou ik zeggen dat we het goed doen. Zo, wil je nu het goede nieuws?'

Het hoofd van George schoot omhoog alsof het aan een touwtje zat. 'Is er goed nieuws?' vroeg hij.

Clough grijnsde. 'O ja, ik denk dat je dat wel kunt zeggen.' Hij nam de tijd om zijn sigaretten te voorschijn te halen en op te steken. 'Ik heb nog een praatje gemaakt met de brigadier in St. Albans.'

'Wells is komen opdagen?' George kon zich nauwelijks inhouden.

'Nog niet, nee.'

George zakte zuchtend achterover. 'Dat is het nieuws waarop ik zit te wachten,' gaf hij toe,

'Nou, dit is ook niet zo slecht. Onze brigadier blijkt Hawkin te kennen. Hij heeft niets willen zeggen voordat hij met een of twee andere mensen had gepraat en hun toestemming had gekregen om met mij te praten.' Clough leegde zijn glas. 'Hetzelfde?'

George knikte in geamuseerde frustratie. 'O, toe dan maar. Ik weet dat je ervan geniet om het te rekken. Dan kun je net zo goed betalen voor je plezier.'

Tegen de tijd dat Clough terugkwam, had George een halve sigaret opgerookt met de nerveuze concentratie van een man die op het punt staat een lange reis te gaan maken in een rijtuig voor niet-rokers. 'Kom op,' drong hij aan, terwijl hij vooroverleunde en zijn glas naar zich toe schoof. 'Vertel het me.'

'De vrouw van brigadier Stillman is een van de leidsters bij de plaatselijke padvindersgroep. Hawkin bood aan hun officiële fotograaf te zijn. Hij zou foto's maken tijdens optochten, kampeertochten, dat soort dingen, en de foto's dan voor een zacht prijsje verkopen aan de padvindsters en hun families. In ruil daarvoor wilde hij dan portretfoto's maken van de meisjes voor zijn eigen portfolio. Het leek allemaal heel betrouwbaar. Het was niet alsof Hawkin een vreemde was. Zijn moeder en hij waren allebei lid van de kerk waar de padvinders ook bijhoren. En hij had er geen enkel bezwaar tegen als de moeders van de meisjes meekwamen wanneer hij foto's van ze maakte.' Clough zweeg en trok zijn wenkbrauwen op.

'Wat is er misgegaan?' vroeg George, zoals van hem werd verwacht.

'De tijd verstreek. Hawkin sloot vriendschap met een paar van de oudere meisjes en begon fotosessies op te zetten zonder hun moeders. Er waren een paar... incidenten. De eerste keer ontkende hij alles en zei dat het meisje loog om aandacht te trekken. De tweede keer hetzelfde, alleen zei hij die keer dat het meisje wraak nam omdat Hawkin niet meer geïnteresseerd was in foto's van haar. Hij zei dat ze wist dat er zoveel te doen was geweest over de beschuldiging van het eerste meisje en gedreigd had hetzelfde te zeggen als hij haar geen geld gaf voor snoep en haar niet meer zou fotograferen. Omdat niemand moeilijkheden wilde en er geen echte bewijzen waren, heeft brigadier Stillman met Hawkin gepraat en hem gezegd dat hij beter uit de buurt van jonge meisjes kon blijven om elk risico op misverstanden te vermijden.'

George floot zachtjes. 'Kijk eens aan. Ik dacht wel dat er ergens iets te vinden moest zijn. Kinderlokkers beginnen niet zomaar ineens op Hawkins leeftijd. Goed gedaan, Tommy. We weten nu in elk geval dat we ons niet zomaar hebben laten meeslepen door een of ander belachelijk idee. Hawkin is precies wat we dachten dat hij is.'

Clough knikte. 'Het enige probleem is dat we het niet voor de rechtbank kunnen gebruiken. Wat Stillman te zeggen heeft is uit de tweede hand.'

'Hoe zit het met de meisjes?'

Clough snoof. 'Stillman wil me hun namen niet eens vertellen. De belangrijkste reden waarom het nooit tot een formele aanklacht is gekomen, is dat de moeders hun dochters absoluut de pijnlijke ervaring van een rechtszaak wilden besparen. Als ze er al niet aan wilden toen het om onzedelijk gedrag ging, kun je het wel vergeten om ze over te halen nu het om een moord gaat als deze die voortdurend de voorpagina's haalt.'

George knikte treurig maar begrijpend. Hij kon het niet oneens zijn met mensen die hun kinderen wilden beschermen, ook al was de schade al aangericht. Maar nu hij zelf op het punt stond vader te worden, kon hij zich voor het eerst van zijn leven voorstellen dat mensen burgerwachten vormden. Hij begreep niet hoe het mogelijk was dat Hawkin nog vrij had rondgelopen. Als politieman had Stillman over genoeg middelen beschikt om de man te beschadigen, zowel fysiek als sociaal. Maar hij had dat niet gedaan. Hij was zelfs onwillig geweest om het verhaal aan Clough te vertellen. 'Ze doen de dingen daar duidelijk anders,' zei hij mat. 'Als ik, als politieman, wist dat een of andere smeerlap het kind van een vriend van mij had lastig gevallen, had ik het er niet bij kunnen laten zitten. Ik zou een manier hebben gevonden om hem te laten boeten. Via de wet of...'

'Ik dacht dat je niet geloofde in de duistere gangen van de gerechtigheid,' zei Clough spottend.

'Het is anders als het om kinderen gaat, vind je niet?'

Het was de grote, niet te beantwoorden vraag. Terwijl ze de rest van hun bier dronken, zaten ze er zwijgend over na te denken. Toen George terugkwam met het derde rondje, leek hij wat opgewekter. 'We hebben nog steeds genoeg, ook zonder het materiaal uit St. Albans.'

'Ik denk dat Stillman zich schuldig voelt omdat hij niet steviger is opgetreden,' zei Clough.

'Mooi zo. Dat is terecht. Misschien let hij nu nog beter op de terugkeer van de familie Wells.'

'Ik hoop het, George. Zelfs als we onze verlenging van voorarrest krijgen, zijn we er nog lang niet.'

Daily News, vrijdag 28 februari 1964, p. 1

Alison: stiefvader berecht voor moord

De stiefvader van het vermiste meisje Alison Carter zal terecht moeten staan voor moord, ook al is het lichaam van het 13-jarige meisje niet gevonden.

Na een dramatische hoorzitting heeft de rechtbank van Buxton gisteren besloten dat Philip Hawkin op beschuldiging van moord en verkrachting terecht zal moeten staan voor het gerechtshof van Derby.

Alison is niet meer gezien sinds ze op 11 december vorig jaar verdween uit het afgelegen dorp Scardale in Derbyshire.

Tijdens de hoorzitting, die vier dagen duurde, heeft haar moeder, die ruim een jaar geleden met Hawkin is getrouwd, tegen hem getuigd. Het was mevrouw Carter (zoals ze nu genoemd wil worden) die het wapen vond dat volgens de openbare aanklager, mr. Desmond Stanley, is gebruikt om haar dochter te vermoorden.

Gisteren hoorde de rechtbank van professor John Hammond dat het ontbreken van bloed op de vermoedelijke plaats van het misdrijf

niet hoeft te betekenen dat er geen moord heeft plaatsgevonden.
Hij getuigde ook dat bloed dat gevonden is op een sterk besmeurd overhemd en geïdentificeerd is als behorend tot Hawkin, afkomstig kan zijn van Alison. *(vervolg op p. 2)*

Het proces

1

High Peak Courant, vrijdag 12 juni 1964

High Peak-moordproces volgende week

Het proces tegen landeigenaar Philip Hawkin van Scardale begint op maandag voor de rechtbank van Derby.
Hawkin wordt ervan beschuldigd zijn stiefdochter Alison Carter te hebben verkracht en vermoord. Tijdens de hoorzitting voor inbeschuldigingstelling, in februari gehouden voor de rechtbank van Buxton, was zijn vrouw onder de getuigen à charge.
Alison is niet meer gezien sinds ze op 11 december vorig jaar na schooltijd het huis verliet om haar hond Shep uit te laten.
De rechtszitting zal geleid worden door rechter Fletcher Sampson.

Het trompetgeschal leek in de lucht te hangen als het schijnsel van een regenboog. Rechter Fletcher Sampson was in al zijn scharlakenrode en hermelijnen glorie met zijn bereden politie-escorte bij het met eiken panelen beklede provinciehuis gearriveerd. George Bennett zat in een wachtkamer bij een open raam een sigaret te roken. Hij stelde zich voor hoe de rechter in een indrukwekkende stoet naar de rechtszaal zou schrijden om daar de hem toekomende plaats in te nemen op het rechtersgestoelte onder het koninklijk wapen. Aan zijn zijde zou, op deze eerste dag van de rechtszitting, de sheriff van Derbyshire plaatsnemen, in vol galatenue.

Ze zouden inmiddels, dacht hij, in de rechtszaal zijn en vanaf het gestoelte neerkijken op de raadslieden, die, gekleed in hun grijze pruiken en zwarte toga's, hun witte beffen en frontjes, voor hen zouden zitten als vreemde kruisingen van bonte kraaien en eksters. Achter de advocaten, hun juridische en administratieve assistenten. Achter hen, de bewerkte maar stevige beklaagdenbank waar, geflankeerd door twee politieagenten, Hawkin zou zitten, in het niet verzonken door het houtwerk en stevig op zijn plaats gehouden door een rij ijzeren staken die het hout bekroonden. Achter Hawkin de persbanken met hun verzameling van gretige jonge mensen, die niets liever wilden dan zich onderscheiden, en oude broodschrijvers die het gevoel wilden hebben dat ze het allemaal wel gezien en gehoord hadden. Onder hen zou het vosachtige haar van Don Smart eruitspringen als een rode gloed. Boven en achter de journalisten, de publieke tribune vol van bezorgde gezichten uit Scardale en de nieuwsgierige ogen van de anderen.

En aan de zijkant, vlak achter de getuigenbank, zouden spoedig de belangrijkste mensen plaatsnemen. De jury. Twaalf mannen en vrouwen die het lot van Philip Hawkin in handen zouden hebben. George probeerde niet te denken aan de mogelijkheid dat ze de zaak waaraan hij samen met de advocaten zo hard had gewerkt zouden verwerpen, maar hij kon niets doen tegen de knagende angst die hem overviel wanneer hij 's nachts de slaap waar hij zo naar verlangde niet kon vatten. Hij zuchtte en gooide de peuk op de straat onder hem. Hij vroeg zich af waar Tommy Clough was. Ze hadden afgesproken elkaar om acht uur op het politiebureau te ontmoeten, maar toen George daar gearriveerd was, had Bob Lucas hem verteld dat Clough een boodschap had achtergelaten dat hij hem in het gerechtsgebouw zou zien. 'Misschien zit hij achter een of ander vrouwtje in Derby aan,' had Lucas met een knipoog gezegd, 'om te proberen het proces uit zijn hoofd te zetten.'

George stak weer een sigaret op en leunde op de vensterbank. Nu zou de griffier al degenen oproepen die een aangelegenheid hadden voor de magistraten van Hare Majesteits *Oyer and Terminer and General Gaol Delivery* vallend onder de jurisdictie van het gerechtshof om naderbij te komen en aandachtig te luisteren. *God Save the Queen.* Hij herinnerde zich hoe hij die indrukwekkende, vreemde terminologie had opgezocht in de eerste dagen van zijn rechtenstudie. De commissie *Oyer and Terminer* was een oude formule die letterlijk betekende 'horen en bepalen'. Het was oorspronkelijk het koninklijke exploot dat de rechters en advocaten de bevoegdheid gaf tot het uitspreken van een vonnis in zaken van verraad en misdrijven. In 1964 was het een archaïsche frase geworden voor de bevoegdheden gegeven aan rondtrekkende rechters tot het houden van rechtszittingen. Onder *General Gaol Delivery* waren de in bewaring nemende autoriteiten verplicht alle personen over te dragen aan de rechter die op berechting wachtten en van wie de namen vermeld stonden op de rol.

In de praktijk zou dat vandaag alleen van toepassing zijn op Philip Hawkin. Omdat het de enige moordzaak voor de rechtbank was, zou zijn zaak als eerste aan de orde komen.

Twee dagen eerder had George een laatste poging gedaan om Hawkin over te halen tot een bekentenis. Hij had hem bezocht binnen de grimmige hoge muren van de gevangenis, waar ze tegenover elkaar hadden gezeten in een kleine verhoorkamer die niet aantrekkelijker was dan de cellen zelf. George zag tot zijn genoegen dat Hawkin magerder was geworden. Het principe dat een man als onschuldig werd beschouwd tot zijn schuld bewezen was, hield nooit lang stand binnen de gevangenis. George wist dat Hawkin achter de tralies al een koekje van eigen deeg had ontvangen. Gevangenbewaarders kwamen niet snel tussenbeide wanneer een verkrachter te pakken werd genomen. En ze zorgden altijd dat de andere gevangenen precies wisten wie de kinderlokkers waren. Hoewel zijn beschaafde kant hier bezwaar tegen had, stond de aanstaande vader in George hier met volledige sympathie tegenover.

Ze hadden elkaar over de smalle tafel heen aangekeken. 'Heb je wat sigaretten meegebracht?' vroeg Hawkin.

Zwijgend legde George een open pakje Gold Leaf tussen hen in. Hawkin pakte er begerig een uit en George gaf hem vuur. Hawkin inhaleerde de rook en zijn hele lichaam ontspande zich. Hij streek met zijn hand over zijn haar en zei: 'Ik ben hier over een paar dagen uit. Dat weet je, hè? Mijn verdediging zal de hele wereld laten weten hoe corrupt jullie zijn. Je weet dat ik Alison niet heb vermoord en ik zal zorgen dat jullie je woorden zullen moeten inslikken, een voor een.'

George schudde zijn hoofd; hij had bijna bewondering voor de openlijke brutaliteit van de man. 'Je brult maar wat, Hawkin,' zei hij, bewust neerbuigend. 'Hoe hard je ook je best doet iedereen iets anders wijs te maken, ik ben een eerlijke politieman. Je weet net zo goed als ik dat niemand je erin heeft geluisd. Dat hoefde ook niet, want jij hebt Alison vermoord en wij hebben je gepakt.'

'Ik heb haar niet vermoord,' zei hij, met een stem die net zo intens was als de blik in zijn ogen. 'Je hebt me hier opgesloten, en degene die Alison heeft meegenomen, loopt vrij rond en lacht je uit.'

George schudde zijn hoofd. 'Het lukt je niet, Hawkin. Je bent een geweldige toneelspeler, maar de bewijzen stapelen zich tegen je op.' Hij nam een sigaret uit het pakje en stak deze nonchalant op. 'Maar goed,' vervolgde hij, 'je kunt nog steeds kiezen.'

Hawkin zei niets, maar hield zijn hoofd scheef en zijn lippen vormden een smalle, strakke lijn.

'Je kunt kiezen tussen levenslang krijgen, met de kans over een jaar of twintig de buitenwereld weer te zien, en hangen. Het ligt aan jou.

Het is niet te laat om je verweer te veranderen. Je bekent schuld en je leeft. Je laat ons ervoor werken en je hangt. Bij de nek. Tot je helemaal dood bent.'

Honend zei Hawkin: 'Mij hangen ze niet. Zelfs als ik schuldig word bevonden, is er geen rechter in het land die het aandurft mij naar de galg te sturen. Niet op het bewijs dat jullie hebben.'

George trok zijn wenkbrauwen op en leunde achterover. 'Dacht je van niet? Als het voor een jury goed genoeg is om je te veroordelen, is het voor een rechter goed genoeg om je te hangen. Vooral voor een stijfkop als Fletcher Sampson. Hij is niet bang van de jammerende liberalen.' Opeens kwam hij met een ruk naar voren, legde zijn onderarmen op de tafel en keek Hawkin recht in zijn ogen. 'Doe jezelf een plezier. Vertel ons waar we haar kunnen vinden. Geef haar moeder wat gemoedsrust. Het zal een goede indruk maken op de rechter. Het zal als verzachtende omstandigheid gelden en je kunt er in tien jaar uit zijn.'

Hawkin schudde gefrustreerd zijn hoofd. 'Je hoort me blijkbaar niet, George,' zei hij. 'Ik weet niet waar ze is.'

George stond op en stopte het pakje sigaretten in zijn zak. 'Zoals je wilt, Hawkin. Mij maakt het niet uit. Ik krijg mijn promotie wel, of jij nou bekent of niet. Want we gaan winnen.'

Nu, terwijl hij naar de mensen keek op de straat beneden hem, die met hun eigen zaken bezig waren en zich niet bewust waren van het drama dat zich in de rechtszaal ontvouwde, wenste hij dat hij zich net zo zelfverzekerd voelde als hij hoopte dat hij geklonken had. Hij wendde zich af van het raam en liet zich op een stoel zakken. De beschuldigingen zouden nu voorgelezen zijn en Hawkin had ongetwijfeld 'onschuldig' geantwoord, twee keer.

Stanley zou wachten tot de juryleden goed gezeten waren en dan met zijn openingsbetoog als aanklager komen. Dat was, dacht George, het meest cruciale moment van elk proces. Hij was ervan overtuigd dat mensen het meest onder de indruk waren van wat ze aan het begin van een proces hoorden, wanneer ze nog fris waren en het meest openstonden voor overreding. Als de aanklager een openingsbetoog hield dat zeer overtuigend was, en datgene wat hij wilde bewijzen bracht alsof het al een aantoonbaar en onweerlegbaar feit was, had de verdediging een steile berg te beklimmen. George had er alle vertrouwen in dat Stanley nu juist dat kon doen. Hij verwachtte zelf pas op de tweede dag van het proces te moeten getuigen, maar hij kon niet wegblijven.

Hij wilde alleen dat Clough kwam opdagen. Dan had hij tenminste iemand om zijn rusteloosheid mee te delen.

Desmond Stanley kwam overeind. 'Edelachtbare, ik treed in deze zaak op voor de officier van justitie. Philip Hawkin is beschuldigd van de verkrachting van Alison Carter, dertien jaar. Verder wordt hij ervan beschuldigd bij een andere gelegenheid, op of rond de elfde december 1963 voornoemde Alison Carter te hebben vermoord.'

Hij zweeg een ogenblik om de ernst van de tenlasteleggingen te laten doordringen. De rechtszaal was stil; het was alsof iedereen was opgehouden met ademhalen om Stanley's welluidende stem beter te kunnen horen.

'Dames en heren van de jury, Philip Hawkin heeft zich in de zomer van 1962, na de dood van zijn oom, in Scardale gevestigd. Hij erfde een aanzienlijk landgoed: het hele dal, bestaande uit vruchtbaar akkerland, een grote veestapel in de vorm van schapen en runderen, Scardale Manor zelf en acht huisjes die het gehucht Scardale vormen. Iedereen die in Scardale leeft en werkt, doet dat slechts met zijn goedkeuring, en u zult dit in overweging moeten nemen wanneer u luistert naar de getuigenverklaringen van de mensen die zijn pachters zijn. Uit het feit dat deze mensen bereid zijn als getuige tegen hem op te treden, blijkt prijzenswaardige moed en het ontbreken van eigenbelang.

Niet lang nadat hij in Scardale was komen wonen, begon Philip Hawkin belangstelling te tonen voor een van de vrouwen uit het dorp, Ruth Carter. Mevrouw Carter was zes jaar tevoren weduwe geworden en had een dochter, Alison, uit dat huwelijk. Alison was toen twaalf jaar. U moet zich, terwijl wij onze bewijslast naar voren brengen, afvragen of Hawkins eerste interesse op de moeder of op de dochter was gericht. Het is mogelijk dat hij eventuele argwaan ten aanzien van zijn perverse belangstelling voor de dochter probeerde af te leiden door met de moeder te trouwen. Als Alison haar kweller had beschuldigd, wie zou zo'n verhaal dan hebben geloofd van de dochter van zijn nieuwe bruid? Men zou ongetwijfeld hebben gezegd dat ze slechts handelde uit antipathie jegens haar stiefvader of uit jaloezie wegens de aandacht die hij van haar moeder kreeg. Maar wat zijn motief ook was, de beklaagde achtervolgde mevrouw Carter meedogenloos tot ze er uiteindelijk in toestemde met hem te trouwen.

Wij stellen dat Hawkin op een zeker moment na voltrekking van het huwelijk zijn stiefdochter seksueel begon te misbruiken. U zult fotografisch bewijsmateriaal zien van een bijzonder afschuwwekkende aard dat niet alleen het seksueel misbruik van zijn stiefdochter aantoont, maar ook zonder ook maar een greintje twijfel bewijst dat Philip Hawkin schuldig is aan verkrachting van Alison Carter op de meest berekenende en weerzinwekkende manier.

Het Openbaar Ministerie zal aantonen dat Alison in nog ander opzicht slachtoffer is geworden van een man die de zorgplicht had van een vader. We zullen misschien nooit weten waarom Philip Hawkin besloot haar voor altijd het zwijgen op te leggen. Misschien heeft ze gedreigd zijn beestachtige praktijken aan haar moeder te onthullen of aan iemand met een zekere bevoegdheid; misschien heeft ze geweigerd nog langer mee te werken aan zijn verachtelijke eisen; misschien vond hij haar gewoon niet aantrekkelijk meer en wilde hij zich van haar ontdoen om vrij te zijn een ander kind te misbruiken. Zoals ik al zei, we zullen het misschien nooit weten. Maar wat we willen bewijzen is dat Philip Hawkin, wat zijn motief ook geweest mag zijn, Alison Carter onder bedreiging van een vuurwapen heeft ontvoerd, voor de laatste keer seksueel heeft misbruikt en toen heeft vermoord.

Op de middag van 11 december vorig jaar verliet Alison Carter na schooltijd haar ouderlijk huis om een wandeling te maken met haar hond, Shep. Wij stellen dat Philip Hawkin haar heeft gevolgd naar een naburig bos, waar hij haar dwong met hem mee te gaan. Haar hond is daar later gevonden, aan een boom gebonden en zijn snuit dichtgeplakt met hansaplast die identiek is aan een rol die Hawkin de week daarvoor in een plaatselijke winkel had gekocht.

Hij nam haar vervolgens mee naar een eenzame plek, een grot in een in onbruik geraakte mijn waarvan het bestaan onbekend was bij alle andere dalbewoners, op één na. Onderweg, toen ze door een ander stukje bos liepen, wist Alison op de een of andere manier los te komen en vond er een worsteling plaats. Tijdens deze worsteling is ze met haar hoofd tegen een boom geslagen en daarna was Hawkin in staat haar naar de grot te brengen. We zullen u gerechtelijk bewijsmateriaal tonen om dit te ondersteunen.

Toen haar stiefvader er eenmaal in geslaagd was haar naar die geïsoleerde plek te brengen, veilig voor nieuwsgierige ogen en oren, verkrachtte hij haar nogmaals op gewelddadige wijze. Toen vermoordde hij haar. Daarna heeft hij het lichaam naar een andere plaats gebracht. Het is weliswaar nooit gevonden, maar dat is niet zo verbazingwekkend want het kalksteen rond Scardale is vol van ondergrondse grotsystemen en gaten. Hij had echter geen tijd om terug te keren en de rest van het bewijsmateriaal op te ruimen, want toen hij op tijd thuiskwam voor het eten was de zoektocht naar zijn stiefdochter al in gang gezet.

We weten dat er schoten zijn afgevuurd in die grot met een wapen dat later bij Philip Hawkin thuis is gevonden, in een afgesloten bijgebouw dat hij als donkere kamer gebruikte. We weten dat een overhemd van Philip Hawkin sterk bevlekt is met bloed dat niet van hem afkomstig is. Er is geen gerechtelijk bewijsmateriaal dat in tegenspraak is met de overtuigende conclusie dat Hawkin Alison Carter heeft vermoord.

Er is een overweldigende bewijslast om de zaak van het Openbaar Ministerie te ondersteunen, wat we in deze rechtszaal zullen demonstreren. Met toestemming van uwe edelachtbare zou ik nu graag mijn eerste getuige oproepen.'

Sampson knikte. 'Gaat u verder, meneer Stanley.'

'Dank u. Ik roep mevrouw Ruth Carter naar de getuigenbank.'

Nu werd de stilte in de rechtszaal verstoord door een geroezemoes van gemompelde opmerkingen. Het enige eiland van stilte was de groep inwoners van Scardale, die daar met uitdrukkingsloze gezichten zat. Elke volwassene die niet als getuige hoefde op te treden, was aanwezig, ongemakkelijk op zijn zondags gekleed en vastbesloten de gerechtigheid te krijgen die ze wilden voor hun Alison.

Strak voor zich uit kijkend, liep Ruth Carter de rechtszaal door. Geen moment bezweek ze voor de verleiding om een blik te werpen op haar man in de beklaagdenbank. Ze droeg een eenvoudig zwart mantelpakje, waarvan de somberheid slechts verlicht werd door de kraag van haar witte bloesje. Ze had een kleine, zwarte handtas bij zich, die ze stevig vasthield tussen haar gehandschoende vingers. Toen ze de getuigenbank bereikte, nam ze zorgvuldig zo plaats dat ze niet per ongeluk een glimp van Hawkin kon opvangen. Met een lage, duidelijke stem legde ze zonder enige hapering de eed af. Stanley depte zijn ogen en keek ernstig naar haar. Hij stelde haar de formele vragen over identiteit en verwantschap en ging toen rechtstreeks naar de kern van zijn ondervraging. 'Herinnert u zich de namiddag van woensdag 11 december vorig jaar?'

'Die zal ik nooit vergeten,' zei ze eenvoudig.

'Kunt u de rechtbank vertellen wat er die dag is gebeurd?'

'Mijn dochter Alison kwam thuis van school en kwam de keuken binnen waar ik bezig was het eten klaar te maken. Ze ging meteen weer naar buiten om met de hond te gaan wandelen. Ze deed dat altijd, tenzij het weer te slecht was. Ze hield ervan om in de open lucht te zijn na een dag in het klaslokaal. De laatste woorden die ze tegen me zei waren: "Tot zo, mam." Ik heb haar sinds die dag niet meer gezien. Ze is nooit teruggekomen.' Ruth keek op naar het rechtersgestoelte. 'Sinds dat moment is mijn leven een hel.'

Voorzichtig leidde Stanley Ruth door de gebeurtenissen van die avond: haar wanhopige zoektocht langs alle huizen van het dorp, haar emotionele telefoontje naar de politie en de komst van de politie naar het grote huis. 'Hoe was de houding van uw echtgenoot ten aanzien van de verdwijning van Alison?'

Haar mond verstrakte. 'Hij nam het allemaal heel licht op. Hij bleef maar zeggen dat ze het met opzet deed om ons aan het schrikken te maken, zodat we zo blij zouden zijn als ze thuiskwam dat we haar haar zin zouden geven.'

'Was hij het ermee eens dat u de politie belde?'

'Nee, hij was ertegen. Hij zei dat het niet nodig was. Hij zei dat haar in Scardale niets kon overkomen omdat ze elke centimeter van de grond kende en iedereen die er woonde.' Haar stem beefde en ze haalde een kleine witte zakdoek uit de zwarte handtas. Stanley wachtte terwijl ze haar ogen bette en haar neus snoot.

'Stoorde uw man zich aan uw toewijding aan uw dochter?' vroeg Stanley. 'Ik bedoel, in het algemeen.'

'Ik heb dat nooit gedacht. Ik vond dat hij haar verwende. Hij kocht altijd dingen voor haar. Hij had een dure platenspeler voor haar gekocht en ging elke week naar Buxton om nieuwe platen voor haar te halen. Hij heeft een fortuin besteed aan het opknappen van haar slaapkamer, meer dan hij ooit aan onze kamer heeft gespendeerd. Hij zei altijd dat ze dingen had gemist en dat hij dat goed wilde maken, en ik was dom genoeg om hem te geloven.'

Stanley liet haar woorden een ogenblik doordringen. 'Wat denkt u nu?' vroeg hij.

'Ik denk dat hij haar zwijgen kocht. Ik had beter moeten opletten hoe ze met hem was.'

'En hoe was dat?'

Ruth zuchtte en sloeg haar ogen neer. 'Ze mocht hem nooit. Nu ik erover nadenk, wilde ze nooit alleen met hem in dezelfde kamer zijn. Ze was humeurig thuis, wat ze nooit eerder was geweest, hoewel iedereen zei dat ze hetzelfde was als altijd zodra ze bij hem en mij uit de buurt was. Ik dacht toen dat het kwam doordat ze vond dat niemand haar vader kon vervangen. Maar ik hield mezelf gewoon voor de gek.' Ze sloeg haar ogen op en keek de rechter met een smekende blik aan. 'Toen ik met hem trouwde dacht ik dat ik deed wat voor haar en voor mij het beste was. Ik dacht dat ze wel zou bijdraaien.'

'Wist u dat uw man foto's van Alison maakte?'

'O ja,' zei ze bitter. 'Ze moest altijd voor hem poseren. Maar hij was slim. Negen van de tien keer was het allemaal heel onschuldig en in het openbaar, niets aan de hand. Alison met de kalveren; Alison bij de rivier. Dus heb ik me nooit iets afgevraagd bij de andere keren, als hij haar meenam naar een van de stallen of zei dat hij een sessie met haar had terwijl ik boodschappen deed.' Ze bracht een hand naar haar wang, alsof ze ontzet was over wat ze zei. 'Ze probeerde me te vertellen wat er aan de hand was, maar ik hoorde alleen de woorden, niet wat eronder lag. Ze heeft een paar keer gezegd dat ze die fotosessies vreselijk vond. Dat ze niet voor hem wilde poseren. Maar ik zei tegen haar dat ze niet zo raar moest doen, dat het zijn hobby was en dat het iets was wat ze samen konden doen.'

Haar woorden vielen als bakstenen neer in de rechtszaal. Gedurende haar verklaring zat Hawkin voortdurend met zijn hoofd te schudden, alsof hij stomverbaasd was dat ze zulke dingen over hem kon zeggen.

'Iets anders, mevrouw Carter. Heeft uw man ooit een vuurwapen bezeten?'

Ze knikte. 'O ja. Hij heeft het me laten zien toen we getrouwd waren. Hij zei dat het een oorlogsaandenken van zijn vader was, maar dat het niet geregistreerd was en dat ik het daarom aan niemand mocht vertellen.'

'Is u er iets aan opgevallen?'

'De handgreep was helemaal gekrast. Maar aan de onderkant was er aan de zijkant een stukje uit.'

Stanley maakte een aantekening en ging toen door. 'Waar bewaarde hij het wapen?'

'In zijn studeerkamer, in een afgesloten metalen kistje.'

'Hebt u dat kistje kortgeleden gezien?'

'De politie heeft het gevonden toen ze zijn studeerkamer doorzochten op de dag dat ze hem gearresteerd hebben. Maar het was leeg.'

'Kan mevrouw Carter bewijsstuk...' Stanley schoof wat met zijn papieren. 'Bewijsstuk veertien worden getoond?'

De bode overhandigde Ruth de Webley, waaraan een etiket was bevestigd. 'Dat is hem,' zei ze. 'Aan de onderkant is een stukje uit de handgreep, zoals ik zei.'

Hawkin fronste zijn wenkbrauwen en wierp een blik naar zijn advocaat, Rupert Highsmith, die bijna onwaarneembaar zijn hoofd schudde.

Stanley ging verder met de vondst van het overhemd en de revolver in Hawkins donkere kamer, waarbij hij Ruth met hoffelijkheid en geduld door de pijnlijke verklaring heen leidde. Ten slotte leek hij aan het eind van zijn vragen te zijn gekomen. Maar terwijl hij al naar zijn stoel liep, stond hij stil, alsof hem plotseling iets was ingevallen. 'Nog één ding, mevrouw Carter. Hebt u uw man ooit gevraagd hansaplast voor u te kopen?'

Ruth keek hem aan alsof hij zijn verstand had verloren. 'Hansa-

plast? Als we hansaplast nodig hebben koop ik het bij de wagen.'
'De wagen?'
'De winkelwagen, die één keer per week in het dorp komt. Ik heb hém nooit gevraagd hansaplast te kopen.'
'Dank u, mevrouw Carter. Ik heb geen vragen meer, maar u moet wachten want misschien wil mijn hooggeachte confrater u nog iets vragen.' Hij ging zitten.
Intussen had de klok van het gemeentehuis allang twaalf uur geslagen. Sampson ging achteroverzitten en zei: 'We schorsen nu. De zitting wordt om twee uur hervat.'
Voordat de deur achter de rechter dichtging, werd Hawkin de rechtszaal al uitgebracht. Hij wierp een blik over zijn schouder naar zijn vrouw, en zijn masker van onverstoorbaarheid maakte eindelijk plaats voor de bittere haat die erachter lag. Highsmith zag die blik en zuchtte. Hij wenste dat er een andere manier was om zijn talenten ten volle tot uitdrukking te laten komen, maar helaas was er niets veeleisender of boeiender dan iemand verdedigen van wie hij diep vanbinnen wist dat hij schuldig was. Hij kreeg vaak de vraag hoe het was om te weten dat hij moordenaars had geholpen om hun straf te ontlopen. Hij glimlachte dan en zei dat het een vergissing was om de wet te verwarren met moraliteit. De bewijslast lag tenslotte bij de aanklager, niet bij de advocaat voor de verdediging.
Na de lunch deed hij zijn best om zoveel mogelijk schade te berokkenen aan de zaak van de openbare aanklager. Hij deed absoluut niet alsof hij vriendelijk wilde zijn tegen Ruth. Met een streng gezicht ging hij regelrecht naar de kern van de zaak. 'U bent eerder getrouwd geweest, mevrouw Hawkin?' De aanklager mocht er dan voor kiezen haar relatie met de man in de beklaagdenbank te verhullen, maar hij zou deze als een wapen tegen haar gebruiken.
Ruth fronste haar voorhoofd. 'Ik gebruik de naam Hawkin niet meer,' zei ze koel, maar niet op uitdagende toon.
Highsmith trok zijn wenkbrauwen op en wendde zijn hoofd in de richting van de jury. 'Maar het is uw wettige naam, nietwaar? U bent toch de vrouw van Philip Hawkin?'
'Tot mijn schande, ja,' antwoordde Ruth. 'Maar ik word daar liever niet aan herinnerd en zou het zeer op prijs stellen als u mij mevrouw Carter zou willen noemen.'
Highsmith knikte. 'Dank u dat u zo duidelijk maakt waar u precies staat, mevrouw *Carter*,' zei hij. 'Misschien wilt u nu zo goed zijn mijn vraag te beantwoorden? U bent getrouwd geweest voordat u beloofde de heer Hawkin lief te hebben, te eren en te gehoorzamen?'
'Ik ben weduwe geworden toen Alison zes was.'

'Dus u weet wat ik bedoel wanneer ik van een volledig huwelijksleven spreek?'

Ruth wierp hem een opstandige blik toe. 'Ik ben niet dom en ik ben opgegroeid op een boerderij.'

'Beantwoord de vraag, alstublieft.' Zijn stem was vlijmscherp.

'Ja, ik weet wat u bedoelt.'

'En had u een volledig huwelijksleven met uw eerste man?'

'Ja.'

'Toen trouwde u met Philip Hawkin. En had u een volledig huwelijksleven met de heer Hawkin?'

Ruth keek hem recht aan en er verscheen een donkere gloed op haar wangen. 'Hij wilde wel, maar niet zo vaak als ik gewend was,' zei ze, waarna er een lichte huivering van afkeer door haar heen ging.

'Dus u hebt niets abnormaals opgemerkt in de driften van uw echtgenoot?'

'Zoals ik al zei, hij was niet zo geïnteresseerd vergeleken met mijn eerste man.'

'Die uiteraard veel jonger was dan de heer Hawkin. Hebt u uw man ooit in een compromitterende houding gezien met Alison?'

'Ik weet niet wat u bedoelt.'

Hij was onder de indruk. Ze hield zich veel beter staande dan hij had verwacht. De meeste vrouwen van haar stand lieten zich zo intimideren door zijn knappe, indrukwekkende voorkomen dat ze vrijwel onmiddellijk in elkaar schrompelden en lieten horen wat hij wilde horen. Hij schudde zijn hoofd en glimlachte neerbuigend. 'Natuurlijk weet u dat wel. Bezocht hij haar laat op de avond alleen op haar slaapkamer?'

'Niet dat ik weet.'

'Ging hij de badkamer binnen wanneer zij daar was?'

'Natuurlijk niet.'

'Zat ze weleens op zijn knie?'

'Nee, daar was ze te groot voor.'

'Kortom, mevrouw Carter, u hebt nooit ook maar iets gezien of gehoord wat u wantrouwig maakte ten aanzien van de relatie van uw man met uw dochter.' Het was zo duidelijk meer een opmerking dan een vraag dat Ruth niet eens scheen te overwegen op de stilzwijgende strekking ervan in te gaan. Highsmith wierp een blik op zijn papieren. Hij keek op en hield zijn hoofd scheef.

'Wat het wapen betreft, u hebt de rechtbank verteld dat uw man een revolver had die hij in een kistje in zijn studeerkamer bewaarde. Hebt u iemand anders over dat wapen verteld? Iemand van uw familie, uw vrienden?'

'Hij zei dat ik mijn mond erover moest houden. Dat heb ik dus gedaan.'

'Dus we hebben alleen maar uw verklaring dat het wapen daar ooit is geweest.' Ruth opende haar mond om iets te zeggen, maar hij walste gewoon door. 'En u was het uiteraard die het wapen aan de politie heeft overhandigd, dus had u gelegenheid genoeg om eventueel opvallende kenmerken te onthouden van een verder niet te identificeren wapen. We hebben dus alleen uw verklaring dat er enig verband bestaat tussen uw echtgenoot en dat wapen, nietwaar?'

'Luister eens, ik heb mijn dochter niet verkracht. En ik heb haar ook niet doodgeschoten,' zei Ruth tussen haar tanden door. 'Ik heb dus geen enkele reden om te liegen.'

Highsmith zweeg. Hij liet de grimmige uitdrukking op zijn gezicht overgaan in een openlijk medeleven. 'Maar u wilt iemand de schuld kunnen geven, nietwaar, mevrouw Carter? Meer dan wat ook wilt u geloven dat u weet wat er met uw dochter is gebeurd en wilt u iemand de schuld geven. Daarom bent u zo bereid mee te gaan met de zaak die de politie in elkaar heeft gezet. U wilt gemoedsrust. U wilt een schuldige.'

Stanley stond al op en maakte bezwaar. Maar het was te laat. Highsmith had al gemompeld: 'Verder geen vragen,' en ging zitten. De schade was berokkend.

Sampson keek fronsend op Highsmith neer. 'Meneer Highsmith, ik sta niet toe dat raadslieden de ondervraging van een getuige gebruiken als een excuus om toespraken te houden. U zult uw kans nog krijgen om uw ideeën kenbaar te maken aan de jury. Ik verzoek u zich daartoe te beperken. Meneer Stanley, heb ik gelijk als ik denk dat uw volgende getuige de belangrijkste getuige van de politie is, inspecteur Bennett?'

'Ja, Edelachtbare.'

'Ik denk dat we met zijn getuigenverklaring beter morgen kunnen beginnen. De rechtbank heeft nog civiele zaken af te handelen en ik wil dat graag vandaag doen.'

'Zoals u wenst,' zei Stanley met een korte buiging.

Don Smart, op een van de persbanken, trok met een zwierig gebaar een streep over de bladzijde. Hij had genoeg materiaal voor een goed artikel. En morgen kon hij zien hoe George Bennett de strop aantrok rond de walgelijke nek van Hawkin. De deur was nauwelijks achter de rechter gesloten toen hij opstond en naar de dichtstbijzijnde telefoon liep.

Aan het eind van de middag was Clough nog steeds niet komen opdagen, hoewel een bode een telefonische boodschap van brigadier Lucas had overgebracht. 'Clough is opgehouden,' stond er. 'Hij zegt dat hij u morgen in Derby ziet voordat de rechtszitting begint.' George vroeg zich vluchtig af waar de brigadier mee bezig was. Waarschijnlijk had het iets te maken met een andere zaak, dacht hij. In de weken sinds de arrestatie van Philip Hawkin hadden beide mannen genoeg werk gehad om hen bezig te houden in de tijd die ze niet nodig hadden voor de opbouw van de zaak-Alison Carter.

George kwam uit de wachtkamer toen hij op de overloop geroezemoes hoorde dat hem vertelde dat de rechtszitting voor die dag beëindigd was. Hij zag een glimp van Ruth Carter, omringd door vrienden en verwanten, maar zorgde ervoor niemands blik op te vangen. Nu de rechtszaak was begonnen, was het belangrijk dat getuigen niet met andere betrokkenen spraken voordat ze hun getuigenverklaring hadden afgelegd. In plaats daarvan liep George tegen de stroom van mensen in naar de rechtszaal. Highsmith en zijn assistent waren al weg, maar Stanley en Pritchard zaten nog diep in gesprek, de hoofden bij elkaar gebogen, aan hun tafel.

'Hoe ging het?' vroeg George, terwijl hij op de stoel naast Pritchard ging zitten.

'Desmond was geweldig,' zei Pritchard enthousiast. 'Een fantastisch openingsbetoog. De jury zat als aan de grond genageld. Highsmith wilde tijdens de lunch niet eens met ons praten. Je zou zo onder de indruk zijn geweest, George.'

'Mooi zo,' zei George. 'En hoe was mevrouw Carter?'

De twee advocaten wisselden blikken uit. 'Een beetje emotioneel,' zei Pritchard. 'Ze is een paar keer ingestort in de getuigenbank.' Hij verzamelde de rest van zijn papieren en stopte ze in een map.

'Dat werkt uiteraard in ons voordeel,' kwam Stanley ertussen. 'Niettemin, ik vind het niet prettig om een dame aan het huilen te maken.'

'Ze heeft een zware tijd achter de rug,' zei George. 'Ik kan me niet eens voorstellen hoe je je moet voelen als je weet dat je met een man bent getrouwd die je kind heeft verkracht en vermoord.'

Pritchard knikte. 'Ze houdt zich goed onder de omstandigheden. Ze is een uitstekende getuige. Ze laat zich niet onderuit halen, en juist door haar koppigheid komt Highsmith over als een bullebak, wat de jury helemaal niet bevalt.'

'Waar baseert hij zijn verdediging op? Weten jullie dat?' vroeg George, terwijl hij opstond om Pritchard en Stanley in staat te stellen hun spullen te pakken en de rechtszaal te verlaten om naar de kleedkamer te gaan.

'Ik zou niet weten wat hij op een geloofwaardige manier kan aanvoeren, tenzij hij de jury ervan probeert te overtuigen dat de politie zijn cliënt erin heeft geluisd.'

Stanley knikte. 'En dat zou een grote fout zijn, denk ik. De Britse jury's houden net zomin als het Britse publiek van aanvallen op de politie.' Hij glimlachte. 'Over politiemensen denken ze net zo als over labradors: edel, trouw, goed met kinderen, beschermer en vriend van de mens. Ondanks bewijzen van het tegendeel weigeren ze toe te geven dat politiemensen corrupt, geniepig of onbetrouwbaar kunnen zijn, want dat is hetzelfde als toegeven dat we op de rand van anarchie staan. Dus door jou aan te vallen, zou Highsmith een strategie kiezen die vol risico is.'

'Met geweld kan de kat de kerk ompissen,' zei Pritchard droog. 'Het zal behoorlijk moeilijk voor hem zijn. We mogen dan alleen indirecte bewijzen hebben, maar we hebben zoveel dat Highsmith wel met een goede tegentheorie moet komen om dat te ondermijnen. Het zal niet genoeg zijn om alleen met alternatieve verklaringen te komen voor elk afzonderlijk stukje bewijsmateriaal.'

George voelde zich gerustgesteld door de kalme bekwaamheid van de twee advocaten. 'Ik hoop dat jullie gelijk hebben.'

'We zien je morgen in de getuigenbank,' zei Pritchard. 'Ga naar huis, naar die schat van een vrouw van je, en zorg dat je vannacht goed slaapt, George.'

Hij keek hoe ze door een zijdeur verdwenen en liep toen langzaam de verlaten rechtszaal uit. Het laatste waar hij zin in had, was terugrijden door de weelderig groene Derbyshire-avond. Wat hij wilde, was een rustig café vinden en dronken worden. Maar hij had een vrouw thuis die bijna zeven maanden zwanger was en behoefte had aan zijn kracht, niet zijn zwakte. Met een zucht viste George zijn autosleutels uit zijn zak en liep terug de wereld in.

Het proces

2

Op de tweede dag van het proces tegen Philip Hawkin kwam George de getuigenkamer binnen en vond daar Tommy Clough onderuitgezakt in een stoel, met een flesje citroenlimonade bij zijn voeten, een sigaret in een mondhoek en de *Daily News* uitgespreid op zijn schoot. Hij begroette zijn baas met een knikje en zwaaide met de krant naar hem. 'Ruth Carter lijkt een goede indruk te hebben gemaakt op de jakhalzen. Ik was bang dat ze haar tot zondebok zouden maken. Je kent het wel, "De vrouw die een monster trouwde",' zei Clough spottend theatraal.

'Ik ben verbaasd dat ze haar er zo gemakkelijk vanaf hebben laten komen,' gaf George toe. 'Ik had verwacht dat ze zouden zeggen dat ze geweten moest hebben hoe Hawkin was en wat hij met Alison deed. Net als jij had ik echt gedacht dat ze de schuld bij haar zouden leggen. Maar ik denk dat ze zelf zagen hoe ze eraan toe is. Dat is geen vrouw die een oogje dichtkneep of de dingen die de schoft met haar dochter deed maar liet gebeuren.'

'Ik heb met Pritchard ontbeten in zijn luxehotel,' bekende Clough. 'Hij zei dat ze geen betere getuige had kunnen zijn als ze haar maandenlang hadden geïnstrueerd. Het zal niet meevallen om haar te evenaren, George.'

'Ontbijt met de aanklager, Tommy? Je gaat nu met de fijne meneren om. Waar was je trouwens gisteren?'

Clough ging rechtop zitten, vouwde zijn krant op en gooide hem op de vloer. 'Ik dacht dat je het nooit zou vragen. Zondagavond laat kreeg ik een telefoontje. Herinner je brigadier Stillman?'

'In St. Albans?' George was er plotseling weer helemaal bij en boog zich naar voren als een hond die aan de lijn trekt.

'Die, ja. Hij belde om me te laten weten dat de heer en mevrouw Wells terug waren uit Australië. Twee uur terug, om precies te zijn. Dus ben ik in mijn auto gesprongen en er meteen heengereden. Gisterochtend om acht uur stond ik op hun voordeur te kloppen. Ze waren niet echt blij me te zien, maar ze wisten duidelijk waar ik voor kwam.'

George knikte grimmig en liet zich in een stoel vallen. 'Hawkins moeder.'

'Precies. Zoals we al vermoedden, wist ze dus waar ze zaten. Maar goed, ik speelde de onnozele hals. Ik legde uit dat de beschrijving van de Webley die van hem gestolen is overeenkomt met die van een wapen dat gebruikt is bij het plegen van een misdrijf in Derbyshire. Ik legde het er dik bovenop dat we onder de indruk waren van de nauwkeurigheid van zijn beschrijving en dat het hoogstwaarschijnlijk zijn wapen was.'

George glimlachte. Hij kon zich wel voorstellen hoe Clough de heer Wells subtiel in een hoek had gemanoeuvreerd waaruit hij alleen nog had kunnen ontsnappen met een tunnelgraver. 'Dus toen je hem de foto's liet zien, kon hij natuurlijk niets anders meer doen dan het wapen als dat van hem identificeren?'

Clough grijnsde. 'In één keer geraden. Maar goed, ik moest toen wel vertellen over Hawkin en het proces deze week. Daarop raakte Wells in alle staten. Hij kon niet getuigen tegen een vriend en buurman; we moesten een fout hebben gemaakt, blablabla.'

George stak een sigaret op. 'Wat heb je toen gedaan?'

'Ik was de halve nacht op geweest. Ik was niet in de stemming. Ik heb hem gearresteerd voor belemmering van de rechtsgang.'

George zag er ontsteld uit. 'Je hebt hem gearresteerd?'

'Ja, ik had echt genoeg van hem,' zei Clough overtuigd van zijn eigen gelijk. 'Maar goed, voordat ik hem op zijn rechten had kunnen wijzen, draaide hij al bij. Hij was het ermee eens dat hij moest getuigen; hij was het ermee eens dat hij met me mee moest naar Derby... dus waren we het er samen over eens om maar te vergeten dat ik hem had gearresteerd. Toen gaf hij zijn vrouw een cognacje, want ze zag eruit alsof ze ter plekke zou bezwijmen, pakte zijn jas en zijn hoed en ging als een lammetje met me mee.'

George schudde zijn hoofd in een mengeling van verontwaardiging en bewondering. 'Op een dag, Tommy, op een dag... Dus, waar is hij nu?'

'In een zeer gerieflijke kamer in de Lamb & Flag. Toen we hier gisteren terug waren heb ik een volledige verklaring van hem afgenomen en Stanley wil hem vandaag als eerste in de getuigenbank zetten.' Clough grinnikte.

'Vóór mij?' vroeg George.

'Stanley wil het niet uitstellen. Hij wil het risico niet nemen dat mevrouw Wells de moeder van Hawkin te pakken krijgt en haar waarschuwt dat Wells gaat getuigen. Hij wil proberen Highsmith te verrassen.'

'Maar mevrouw Hawkin is hier voor het proces.'

'Dat is waar, maar ik wil er een dubbeltje om verwedden dat mevrouw Wells wel achter de verblijfplaats van mevrouw Hawkin weet te komen.'

'Highsmith zal bezwaar maken tegen een getuige die tijdens de hoorzitting niet is aangemeld.'

'Dat weet ik, maar Stanley zegt dat de rechter het zal toestaan omdat Wells op dat moment in het buitenland was.' Clough stond op en klopte de as af die op zijn grijze flanellen pak was gevallen. Hij trok zijn stropdas recht en knipoogde tegen George. 'Dus ik denk dat ik maar eens naar de rechtszaal ga om te kijken hoe hij het er vanaf brengt.'

Richard Wells, een gepensioneerde ambtenaar, had de eed al afgelegd toen Clough de rechtszaal binnenglipte. Hij zag er niet uit als het type dat het soort oorlog had meegemaakt waaraan hij een Webley als aandenken had overgehouden, dacht de brigadier. Als er ooit een man was geweest die gemaakt leek te zijn voor een administratieve legerfunctie was het Richard Wells wel. Grijs pak, grijs haar, grijze stropdas. Zelfs zijn snor leek timide en saai tegen de schrikwekkende roodheid van zijn huid, die kennelijk niet echt bestand was geweest tegen de krachtige Australische zon.

Hawkin zat aandachtig voorovergebogen in de beklaagdenbank, met twee verticale lijnen tussen zijn wenkbrauwen. Clough zag met kinderlijk plezier dat hij duidelijk bezorgd was. Stanley werkte de formaliteiten door met Wells en zei toen op een gemoedelijke toon: 'Is er iemand in deze rechtszaal die u eerder hebt gezien?'

Wells knikte in de richting van de beklaagdenbank. 'Philip Hawkin.'

'Hoe kent u de heer Hawkin?'

'Zijn moeder is onze buurvrouw.'

'Kwam hij weleens bij u thuis?'

'Voordat hij verhuisde, kwam hij altijd met zijn moeder mee naar onze bridgeavondjes.' Wells' ogen bleven van de advocaat naar de beklaagde schieten. Ondanks de ontspannen houding van Stanley, voelde hij zich duidelijk niet op zijn gemak in zijn rol.

'U was in het bezit van een revolver, een Webley .38, nietwaar?'

'Inderdaad.'

'Hebt u dat wapen ooit aan de heer Hawkin laten zien?'

Clough volgde de gekwelde blik van Wells naar de publieke tribune, waar hij bleef rusten op de oude moeder van Hawkin. Wells haalde diep adem en mompelde: 'Dat is mogelijk.'

'Denk goed na, meneer Wells.' Stanley's stem was vriendelijk. 'Hebt u de Webley wel of niet aan de heer Hawkin laten zien?'

Wells slikte moeilijk. 'Ja, ik heb hem laten zien.'
'Waar bewaarde u het wapen?'
Wells ontspande zich zichtbaar; zijn opgetrokken schouders zakten licht omlaag. 'In een afgesloten la in het bureau in de zitkamer.'
'En hebt u hem daaruitgehaald toen u hem aan de heer Hawkin liet zien?'
'Dat zal wel.' Elk woord moest eruit getrokken worden.
'Dus de heer Hawkin wist waar het wapen werd bewaard?'
Wells sloeg zijn ogen neer. 'Dat neem ik aan,' mompelde hij.
De rechter boog zich voorover. 'U moet duidelijk spreken, meneer Wells. De jury moet uw antwoorden kunnen horen.'
Stanley glimlachte. 'Dank u, edelachtbare. Dus, meneer Wells, wilt u ons vertellen wat er met het wapen is gebeurd?'
Wells perste zijn lippen een ogenblik hard op elkaar en antwoordde toen met een kleine, gespannen stem: 'Het is gestolen. Bij een inbraak. Net twee jaar geleden. We waren op vakantie.'
'Dat is geen prettige manier om thuis te komen voor u en uw vrouw. Bent u veel kwijtgeraakt?' vroeg Stanley, een en al medeleven.
Wells schudde zijn hoofd. 'Een zilveren tafelklok. Een gouden horloge en de revolver. Ze zijn niet verder geweest dan de zitkamer. Het gouden horloge lag in de la, bij de revolver.'
'U hebt een uitstekende beschrijving van de revolver aan de politie gegeven. Kunt u zich herinneren wat eraan opviel, afgezien van het serienummer?'
Wells schraapte zijn keel en streek zijn snor glad. Zijn ogen gleden in de richting van Hawkin, die zijn voorhoofd nog dieper fronste. 'Er was een stukje uit de onderkant van de handgreep,' zei hij, en zijn woorden tuimelden over elkaar heen.
Stanley wendde zich tot de bode. 'Wilt u zo vriendelijk zijn bewijsstuk veertien aan de heer Wells te tonen?'
De bode pakte de Webley van de tafel met bewijsstukken en bracht hem door de rechtszaal naar Wells. Hij draaide het wapen om, zodat de getuige beide kanten kon zien van de bekraste kolf. 'Neem de tijd,' zei Stanley zacht.
Wells keek weer op naar de publieke tribune. Clough zag het gezicht van mevrouw Hawkin vertrekken toen ze besefte wat hij ging zeggen. 'Het is mijn wapen,' zei hij met een lege, vlakke stem.
'Daar bent u zeker van?'
Wells zuchtte. 'Ja.'
Stanley glimlachte. 'Dank u voor uw komst, meneer Wells. Ik verzoek u nog te blijven zitten, want mijn hooggeachte confrater heeft misschien nog enkele vragen voor u.'

Dit kon interessant worden, dacht Clough. Er was bijna niets wat Highsmith kon vragen zonder een nog dieper gat voor zijn cliënt te graven. Hawkin, die tijdens het laatste deel van de ondervraging vertwijfeld had zitten schrijven, gaf een briefje door aan zijn advocaat, die er een snelle blik op wierp en het doorgaf aan de assistent van Highsmith, die het voor Highsmith zelf neerlegde.

De pleiter was opgestaan, met een gezicht waarvan de scherpe lijnen doorbroken werden door een glimlach. Hij keek even naar het briefje en begon Wells toen op een nog minzamer toon te ondervragen dan Stanley had gedaan. 'Toen er bij u werd ingebroken, was u op vakantie, is dat juist?'

'Ja,' zei Wells vermoeid.

'Had u een sleutel bij een van uw buren achtergelaten?'

Wells hief zijn hoofd op, een glimpje hoop in zijn ogen. 'Mevrouw Hawkin had altijd een sleutel, voor noodgevallen.'

'Mevrouw Hawkin had altijd een sleutel,' herhaalde Highsmith, en zijn ogen gingen de juryleden langs om er zeker van te zijn dat ze begrepen waar hij heen wilde. 'Heeft de politie uw huis na de inbraak op vingerafdrukken onderzocht?'

'Ja, ze hebben gezocht, maar ze zeiden dat de inbreker handschoenen moest hebben gedragen.'

'Hebben ze ooit laten doorschemeren dat ze een idee hadden wie de dader kon zijn?'

'Nee.'

'Hebben ze ooit iets gezegd wat erop wees dat ze de heer Hawkin verdachten?'

Terwijl Wells 'nee' zei, stond Stanley al overeind.

'Edelachtbare,' protesteerde hij, 'mijn hooggeachte confrater manipuleert de getuige niet alleen, maar manipuleert hem zelfs naar informatie uit de tweede hand.'

Sampson knikte. 'Leden van de jury, ik verzoek u de laatste vraag en het antwoord erop te negeren. Meneer Highsmith.'

'Dank u, edelachtbare. Meneer Wells, hebt u de heer Hawkin ooit van de inbraak in uw huis verdacht?'

Wells schudde zijn hoofd. 'Nooit. Waarom zou Phil zoiets doen? We waren vrienden.'

'Dank u, meneer Wells. Ik heb verder geen vragen.'

Uit die hoek waaide de wind dus, dacht Clough bij zichzelf, terwijl hij zachtjes de rechtszaal verliet. Hij glipte voor de bode de getuigenkamer binnen. George sprong overeind met een vragende uitdrukking op zijn gezicht.

'De verdediging heeft geen vragen met betrekking tot de identiteit gesteld – ik denk dat ze gaan zeggen dat Hawkin het wapen in een café heeft gekocht en niet heeft geweten dat het het gestolen wapen van Wells was.'

George zuchtte. 'En ik heb het wapen gevonden en gebruikt om hem erin te luizen. Dan verandert het dus niets.'

'Toch wel,' zei Clough ernstig. 'Het brengt Hawkin in verband met het wapen. Mensen hebben normaal gesproken geen wapens, George. Weet je nog?'

Voordat George kon antwoorden, ging de deur open en zei de bode: 'Inspecteur Bennett? Ze zijn klaar voor u.'

Het was een van de langste wandelingen van zijn leven. Hij voelde alle ogen op zich gericht, waardoor hij zich bewust was van elke stap die hij zette. Toen hij bij de getuigenbank was, draaide hij zich heel bewust om en keek naar het uitdrukkingsloze gezicht van Philip Hawkin. Hij hoopte dat Hawkin het gevoel had naar zijn wraakengel te kijken.

Stanley wachtte tot de griffier George de eed had laten afleggen en stond toen op, terwijl hij zacht zijn vochtige ogen depte. 'Kunt u voor de notulen uw naam en rang noemen, inspecteur?'

'Ik ben George Bennett, inspecteur bij de recherche van het politiekorps van Derbyshire, gestationeerd in Buxton.'

'Ik wil met u teruggaan naar het begin van deze zaak, inspecteur. Wanneer hoorde u voor het eerst van de verdwijning van Alison Carter?'

George was op slag terug in het politiebureau op die bitterkoude decemberavond toen brigadier Lucas hem vertelde dat er een meisje werd vermist in Scardale. Hij begon aan zijn getuigenverklaring met de helderheid van een man die met de directheid van het nu terug kan keren naar de taferelen in zijn geheugen. Stanley glimlachte bijna van opluchting nu hij zo'n indrukwekkende politiegetuige had. Naar zijn ervaring was dat een gok als het om functionarissen van de politiemacht ging. Soms vertrouwde hij hen minder dan de gewiekste individuen in de getuigenbank. Maar George Bennett was knap en zag er goed verzorgd uit. Hij kwam zo eerlijk over als een filmster die een fatsoenlijke politieagent speelt.

Stanley liet geen tijd verloren gaan, en aan het eind van de ochtend had hij punten behandeld als de eerste melding van de verdwijning van Alison, het eerste gesprek van George met haar moeder en stiefvader, de eerste zoektochten en de ontdekking van de hond in het bos.

's Middags leidde Stanley hem gedurende anderhalf uur nauwgezet door de belangrijkste ontdekkingen tijdens het onderzoek. De bloedsporen en stukken kleding in het kreupelbosje, het boek in Hawkins studeerkamer met gegevens over de oude loodmijn, de besmeurde kleren en de kogels in de mijn, het met bloed bevlekte overhemd en de revolver, en de weerzinwekkende foto's en negatieven in de brandkast.

'Het is ongebruikelijk om iemand van moord te beschuldigen als er geen stoffelijk overschot is gevonden,' zei Stanley tegen het eind van de middag.

'Inderdaad. Maar in dit geval is het bewijsmateriaal volgens ons zo overweldigend dat er geen andere conclusie kon worden getrokken.'

'En er zijn uiteraard andere zaken geweest waarin mensen ondanks het ontbreken van een lichaam schuldig zijn bevonden aan moord. Inspecteur Bennett, als we kijken naar de ernst van de beschuldiging hebt u dan nog enige twijfel aan de juistheid van uw aanklacht tegen de heer Hawkin?'

'Iedereen die het fotografische bewijsmateriaal heeft gezien van wat hij met zijn stiefdochter heeft gedaan toen ze nog in leven was, weet dat het hier een man betreft die tot alles in staat is. Dus, nee, ik heb geen enkele twijfel.' Het was het eerste moment waarop George zijn emoties naar boven had laten komen, en Stanley was blij dat de juryleden onder de indruk schenen van zijn betrokkenheid.

Hij verzamelde zijn papieren. 'Ik heb geen vragen meer voor de getuige,' zei hij.

Hij had nooit meer behoefte gehad aan een sigaret, dacht George, terwijl hij wachtte tot Rupert Highsmith klaar was met het rommelen met zijn papieren en de aanval zou openen. De vragen van Stanley waren grondig en diepgaand geweest, maar hij was op alles goed voorbereid geweest. Highsmith had de rechter zover proberen te krijgen om het kruisverhoor tot de volgende dag uit te stellen, maar Sampson was niet in de stemming geweest om te wachten.

Highsmith leunde achteloos tegen de reling achter hem. 'U vergeet niet dat u nog steeds onder ede staat, inspecteur? Wilt u de rechtbank vertellen hoe oud u bent?'

'Ik ben negenentwintig.'

'En hoe lang bent u bij de politie?'

'Bijna zeven jaar.'

'Bijna zeven jaar,' herhaalde Highsmith bewonderend. 'En u hebt al de verheven rang van inspecteur bij de recherche bereikt. Opmerkelijk. U zult dus niet veel tijd hebben gehad om ervaring op te doen met ernstige en ingewikkelde zaken?'

'Ik heb mijn portie gedaan.'

'Maar u zit in een versneld promotieschema voor afgestudeerden, nietwaar? U hebt uw promoties niet te danken aan briljante prestaties op het gebied van recherchewerk, maar alleen aan het feit dat u een universitaire opleiding hebt en ongeacht de vraag of u een moord had onderzocht of winkeldiefstal werd u snelle promotie beloofd. Is dat niet zo?' Highsmith fronste zijn voorhoofd, alsof de gedachte hem echt bevreemdde.

George haalde diep adem en ademde langzaam uit door zijn neus. 'Ik ben inderdaad na mijn studie bij de politie gekomen. Maar mij werd heel duidelijk gemaakt dat ik niet automatisch promotie zou maken als mijn prestaties niet aan zekere verwachtingen zouden voldoen.'

'Werkelijk?' Als Highsmith die toon in de cricketclub had gebruikt, had George hem gevloerd.

'Werkelijk,' echode hij, en deed zijn mond stijf dicht.

'Het is uiterst ongebruikelijk voor een zo jonge politiefunctionaris om een zo serieus onderzoek als dit te leiden, nietwaar?' ging Highsmith door.

'Het hoofd van de recherche was uitgeschakeld door een gebroken enkel. In het begin hadden we geen idee hoe serieus het onderzoek zou kunnen worden, dus vroeg commissaris Martin mij om de leiding te nemen. Toen het er eenmaal ernstiger begon uit te zien, leek continuïteit belangrijker dan de zaak overgeven aan iemand van het hoofdbureau die weer helemaal opnieuw zou moeten beginnen. Het onderzoek heeft voortdurend onder het directe toezicht gestaan van hoofdinspecteur Carver van de recherche en van het hoofd van het district, commissaris Martin.'

'Bent u vóór deze zaak ooit betrokken geweest bij een onderzoek naar een vermist kind?'

'Nee.'

Highsmith sloeg zijn ogen ten hemel en zuchtte. 'Hebt u ooit eerder een moordonderzoek geleid?'

'Nee.'

Highsmith fronste zijn voorhoofd, wreef met zijn wijsvinger over de brug van zijn neus en zei: 'U moet het maar zeggen als ik het fout heb, inspecteur, maar dit is het eerste grote rechercheonderzoek dat u óóit hebt geleid, nietwaar?'

'Geleid, ja. Maar ik heb...'

'Dank u, inspecteur, u hoeft alleen maar de gestelde vraag te beantwoorden,' viel Highsmith hem bot in de rede.

George wierp hem een gefrustreerde blik toe. Toen wist hij ergens een glimlachje vandaan te halen, waarmee hij duidelijk maakte dat hij wist wat er met hem werd gedaan.

'U hebt een sterke persoonlijke interesse in deze zaak gehad, nietwaar?'

'Ik heb mijn werk gedaan.'

'Zelfs nadat het eerste onderzoek was stilgezet, bracht u nog verscheidene keren per week een bezoek aan Scardale, klopt dat?'

'Een paar keer per week, ja. Ik wilde mevrouw Carter verzekeren dat de zaak nog steeds open was en dat we haar dochter niet vergeten waren.'

'U bedoelt mevrouw Hawkin, neem ik aan?' Het gebruik door Highsmith van de naam van Ruths man was duidelijk voor de jury bedoeld om hen te herinneren aan haar relatie met de man in de beklaagdenbank.

Tegen een zo provocatief spelletje was George wel opgewassen. Hij glimlachte. 'Het verbaast me niet dat ze de voorkeur geeft aan de naam van haar vorige echtgenoot. Wij willen ons met alle plezier aan die voorkeur aanpassen.'

'Op eerste kerstdag liet u zelfs uw familie, onder wie uw zwangere vrouw alleen, om een bezoek te brengen aan Scardale.'

'Ik moest denken aan het effect dat Alisons verdwijning moest hebben op de manier waarop de mensen in Scardale zich met Kerstmis voelden. Ik ben er met mijn brigadier heen gegaan voor een kort bezoek, alleen om ons gezicht te laten zien, om ons medeleven te tonen.'

'Om uw medeleven te tonen. Hoe prijzenswaardig,' zei Highsmith neerbuigend. 'U hebt vaak een bezoek gebracht aan het grote huis, is het niet?'

'Ik ging weleens langs, ja.'

'U kende de studeerkamer?'

'Ik ben daar geweest, ja.'

'Hoe vaak, volgens u?'

George haalde zijn schouders op. 'Het is moeilijk precies te zeggen. Voordat we huiszoeking deden misschien vier of vijf keer.'

'En bent u ooit alleen in die kamer geweest?'

De vraag kwam snel als een zweepslag en met hetzelfde venijn. Nu was duidelijk waar Highsmith naartoe wilde. 'Slechts kort.'

'Hoe vaak?'

George fronste zijn wenkbrauwen. 'Twee keer, denk ik,' zei hij voorzichtig.

'Hoe lang?'

Stanley was overeind gekomen. 'Edelachtbare, dit wordt verondersteld een kruisverhoor te zijn. Mijn hooggeachte confrater lijkt eerder aan het vissen te zijn.'

Sampson knikte. 'Meneer Highsmith?'

'Edelachtbare, de aanklacht is sterk gebaseerd op indirect bewijsmateriaal, waarvan een deel gevonden is in de studeerkamer van mijn cliënt. Ik denk dat het redelijk is om te mogen aantonen dat andere mensen in de gelegenheid zijn geweest het daar achter te laten.'

'Goed, meneer Highsmith, u mag doorgaan,' zei de rechter met tegenzin.

'Hoe lang bent u alleen in de studeerkamer geweest?'

'Bij de eerste gelegenheid hoogstens twee minuten. Bij de tweede gelegenheid moet ik ongeveer tien minuten in die kamer zijn geweest voordat de heer Hawkin verscheen,' zei George onwillig.

'Lang genoeg,' zei Highsmith, ogenschijnlijk bij zichzelf, terwijl hij een ander schrijfblok oppakte en zijn blik snel over een of twee bladzijden liet gaan. 'Kunt u ons vertellen wat uw hobby's zijn, inspecteur?' vroeg hij vriendelijk.

'Hobby's?' vroeg George, even van zijn stuk gebracht.

'Inderdaad.'

George keek naar Stanley voor raad, maar de aanklager kon slechts zijn schouders ophalen. 'Ik speel cricket. Ik maak graag bergwandelingen. Ik heb geen tijd voor veel hobby's,' zei hij, en hij klonk net zo verbijsterd als hij zich voelde.

'U hebt er één vergeten,' zei Highsmith, weer met koude stem. 'Een hobby die met name betekenis heeft voor deze zaak.'

George schudde zijn hoofd. 'Het spijt me, maar ik weet niet waar u het over hebt.'

Highsmith pakte een dun stapeltje fotokopieën. 'Edelachtbare, ik wil deze papieren graag inbrengen als bewijsstukken van de verdediging, nummer één tot vijf. Bewijsstuk één is uit een schoolblad uit 1951 van de Cavendish Grammar School voor jongens. Het is het jaarrapport van de Camera Club van de school, geschreven door de secretaris, George Bennett.' Hij overhandigde het bovenste vel papier aan de bode. 'De andere bewijsstukken zijn afkomstig uit de Nieuwsbrief van de Camera Club van de Universiteit van Manchester, waar inspecteur Bennett heeft gestudeerd. Het zijn artikelen over fotografie, geschreven door ene George Bennett.' Hij overhandigde de papieren aan de bode.

'Inspecteur Bennett, ontkent u dat u die artikelen over fotografie hebt geschreven?'

'Natuurlijk niet.'

'U bent in feite een soort deskundige op het gebied van fotografie?'

George fronste zijn wenkbrauwen. Hij zag de valstrik. Als hij het zou ontkennen, kwam hij over als een leugenaar. Toegeven zou de zaak voor de openbare aanklager ondermijnen. 'Elke kennis die ik had is verouderd,' zei hij voorzichtig. 'Afgezien van familiekiekjes, heb ik in geen vijf of zes jaar een camera in handen gehad.'

'Maar u zou weten waar u moet zijn om foto's te vervalsen,' zei Highsmith.

George wist meer dan Ruth Carter als het ging om de werkwijze van advocaten. Hij wist wel beter dan zo'n opmerking onbeantwoord te laten. 'Niet meer dan u dat zou weten,' antwoordde hij.

'Foto's kunnen vervalst worden, is het niet?' vroeg hij.

'Naar mijn ervaring lang niet zo kunstig als hier is gebeurd,' zei George.

Highsmith dook onmiddellijk op deze weinig kenmerkende verspreking. 'Naar uw ervaring? Wilt u zeggen dat u ervaring hebt met het vervalsen van foto's?'

George schudde zijn hoofd. 'Nee, ik dacht aan pogingen tot vervalsing die ik heb gezien, niet die ik heb gemaakt.'

'Maar u weet hoe foto's vervalst kunnen worden?'

George haalde diep adem. 'Zoals ik al heb gezegd, is mijn kennis van fotografie sterk verouderd. Alles wat ik weet over alle aspecten van de fotografie is waarschijnlijk achterhaald door de veranderingen in technieken en technologie.'

'Inspecteur, beantwoord de vraag alstublieft. Weet u wel of niet hoe foto's vervalst kunnen worden?' Highsmith klonk geïrriteerd. George wist dat hij hierdoor onbetrouwbaar moest gaan overkomen, maar hij kon niets doen om die indruk te veranderen behalve toegeven dat hij een ervaren vervalser van foto's was.

'Ik heb wat theoretische kennis, ja, maar ik heb nooit...'

Highsmith brak hem af. 'Dank u,' zei hij luid. 'Een eenvoudig antwoord is altijd voldoende. Nu, wat de negatieven betreft, die de openbare aanklager als bewijsstukken heeft ingebracht, wat voor camera zou je nodig hebben om ze te maken?'

Onder de rand van de getuigenbank, waar de jury ze niet kon zien, balde George zijn handen tot vuisten tot de afdrukken van zijn nagels in zijn handpalmen stonden. 'Je zou een portretcamera nodig hebben. Een Leica of een Rolleiflex, zoiets.'

'Bent u in het bezit van zo'n camera?'

'Ik heb mijn Rolleiflex al minstens vijf jaar niet gebruikt,' zei hij, en terwijl hij sprak wist hij dat hij onoprecht klonk.

Highsmith zuchtte. 'De vraag was of u zo'n camera bezit, inspecteur, niet wanneer u hem voor het laatst hebt gebruikt. Bezit u zo'n camera? Ja of nee is voldoende.'

Highsmith zweeg en bladerde in zijn papieren. Toen keek hij op. 'U gelooft dat mijn cliënt schuldig is, nietwaar?'

George wendde zijn hoofd naar de jury. 'Wat ik geloof doet er niet toe.'

'Maar gelooft u in de schuld van mijn cliënt?' hield Highsmith aan.

'Ik geloof wat het bewijsmateriaal mij vertelt, dus, ja, ik geloof dat Philip Hawkin zijn dertienjarige stiefdochter heeft verkracht en vermoord,' zei George met een stem waar de emotie insloop, ondanks zijn intentie dit niet te laten gebeuren.

'Het zijn beide verschrikkelijke misdrijven,' zei Highsmith. 'Elk redelijk denkend mens zou ze verafschuwen en gerechtigheid willen voor degene die ze had begaan. Het probleem is, inspecteur, dat er geen hard bewijs is dat deze misdrijven ooit zijn begaan, nietwaar?'

'Als er geen bewijs was, zouden de rechters nooit tot een aanklacht tegen uw cliënt zijn gekomen en zouden we hier vandaag niet zijn.'

'Maar er is een alternatieve verklaring voor alle indirecte bewijsstukken die vandaag voor ons liggen. En veel van die bewijsstukken leiden ons rechtstreeks naar uw deur. Het is uw obsessie met Alison Carter die ons hier vandaag heeft gebracht, nietwaar, inspecteur?'

Stanley stond alweer overeind. 'Edelachtbare, ik moet protesteren. Mijn hooggeachte confrater lijkt vastbesloten toespraken te houden in plaats van vragen te stellen, verdachtmakingen rond te strooien in plaats van tot directe beschuldigingen te komen. Als hij inspecteur Bennett iets te vragen heeft, is het goed. Maar als hij geen andere bedoeling heeft dan de juryleden kennis te laten nemen van belasteringen en insinuaties, moet hij tegengehouden worden.'

Sampson keek dreigend van zijn gestoelte omlaag. 'Hij is niet de enige die zonder aan de beurt te zijn fraaie toespraken houdt, meneer Stanley.' Als een bijziende mol keek hij over zijn bril heen naar de jury. 'Houd u in gedachten dat u hier bent om naar de bewijslast te luisteren en dat u dus elk commentaar dat de raadslieden tussendoor geven moet negeren. Meneer Highsmith, gaat u verder, maar houd u bij het punt waar het om gaat.'

'Uitstekend, edelachtbare. Inspecteur, in gedachten houdend dat u geacht wordt met ja of nee te antwoorden, bent u een ambitieus man?'

Stanley greep weer in. 'Edelachtbare,' riep hij verontwaardigd uit. 'Dit heeft niets te maken met de zaak die hier wordt behandeld.'

'Het gaat om zijn motivatie,' zei Highsmith kortaf. 'De verdediging stelt dat veel van het bewijsmateriaal tegen mijn cliënt in elkaar is gezet. Daarom is de motivatie van inspecteur Bennett een punt van aandacht voor de verdediging.'

Sampson dacht een ogenblik na en zei toen: 'Ik wil de vraag toestaan.'

George haalde diep adem. 'Mijn enige ambitie is dat gerechtigheid geschiedt. Ik geloof dat ergens het stoffelijk overschot ligt van een meisje dat op monsterlijke wijze is misbruikt voordat ze werd vermoord en ik geloof dat de man die het heeft gedaan in de beklaagdenbank zit.' Highsmith probeerde hem te laten stoppen, maar hij ging toch door. 'Ik ben hier omdat ik wil dat hij boet voor wat hij heeft gedaan, niet om mijn carrière vooruit te helpen.' Hij zweeg abrupt.

Highsmith schudde in schijnbare afkeer zijn hoofd. 'Ja of nee, dat was wat ik vroeg.' Hij zuchtte. 'Ik heb geen vragen meer voor deze getuige,' zei hij, met een gezicht – afgewend van de rechter en op de jury gericht – dat een minachting toonde die in zijn stem niet te horen was.

George stapte uit de getuigenbank. Hij kon niet langer ontsnappen aan een aanblik die hij al die tijd in de getuigenbank bewust had proberen te vermijden. Hawkin keek naar hem met een blik die grensde aan het triomfantelijke. De glimlach die zo vaak op zijn lippen leek te liggen, was terug en hij zat zo nonchalant in de beklaagdenbank alsof hij in zijn eigen keuken zat. Met moordzucht in zijn hart liep George langs de beklaagdenbank en recht de zaal uit. Achter hem hoorde hij de rechter aankondigen dat de zaak voor die dag gesloten werd. Hij haastte zich verder de gang door naar het herentoilet. Hij dook het toilethokje in, deed de deur met een klap op slot en boog zich over de pot. Hij was maar net op tijd. Het hete braaksel spetterde tegen het porselein en de dunne, zurige geur die omhoogkwam maakte hem weer aan het kokhalzen.

Hij rukte aan de ketting en leunde tegen de muur van het toilet terwijl het koude zweet hem uitbrak. Gedurende een afschuwelijk ogenblik in de rechtszaal had hij de verschrikking gevoeld van wat de insinuaties en beschuldigingen van Highsmith voor hem konden betekenen. Er was niet meer voor nodig dan een paar lichtgelovige juryleden met een wrok tegen de politie of Hawkin zou niet alleen vrijkomen, maar zou ook de carrière en goede naam van George met zich meenemen. Het was een ondraaglijke gedachte, het materiaal van nachtmerries en maagverkrampende paniekaanvallen. Hij had zijn nek uitgestoken om Hawkin voor de rechter te brengen. Nu, voor het eerst, stond hij zich toe te begrijpen hoe gemakkelijk hij zijn eigen vernietiging in de hand kon werken. Geen wonder dat Carver hem zo grootmoedig had toegestaan de zaak zelf te blijven leiden. Hij had de gifbeker niet zozeer overhandigd gekregen als wel uit de handen van anderen gerukt.

Maar wat had hij anders kunnen doen? Zelfs terwijl hij daar stond, in de geur van bleekwater dat zijn keel irriteerde en in zijn tranende ogen prikte, wist George dat er nooit echt een keuze voor hem was geweest.

Toen hij te voorschijn kwam, stond Clough te wachten, de vertrouwde sigaret uit zijn mondhoek bungelend. 'Ik weet een goed café op de weg naar Ashbourne,' zei hij. 'Laten we onderweg naar huis een borrel gaan halen.'
Hij was, dacht George, een opmerkelijke brigadier.

Het proces

3

De rest van de week zat George achter in de rechtszaal, waarbij hij altijd zorgde een paar minuten na het begin van de zitting te arriveren en zodra de zitting afgelopen was weer weg te gaan. Hij wist dat het belachelijk was, maar hij kon het idee niet van zich afzetten dat iedereen naar hem keek omdat ze zich afvroegen of hij corrupt was of, erger nog, al tot die conclusie waren gekomen. Hij vond het een vreselijke gedachte dat hij gezien zou worden als een van die politiemensen die vastbesloten zijn iemand voor een misdrijf te pakken, ongeacht het bewijsmateriaal. Maar wegblijven kon hij niet.

Op de derde dag van het proces verschenen de getuigen uit Scardale. Charlie Lomas slaagde erin zijn kalme optreden tijdens de hoorzitting te herhalen en maakte indruk op de jury met zijn open houding en het feit dat hij duidelijk diep ongelukkig was door de verdwijning van zijn nichtje.

Daarna kwam Ma Lomas, voor de gelegenheid gekleed in een verschoten zwarte jas met een takje witte heide op de kraag gespeld. Ze gaf toe dat haar naam Hester Euphemia Lomas was. Het was duidelijk dat ze ontzag noch eerbied voor de rechtbank had, en ze beantwoordde de vragen van de twee advocaten precies zoals ze die van George zou hebben gedaan in de beslotenheid van haar eigen woonkamer. Ze eiste een stoel en een glas water, en negeerde vervolgens beide. Stanley behandelde haar met overdreven hoffelijkheid, waarop zij reageerde met uiterste onverschilligheid.

'En u bent er absoluut zeker van dat het de heer Hawkin was die u over het veld zag lopen?' vroeg Stanley.

'Ik heb alleen maar een bril nodig om te lezen,' zei de oude vrouw. 'Ik kan nog steeds op honderd meter afstand het verschil zien tussen een torenvalk en een sperwer.'

'Hoe kunt u er zeker van zijn dat het die woensdag was?'

Ze keek hem geërgerd aan. 'Het was de dag waarop Alison verdween. Als er zoiets gebeurt, blijft al het andere wat er die dag gebeurde in je geheugen gegrift staan.'

Stanley had hier duidelijk niets tegenin te brengen. Hij ging met haar verder over haar kennis van de loodmijn uit het boek in de studeerkamer van Scardale Manor. 'Praatte landheer Castleton vaak met u over de plaatselijke geschiedenis?' vroeg hij tenslotte.

'O ja,' zei ze laconiek. 'Ik had hem gekend sinds hij een kleine jongen was. Hij speelde nooit de baas over zijn pachters, de *oude* landheer niet. We zaten vaak te praten, hij en ik. We zeiden altijd dat als wij verdwenen, de halve geschiedenis van het dal met ons zou verdwijnen. Hij wilde altijd dat ik het allemaal opschreef, maar daar had ik geen zin in.'

'Maar daardoor wist u waar u het boek kon vinden?'

'Dat klopt. We hebben heel wat keren in dat boek zitten kijken, de oude landheer en ik. Ik wist het meteen terug te vinden.'

'Waarom hebt u de politie niet eerder over de oude loodmijn verteld?' vroeg Stanley schijnbaar achteloos.

Met een vinger die knobbelig was van artritis krabde ze aan haar slaap. 'Ik vergeet soms dat niet iedereen het dal kent zoals ik het ken. Ik heb sinds die tijd vaak wakker gelegen en me afgevraagd of het verschil had gemaakt voor die arme Alison als ik inspecteur Bennett al op de avond waarop ze verdween over de loodmijn had verteld.' Ze zuchtte. 'Het is een vreselijke last voor me.'

'Ik heb verder geen vragen voor u, mevrouw Lomas, maar mijn collega, de heer Highsmith, zal u nog wat dingen moeten vragen. Dus als u wilt blijven zitten?' Stanley maakte een lichte buiging naar de matriarch en ging terug naar zijn stoel.

Deze keer wachtte Highsmith even voordat hij opstond. 'Mevrouw Lomas,' begon hij, 'het moet moeilijk voor u zijn om de neef van uw oude vriend hier vandaag in de beklaagdenbank te zien.'

'Ik had nooit gedacht dat ik nog eens blij zou zijn dat landheer Castleton dood is,' zei ze zacht. 'Dit zou zijn hart gebroken hebben. Hij hield van Alison alsof ze zijn eigen kleindochter was.'

'Juist. Als ik u nu een paar vragen mag stellen, zal ik u zeer erkentelijk zijn.'

Ze keek op, en George, die achter in de rechtszaal zat, zag de boosaardige blik in haar ogen. Hij huiverde. 'Vragen zijn geen probleem voor mij,' zei ze kortaf. 'De waarheid duurt het langst. Ik heb niets te verbergen, dus vraag maar raak.'

Highsmith leek even te schrikken. De meegaande manier waarop ze op Stanley's vragen had geantwoord, had hem niet voorbereid op een Ma Lomas in strijdlustige stemming. 'Hoe kunt u zo zeker weten dat het de heer Hawkin was die u die middag over het veld zag lopen?'

'Hoe ik dat zeker kan weten? Omdat ik hem zag. Omdat ik hem ken. De manier waarop hij eruitziet, de manier waarop hij loopt, de kleren die hij draagt. Er is niemand in Scardale die je met hem kunt verwarren,' zei ze verontwaardigd. 'Ik mag dan oud zijn, maar ik ben niet gek.'

Er werd gegniffeld op de persbanken en de groep uit Scardale stond zichzelf een gespannen glimlachje toe. Ma zou die Londense advocaat weleens laten zien hoe het zat.

'Dat is wel duidelijk, mevrouw,' wist Highsmith uit te brengen.

'Je hoeft tegen mij niet te mevrouwen, jongen. Ma is goed genoeg.'

Highsmith knipperde hard met zijn ogen. De punt van zijn potlood knapte tegen het schrijfblok in zijn hand. 'Dat boek, in de studeerkamer in het grote huis... u zegt dat u precies wist waar u het kon vinden?'

'Goed onthouden, jongen,' zei Ma meedogenloos.

'Dus het was waar het had moeten zijn?'

'Waar had het anders moeten zijn? Natuurlijk was het waar het had moeten zijn.'

Highsmith ging in de aanval. 'Niemand had het verplaatst?'

'Dat kan ik niet zeggen, niet? Hoe moet ik dat weten? Het zou niet moeilijk zijn om het op de juiste plaats terug te zetten – die planken staan vol. Als je er een boek tussenuit haalt, blijft er een gat over. Dus zet je het op dezelfde plaats terug. Automatisch,' zei ze smalend.

Highsmith glimlachte. 'Maar niets wees erop dat iemand dat had gedaan. Dank u, mevrouw Lomas.'

De rechter boog zich naar voren. 'U mag nu gaan, mevrouw Lomas.'

Met een boosaardig en triomfantelijk glimlachje draaide ze zich om naar Hawkin. George zag met opluchting dat ze haar rug naar de jury had. 'Ja, dat weet ik,' zei ze. 'Dat is meer dan hij kan zeggen, hè?' Ze paradeerde door de zaal als de vorstin die ze in haar dorp was en nam plaats tussen haar familie op een speciaal vrijgehouden stoel.

De volgende dag werd in beslag genomen door een aantal deskundigen die verklaringen aflegden over bepaalde feitelijke zaken. Hawkins kleermaker was uit Londen gekomen om te bevestigen dat het bevlekte overhemd dat in de donkere kamer was gevonden tot een partij behoorde die de beklaagde nog geen jaar eerder op maat had laten maken. Een verkoper van Boots, de drogist, vertelde dat hij Philip Hawkin twee rollen hansaplast had verkocht die overeenkwamen met zowel de pleister die rond de snuit van Alisons hond was gevonden als met het korte stukje waarmee de sleutel van de brandkast tegen de achterkant van de la in de studeerkamer was geplakt.

Een deskundige op het gebied van vingerafdrukken vertelde dat de afdrukken van Philip Hawkin gevonden waren op de foto's en de negatieven die in de brandkast waren aangetroffen. Er waren echter geen afdrukken op de Webley gevonden en het was onmogelijk geweest om afdrukken te maken van het omslag van het antiquarische boek.

De laatste getuige van die dag was de wapendeskundige. Hij bevestigde dat een van de kogels die gevonden waren in de grot duidelijk geïdentificeerd was als een .38, afgevuurd met het wapen dat Ruth Carter verstopt had gevonden in de donkere kamer van haar man.

Tijdens al deze getuigenverklaringen stelde Highsmith weinig vragen. Hij probeerde alleen aan te tonen dat er alternatieve verklaringen waren voor alles wat de openbare aanklager naar voren bracht. Iedereen, zo stelde hij, kon een overhemd in bezit hebben gekregen dat van Hawkin was. Er had er zelfs een gestolen kunnen worden van de waslijn van het grote huis. Hawkin had de hansaplast misschien niet voor zichzelf gekocht, maar had mogelijk een boodschap gedaan voor iemand anders. Natuurlijk stonden zijn afdrukken op de foto's en de negatieven: de politie had ze hem toegeworpen op een tafel in een verhoorkamer voordat ze in plastic mapjes waren gestopt en voordat zijn advocaat zelfs maar bij het politiebureau was gearriveerd. En de enige die een verband had gelegd tussen het wapen en Hawkin was, uiteraard, zijn vrouw, die zo wanhopig op zoek was naar een verklaring voor de verdwijning van haar dochter dat ze zelfs bereid was geweest zich tegen haar man te keren.

De juryleden zaten er onverstoorbaar bij. Uit niets bleek wat ze van zijn optreden vonden. Aan het eind van de derde dag ging de rechtbank tot de volgende ochtend uiteen.

Op vrijdagochtend werd George plotseling losgerukt uit zijn eigen problemen. In de *Daily Express* stond een verhaal dat hem aangreep.

Speurhonden ingezet bij zoektocht naar vermiste jongen

> Acht politieagenten met twee speurhonden hebben vandaag spoorbanen, parken en verlaten gebouwen afgezocht naar de bijziende schooljongen Keith Bennett, die al bijna drie dagen wordt vermist.
> Een hogere politiefunctionaris zei: 'Als we hem vandaag niet vinden, zal de zoektocht geïntensifeerd worden. We weten gewoon niet wat er met hem is gebeurd. We denken nog niet aan een misdrijf, maar we kunnen geen enkele verklaring voor zijn verdwijning vinden.'
> De 12-jarige Keith, uit Eston Street, Chorl-

ton-on-Medlock, Manchester, verdween dinsdagavond toen hij onderweg was naar zijn grootmoeder om haar een bezoek te brengen.
Zijn ouderlijk huis bevindt zich in een wijk van Manchester waar verschillende moorden hebben plaatsgevonden en mensen spoorloos verdwenen zijn.

Huiselijk

Thuis achtergelaten bevindt zich de bril met dikke glazen – waarvan één gebroken – die hij nodig heeft om goed te kunnen zien.
De moeder van Keith, mevrouw Winifred Johnson, 30 jaar, die nog vijf kinderen heeft en haar zevende over twee weken verwacht, huilde vandaag toen ze over haar vermiste zoon sprak.
Ze zei: 'Hij heeft zoiets nooit eerder gedaan. Hij is een huiselijke jongen. Hij kan nauwelijks iets zien zonder zijn bril.'
Zijn grootmoeder, mevrouw Gertrude Bennett, 63 jaar, uit Morton Street, Longsight, Manchester, zei: 'We zijn zo ongerust dat we niet kunnen eten of slapen of iets anders doen.'
Het opsporingsteam van de politie bestaat uit een brigadier, vijf agenten en twee hondendeskundigen. Ze zoeken een gebied af van zo'n twee kilometer rondom het ouderlijk huis van Keith.

George staarde naar de krant. Hij werd gekweld door de gedachte dat een andere moeder moest doormaken wat Ruth Carter had meegemaakt. Maar hij kon zich niet onttrekken aan de gedachte dat het, als het toch moest gebeuren, niet op een beter moment had kunnen komen. Want voor elk jurylid dat de krant las, kon de smartelijke beproeving van Winifred Johnson de ondraaglijke pijn van Ruth Carter alleen maar versterken en elke neiging om Hawkin te geloven verminderen.

Plotseling werd hij overvallen door een gevoel van schaamte. Hoe kon hij zo ongevoelig zijn? Hoe kon hij ook maar op het idee komen om gebruik te maken van de verdwijning van een ander kind? Walgend van zichzelf verfrommelde George de krant en gooide hem in de prullenbak.

Toen hij die middag de trap opliep naar de rechtszaal zag hij een vertrouwde figuur bij de deur staan wachten. Onberispelijk gekleed in zijn gala-uniform stond commissaris Martin daar te frunniken aan zijn zachte, zwartleren handschoenen. Toen George naderbij kwam, keek hij op. 'Inspecteur,' begroette hij hem met een ondoorgrondelijk gezicht. 'Een ogenblik graag.'

George volgde hem door een zijgang naar een kleine kamer die naar zweet en sigaretten rook. Hij sloot de deur achter zich en wachtte.

Martin stak een van zijn filterloze sigaretten op en zei abrupt: 'Ik wil je volgende week weer op het bureau zien.'

'Maar, meneer...' protesteerde George.

Martin hield een hand omhoog. 'Ik weet het. Ik weet het. De aanklager moet vandaag klaar zijn en volgende week is het de beurt van de verdediging. En dat is precies waarom ik je terug wil in Buxton.'

George hief zijn hoofd op en keek boos naar de commissaris. 'Dit is mijn zaak.'

'Dat weet ik. Maar jij weet net zo goed als ik welke verdediging Highsmith gaat voeren. Hij heeft geen keuze. En ik sta niet toe dat een van mijn mensen in een rechtszaal moet zitten en aanhoren hoe een of andere gladde advocaat, die het niet uitmaakt welke schade hij een fatsoenlijk man berokkent, zijn karakter door het slijk haalt.' De veelzeggende donkerrode golf kwam weer opzetten in Martins hals. Hij begon heen en weer te benen.

'Met alle respect, meneer, ik ben wel opgewassen tegen de dingen die Highsmith zegt.'

Martin stond stil en keek George aan. 'Is dat wat je denkt? Nou, zelfs als dat zo is, wil ik niet dat je overgeleverd wordt aan de genade van de pers. En als je niet voor je eigen bestwil dekking wil zoeken, zou je het voor je vrouw moeten doen. Het zal al erg genoeg zijn als ze allerlei artikelen moet lezen waarin je van alle mogelijke kwalijke zaken wordt beschuldigd, zonder dat ze ook nog onthaald wordt op foto's waarop je auto's in en uit duikt alsof jij degene bent die terechtstaat.'

George haalde een hand door zijn haar. 'Ik heb wat vrije dagen tegoed.'

'En ik geef je geen toestemming die op te nemen,' zei Martin onmiddellijk. 'Je komt niet meer in de buurt van Derby tot dit proces voorbij is. En dat is een bevel.'

George wendde zich af en stak een sigaret op. Het was moeilijk om zijn verbanning niet te zien als een straf van God voor zijn reactie op de verdwijning van Keith Bennett. 'Geef me dan in elk geval toestemming om bij het vonnis aanwezig te zijn,' zei hij effen.

Professor John Patrick Hammond somde alle kwalificaties op die hem tot een van de meest vooraanstaande gerechtelijk deskundigen maakte in het noorden van Engeland. Voor het publiek stond zijn naam naast die van mensen als Bernard Spilsbury, Sydney Smith en Keith Simpson als een van de weinige mensen die hun wetenschappelijke kennis konden toepassen om op basis van allerlei verspreide sporen een onweerlegbare bewijslast op te bouwen. Het was Pritchard van het Openbaar Ministerie geweest die erop had gestaan een vooraanstaand deskundige te raadplegen. 'Als we zo weinig materiaal hebben, moeten we grof geschut inzetten om het te verdedigen,' had hij gezegd, en commissaris Martin was het met hem eens geweest.

Hammond was een kleine, precieze man met een hoofd dat te groot was voor zijn lichaam. Hij compenseerde zijn ietwat lachwekkende uiterlijk met een ernstige en zwaarwichtige manier van doen. Jury's hielden van hem omdat hij wetenschappelijk jargon in lekentaal wist om te zetten zonder ooit neerbuigend te worden. Stanley was zo verstandig zijn vragen tot een minimum te beperken en Hammond zo in staat te stellen de zaken zelf uit te leggen.

Hammond zorgde dat de juryleden de belangrijkste punten goed begrepen. Het bloed op de boom in het bosje, op het gescheurde ondergoed in de grot en op het bevlekte overhemd was allemaal afkomstig van een vrouw met bloedgroep O, wat ook Alisons bloedgroep was. De hoeveelheid bloed op het overhemd kwam overeen met een ernstige wond. Het sperma op het overhemd was afkomstig van een afscheider met bloedgroep A. De beklaagde was een afscheider met bloedgroep A.

Hij legde ook uit dat bij laboratoriumonderzoek schroeiplekken waren gevonden op het overhemd die erop wezen dat dicht bij het materiaal een vuurwapen was afgevuurd. Hammond demonstreerde dit door het overhemd tegen zichzelf aan te houden. George zag hoe Ruth Carter haar hoofd in haar handen verborg. Kathy Lomas sloeg een arm om haar heen en trok haar tegen zich aan.

'Zoals u zult zien, edelachtbare,' legde Hammond uit, 'zijn er kruitsporen aanwezig op de rechtermanchet en op de rechtervoorkant van het overhemd. Als iemand die dit overhemd droeg een vuurwapen op vrij korte afstand van zichzelf heeft afgevuurd, is dit precies wat we verwachten te vinden. Er is geen andere verklaring voor deze speciale vorm van schroeien en bevlekken.'

Highsmith stond met een enigszins gefrustreerd gevoel op voor het kruisverhoor. Deze zaak had tot op dat moment nog niet tot een van de meest succesvolle optredens van zijn leven geleid. Er was zo weinig om hem enig houvast te geven, en wat er was leek zo zwak. Hier had hij eindelijk iets concreets om zijn aanval op te richten. 'Professor Hammond, kunt u ons vertellen welk percentage van de bevolking bloedgroep A heeft?'

'Ongeveer tweeënveertig procent.'

'En welk percentage van de bevolking wordt gevormd door afscheiders bij wie de bloedgroep aanwezig is in hun andere lichaamsvloeistoffen?'

'Ongeveer tachtig procent.'

'Neemt u mij niet kwalijk, maar rekenen is nooit mijn sterke punt geweest. Welk percentage van de bevolking wordt gevormd door afscheiders met bloedgroep A?'

Hammonds wenkbrauwen schoten op en neer. 'Ongeveer drieëndertig procent.'

'Dus het enige wat we kunnen zeggen is dat deze spermavlekken afkomstig kunnen zijn van een derde van de mannelijke bevolking van dit land?'

'Dat is juist, ja.'

'Dus in plaats van mijn cliënt specifiek te beschuldigen, kunt u eigenlijk niet meer zeggen dan dat deze onderzoeken hem niet uitsluiten.' Het was geen vraag en Hammond gaf geen antwoord. 'Nu, wat dit bevlekte overhemd betreft, is er iets wat erop wijst dat de beklaagde degene was die dit overhemd droeg toen er vlakbij een schot werd afgevuurd?'

'In forensische termen, nee.' Hammond klonk onwillig, zoals altijd het geval was wanneer hij gedwongen werd toe te geven dat zijn wetenschap niet elke vraag kon beantwoorden.

'Dus iedereen kan dat overhemd gedragen hebben?'

'Ja.'

'En degene die het overhemd droeg hoeft niet dezelfde persoon te zijn geweest die het sperma op de andere kledingstukkken heeft gedeponeerd?'

Hammond zweeg een ogenblik. 'Ik beschouw het als zeer onwaarschijnlijk, maar ik neem aan dat het mogelijk is.'

'De hoeveelheid bloed op de andere kledingstukken was beduidend geringer. Zou dat overeen kunnen komen met het soort bloeding dat kan plaatsvinden wanneer het maagdenvlies wordt gebroken?'

'Dat is onmogelijk te zeggen. Sommige vrouwen verliezen een behoorlijke hoeveelheid bloed wanneer ze hun maagdelijkheid verliezen. Anderen hebben geen bloedverlies. Maar als de bloedvlekken op het overhemd van die vrouw afkomstig zijn, bloedde ze op een mogelijk dodelijke schaal.'

'En toch is er geen bloed gevonden op de veronderstelde plaats van de misdaad. Als iemand dodelijk getroffen was door een kogel in die grot zou er toch overal bloed zijn geweest? Plassen op de vloer, vlekken op de muren, spetters tegen het plafond? Hoe is het mogelijk dat er geen bloed is gevonden behalve het bloed op de verschillende kledingstukken?'

'Vraagt u mij te gaan gissen?' vroeg Hammond scherp.

'Ik vraag u of het naar uw ervaring mogelijk is dat iemand dodelijk verwond is in die grot zonder dat er op die plaats bloedvlekken zijn,' zei Highsmith, langzaam en duidelijk formulerend.

Hammond fronste zijn voorhoofd, sloeg zijn ogen ten hemel en dacht een ogenblik na. Ten slotte zei hij: 'Ja, dat is mogelijk.'

Highsmith fronste zijn voorhoofd. Maar voor hij kon spreken, zei Hammond: 'Als, laten we zeggen, het meisje dicht tegen de dader aan werd gehouden en het wapen onder haar ribben werd geduwd. Een kogel die een baan omhoog beschrijft, zou dan het hart doorboren maar kan vast blijven zitten achter het schouderblad. Als er dan geen uitgangswond is, zijn er geen voorwaartse bloedspatten. En als ze dicht bij de dader stond, zouden de bloedspatten van de ingangswond opgenomen worden in de grotere bloedvlek op het overhemd.'

Highsmith herstelde zich snel. 'Dus van alle mogelijke scenario's voor deze vermeende moord kunt u er slechts één bedenken dat het ontbreken van bloed op de plaats van de misdaad verklaart?'

'Uitgaande van de veronderstelling dat het meisje in de grot werd gedood? Ja, ik kan alleen die verklaring bedenken.'

'Eén mogelijkheid op de tientallen, honderden zelfs. Dat kunnen we bepaald geen waarschijnlijk scenario noemen, nietwaar?'

Hammond haalde zijn schouders op. 'Ik heb geen idee.'

'Dank u, professor.' Highsmith ging zitten. Hij had er meer uitgehaald dan hij had verwacht. Hij was ervan overtuigd dat hij een jury zo in de war kon brengen met wetenschappelijke gegevens dat de enige redelijke mogelijkheid vrijspraak zou zijn.

'Dit was de laatste getuige van de openbare aanklager,' zei Stanley, terwijl professor Hammond zijn papieren bijeenzocht en uit de getuigenbank stapte.

'Ik schors tot volgende week,' kondigde Sampson aan.

Het proces

4

Manchester Guardian, maandag 22 juni 1964

Nieuwe aanwijzing in zaak vermiste jongen

De politie heeft haar zoektocht naar een bijna blinde jongen die al vijf dagen wordt vermist verplaatst nadat een van zijn schoolvriendjes had verteld: 'Hij schepte altijd op dat hij ergens een supergeheim hol had.'
De zoektocht werd verplaatst van de omgeving van het ouderlijk huis van de 12-jarige Keith Bennett in Eston Street, Longsight, Manchester, naar naburige parkgrond.
Een woordvoerder van de politie zei: 'Het is mogelijk dat de jongen een schuilplaats heeft en een flinke voedselvoorraad. Waar die schuilplaats ook mag zijn, het is een goede.'

Rusland gaf toe dat zijn ruimtesatellieten zijn vijanden kan bespioneren; een hartaanval maakte een eind aan het leiderschap van Nehru over India; de nieuwe leider van Rhodesië, Ian Smith, dreigde met militair geweld; The Searchers en Millie and the Four Pennies vochten om de hoogste plaats in de hitparade. Maar George was zich van niets anders bewust dan de krantenverslagen van het proces tegen Philip Hawkin. Hij probeerde de kranten uit de buurt van Anne te houden, maar ze liep elke dag naar de kiosk en kocht haar eigen exemplaren. Ze moest omgaan met de vrouwen van de andere politiefunctionarissen; ze wilde weten wat er gezegd werd over haar man, zodat ze wist hoe ze het best voor hem kon opkomen als iemand onder druk dom genoeg zou zijn om de solidariteit onder de politiemensen te verbreken.

De enige getuige voor de verdediging was, afgezien van Hawkin zelf, zijn voormalige baas, die hem een onberispelijke, maar zwakke referentie gaf. Zijn optreden voor Hawkin was nauwelijks gepassioneerd, maar hij getuigde wel dat hij nooit iets in het nadeel had gehoord van zijn voormalige werknemer.

Toen Hawkin in de getuigenbank plaatsnam, was het vuurwerk begonnen. De volgende ochtend schreeuwden de krantenkoppen: POLITIE HEEFT ME VALS BESCHULDIGD, BEWEERT MAN AANGEKLAAGD WEGENS MOORD. BEWIJSMATERIAAL IN MOORDZAAK WERD VERVALST. BEKLAAGDE: LEUGENS, LEUGENS EN NOG EENS LEUGENS. ALISONS MOORDENAAR LOOPT NOG VRIJ ROND, HOORT RECHTBANK.

George zat in zijn kantoor en staarde bitter naar de woorden die hij voor zich zag. Het maakte niet uit dat ze morgen pakpapier voor vis met patat zouden zijn. De modder was gegooid en een deel zou blijven plakken. Wat er na deze zaak ook mocht gebeuren, hij zou om overplaatsing vragen.

Hawkin had, zo werd algemeen gevonden, een indrukwekkende voorstelling gegeven in de getuigenbank en zijn onschuld betuigd wanneer hij de kans maar kreeg. En Highsmith had hem genoeg kansen gegeven. Voor elk onderdeel van de bewijslast tegen hem had hij een weerlegging gevonden, sommige overtuigender dan andere. Hij had rechtuit gesproken, de jury steeds aangekeken en was open en oprecht overgekomen. Hij had zelfs toegegeven in het bezit te zijn geweest van de Webley, maar niet dat hij het wapen gestolen had van Richard Wells. Zijn verhaal was dat hij de revolver gekocht had van een voormalige collega, die inmiddels, dat kwam goed uit, overleden was. Hij had altijd graag een vuurwapen willen hebben, bekende hij met een beschaamd gezicht. De man had hem te koop aangeboden nog voordat Hawkin van de inbraak had gehoord. Daarna had hij het verband gelegd, maar was bang geweest om ermee voor de dag te komen voor het geval hij ervan verdacht zou worden de inbraak zelf te hebben gepleegd. En ja, hij had het wapen aan zijn vrouw laten zien. Hij was nu diep beschaamd over zijn gedrag, had hij eraan toegevoegd. Volgens de kranten had hij onbevreesd in de getuigenbank gezeten. Hawkin had verscheidene keren gezegd dat hij, hoewel hij verraden was door de politie, nog steeds vertrouwen had in de Britse rechtspleging en het gezonde verstand van een Britse jury.

'Hij legt het er wel erg dik bovenop,' gromde George, terwijl hij het uitgebreide verslag van Don Smart zat te lezen in de *Daily News*.

Clough stak zijn hoofd om de deur. 'Als je het mij vraagt, doet hij te hard zijn best. Juryleden hebben nergens een grotere hekel aan dan het gevoel dat ze gevleid worden. Je mag net zoveel strooplikken als je wilt, zolang ze het maar niet doorhebben. Maar hij bedelft ze onder de mooie woorden en ze zullen erin stikken.'

'Aardig geprobeerd, Tommy,' zei George zuchtend. 'Ik wou dat ik er vandaag bij kon zijn voor het kruisverhoor van Stanley.'

'Hij zal het misschien beter doen doordat hij weet dat je er niet bent.'

Manchester Evening News, woensdag 24 juni 1964

Vermiste jongens – en twee wachtende moeders

Van onze verslaggever

Twee verdrietige vrouwen, die beiden de geestverdovende marteling kennen van een moeder van wie een kind zoek is, ontmoetten elkaar vandaag voor het eerst in Ashton-under-Lyne.

Mevrouw Sheila Kilbride en mevrouw Winifred Johnson zaten aan tafel in de huurwoning van mevrouw Kilbride in Smallshaw Lane, Ashton, en praatten over hun verdwenen zoons.

John Kilbride, die sinds vorig jaar november wordt vermist, was 12 jaar, net als Keith Bennett, van Eston Street, Chorlton-on-Medlock, Manchester, die de zoon is van mevrouw Johnson is. Keith wordt sinds zeven dagen vermist.

Beiden zijn het oudste kind uit een groot gezin. En beiden zijn verdwenen zonder een spoor achter te laten.

'EEN NACHTMERRIE'

Mevrouw Kilbride en mevrouw Johnson zaten rustig te praten, met de houding van vrouwen die nog niet echt kunnen geloven dat dit hun is overkomen.

Mevrouw Kilbride zei: 'Zelfs na al die tijd lijkt het nog steeds een nachtmerrie.'

Naarmate de tijd verstreek, zei ze, leerde ze leven met valse hoop en de momenten van angstige spanning wanneer voor de deur een auto stopte.

Maar de slapeloze nachten gaan door, en

dat geldt ook voor de dagen van diepe wanhoop.
Ze zei tegen mevrouw Johnson: 'Je moet doorgaan. We hebben een groot gezin, net als jij, en we merken dat we de naam van John zelfs niet vaak meer noemen.'

DE BEDRIEGERS

Mevrouw Kilbride waarschuwde voor de bedriegers en fanatiekelingen die pijn brachten met hun bedotterij.
'Ik heb geleerd iedereen die aan de deur komt te wantrouwen,' zei ze.
'Als ze beweren van de politie te zijn, of verslaggevers, en ik ken ze niet, vraag ik om een identiteitsbewijs.'
Mevrouw Kilbride, de vrouw van een bouwvakker, heeft zeven kinderen, John meegerekend. Mevrouw Johnson, wier man een werkloze schrijnwerker is, heeft zes kinderen en verwacht haar volgende baby op vijf juli.

ZOEKTOCHT

De politie zoekt nog steeds naar hun zoons. Een beschrijving van Keith is over het hele land verspreid.
Een woordvoerder in Manchester zei: 'We zijn natuurlijk bezorgd om zijn veiligheid. Het is een ongebruikelijke zaak omdat deze jongen nooit eerder is weggelopen en zijn bril thuis heeft gelaten, terwijl hij zonder bril heel weinig kan zien.
Hij had maar een kwartje bij zich. Meestal vinden we zulke jongens snel. We hebben geen aanknopingspunten, maar we doen alles wat in ons vermogen ligt.'

Het proces

5

Passages uit het officiële verslag van de Staat tegen Philip Hawkin; Desmond Stanley, openbaar aanklager, houdt zijn slotbetoog voor de jury uit naam van het Openbaar Ministerie.

Dames en heren van de jury, ik wil u bedanken voor uw geduld tijdens dit moeilijke proces. Het is altijd pijnlijk om ons bezig te moeten houden met de schending van een kind, zoals u in dit geval hebt moeten doen. Ik zal mijn best doen het zo kort mogelijk te houden, maar ik zal eerst moeten ingaan op de suggesties die mijn hooggeachte confrater heeft gedaan tijdens het voeren van zijn verdediging.

U hebt inspecteur George Bennett zelf gezien en gehoord. U hebt ook de beklaagde, Philip Hawkin, gezien en gehoord. Nu ken ík inspecteur Bennett als een bijzonder integer politieman, maar u beschikt niet over het voordeel hem te kennen zoals ik hem ken. U zult dus moeten afgaan op de feiten die voor ons liggen. De uitstekende reputatie van inspecteur Bennett is de man in deze rechtszaal vooruitgegaan. We hebben gehoord hoe mevrouw Carter, de vrouw van de beklaagde, hem prees. Later hebben we mevrouw Hester Lomas en de heer Charles Lomas met grote warmte horen spreken over zijn steun voor de inwoners van Scardale, die een van hun jonge mensen hadden verloren, en over zijn onvermoeibare streven naar duidelijkheid over wat er met Alison Carter was gebeurd.

De heer Hawkin, aan de andere kant, is, zoals hij zelf toegeeft, een man die een onwettig vuurwapen koopt en dat bewaart in een huis waarin een jong meisje woont.

Dit zijn feiten, dames en heren. Geen vermoedens, maar feiten. Ondanks de suggesties van mijn hooggeacht confrater, beschikken we over vele andere feiten in deze zaak. Het is een feit dat Philip Hawkin in het bezit was van een revolver, een Webley .38, waarmee schoten zijn afgevuurd in een geïsoleerde grot waar kledingstukken gevonden zijn die volgens haar moeder afkomstig waren van Alison Carter. Het is een feit dat Philip Hawkin een boek bezit waarin een nauwkeurige beschrijving staat van de lokatie van deze grot waarvan het bestaan door iedereen vergeten was met uitzondering van een oude vrouw. Het is een feit dat Philip Hawkin in staat is geweest het sperma te produceren dat gevonden is op de gescheurde overblijfselen van het gymbroekje van Alison Carter.

Het is een feit dat de revolver van Philip Hawkin gewikkeld in een met bloed bevlekt overhemd verstopt was in de donkere kamer van Philip Hawkin, die zich in een bijgebouw bevindt waar niemand anders dan de beklaagde zelf kwam. Het is een feit dat dit overhemd toebehoort aan Philip Hawkin. Het is een feit dat het bloed op dat overhemd, de overvloedige hoeveelheid bloed op dat overhemd, afkomstig kan zijn geweest van Alison Carter. Het is een feit dat er een volkomen logische verklaring is voor het ontbreken van bloed in de grot.

Verder is het een feit dat de obscene foto's van Alison Carter en de negatieven waarvan ze zijn afgedrukt vol zitten met Philip Hawkins vingerafdrukken en niet die van inspecteur Bennett. Het is een feit dat een aantal van die foto's gemaakt is in de slaapkamer van Alison Carter en niet afkomstig is uit een of ander pornografisch tijdschrift. Het is een feit dat Philip Hawkin in het bezit was van de fotografische uitrusting die nodig is om die foto's te maken en af te drukken. Inspecteur Bennett mag dan een camera hebben waarmee zulke foto's kunnen worden gemaakt, maar hij heeft geen handige donkere kamer in zijn achtertuin. Hij is niet in het bezit van ontwikkelingsbakken, vergrotingsapparaten, een stapel fotopapier of andere hulpmiddelen die hij nodig zou hebben gehad om zulke uitstekende vervalsingen te maken. Trouwens, hij heeft er de tijd niet voor.

Het is een feit dat de foto's goed verborgen waren in een brandkast waarvan de sleutel verstopt was in de studeerkamer van Philip Hawkin. Het is een feit dat Philip Hawkin de brandkast heeft laten installeren toen hij in het bijgebouw een donkere kamer inrichtte.

Aan feiten, dames en heren, is geen gebrek in deze zaak. Deze feiten zijn bewijsmateriaal, en dit materiaal duidt in overweldigende mate op één conclusie. Dat er geen stoffelijk overschot is gevonden, betekent nog niet dat er geen misdrijf heeft plaatsgevonden. Het kan prettig voor u zijn om te weten dat u niet wordt gevraagd een beslissing te nemen die geen precedent kent. Jury's hebben eerder beklaagden schuldig bevonden aan moord zonder dat het betreffende lichaam was gevonden. Als u er, op basis van het gepresenteerde bewijsmateriaal en van uw beoordeling van de getuigenverklaringen, van overtuigd bent dat de beklaagde de misdaden van verkrachting en moord heeft begaan tegen Alison Carter zult u uw plicht moeten doen en hem schuldig bevinden.

Er is, zoals ik heb gezegd, een duidelijk patroon van gebeurtenissen in deze zaak, en dit leidt onontkoombaar tot één conclusie. Toen

Philip Hawkin in Scardale arriveerde, beschikte hij voor het eerst van zijn leven over macht en rijkdom. Voor het eerst van zijn leven genoot hij het vooruitzicht zijn perverse belangstelling voor jonge meisjes volledig te kunnen uitleven.

Om zijn werkelijke verlangens te verhullen, maakte hij Ruth Carter het hof, een vrouw die zes jaar eerder weduwe was geworden. Hij was niet alleen attent en overredend, maar leek ook geen problemen te hebben met het vooruitzicht het kind van een andere man in zijn huis op te nemen. In het geheim was het niet zo dat hij er geen problemen mee had, integendeel, hij was verrukt van het vooruitzicht, en het enige wat hij moest doen was de moeder ervan overtuigen dat zijn belangstelling haar gold en niet haar knappe jonge dochter. Hij slaagde hierin. En dat was het moment waarop de kindertijd van Alison Carter ten einde kwam.

Toen ze Philip Hawkins stiefdochter werd, werd ze ook zijn prooi. Ontsnapping was niet mogelijk doordat ze onder hetzelfde dak woonde. Hij maakte pornografische foto's van haar. Hij schendde haar. Hij verkrachtte haar. Hij pleegde sodomie met haar. Hij dwong haar tot orale sex. Hij bedreigde haar. We weten dit doordat we het met eigen ogen hebben gezien op foto's die absoluut niet vervalst maar juist zeer echt lijken. Afschuwelijk, walgelijk, onterend en zonder enige ruimte te laten voor twijfel, vormen ze een verslag van wat Alison Carter in werkelijkheid is aangedaan door haar stiefvader.

Wat er mis is gegaan zullen we nooit weten, want de beklaagde heeft geweigerd het lijden van mevrouw Ruth Carter te verlichten door ons te vertellen hoe en waarom hij zich van haar dochter heeft ontdaan. Misschien had Alison er genoeg van en dreigde ze het haar moeder of een andere volwassene te vertellen. Misschien had hij genoeg van haar en wilde hij van haar af. Misschien is een ziek seksueel spel uit de hand gelopen. Wat de reden ook mag zijn – en het is niet moeilijk ons een motief voor te stellen in een zo duistere, barbaarse zaak als deze – Philip Hawkin besloot zijn stiefdochter te vermoorden. Dus heeft hij haar in een vochtige, donkere grot nog een laatste keer verkracht voordat hij de trekker van zijn revolver overhaalde en dit arme meisje van dertien vermoordde.

Vervolgens had hij, toen hij geconfronteerd werd met zijn wandaden, de onbeschaamdheid om te proberen er onderuit te komen door de goede naam van een eerlijke politieman door het slijk te halen.

Philip Hawkin had een zorgplicht voor Alison Carter. In plaats daarvan heeft hij zijn positie gebruikt om haar seksueel te misbruiken en haar toen er iets fout ging doodgeschoten. Daarna heeft hij zich van het lichaam ontdaan in de veronderstelling dat er zonder lichaam geen vervolging zou plaatsvinden, dat niemand schuldig zou worden bevonden.

Dames en heren van de jury, u kunt zich laten leiden door het bewijsmateriaal en hem laten zien dat hij ernaast zat. Philip Hawkin is schuldig aan het hem ten laste gelegde en ik dring er bij u op aan met de passende uitspraak naar deze rechtszaal terug te keren.

Het proces

6

Passages uit het officiële verslag van de Staat tegen Philip Hawkin; Rupert Highsmith, advocaat, houdt zijn slotpleidooi voor de jury uit naam van de verdediging.

Dames en heren van de jury, u hebt de belangrijkste taak in deze rechtszaal. In uw handen ligt het leven van een man die beschuldigd is van verkrachting van en moord op zijn stiefdochter. Het is de taak van de openbare aanklager om zonder gerede twijfel aan te tonen dat hij deze misdaden heeft begaan. Het is mijn taak om u te wijzen op alle punten waarop de openbare aanklager daar niet in is geslaagd. Ik ben ervan overtuigd dat u, als u gehoord hebt wat ik te zeggen heb, Philip Hawkin niet zult kunnen veroordelen voor welke misdaad dan ook.

Het eerste wat de aanklager moet aantonen, is dat er in feite een misdrijf heeft plaatsgevonden. Wat dat betreft zien we bij deze zaak vanaf het begin een aantal ongebruikelijke problemen. Er is geen eiser. Alison Carter wordt vermist en is dus niet in staat met een beschuldiging van verkrachting te komen, niet in staat een dader aan te wijzen – als er al een dader was, want de aanklagers zijn niet in staat geweest met een derde partij te komen tot wie Alison zich heeft gewend met de klacht dat ze aangevallen was. Niemand is getuige geweest van de vermeende verkrachting. Philip Hawkin is niet gekneusd en gewond thuisgekomen, alsof hij betrokken was geweest bij een gewelddadige worsteling. Het enige bewijs van verkrachting wordt gevormd door de foto's. Ik kom later op deze foto's terug. Het enige wat ik op dit moment wil zeggen is dat u moet onthouden dat de camera inderdaad kan liegen.

U denkt misschien dat de vondst van ondergoed dat geïdentificeerd is als afkomstig van Alison en bevlekt met bloed en sperma op verkrachting wijst. Dat is niet het geval, dames en heren. Seksuele handelingen kunnen vele vormen aannemen. Hoe onaangenaam het ook voor u is om dit te moeten overwegen, hieronder valt onder andere het dragen van kleding van schoolmeisjes door oudere vrouwen om te voldoen aan mannelijke fantasieën. Hieronder valt ook de schijn van geweld. Deze bewijsstukken vormen dus op zichzelf geen enkel bewijs.

Dit brengt ons bij de tweede aanklacht, die van moord. Maar opnieuw zijn er geen getuigen. De aanklager heeft niemand kunnen vinden die bereid was te getuigen dat Philip Hawkin een gewelddadig man zou zijn. Niet één enkele getuige is naar voren gekomen om te zeggen dat Philip Hawkin zich niet normaal zou hebben gedragen ten opzichte van zijn stiefdochter. Er zijn niet alleen geen getuigen, er is ook geen lichaam. Niet alleen is er geen lichaam, er is geen bloed op de vermeende plaats van de misdaad. Het is de eerste schietpartij in de geschiedenis van de gerechtelijke wetenschap die geen sporen heeft achtergelaten op de plaats waar deze verondersteld wordt te hebben plaatsgevonden. Alison Carter kan net zo goed van huis zijn weggelopen en ergens aan de rand van de maatschappij leven. Hoe kan Philip Hawkin van moord worden beschuldigd terwijl er geen bloed is gevonden, terwijl er geen stoffelijk overschot is gevonden? Hoe durft men hem van moord te beschuldigen?

Het enige dat de openbare aanklager heeft, is een keten van indirect bewijs. We weten allemaal dat een keten slechts zo sterk is als de zwakste schakel. Wat moeten wij dan denken van een keten die slechts uit zwakke schakels bestaat? Laten we eens naar de bewijzen kijken, stuk voor stuk, en de zwakte ervan nagaan. Ik ben ervan overtuigd, dames en heren van de jury, dat u het, wanneer we dat hebben gedaan, onmogelijk zult vinden Philip Hawkin schuldig te bevinden aan een van de twee verschrikkelijke misdaden waarvan hij wordt beschuldigd.

U hebt twee getuigen horen verklaren dat zij Philip Hawkin op de middag van Alisons verdwijning hebben gezien in het veld tussen het bos waar Alisons hond is gevonden en het kreupelbosje waar men later ontdekt heeft dat een aantasting van rechten heeft plaatsgevonden. Ik wil absoluut niet suggereren dat één of beide getuigen hebben gelogen. Ik denk dat beiden zichzelf ervan hebben overtuigd dat ze niets minder dan de waarheid spreken.

Ik wil echter stellen dat in een kleine boerengemeenschap als Scardale de ene winterse namiddag sterk op de andere lijkt. Het zou niet moeilijk zijn om dinsdag met woensdag te verwarren. We moeten eraan denken dat iedereen in Scardale verbaasd en van streek was door Alisons verdwijning. Als iemand met een bepaald gezag, zoals een inspecteur van politie, krachtig zou suggereren dat er een vergissing moest zijn gemaakt en dat het rechtzetten van die vergissing zou helpen om het raadsel op te lossen, is het dan zo verbazingwekkend dat getuigen op die suggestie ingaan? Vooral als dit betekent dat ze de schuld buiten hun eigen hechte gemeenschap kunnen leggen en bij de man die ze allemaal als een buitenstaander beschouwen, hun nieuwe en zeer verfoeide landheer, Philip Hawkin? Laten we niet vergeten, dames en heren, als Philip Hawkin naar de galg wordt gestuurd, zal Scardale en alles wat erbij hoort in handen komen van zijn vrouw, die heel duidelijk een van hen is.

Vervolgens komen we bij het bewijsmateriaal van mevrouw Hawkin zelf. En wat ze hier ook tegenin brengt, laten we niet vergeten dat ze mevrouw Hawkin blijft. U denkt misschien dat het feit dat ze bereid is tegen haar man te getuigen voor zichzelf spreekt. Wat kan tenslotte een vrouw die nog geen achttien maanden getrouwd is ertoe brengen de vervolging van haar man te steunen behalve overtuigend bewijsmateriaal? Vertelt het ons niet iets over de beklaagde dat zij tegen hem heeft getuigd terwijl de zaak van de openbare aanklager zo zwak is?

Nee, dames en heren, dat is niet het geval. Wat het ons vertelt, is dat er niets sterkers is voor een vrouw dan de band van het moederschap.

De dochter van mevrouw Hawkin is op woensdag elf december verdwenen. Ze is buiten zichzelf. Ze is radeloos. Ze is verbijsterd. De enige die haar enige hoop lijkt te bieden, is een jonge inspecteur die zich met hartstocht en toewijding op de zaak werpt. Hij is er altijd. Hij is meelevend en vastberaden. Maar hij komt nergens. Uiteindelijk komt hij op de gedachte dat de echtgenoot van de vrouw de hand kan hebben gehad in de verdwijning van Alison. En hij raakt vastbesloten zijn theorie te bewijzen. Stelt u zich voor wat dit betekent voor een vrouw met de onstabiele geestesgesteldheid van mevrouw Hawkin. Natuurlijk is ze beïnvloedbaar. En wat hij tegen haar zegt lijkt volkomen logisch. Want zij wil een antwoord. Ze wil dat er een eind komt aan die verschrikkelijke onzekerheid. Ze kan beter haar man de schuld geven dan voortdurend met de angstige vraag blijven leven wat er met haar dochter is gebeurd.

Dit betekent, dames en heren, dat u uiterst sceptisch moet staan tegenover de verklaring van mevrouw Hawkin.

En wat het zogenaamde fysiek bewijsmateriaal betreft: niets ervan wijst op zichzelf in de richting van Philip Hawkin. Zo'n zes miljoen mannen in dit land hebben dezelfde bloedgroep als Philip Hawkin en degene die de spermavlekken in de loodmijn heeft achtergelaten. Hoe kan dat hem als schuldige aanwijzen? In de studeerkamer van landheer Castleton staan vierhonderddrieëntwintig boeken en niets wijst erop dat dat ene boek met gegevens over de loodmijn door iemand is aangeraakt, Hester Lomas en inspecteur Bennett meegerekend. Hoe kan dat naar hem wijzen? Drogisterij Boots in Buxton verkoopt wekelijks twintig tot dertig rollen hansaplast, waarvan er twee verkocht zijn aan Philip Hawkin, die in een boerengemeenschap leeft, waar snij- en schaafwonden nauwelijks een ongewoon aspect van het leven zijn. Hoe kan dat hem aanwijzen als een verkrachter en moordenaar?

Dat doet het dus ook niet. Maar hoe zwak deze indirecte schakels ook zijn, we kunnen niet ontkennen dat de balans tegen de heer Hawkin lijkt door te slaan als ze allemaal aan één kant worden gelegd.

Dus als het niet zijn gedrag is geweest dat tot dit onweerlegbare effect heeft geleid, wiens gedrag dan wel?

Er is één aspect aan deze baan waar elke advocaat een hekel aan heeft. Terwijl de grote meerderheid van onze politiemensen eerlijk en betrouwbaar is, gaan de dingen zo nu en dan fout. En zo nu en dan is het onze taak om de rotte appels in de mand te ontmaskeren. Wat naar mijn mening nog erger is dan de politieman die uit hebzucht de verkeerde kant opgaat, is de politieman die uit ijver de wet in eigen hand neemt.

Wat ons hier bijeen heeft gebracht, is niet de slechtheid van Philip Hawkin, maar de ijver van inspecteur George Bennett. Zijn verlangen om de verdwijning van Alison Carter op te lossen heeft ertoe geleid dat hij verhinderd heeft dat het recht zijn loop zou hebben. Een andere verklaring voor de gebeurtenissen is er niet. Het is echt verschrikkelijk wat een man kan doen wanneer hij verblind is door overtuiging, zelfs als die overtuiging volledig ongegrond is.

Als we het indirecte bewijsmateriaal bekijken, wordt duidelijk dat één man over motief, middelen en gelegenheid beschikte om Philip Hawkin er in te luizen. Hij is een jonge en onervaren rechercheur, die gefrustreerd was door zijn mislukking in deze zaak. Hij moet de ogen van zijn superieuren op zich gericht gevoeld hebben en was vastbesloten een schuldige te vinden en een veroordeling te krijgen.

George Bennett is bij meer dan één gelegenheid alleen in de studeerkamer van de heer Hawkin geweest, zeker lang genoeg om een wapen te vinden, een boek door te kijken, zeker om de geheime bergplaats van de sleutel van een brandkast te vinden. George Bennett had het vertrouwen gewonnen van mevrouw Hawkin en liep allang in Scardale Manor rond voordat hij een huiszoekingsbevel had. Wie was beter in de gelegenheid om een van de overhemden van de heer Hawkin mee te nemen? Hij won het vertrouwen van de dorpelingen. Wie was in een betere positie om mevrouw Lomas en haar kleinzoon ervan te overtuigen dat ze zich vergist hadden over de dag waarop ze de heer Hawkin over zijn eigen grond zagen lopen?

En ten slotte, de foto's. George Bennett deelt een hobby met Philip Hawkin. Hij maakt niet alleen vakantiekiekjes met een Box Brownie, zoals de meesten van ons. Op school was hij secretaris van de Camera Club, als student schreef hij artikelen over fotografie en hij bezit een portretcamera van het type dat gebruikt moet zijn om deze foto's te maken. Hij weet wat mogelijk is in de wereld van de fotografie. Hij is bekend met het vervalsen van foto's. Philip Hawkin heeft tientallen foto's van Alison in zijn mappen, waarvan vele spontaan zijn gemaakt. Op sommige foto's is ze boos of van streek. Hij heeft ook foto's van zichzelf. Met dit materiaal en toegang tot het soort in beslag genomen pornografie waarover veel politiebureaus beschikken, kan George Bennett deze vermeend belastende foto's in elkaar hebben gezet.

Op zijn slechtst hebben we een afschuwelijke samenzwering aan het licht gebracht die voortkomt uit de arrogante overtuiging van één man dat hij wist waar gerechtigheid lag. Op zijn best hebben we vastgesteld dat de openbare aanklager zijn zaak zeker niet zonder gerede twijfel heeft bewezen. Dames en heren, ik leg het lot van Philip Hawkin in uw handen. Dat u hem op beide aanklachten zult vrijspreken, is mijn vaste en blijvende overtuiging. Dank u.

Het proces

7

Passages uit het officiële verslag van de Staat tegen Philip Hawkin; rechter Justice Fletcher vat samen voor de jury.

Dames en heren van de jury, het is de taak van de aanklager om zonder gerede twijfel aan te tonen dat de beklaagde schuldig is aan het ten laste gelegde. Het is de taak van de verdediging om na te gaan of de zaak van de openbare aanklager voldoende zwakke punten bevat om deze vatbaar te maken voor twijfel. Sommigen van u verwachten nu misschien een aanwijzing van mij over de vraag of de beschuldigde onschuldig of schuldig is. Maar dat is niet mijn taak. Het is uw verantwoordelijkheid en u kunt zich daaraan niet onttrekken. Mijn taak is voor een eerlijk proces te zorgen. En om te waarborgen dat gerechtigheid geschiedt, is het mijn taak een samenvatting van de zaak te geven en u te adviseren op punten van de wet.

De zaak die voor ons ligt is met name moeilijk door de afwezigheid van Alison Carter, dood of levend. Als zij in leven zou zijn, zou de tweede beschuldiging, die van moord, uiteraard niet ter zake zijn, maar ze zou de meest waardevolle getuige zijn ten aanzien van de tweede beschuldiging, die van verkrachting. Als haar lichaam was gevonden, had het een verhaal kunnen vertellen aan onze gerechtelijk deskundigen en ons onvermijdelijk hebben voorzien van een beduidende hoeveelheid bewijsmateriaal. Maar omdat ze hier niet aanwezig is om ons haar getuigenverklaring te geven, zijn we gedwongen ons te baseren op andere bewijsbronnen.

Ten eerste moet ik u vertellen, dat de openbare aanklager geen stoffelijk overschot hoeft te produceren om uit te kunnen gaan van moord. Er zijn mensen veroordeeld voor moord in gevallen waarbij nooit een stoffelijk overschot is gevonden. Ik zal u twee voorbeelden geven die in een aantal opzichten overeenkomen met deze zaak.

Een actrice, Gay Gibson genaamd, reisde per schip van Zuid-Afrika terug naar huis, naar ons land, toen medereizigers op een gegeven moment meldden dat ze werd vermist. Het schip werd doorzocht, en de kapitein is zelfs omgedraaid om een zoektocht te houden. Maar er werd geen spoor van mevrouw Gibson gevonden. Een deksteward, James Camb genaamd, werd op een gegeven moment verdacht omdat hij door een ander bemanningslid midden in de nacht in de deuropening van haar hut was gezien. Hij werd gearresteerd toen het schip de haven binnenliep en gaf toe in de hut te zijn geweest. Hij beweerde echter dat ze hem had uitgenodigd met het doel geslachtsgemeenschap te hebben.

Verder beweerde hij dat zij tijdens de geslachtsgemeenschap een toeval had gekregen en overleden was. Tijdens de toeval had ze spasmen gekregen en zich aan hem vastgeklemd, waarbij ze zijn rug en schouders had gekrabd. Volgens zijn verhaal was hij in paniek geraakt en had hij haar lichaam door de patrijspoort in zee gegooid. De aanklager stelde dat hij haar gewurgd had tijdens een verkrachting en dat er, als de gebeurtenissen zo waren geweest als hij had beschreven, geen reden voor hem was geweest om geen medische hulp in te roepen toen ze haar toeval had.

James Camb werd schuldig bevonden aan moord.

Verder is er de zaak geweest van Michael Onufrejczyk, een Pool die onderscheidingen had gekregen in de Tweede Wereldoorlog. Hij werd boer in Wales, in compagnonschap met een andere Pool, Stanislaw Sykut. Bij een routinecontrole van de politie op de aanwezigheid van buitenlanders bleek dat de heer Sykut werd vermist. Onufrejczyk beweerde dat zijn compagnon zijn aandeel in de boerderij had verkocht en teruggekeerd was naar zijn geboorteland.

Maar tijdens het onderzoek van de politie bleek dat geen van Sykuts vrienden iets van een dergelijk voornemen wist. Van zijn bankrekening was al enige tijd niets afgehaald en de vriend die volgens Onufrejczyk hem het geld had geleend om de boerderij te kopen, ontkende dat. Uit verder onderzoek bleek dat de mannen ruzie hadden gehad en dat er sprake was geweest van bedreigingen. In de boerderij werden bloedvlekken aangetroffen waarvoor geen bevredigende verklaring werd gegeven.

Tijdens het proces dat hierop volgde, werd gesteld dat Onufrejczyk het stoffelijk overschot van zijn compagnon aan de varkens had gevoerd en dat er daardoor geen spoor meer van te vinden was. In zijn vonnis tijdens het hoger beroep wees de opperrechter zelf erop dat het mogelijk was een dood aan te tonen op basis van andere middelen dan de aanwezigheid van een lichaam.

U ziet dus dat het volgens de wet mogelijk is om iemand schuldig te bevinden aan moord zonder dat er een stoffelijk overschot is gevonden. Als u er door de aanklager van overtuigd bent dat er in dit geval voldoende bewijs is en dat dit onverbiddelijk tot één conclusie leidt, is het uw recht om de beklaagde schuldig te verklaren. Net zozeer geldt echter dat u, als de verdediging erin is geslaagd u aan het twijfelen te brengen, de beklaagde onschuldig zult moeten verklaren.

Nu, wat het bewijsmateriaal in deze zaak betreft...

De uitspraak

George deed alsof hij een rapport las over een inbraak in een kruidenierszaak met drankvergunning toen de telefoon ging. 'De jury heeft zich teruggetrokken,' zei Clough kort en bondig.

'Ik kom eraan,' zei George, terwijl hij de hoorn op de haak gooide en overeind sprong. Hij pakte zijn jas en zijn hoed en rende zijn kantoor uit. Hij bleef rennen tot hij achter het stuur van zijn auto dook. Terwijl hij slippend om de poort van de parkeerplaats heen reed, ving hij een glimp op van commissaris Martin voor het raam van zijn kantoor en hij vroeg zich af of hij dezelfde boodschap had gehad.

Met brullende motor reed hij de stad uit en de oude Romeinse weg op, die als een mes door een lappendeken door groene velden en vuilwitte stapelmuurtjes sneed. Terwijl hij plankgas reed, klom de wijzer van de snelheidsmeter voorbij de tachtig, voorbij de honderd en bleef trillend staan aan de verkeerde kant van de honderdtwintig. Steeds wanneer er iets op zijn weg verscheen, zorgde een flink geloei van zijn claxon ervoor dat ze uitweken naar de berm om hem te laten passeren.

Hij had geen oog voor de pretentieloze schoonheid van de zomermiddag. Hij was volledig geconcentreerd op de weg die zich als een spoel voor hem afrolde. Hij passeerde de kruising van Newhaven en was gedwongen gas terug te nemen toen de Romeinse weg ophield en overging in een bochtiger landweg, die hem hotsend over heuvels, door scherpe bochten en over snelheidtartende verkeersdrempels bracht. Hij kon alleen maar denken aan de tien mannen en twee vrouwen die samen in de jurykamer zaten. Ten slotte bereikte hij de kleine marktstad Ashbourne en lag de weg weer voor hem open.

Zouden ze tot een beslissing zijn gekomen wanneer hij daar zou arriveren? vroeg George zich af. Op de een of andere manier verwachtte hij dat niet. Hoe graag hij ook wilde geloven dat hij Stanley van genoeg munitie had voorzien om Hawkin neer te halen, hij wist dat ze ook voldoende schade hadden opgelopen van de kant van Highsmith.

Toen hij de zijstraat inreed naar het provinciehuis waarin het gerechtshof zitting hield, kwam precies bij de zijdeur iemand van een parkeerplaats rijden. 'Een goed teken,' mompelde George, terwijl hij zijn auto in de vrijgekomen ruimte draaide. Hij stormde het gebouw binnen en zag verbijsterd dat het vrijwel leeg was. De deuren van de rechtszaal stonden open en de zaal was verlaten met uitzondering van een bode die op een stoel de *Mirror* zat te lezen.

George liep naar hem toe en zei: 'Is de jury nog aan het beraadslagen?'

De man keek op. 'Ja, inderdaad.'

George haalde een hand door zijn haar. 'Weet u waar ik het team van de openbare aanklager kan vinden?'

De bode dacht na en zei: 'Waarschijnlijk in de foyer van de Lamb & Flag. Aan de overkant van het plein. De bar is gesloten, ziet u.' Hij fronste zijn voorhoofd. 'U was hier vorige week,' zei hij beschuldigend. 'U bent inspecteur Bennett.'

'Dat klopt,' zei George vermoeid.

'Uw maat was hier vandaag,' vervolgde hij. 'Die ene die eruitziet als een steunbeer.'

'Weet u waar hij heen is?'

'Hij zei dat ik als ik u zag moest zeggen dat hij in de Lamb & Flag zou zijn. Het is de enige plek waar je er zeker van bent dat je het hoort als de jury terugkomt, ziet u.'

'Bedankt,' zei George over zijn schouder, terwijl hij de voordeur uitliep en het plein overstak naar de voormalige herberg. Terwijl hij gehaast de hoofdingang binnenliep, struikelde hij bijna over Cloughs benen. De brigadier hing languit in een chintz fauteuil bij de receptie, met een grote Scotch in zijn hand en een smeulende sigaret in een staande asbak naast hem.

'Ik hoop dat de verkeerspolitie je niet heeft gepakt,' zei Clough, terwijl hij overeind ging zitten. 'Trek een stoel bij.' Hij gebaarde naar een stuk of zes fauteuils die oprezen rond kleine ronde tafels en de beperkte ruimte voor de met glas afgescheiden receptie vulden. De losse hoezen, met hun patroon van roze met groene koolrozen vloekten heftig met het rijke rood en blauw van het traditionele Wilton-tapijt, maar geen van beide mannen merkte dit op.

George ging zitten. 'Hoe heb je dat voor elkaar gekregen?' vroeg hij met een gebaar naar de whisky. 'Het duurt nog minstens een uur voor ze opengaan.'

Clough knipoogde. 'Ik heb de receptioniste leren kennen toen ik Wells hierheen bracht uit St. Albans. Wil je er een?'

'Ik zou geen nee zeggen.'

Clough liep naar de balie van de receptie die in houtfineer was uitgevoerd en leunde eroverheen. George hoorde wat stemmengemompel en toen was de brigadier weer terug. 'Ze brengt er een.'

'Bedankt. Hoe was de samenvatting?'

'Nogal onpartijdig. Niets waar een appelrechter opgewonden van zou raken. De rechter heeft al het bewijsmateriaal gewoon eerlijk opgesomd. De ene minuut kwam je eraf als een valselijk beschuldigde maagd, de volgende minuut zei hij dat er iemand moest zijn die loog en dat zij moesten beslissen wie dat was. Hij ging nogal lang in op het verschil tussen denkbeeldige twijfel en gerede twijfel. Ik moet zeggen dat de juryleden er nogal somber uitzagen toen ze zich terugtrokken.'

'Bedankt dat je gekomen bent,' zei George.

'Het was interessant.'

'Dat weet ik, maar het is je vrije dag.'

Clough haalde zijn schouders op. 'Ja, maar de drilsergeant heeft mij niet verboden hier te komen, nietwaar?'

George grinnikte. 'Alleen doordat hij er niet aan gedacht heeft. Waar zijn alle persmuskieten trouwens?'

'Boven, in de kamer van Don Smart, met een fles Bell's. Een van de plaatselijke jongens heeft aan het kortste eind getrokken. Hij is in de rechtbank, klaar om te bellen als er enig teken van de jury is. De advocaten zitten allemaal in de foyer. Jonathan Pritchard loopt heen en weer te benen als een aanstaande vader op hete kolen.'

George zuchtte. 'Ik weet precies hoe hij zich voelt.'

'Nu we het er toch over hebben, hoe is het met Anne?'

Terwijl hij een sigaret opstak, trok George zijn wenkbrauwen op. 'Een beetje uit haar doen door wat ze in de kranten leest. En ze heeft ook last van het warme weer. Ze zegt dat ze zich voelt alsof ze een zak piepers op haar buik meesjouwt.' Hij beet nerveus op de huid naast zijn duimnagel. 'Met haar zwangerschap en deze zaak ben ik zo gespannen als wat.' Hij kwam overeind en liep naar het dichtstbijzijnde raam. Terwijl hij over het plein naar het gerechtsgebouw staarde, zei hij: 'Wat moet ik doen als ze hem onschuldig verklaren?'

'Zelfs als hij niet beschuldigd wordt van moord, zullen ze hem nog pakken voor verkrachting,' zei Clough rustig. 'Ze zullen echt niet geloven dat jij met die foto's hebt geknoeid, wat Highsmith ook geprobeerd heeft. Het ergste wat er kan gebeuren, denk ik, is dat ze tot de conclusie komen dat jij je hebt laten meeslepen toen je de foto's had gevonden en besloot om Hawkin ook voor moord te pakken.'

'Maar Ruth Carter heeft de revolver gevonden voordat ik de foto's vond,' protesteerde George met een verontwaardigde blik naar Clough.

'"Dat zeg jij," zou de jury kunnen zeggen,' merkte Clough op. 'Luister, wat ze ook mogen denken, wat de verkrachting betreft zullen ze niet twijfelen. Kom op, je was in de rechtszaal toen ze die foto's te zien kregen. Op dat moment was de jury tegen Hawkin. Geloof me, ze zullen niets liever willen dan een manier vinden om hem op beide aanklachten schuldig te verklaren. Kom op, je drankje is hier. Ga zitten en hou op met piekeren. Je maakt me zenuwachtig,' voegde hij eraan toe in een vergeefse poging George met een grapje wat op te vrolijken.

George liep naar de tafel, pakte zijn glas en liep terug naar het raam, onderweg stilstaand om met nietsziende ogen naar een Victoriaanse jachtprent in schreeuwende kleuren te kijken. 'Hoe lang is het nu?' vroeg hij.

'Eén uur en zevenendertig minuten,' zei Clough met een blik op zijn horloge. Ineens ging de telefoon in de receptie. George draaide zich snel om en keek naar de jonge vrouw achter de balie.

'Lamb & Flag, receptie,' zei ze op verveelde toon. Ze keek naar George. 'Jazeker. Wat was de naam?' Ze zweeg en keek in het hotelregister. 'De heer en mevrouw Duncan. Hoe laat verwacht u hier te zijn?'

Met een gefrustreerde zucht draaide George zich om en ging verder met zijn bestudering van het provinciehuis. 'Ik heb nooit begrepen waarom jury's zoveel tijd nodig hebben,' klaagde hij. 'Ze zouden gewoon moeten stemmen en uitgaan van de beslissing van de meerderheid. Waarom moet de uitspraak unaniem zijn? Hoeveel criminelen lopen niet vrij de rechtszaal uit doordat één koppig jurylid zich niet laat overtuigen? Het is nou niet bepaald zo dat het allemaal knappe koppen zijn, nietwaar?'

'George, het kan nog uren duren. Misschien zijn ze de hele nacht en morgen de hele dag nog wel bezig, dus ga nou zitten en geniet van je drankje en rook een sigaret. Anders komen we allebei nog in het ziekenhuis terecht met een hoge bloeddruk,' zei Clough.

George zuchtte zwaar en sleepte zich terug naar zijn stoel. 'Je hebt gelijk. Ik weet dat je gelijk hebt. Ik zit gewoon op hete kolen.'

Clough trok een pak kaarten uit zijn jaszak. 'Speel je *cribbage*?'

'We hebben geen scorebord,' zei George.

'Doreen,' riep Clough. 'Is er een kans dat we het *cribbage*-bord uit de bar kunnen gebruiken?'

Doreen sloeg haar ogen ten hemel en uitte de universele zucht: 'Mannen!' Toen verdween ze door een deur achter de receptie. 'Je hebt haar goed getraind,' merkte George op.

'Laat ze altijd iets te wensen over, dat is mijn motto.' Clough schudde de kaarten en deelde. Doreen kwam terug en zette het scorebord tussen hen in. 'Dank je, schat.'

'Kijk maar uit met wie je schat noemt,' zei ze hoofdschuddend, terwijl ze op haar te hoge hakken terug wiebelde naar haar bureau.

'Ik kijk,' zei Clough, net luid genoeg voor haar om het te horen. Normaal gesproken had het geplaag George geamuseerd, maar vandaag kon het hem alleen maar irriteren. Hij dwong zichzelf om zich te concentreren op de kaarten in zijn hand, maar elke keer als de telefoon ging, sprong hij op alsof hij door een wesp werd gestoken.

Ze speelden het kaartspel in een gespannen stilte, die alleen doorbroken werd door het bijhouden van de score en door het geluid van vuursteen op staal wanneer een van beiden een sigaret opstak. Om halfzes hadden ze samen bijna twintig sigaretten gerookt en per persoon vier grote whisky's naar binnen gewerkt. Toen ze een robber hadden beëindigd, stond George op. 'Ik heb wat frisse lucht nodig,' zei hij. 'Ik ga een rondje over het plein lopen.'

'Ik hou je gezelschap,' zei Clough. Ze lieten hun kaarten en glazen op de tafel achter en Clough zei tegen Doreen dat ze terug zouden komen.

Het was een warme zomeravond; het stadscentrum was leeg nu, met uitzondering van de incidentele voorbijganger die wegens een of andere spoedeisende taak nog laat aan het werk was geweest. Het was nog te vroeg voor bioscoopgangers en de twee mannen hadden het plein min of meer voor zichzelf. Ze stonden stil bij een standbeeld van George II, leunden tegen de sokkel en rookten nog een sigaret. 'Ik heb me nooit van mijn leven zo gespannen gevoeld,' zei George.

'Ik weet wat je bedoelt,' zei Clough.

'Jij? Je bent zo ontspannen als een drieteenluiaard, Tommy,' protesteerde George.

'Allemaal show, George. Mijn maag is ook bezig zich in een knoop te leggen.' Hij haalde zijn schouders op. 'Ik kan het gewoon beter verbergen dan jij. Weet je nog dat je straks zei dat je niet wist wat je zou doen als Hawkin wordt vrijgesproken? Nou, ik weet precies wat ik ga doen. Ik lever mijn papieren in en ga een baan zoeken die me geen maagzweren oplevert.' Hij gooide met een heftige beweging zijn sigarettenpeuk weg en sloeg zijn armen over elkaar voor zijn borst; zijn mond vormde een dunne lijn in zijn brede gezicht.

'Ik... ik had geen idee,' stamelde George.

'Wat? Dat ik er zoveel last van had? Dacht je dat je de enige was die 's nachts wakker ligt en aan Alison Carter denkt?' vroeg Clough uitdagend.

George wreef met beide handen over zijn gezicht, waardoor zijn haar in de war raakte. 'Nee, dat denk ik niet.'

'Ze heeft niemand anders die het voor haar opneemt,' zei Clough kwaad. 'En als hij vanavond die rechtszaal uitloopt, hebben wij haar in de steek gelaten.'

'Ik weet het,' mompelde George. 'Nog iets anders, Tommy.'

'Wat?'

George schudde zijn hoofd en wendde zich af. 'Ik kan nauwelijks geloven dat ik dit denk, laat staan dat ik het hardop zeg. Maar...'

Clough wachtte. Toen zei hij: 'Wat denk je?'

'Hoe meer ik in de kranten las dat ik verondersteld werd zo'n corrupte smeris te zijn die Hawkin er in heeft geluisd, hoe meer ik begon te denken dat ik misschien al het mogelijke had moeten doen om de zaak waterdichter te maken,' zei hij bitter. 'Zo'n last heb ik ervan.'

Voordat Clough kon antwoorden, werden beide mannen zich ervan bewust dat er een uittocht gaande was bij de Lamb & Flag, die geleid werd door de advocaten, wier toga's door hun snelle gang als zwarte vleugels om hen heen wapperden. Achter hen kwamen de verslaggevers door de deuren tuimelen, van wie sommigen hun jasje nog rechttrokken en hun hoed op hun hoofd drukten. Clough en George keken elkaar aan en haalden allebei diep adem. 'Dit is het dan,' zei George zachtjes.

'Ja, na jou, baas.'

Plotseling was het plein vol met mensen. Carters, Crowthers en Lomases naderden van de westzijde, waar een kroegbaas had beseft dat het een winstgevend idee was om open te blijven zolang Scardale thee wilde drinken en patat wilde eten. Vanaf de zuidzijde kwam Hawkins moeder naderbij, met de heer en mevrouw Wells uit St. Albans. Ze kwamen allemaal samen bij de zij-ingang van het provinciehuis, waar de smalle deur hen tot een ongemakkelijke nabijheid dwong. George had kunnen zweren dat mevrouw Hawkin van de gelegenheid gebruik maakte om hem een scherpe stoot in zijn ribben te geven, maar het maakte hem niet meer uit. Op de een of andere manier wisten ze zich allemaal naar binnen te persen en hun plaatsen in de rechtszaal te vinden. Terwijl ze zich installeerden als een zwerm vogels in stadsbomen bij zonsondergang werd Hawkin binnengeleid tussen de twee politieagenten die elke dag van het proces naast hem hadden gestaan. Hij zag er somberder en vermoeider uit dan de week tevoren, zag George. Hawkin keek om zich heen en zwaaide even naar zijn moeder op de publiekstribune. Deze keer was er geen glimlach voor George, alleen een koude, ondoorgrondelijke blik.

De zaal kwam wat rommelig overeind voor de terugkeer van de rechter, schitterend in scharlakenrood en hermelijn, en de sheriff. Toen kwam eindelijk het moment waar iedereen om zijn eigen persoonlijke reden tegenop had gezien. Bewust niemand aankijkend, kwamen de juryleden binnen. George probeerde te slikken, maar zijn mond was kurkdroog. Het idee was altijd dat een jury die niet naar de beklaagde keek met de uitspraak 'schuldig' zou komen. Zijn eigen ervaring was dat juryleden nooit naar de beklaagde keken wanneer ze terugkeerden naar de jurytribune. Hoe de uitspraak ook mocht zijn, er leek iets beschamends aan het rechter spelen over een medemens.

De gekozen voorzitter, een man van middelbare leeftijd met een smal gezicht, roze wangen en een hoornen bril, bleef staan terwijl de andere juryleden plaatsnamen. Hij hield zijn blik vast op de rechter gericht.

'Leden van de jury, bent u het eens geworden over de uitspraak?'

De voorzitter knikte. 'Ja, edelachtbare.'

'En wat is uw uitspraak op de eerste aanklacht?'

'Schuldig.'

Een collectieve zucht leek door de lucht van de rechtszaal te gaan. George voelde hoe de knoop in zijn maag losser begon te worden.

'En op de tweede aanklacht?'

De voorzitter schraapte zijn keel. 'Schuldig,' zei hij.

Een oprijzend geroezemoes vulde de lucht als het avondlijke gezoem van bijen rond de korf. George schaamde zich niet voor het plezier dat Hawkins ontredderde gezicht hem gaf. Alle kleur was uit die knappe gelaatstrekken verdwenen, waardoor zijn gezicht zo strak leek als een pen-en-inkttekening. Zijn mond ging open en dicht alsof hij naar lucht hapte.

George tuurde naar de geanimeerde groep uit Scardale op zoek naar Ruth Carter. Op hetzelfde moment keerde ze zich in zijn richting, met ogen vol tranen en een mond die een kreet van opluchting slaakte. Hij zag haar lippen de woorden 'bedankt' vormen, voordat ze zich weer omdraaide naar de verwelkomende armen van haar familieleden.

'Stilte in de rechtszaal,' bulderde de griffier.

Het gemompel stierf weg en iedereen keek naar de rechter. Op het gezicht van rechter Fletcher Sampson lag een grimmige uitdrukking. 'Philip Hawkin, hebt u nog iets te zeggen voor ik mijn vonnis uitspreek?'

Hawkin stond op. Hij greep zich vast aan de rand van de beklaagdenbank. De punt van zijn tong verscheen in beide hoeken van zijn mond. Toen zei hij met vertwijfelde intensiteit: 'Ik heb haar niet vermoord, edelachtbare. Ik ben onschuldig.'

Wat het effect van zijn woorden op Sampson betreft, had hij zich de moeite net zo goed kunnen besparen. 'Philip Hawkin, de jury heeft u schuldig bevonden aan verkrachting van en moord op uw stiefdochter Alison Carter, een meisje van nog maar dertien jaar. Het feit dat u bij het uitvoeren van dit misdrijf gebruik hebt gemaakt van een vuurwapen stelt mij in staat het vonnis uit te spreken dat de wet toestaat en gerechtigheid vereist.' In een absolute stilte pakte hij de vierkante, zwarte lap stof en drapeerde deze zorgvuldig over zijn pruik. Hawkin wankelde licht, maar de politieman aan zijn rechterzijde greep hem bij zijn elleboog en dwong hem rechtop te staan.

Sampson keek naar de kaart voor hem waarop de noodlottige woorden stonden. Toen sloeg hij zijn ogen op en ontmoette de uitzinnige blik van de moordenaar van Alison Carter. 'Philip Hawkin, u zult overgebracht worden naar de plaats vanwaar u gekomen bent en vandaar naar een wettige plaats van terechtstelling, en daar zult u gehangen worden bij de nek tot de dood erop volgt, en daarna zal uw lichaam begraven worden in een naamloos graf op het grondgebied van de gevangenis waar u het laatst verbleven bent voorafgaand aan uw terechtstelling, en moge God uw ziel genadig zijn.'

In de rechtszaal hing een verbijsterde stilte. Toen schreeuwde een vrouwenstem: 'Nee!'

'Agenten, voer de gevangene weg,' beval Sampson.

Ze moesten Hawkin bijna uit de rechtszaal dragen. De schok leek hem te hebben beroofd van zijn vermogen tot lopen. George kon die reactie begrijpen. Zijn eigen benen leken hem niet meer te willen dragen. Plotseling merkte hij dat hij het middelpunt vormde van een groep mensen die hem allemaal de hand wilden schudden. Charlie Lomas, Brian Carter, zelfs Ma Lomas schreeuwden hun gelukwensen. Alle zwijgzame terughoudendheid die hij in verband was gaan brengen met de inwoners van Scardale was verdwenen met de veroordeling en bestraffing van Hawkin.

Het gezicht van Pritchard kwam in beeld. 'Bel je vrouw en zeg haar dat je in Derby blijft,' schreeuwde hij. 'We hebben champagne aan de overkant.'

'Alles op zijn tijd,' schreeuwde Ma Lomas terug. 'Hij drinkt eerst met Scardale. Kom mee, George, we laten je niet gaan voordat je van ons allemaal iets gedronken hebt. En breng die grote os van een brigadier van je met je mee.'

Met een duizelend hoofd en een draaierige maag werd George Bennett meegenomen naar buiten. Hij had getriomfeerd, tegen alle verwachtingen in. Hij had Alison Carter de gerechtigheid gegeven die ze van hem had gevraagd. Hij had zijn bazen getart, de grondbeginselen van het Engelse rechtssysteem en de lage verdachtmakingen van de pers, en hij had getriomfeerd.

De terechtstelling

Op de avond van donderdag 27 augustus 1964 stapten twee mannen, beiden met een kleine koffer in hun hand, op het station van Derby uit de trein. Geen van hun medepassagiers had hun een tweede blik waardig gekeurd, maar er stond een politieauto klaar om hen naar de gevangenis te brengen waar Philip Hawkin in een cel zat, met twee gevangenbewaarders die aangewezen waren om hem gezelschap te houden in de dodencel. Later die avond schoof de oudste van de twee mannen het gesmeerde schuifklepje open dat hem in staat stelde een blik in de cel van de veroordeelde te werpen. Hij zag een man van gemiddelde lengte, wiens vrij normale lichaam duidelijk elk extra onsje vlees had verloren en die rusteloos heen en weer beende met een brandende sigaret tussen zijn vingers. Hij zag niets wat in tegenspraak was met de berekeningen die hij al had gemaakt op basis van het velletje papier dat hem was overhandigd waarop stond: 'Een meter vijfenzeventig, negenenzeventig kilogram.' Een val van twee meter zou prima zijn.

Hawkin bracht de nacht wakend door en besteedde een deel van de tijd aan het schrijven van een brief aan zijn vrouw. Volgens brigadier Clough, aan wie Ruth Carter de brief liet zien, hield hij daarin vol onschuldig te zijn. *Wat voor onrecht ik je ook mag hebben aangedaan, ik heb je zo geliefde dochter niet gedood. Ik heb in mijn leven vele zonden en misdaden begaan, maar geen moord. Ik zou niet moeten hangen voor iets wat ik niet heb gedaan, maar mijn lot is nu bezegeld doordat andere mensen hebben gelogen. Ze hebben mijn bloed op hun geweten. Ik neem jou niet kwalijk dat je hun leugens hebt geloofd. Geloof me als ik zeg dat ik geen flauw benul heb van wat er met Alison is gebeurd. Ik heb niets meer te verliezen dan mijn leven, en dat zal me in de ochtend worden ontnomen, dus er is voor mij geen reden meer om te liegen. Het spijt me dat ik geen betere echtgenoot ben geweest.*

Minder dan tien kilometer daarvandaan, aan de andere kant van de stad, was ook George Bennett wakker. Hij stond te roken voor het open slaapkamerraam van het huis dat hun thuis was sinds zijn overplaatsing uit Buxton een maand eerder. Maar het was niet het lot van

Philip Hawkin dat hem uit zijn slaap hield. Om zeven minuten voor acht de vorige avond was Anne ineens rechtop gaan zitten in haar stoel en had haar adem ingehouden van pijn. Ze was wankelend overeind gekomen en George was met verbazingwekkende snelheid bij haar geweest. Het was duidelijk het moment waarop hij al twee weken wachtte sinds de datum waarop Anne was uitgerekend zonder enig teken van weeën voorbij was gegaan. Iedereen had tegen hem gezegd dat het eerste kind vaak later komt, maar dat had het niet gemakkelijker gemaakt. Nu, voordat ze de deur van de woonkamer hadden bereikt, stroomde er plotseling, op een voor George verbijsterende manier, heldere vloeistof uit haar. Ze was naar de voet van de trap gestrompeld en had zich daarop neer laten zakken, terwijl ze hem verzekerde dat alles volkomen normaal was maar dat het tijd werd haar naar het ziekenhuis te brengen. Ze had naar een kleine koffer gewezen, die in een hoek van de hal gepakt stond.

Halfgek van ongerustheid en zorg had George Anne naar de auto geholpen en was toen teruggerend voor de koffer. Daarna had hij als een bezetene door de straten gereden, waarmee hij scherpe blikken ontlokte aan respectabele burgers die in hun tuin aan het werk waren en bewonderende blikken van jongens die op straathoeken rondhingen. Tegen de tijd dat ze bij het ziekenhuis waren, schreeuwde Anne het om de paar minuten uit van de pijn.

Bijna voordat hij wist wat er gebeurde, werd Anne van hem weggevoerd naar de vreemde wereld van de kraamafdeling, een plaats waar nooit aandacht zou worden besteed aan een man zonder stethoscoop. Ondanks zijn protesten werd George vastbesloten naar de ontvangstruimte geleid waar een verpleegster, die uitstekend op haar plaats was geweest in het regiment van commissaris Martin, hem vertelde dat hij net zo goed naar huis kon gaan omdat hij geen enkel nut had, noch een aanwinst was voor zijn vrouw of het medisch personeel.

Verbijsterd en verward stond George op een gegeven moment weer buiten op het parkeerterrein zonder goed te weten hoe hij daar gekomen was. Wat moest hij doen? Anne had allerlei boeken gelezen om zich voor te bereiden op het moederschap, maar niemand had George verteld wat er van hem werd verwacht. Als de baby eenmaal geboren was, dan was het wel goed. Hij wist wat hij dan moest doen. Sigaren voor de jongens op het werk en dan naar het café om de baby te dopen. Maar wat moest hij doen tot het zover was? En nu hij daaraan dacht: hoe lang zou het duren?

Met een zucht stapte hij in de auto en reed naar huis. Toen hij het keurige half vrijstaande huis bereikte, de identieke tweeling van het huis in Buxton behalve dat dit het voordeel van een hoektuin miste, was het eerste wat hij deed de telefoon pakken en het ziekenhuis bellen.

'De eerste uren gebeurt er nog niets,' vertelde een verpleegster hem geïrriteerd. 'Waarom gaat u niet op tijd naar bed en belt u ons morgenochtend weer?'

George gooide de telefoon met een klap op de haak. Hij kende niemand van de recherche daar goed genoeg om op te bellen en voor te stellen iets te gaan drinken. Hij wilde net de fles whisky uit de kast halen om die maar soldaat te maken toen de telefoon ging. Hij schrok zo dat hij een van de kristallen glazen liet vallen die ze als huwelijkscadeau hadden gekregen. 'Verdomme!' riep hij uit terwijl hij de hoorn oppakte.

'Een slecht moment, George?' Tommy Cloughs plagende stem was zo welkom in zijn oren als de woorden van een verklikker.

'Ik heb Anne net naar de kraamafdeling gebracht, maar behalve dat gaat het prima met me. Wat kan ik voor je doen?'

'Het is me net gelukt om mijn dienst van morgen te ruilen. Ik dacht erover daarheen te komen om er zeker van te zijn dat ze die kerel morgen ook echt ophangen. En daarna, dacht ik, zouden we op pad kunnen gaan en stomdronken worden. Maar zo te horen heb je andere verplichtingen.'

George klemde zich aan de telefoon vast als een drenkeling aan een reddingsgordel. 'Kom alsjeblieft. Ik kan je gezelschap wel gebruiken. Die verpleegsters gedragen zich alsof mannen niets met baby's te maken hebben.'

Tommy grinnikte. 'Daar is wel een antwoord op, maar jij bent een getrouwd man dus zal ik je oren er niet mee bezoedelen. Ik ben er over een uur ongeveer.'

George vulde een deel van de tijd met een wandeling naar het buurtcafé, waar hij een paar flessen bier kocht als aanvulling op de whisky. Uiteindelijk dronken ze heel weinig doordat ze allebei op hun eigen manier onder de indruk waren van de gebeurtenissen die zich om hen heen aan het ontwikkelen waren.

Enige tijd na middernacht – en het vierde telefoontje van George naar de kraamafdeling – had Clough het bed in de logeerkamer opgezocht. Maar het was niet zijn zachte gesnurk dat George wakker hield. Terwijl de lange nacht langzaam in de dageraad overging, merkte hij dat de beelden van Alison Carters beproeving dooreenliepen met wat hij zich voorstelde dat Anne moest doormaken, tot hij geen onderscheid meer kon maken tussen de verschillende manieren van lijden. Ten slotte, toen de hemel in het oosten licht begon te worden, dommelde hij in, opgekruld als een foetus in een hoek van het bed.

Om zeven uur ging de wekker af; zijn ogen gingen met een ruk open en hij was op slag wakker. Was hij vader geworden? Hij strekte zijn benen, rende half door de slaapkamer en struikelde bijna terwijl hij zich de trap af en naar de telefoon haastte. De toon was hetzelfde, ook al was het accent anders. Geen nieuws. De onderliggende tekst: hou op met ons *lastig vallen*.

Over de trapleuning verschenen de verwarde krullen en slaperige ogen van Clough. 'Is er nieuws?'

George schudde zijn hoofd. 'Nee.'

'Vreemd,' zei Clough gapend. 'Dat Anne nu gaat bevallen.'

'Niet echt. Ze was al twee weken over tijd. Bezorgdheid kan de weeën soms op gang brengen, volgens een van haar boeken. En met deze zaak heeft ze meer dan haar portie bezorgdheid gehad,' zei George, terwijl hij de trap weer opliep. 'Eerst, bij het oorspronkelijke onderzoek, moest ze omgaan met het feit dat ik werkelijk alle uren van alle dagen aan het werk ben, toen las ze al die rotzooi in de kranten over dat ik zo corrupt ben dat ik een onschuldige man naar de galg stuur, vervolgens moest ze dat allemaal weer opnieuw lezen na het beroep, en nu heeft ze moeten nadenken over een man die wordt opgehangen doordat ik mijn werk heb gedaan.' Hij stond op de overloop en schudde zijn hoofd, waarbij zijn warrige blonde pony met de beweging meezwaaide. 'Het is een wonder dat ze het niet heeft verloren.'

Clough legde een hand op zijn schouder. 'Kom op. Laten we ons aankleden. Ik trakteer je op een ontbijt. Er is een café niet ver van de gevangenis.'

George verstijfde. 'Ga je naar de gevangenis?'

'Jij niet dan?'

George keek verbaasd. 'Ik ga naar het bureau. Iemand zal me bellen als het allemaal voorbij is.'

'Ga je niet naar de gevangenis? Ze zullen er allemaal zijn, de Lomases en de Carters en de Crowthers. Jij bent degene, denk ik, die ze willen zien.'

'Is dat zo?' zei George met enige bitterheid in zijn stem. 'Nou, ze zullen het toch met jou moeten doen, Tommy.'

Clough haalde zijn schouders op. 'Ik ben er altijd van uitgegaan dat ik de consequenties onder ogen zal moeten zien als ik geholpen heb een man naar de galg te sturen.'

'Het spijt me, maar ik kan het niet aan. Ik trakteer je op een ontbijt in de politiekantine, dan kun je er daarna heen gaan als je wilt.'

'Oké, prima.'

George draaide zich om en liep naar de badkamer.

'George,' zei Clough zacht. 'We hoeven ons niet te schamen. Er is niets ergers in dit werk, zelfs niet een moeder moeten vertellen dat haar kind dood is. Maar je moet het overleven. Ik heb mijn manier, en jij vindt de jouwe. Laat het ontbijt maar zitten. Ik vind je later wel, en vanavond gaan we op stap en bezatten we ons.'

Acht uur negenenvijftig, en George zag de secondenwijzer van zijn horloge over de wijzerplaat schokken. De priester zou nu klaar zijn met Hawkin. George vroeg zich af hoe Hawkin zou zijn. Doodsbang, dat was zeker. Hij zou zich waarschijnlijk waardig proberen te gedragen, dacht hij.

De wijzer bewoog zich omhoog naar twaalf en de nabije kerkklok liet dreunend de eerste slag van negen uur horen. De dubbele deur van de dodencel zou openzwaaien en Hawkin zou de laatste meters van zijn leven lopen. De beul zou de leren banden om zijn polsen wikkelen.

De tweede slag. Nu loopt de beul voor Hawkin uit, zijn assistent achter hem, hun pas zo gelijkmatig mogelijk: de officiële moordenaars proberen te doen alsof het gewoon een wandelingetje door het park is.

De derde slag. Hawkin staat nu op het valluik, elke voet op een van beide kanten geplant van de dubbele deuren van de val die straks omlaag zullen zwaaien en zijn leven met zich mee zullen nemen.

De vierde slag. De beul draait zich om naar de veroordeelde en steekt zijn handen op om hem te laten stilstaan, terwijl zijn assistent neerhurkt en Hawkins benen bijeen bindt.

De vijfde slag. De linnen zak verschijnt als door een tovertruc. De beul laat hem met het gemak van ervaring over Hawkins hoofd zakken. Nu gaat het sneller want niemand hoeft te kijken naar de man die binnen een minuut dood zal zijn; zijn ogen kijken hen niet meer smekend aan, staren niet meer met de glazige paniek van het veroordeelde dier. De beul trekt de zak omlaag en strijkt hem glad rond de nek, zodat het linnen niet in de ogen of op de neus blijft hangen.

De zesde slag. De beul legt de strop om zijn nek en controleert of het koperen oog, dat de traditionele schuifknoop heeft vervangen, zich achter Hawkins oor bevindt voor maximale snelheid bij het proces van breken en ontwrichten, dat ophanging in theorie relatief snel en pijnloos maakt.

De zevende slag. De beul stapt achteruit en geeft een teken aan zijn assistent. De assistent trekt de pin naar buiten, die als veiligheidsmechanisme van de galg functioneert. Dan, vrijwel op hetzelfde moment, trekt de beul aan de hendel.

De achtste slag. De luiken zwaaien weg, Hawkin stort omlaag in de dodelijke val.

De negende slag. Het is voorbij.

George wist dat er zweet op zijn lip stond. Hij zag zijn hand trillen toen hij hem uitstak naar zijn sigaretten. Kleine menselijke gebaren, verloren nu voor Hawkin, zoals ze eerder verloren waren voor Alison Carter.

Pas toen hij uitademde, besefte hij dat hij zijn adem had ingehouden. Hij wreef met zijn hand over zijn gezicht en voelde de ruwe huid met iets van dankbaarheid.

Toen de telefoon ging schrok hij.

In dezelfde vijf minuten had Philip Hawkin het getal van de levenden verlaten en had Paul George Bennett zich bij hen gevoegd.

Tommy Clough en George zijn die avond niet op stap gegaan.

Boek 2

DEEL TWEE

Brookdene, Green Close 14, Cromford, Derbyshire

10 augustus 1998

Beste Catherine,

Ik schrijf je over een kwestie die voor ons beiden zeer belangrijk is. Ik vind het niet gemakkelijk om deze brief te schrijven, vooral omdat ik je geen verklaring kan geven voor wat ik van je vraag. Ik kan slechts mijn verontschuldigingen aanbieden en je vragen mij je vertrouwen te schenken zoals je dat hebt gedaan gedurende de afgelopen zes maanden waarin we samen aan *De terechtstelling* hebben gewerkt.

Catherine, je moet de publicatie van dit boek stopzetten. Het kan niet doorgaan. Ik smeek je alles te doen wat nodig is om te voorkomen dat het ooit verschijnt. Ik weet dat je pas kort geleden je voltooide manuscript bij de uitgever hebt ingeleverd, dus ze kunnen er nog niet lang mee bezig zijn. Maar wat het ongemak voor hen ook mag zijn, je moet ze duidelijk maken dat dit boek nooit gepubliceerd mag worden.

Ik weet dat dit afschuwelijk voor je moet zijn, vooral omdat ik je dit vraag zonder je uit te leggen waarom. Het enige wat ik kan zeggen, is dat ik over nieuwe informatie beschik die het absoluut onmogelijk maakt dit boek als het definitieve verslag te zien van de zaak-Alison Carter. Omdat het niet mij, maar andere mensen aangaat, kan ik je niet vertellen waar die informatie uit bestaat. Als het boek gepubliceerd zou worden, ben ik bang dat de zaak weer volop in de belangstelling komt te staan, en dat zou verschrikkelijke, verschrikkelijke gevolgen kunnen hebben voor onschuldige mensen. Ik smeek je hen niet met die gevolgen te confronteren, want ze hebben niets gedaan om dat te verdienen.

De enige die zou moeten boeten voor mijn fouten ben ik. Ik begrijp dat het voorschot van de uitgever terugbetaald moet worden, en het is mijn bedoeling het hele bedrag terug te betalen, jouw deel inbegrepen. Je verdient gecompenseerd te worden voor het werk dat je hebt gedaan, en ik zal de zaak niet nog erger maken door te verwachten dat jij het geld dat je al hebt gekregen zou teruggeven.

Ik weet dat dit een vreselijk verzoek moet zijn voor een professioneel schrijfster, maar ik smeek je dit boek te vergeten, deze zaak te vergeten, en het verhaal over Alison Carter en Philip Hawkin voor altijd de rug toe te keren. Je beschikt over het vermogen de waarheid te vinden, maar in het belang van je eigen geestelijke gezondheid dring ik er ten zeerste bij je op aan dit project te beëindigen, hoe pijnlijk het ook mag zijn.

Catherine, ik weet dat je zult proberen mij van deze beslissing af te brengen, maar mijn beslissing is definitief. Als jij met het boek probeert door te gaan, zal ik elke juridische stap moeten nemen die nodig is om je tegen te houden. Ik zou het vreselijk vinden om dat te moeten doen, want ik heb het gevoel dat in de loop van onze samenwerking een vriendschap is ontstaan die ik niet graag beëindigd zou zien. Maar dat ik onze vriendschap zou opofferen om te voorkomen dat het ooit het licht zal zien, geeft wel aan hoe serieus ik ben over het stopzetten van dit boek.
Het spijt me meer dan ik je kan vertellen. Recente gebeurtenissen hebben mijn leven op zijn kop gezet en ik kan nauwelijks helder denken. Het enige waar ik zeker van ben, is dat je moet zorgen dat ons boek nooit wordt gepubliceerd.

Met vriendelijke groet,
George Bennett

Boek 2

DEEL EEN

1

Februari 1998

Zelfs een bleek winterzonnetje maakte de White Peak spectaculair. Het kille blauw van de lucht contrasteerde met het vermoeide groen van de velden, die een zweempje grijs van de stapelmuurtjes leken te hebben overgenomen. Er waren meer schakeringen grijs dan mogelijk leek; het gebroken wit van de kalksteenrotsen, gestreept en gestippeld met een spectrum dat varieerde van duif- tot middelgrijs en bijna zwart; de donkerder tinten van de stallen en huizen die verstrooid in het landschap lagen; het effen matgrijs van de leistenen daken, bespat met het wit van rijp waar de zon niet had kunnen komen; het vuilgrijs van de heideschapen. Desondanks werd het landschap gedomineerd door het groen en blauw van gras en lucht.

De rode personenwagen die soepel over de smalle landweg reed, viel op als een exotische papegaai in een Engels bos. Toen aan de rechterkant de methodistenkerk in zicht kwam, trapte de blonde vrouw achter het stuur zacht op de rem. De auto ging langzamer rijden, en ze schakelde terug toen ze een verkeersbord zag dat ze zich niet herinnerde. Wijzend naar een smalle afslag aan de linkerkant stond er SCARDALE 1.

Eindelijk, dacht ze. Het onbekende verkeersbord bracht haar tijdig in herinnering dat de wereld was veranderd, besefte ze. Tegenwoordig moesten mensen die de weg niet wisten in staat zijn Scardale te vinden. Als zij het succes zou hebben waarop ze hoopte, zouden er genoeg anderen zijn die op zoek zouden gaan naar die aanwijzing. Met een rilling van opwinding stuurde ze de auto de bocht door. Hoewel ze zich de plotselinge hellingen en dalingen van de bochtige weg vaag herinnerde, bleef ze langzaam rijden. De hoge kalksteenwanden hadden de zwakke februarizon geen kans gegeven de eenbaansweg te bereiken, die nog steeds zwaar berijpt was, behalve op plaatsen waar voorgaand verkeer het zwarte asfalt had blootgelegd. Het zou geen gunstig begin van het project zijn als ze zou slippen en het lakwerk zou beschadigen, hield ze zichzelf voor. Het kwam niet als een schok voor Catherine Heathcote toen de stapelmuurtjes plotseling plaatsmaakten voor hoog optorenende rotsen van gestreept grijs kalksteen. Wat een verrassing was, was dat er niet langer een hek op de weg was die openbaar van privé scheidde. De enige tekenen die nu nog aangaven dat Scardale zich ooit bewust had afgezonderd, waren de stenen hekpalen en het wildrooster waar haar brede banden zachtjes overheen hobbelden.

Niets in het landschap was echt veranderd, besefte ze. Shield Tor en Scardale Crag verhieven zich nog steeds boven het dal. Schapen liepen nog steeds veilig te grazen, hoewel het dictaat van de tijd tot de toevoeging had geleid van een kudde Jacobs-schapen aan het meer vertrouwde en harde heideras. De verspreide bosgebieden waren meer volgroeid, dat was waar, maar ze waren goed onderhouden, met jonge exemplaren als vervanging voor bomen die omgehakt waren of geveld door het ruwe weer. Maar het voelde nog steeds alsof je de wereld achter je liet en een parallel universum binnenging, dacht Catherine. Ondanks de veranderingen had ze weer een kind kunnen zijn dat vanaf de achterbank over de schouders van de volwassenen keek terwijl ze op een zomerse zondagmiddag deze afgelegen wereld binnenreden op zoek naar de geheimzinnige bron van de sijpelende Scarlaston.

Pas toen ze tot stilstand kwam aan de rand van de dorpsweide zag ze echte verandering. In de jaren sinds de terechtstelling van Hawkin was er een nieuwe voorspoed over Scardale gekomen. Ze herinnerde zichzelf aan wat ze te weten was gekomen toen ze zo'n tien jaar eerder voor het eerst een artikel had geschreven over de moord op Alison Carter naar aanleiding van het feit dat een nieuwe zaak 'zonder lichaam' de voorpagina's had gehaald. Uit Catherines onderzoek in de archieven van de plaatselijke krant en onder de bridge spelende vriendinnen van haar moeder, was gebleken dat Ruth Hawkin, toen ze het dal en het dorp van haar man had geërfd, besloten had weg te trekken van de herinneringen. Ze had het grote huis verkocht en een stichting opgericht voor het beheer van het land en de boerderijen. De huurders hadden de kans gekregen hun huis te kopen, en in de tussenliggende jaren waren sommige ervan aan buitenstaanders verkocht. Verder bleek Ruth Hawkin onmogelijk op te sporen te zijn en had ze geweigerd in te gaan op de pogingen van Catherine om een interview met haar te regelen via de advocaat die voor de stichting handelde.

Het proces dat door Ruth in gang was gezet, had onvermijdelijk geleid tot een opknapbeurt voor het dorp. Verse verf glansde op raamlijsten en deuren, uit niets waren tuinen ontstaan en zelfs midden in de winter zorgden vroege krokussen, dwergirissen en sneeuwklokjes voor kleurige plekken. En uiteraard waren auto's binnengedrongen op de dorpsweide, waar ooit alleen gedeukte Landrovers en de Austin Cambridge van de landheer hadden gestaan. De oude rode telefooncel was vervangen door een moderne van plexiglas, maar de staande steen hing nog steeds in zijn vertrouwde schuine hoek. Zelfs met de moderne auto's en de opgeknapte huisjes was het op een middag zo koud als deze niet moeilijk om je Scardale voor te stellen zoals het geweest was toen zij er voor het eerst als kind, en later, toen de onschuld was verdwenen, als tiener was gekomen.

Ze was zestien geweest. Er was tweeëneenhalf jaar voorbijgegaan sinds de moord op Alison Carter, en Catherine had een vriendje met een scooter. Op een middag in de lente had ze hem overgehaald met haar naar Scardale te rijden, zodat ze zelf de plaats konden zien waar het was gebeurd. Het was, erkende ze met enige schaamte, niets anders geweest dan morbide nieuwsgierigheid. Ze was op die leeftijd waarop verontwaardiging het doel van elke activiteit was. Ze hadden geen zin of niet het schoeisel gehad om door het kreupelhout te ploeteren op zoek naar de oude loodmijn, maar hun onhandige aanrakingen in het bos achter het grote huis waren voor haar extra spannend geweest doordat het zo'n beruchte plaats was.

Het was ook, zo besefte ze nu, een manier geweest om het afgrijzen te bezweren dat ontstaan was door het proces tegen Philip Hawkin. Natuurlijk waren de meeste bijzonderheden verhuld geweest in de sensationele eufemismen van de journalistiek, maar Catherine en haar vriendinnen wisten dat er iets verschrikkelijks was gebeurd met Alison Carter, iets van het soort verschrikkingen waarvoor zij alleen gewaarschuwd waren dat het je door vreemden kon worden aangedaan. Het was nog angstaanjagender geweest doordat het Alison was aangedaan door iemand die zij kende en had moeten kunnen vertrouwen. Voor Catherine en haar vriendinnen, allemaal uit beschermde burgerlijke milieus, was het idee dat thuis nog geen veiligheid hoefde te betekenen bijzonder verontrustend geweest.

Op een wat alledaagser niveau had het beperkingen in hun leven gebracht, zowel van de zijde van ouders als zelf opgelegd. Ze waren in een verstikkende mate gechaperonneerd en begeleid, net in een tijd waarin de rest van de Britse tieners de swingende zestiger jaren ontdekte. Alisons lot had de tienerjaren van Catherine gekleurd met tot nu toe onvermoede duisternis, en ze was nooit in staat geweest de zaak of het slachtoffer te vergeten. Meer dan welke andere factor ook had het invloed gehad op haar beslissing om zo snel ze maar kon de stof van Buxton van haar hielen te schudden. Een universitaire studie in Londen, toen jongste bediende bij een nieuwsagentschap en ten slotte een baan als journaliste, hadden haar in staat gesteld de banden met haar verleden door te snijden en haar leven te vullen met nieuwe gezichten en nieuwe interesses, zonder onafgewerkte zaken achter te laten.

Terwijl ze van de ene trede van de maatschappelijke ladder naar de volgende klom, had Catherine zich vaak afgevraagd hoe Alisons toekomst eruit zou hebben gezien. Niet dat het haar obsedeerde, vertelde ze zichzelf. Ze was alleen besmet met de natuurlijke nieuwsgierigheid die elke journalist moest hebben die opgegroeid was op een zo korte afstand van een dergelijke vreemde, afschrikwekkende zaak.

En nu, wonder boven wonder, zou zij dan degene zijn die het verleden zou ontsluieren en het verhaal achter het verhaal zou onthullen. Het was passend, dacht ze. Er kon geen beter gekwalificeerde journalist zijn dan zij om deze waarheid te vertellen.

Catherine stapte uit de auto, maakte haar Barbour-jack dicht en wikkelde haar sjaal stevig om haar hals. Ze liep de dorpsweide over en klom via de overstap over het hek dat naar het voetpad leidde dat haar, zoals ze wist, naar het bos zou brengen waar Shep was gevonden en dan naar de bron van de Scarlaston.

Terwijl het bevroren gras onder haar voeten knerpte, moest ze haar wandeling wel vergelijken met de laatste keer dat ze in Scardale was geweest. Tien jaar eerder, op een hete middag in juli, een verzengende zon in een helblauwe lucht, de bomen een welkome onderbreking van de hitte.

Catherine en een paar vrienden hadden een vakantiehuisje gehuurd in Dovedale als uitvalsbasis voor een wandelvakantie in de Peaks. Een van hun tochten was een wandeling langs de Scarlaston omhoog geweest van Denderdale naar Scardale. Heet en plakkerig na hun tocht hadden ze vanuit de telefooncel op de dorpsweide een taxi gebeld en daarna, terwijl ze wachtten, op een muurtje roddels zitten uitwisselen over hun collega's in Londen. Catherine had Alison niet eens genoemd – ze was vreemd bijgelovig als het ging om het delen van het verhaal met collega-journalisten.

Het was toen niet in haar hoofd opgekomen dat zij degene zou zijn die erin zou slagen George Bennett over te halen zijn vijfendertig jaar lange zwijgen te doorbreken en over de zaak te gaan praten. Hoewel ze Alison Carter nooit was vergeten, had het schrijven van het definitieve boek over een van de interessantste zaken van de eeuw zelfs niet op Catherines lijstje gestaan.

Het was zeker niet iets waaraan ze had gedacht toen ze de voorgaande herfst in Brussel was. Maar de beste verhalen, zo had Catherine inmiddels geleerd, waren ook nooit de verhalen waarnaar je op zoek ging. En ze twijfelde er geen moment aan dat dit het beste verhaal uit haar loopbaan zou worden.

2

Oktober 1997 – februari 1998

De regen kwam in een niet aflatende stroom naar beneden. Het was misschien draaglijk geweest als ze lekker warm achter een of ander caféraam had gezeten, met uitzicht op de Grote Markt en een dampende Irish coffee in haar handen, terwijl ze met leedvermaak keek naar haastige figuren die het met hun paraplu's tegen de wind probeerden op te nemen. Maar op een natte woensdagmiddag een beetje staan wachten in een betonnen EU-gebouw met uitzicht op andere kantoorblokken tot een Zweedse commissaris zich hun afspraak zou herinneren was niet Catherines idee van een aangename tijd. Dit was absoluut niet waar ze aan had gedacht toen ze haar kleine tripje naar Euroland had gepland.

Hoewel Catherine nu bureauredactrice was bij een glossy damesmaandblad had ze nooit haar smaak verloren voor de nieuwsartikelen waarmee ze in eerste instantie haar reputatie had gevestigd. Van tijd tot tijd ontsnapte ze graag aan de stress van de dagelijkse bureaucratie en het kleingeestige kantoorgekonkel. Haar excuus was de noodzaak om in contact te blijven met haar creatieve kant en op de hoogte te blijven van de veranderende omstandigheden waarmee de schrijvers die zij opdrachten gaf geconfronteerd werden. Dus bedacht ze zo nu en dan een onderwerp dat haar in staat stelde op onderzoek uit te gaan, gesprekken te voeren en te schrijven.

Ze had bedacht dat het interessant zou zijn om een serie interviews te doen met vooraanstaande vrouwen in de EU. Ze had geen rekening gehouden met de eindeloze bureaucratie en het troosteloze weer. Om nog maar niet te spreken van het feit dat de gesprekken altijd uitliepen en niemand ooit op tijd was voor het interview. Zuchtend pakte Catherine de telefoon in de vergaderkamer en belde haar contactpersoon, een Britse persvoorlichter die Paul Bennett heette. Ze had verwacht dat hij kortaf en verwaand zou zijn, zoals de meeste persvoorlichters, maar hij was een aangename verrassing geweest. Toen ze eenmaal ontdekt hadden dat ze allebei in Derbyshire waren opgegroeid, was de relatie nog soepeler geworden en tot op dat moment was het Paul gelukt de meeste problemen voor haar op te lossen.

'Paul? Met Catherine Heathcote. Sigrid Hammerqvist is nog niet komen opdagen.'

'O, verdomme,' zei hij geërgerd. 'Blijf je even aan de lijn?'

Klassieke muziek gilde in haar oren, met violen als razende muggen. Catherine wenste soms dat ze iets meer van klassieke muziek wist, maar ze betwijfelde of haar dat op dat moment zou helpen. Ze hield de hoorn ver genoeg van haar oor om de ergernis te vermijden, maar niet zo ver dat ze Paul niet zou horen wanneer hij terugkwam aan de telefoon. Er gingen een paar minuten voorbij en toen hoorde ze hem weer. 'Catherine, ik vrees dat ik slecht nieuws heb. Of goed, afhankelijk van jouw mening over mevrouw Hammerqvist. Ze is naar Straatsburg vertrokken voor een vergadering. Ze is pas morgenochtend terug, maar haar secretaresse heeft serieus beloofd dat ze jou genoteerd heeft voor morgen elf uur. Als dat je uitkomt?'

'Dan is het mijn beurt om "o, verdomme" te zeggen,' zei Catherine droog. 'Ik had gehoopt vanavond terug te gaan.'

'Sorry,' zei Paul. 'Die Scandinaviërs hebben de neiging journalisten als een beetje te laag in de voedselketen te beschouwen om van wakker te liggen.'

'Jij kunt er niets aan doen. In elk geval bedankt dat je het voor me geregeld hebt. En ik heb in elk geval nog een avond in zonnig Brussel,' voegde ze er spottend aan toe.

Paul lachte. 'Juist, ja. Maar ik vind het geen leuk idee dat je een beetje doelloos moet rondhangen. Luister, als je geen andere plannen hebt, waarom kom je dan niet naar onze flat voor een drankje?'

'Nee, maak je geen zorgen. Ik red me wel,' zei Catherine met professionele nonchalance.

'Mijn uitnodiging komt niet alleen voort uit een soort plichtsgevoel,' drong hij aan. 'Ik zou het leuk vinden als je Helen ontmoet.'

Zijn partner, herinnerde ze zich. Tolk-vertaalster bij de Europese Commissie. 'Dat is waarschijnlijk precies waar ze zin in heeft na weer zo'n dag in de Toren van Babel,' zei ze spottend.

'Ze leest je tijdschrift elke maand en ze vermoordt me als ik de kans laat lopen om je mee naar huis te brengen voor een paar glazen wijn. Bovendien komt ze ook uit het noorden,' zei hij, alsof dat de zaak zou beklinken.

Maar iets had het gedaan, want kort na zeven uur wisselde Catherine luchtige kussen uit met Helen Markiewicz. Niet bepaald een typische Derbyshire-begroeting, dacht ze spottend, terwijl ze Pauls partner bekeek. Ze zag er zeker uit als iemand die tot de doelgroep van Catherines tijdschrift kon behoren. Iets over de dertig en haar donkere haar kort geknipt in een warrige bos die over een breed voorhoofd naar voren viel. Ze had een hartvormig gezicht, met rechte, donkere wenkbrauwen, hoge jukbeenderen en een grootmoedige glimlach. Haar make-up was subtiel maar effectief, precies zoals de stijlpagina's aanbevolen voor de professionele vrouw. Helen had iets vaag bekends, en Catherine vroeg zich af of ze haar misschien in de gangen van een van de EU-gebouwen had gezien waar ze de afgelopen dagen was geweest. Iemand die zo opvallend en stijlvol was, zou haar aandacht hebben getrokken, ook al was dat onbewust geweest. Ze begreep waarom Paul zo graag met haar voor den dag kwam.

Terwijl Paul gulle glazen rode wijn inschonk, installeerden de twee vrouwen zich in de twee hoeken van een zachte bank. 'Paul vertelde me dat mevrouw Hammerqvist je heeft laten zitten,' zei Helen, met een stem waarin de sporen van een Yorkshire-accent nog sterk aanwezig waren. 'Dat moet zoiets zijn als jezelf helemaal voorbereiden op een bezoek aan de tandarts om er vervolgens achter te komen dat hij vroeg naar huis is gegaan.'

'Zo erg is ze nou ook weer niet,' protesteerde Paul.

'Grendels moeder is er heilig bij,' zei Helen obscuur.

'Ik denk dat Catherine haar wel aankan.'

'O, dat denk ik ook wel, lieverd.' Helen grijnsde naar Catherine. 'Heeft hij je verteld dat ik je allergrootste fan ben? Dat is geen flauwekul – ik heb zelfs een abonnement.'

'Ik ben onder de indruk,' zei Catherine. 'Maar vertel eens, hoe hebben jullie elkaar ontmoet? Is dit een euroromance?'

'Kijk uit, Helen, ze is al bezig met de editie voor Valentijnsdag van volgend jaar.'

'Niet iedereen brengt zijn werk mee naar huis,' plaagde Helen terug. 'Ja, Catherine, we hebben elkaar in Brussel leren kennen. Paul was de eerste die ik in de Commissie tegenkwam met een noordelijk accent, dus hadden we onmiddellijk een band.'

'En ik was helemaal weg van haar, dus ze had geen enkele kans,' voegde Paul eraan toe met een blik naar Helen.

'Waar kom je vandaan, Helen?'

'Sheffield,' antwoordde ze.

'Net aan de andere kant van de Pennines. Ik ben opgegroeid in Buxton.'

Helen knikte. 'Mijn zuster woont daar nu in de buurt. Ken je een dorp dat Scardale heet?'

Catherine herkende de naam met een schok van verbazing. 'Natuurlijk ken ik Scardale.'

'Onze Jan is daar een paar jaar geleden gaan wonen.'

'Echt? Waarom Scardale?' vroeg Catherine.

'Tja, toeval, denk ik. Mijn tante heeft jaren bij ons gewoond en zij heeft daar een huis geërfd van een ver familielid van haar overleden man. Een achternicht of zo. Toen mijn tante overleden was, ging het naar mijn moeder. En toen zij drie jaar geleden overleed, liet ze het aan Jan en mij na. Het was altijd verhuurd geweest, maar Jan had zin om op het platteland te wonen, dus besloot ze de huurders de huur op te zeggen en is ze er gaan wonen. Ik zou gek worden als ik daar woonde, in zo'n godvergeten gat, maar zij vindt het heerlijk. Waarbij je wel moet bedenken dat ze veel reist voor haar werk, dus ik denk dat de kans niet zo groot is dat ze er echt genoeg van krijgt.'

'Wat doet ze?' vroeg Catherine.

'Ze heeft een adviesbureau. Ze werkt vooral voor grote multinationals, psychologische tests van het hogere personeel. Ze doet het nog maar een paar jaar, maar het gaat heel goed,' zei Helen. 'Ze moet ook wel, alleen al om de verwarming in die kast te kunnen betalen.'

Er was maar één huis in Scardale dat aan die beschrijving voldeed. 'Ze woont toch niet in Scardale Manor?' vroeg Catherine.

'Je kent het dorp kennelijk goed,' zei Helen lachend. 'Maar, ja. Hoe komt het dat je zo'n klein gat als Scardale zo goed kent?'

'Helen,' zei Paul, en er klonk een waarschuwing in zijn stem.

Catherine liet een wat verwrongen glimlachje zien. 'Er is een moord gepleegd in Scardale toen ik een tiener was. Een meisje werd ontvoerd en vermoord door haar stiefvader. Ze was net zo oud als ik.'

'Alison Carter,' riep Helen uit. 'Je weet van de zaak-Alison Carter?'

'Ik ben verbaasd dat jij ervan weet,' zei Catherine. 'Je was nauwelijks geboren, denk ik, toen het de voorpagina's haalde.'

'O, wij weten alles van de zaak-Alison Carter, hè, Paul?' zei Helen, bijna vrolijk.

'Nee, Helen, dat weten we niet,' zei Paul, en hij klonk een beetje boos.

'Oké, misschien is dat niet zo,' zei Helen sussend, terwijl ze haar hand op zijn arm legde. 'Maar we kennen een man die er alles van weet.'

'Laat dat nou, Helen. Catherine is niet geïnteresseerd in een vijfendertig jaar oude moordzaak.'

'Daar vergis je je in, Paul. Die zaak heeft me altijd gefascineerd. In welke zin heb jij ermee te maken?' Ze keek naar zijn gefronste gezicht. Plotseling klikte er iets in haar hoofd. Een vage gelijkenis die haar was opgevallen toen ze elkaar hadden ontmoet, en nu zijn naam, verbonden aan de zaak-Alison Carter. Ineens legde ze het verband. 'Wacht even... Je bent toch niet de zoon van *George* Bennett?'

'Ja, dat is hij wel,' zei Helen triomfantelijk.

Paul keek argwanend. 'Ken je mijn vader?'

Catherine schudde haar hoofd. ‘Nee, niet persoonlijk. Maar ik ken zijn naam, door de zaak-Alison Carter. Hij heeft dat fantastisch gedaan.’

Paul zei: ‘Ja, nou, het was voordat ik werd geboren, en mijn vader is nooit iemand geweest die veel over zijn werk praatte.’

‘Het was echt een belangrijke zaak, weet je. Jonge advocaten moeten hem nog steeds leren vanwege de implicaties voor moordzaken waarbij geen lichaam is gevonden. En er is nooit een boek over die zaak verschenen. Het enige wat er te vinden is, zijn krantenverslagen uit die tijd en gortdroge juridische precedenten. Ik ben verbaasd dat je vader zijn memoires niet heeft geschreven,’ zei Catherine.

Paul haalde zijn schouders op en streek met zijn hand door zijn keurig geknipte blonde haar. ‘Dat is niets voor hem. Ik kan me herinneren dat er op een gegeven moment een journalist bij ons voor de deur stond. Ik moet ongeveer zestien zijn geweest. Die vent zei dat hij de zaak in die tijd had verslagen en hij wilde dat mijn vader zou meewerken aan een boek erover, maar mijn vader weigerde ronduit en stuurde hem weg. Hij zei later tegen mijn moeder dat Alisons moeder destijds al genoeg had doorgemaakt en dat ze niet verdiende dat alles weer werd opgerakeld.’

Bij Catherine werden op slag alle journalistieke instincten gealarmeerd. ‘Maar ze is dood nu, Alisons moeder. Ze is in vijfennegentig overleden. Er is geen enkele reden waarom hij nu niet over de zaak zou praten.’ Ze boog zich naar voren, ineens opgewonden. ‘Ik zou dolgraag het hele verhaal over de zaak-Alison Carter schrijven. Het zou verteld moeten worden, Paul. Niet in het minst omdat alle verslagen in die tijd de waarheid hebben verdoezeld over het seksueel misbruik door Philip Hawkin van zijn stiefdochter. Het was een belangrijke zaak. Niet alleen in juridische zin, maar ook doordat het leven van veel mensen erdoor beïnvloed is.’

Verrassend genoeg kreeg ze steun van Helen. ‘Catherine heeft gelijk, Paul. Je weet hoe weinig scrupules sommige journalisten hebben. En je weet hoe dit soort historische zaken altijd weer aan de oppervlakte komen. Als je vader zijn eigen verhaal niet vertelt, zal een of andere broodschrijver die zijn grote kans ziet erover schrijven als hij eenmaal overleden is en dan is er niemand die een of andere sensationele versie van de gebeurtenissen kan weerspreken. En met onze Jan zo dicht bij het vuur, om het zo maar te zeggen, zou Catherine echt in de huid van Scardale kunnen kruipen.’

Paul stak zijn handen omhoog alsof hij zich moest verdedigen. Helen had duidelijk wat nodig was om zijn lichte vijandigheid te veranderen in gretige hulpvaardigheid. ‘Goed, goed, meisjes, jullie winnen.

De volgende keer dat ik naar huis bel, zal ik er eens met mijn vader over praten. Ik zal hem vertellen dat ik de laatste betrouwbare journaliste in Europa heb gevonden en dat ze een beroemdheid van hem wil maken. Wie weet, misschien straalt zijn roem ook een beetje op mij af. Nou, wie heeft er zin om naar Jacques' Brasserie te lopen voor een grote pan mosselen?'

Een week later, terug in Londen, was haar telefoon gegaan. De zoon had de vader bewerkt zoals een buitenstaander nooit had gekund. De volgende week zou George Bennett meedoen aan een golftoernooi voor gepensioneerde politiefunctionarissen in de buurt van Londen. Hij zou haar ontmoeten voor een drankje en om de mogelijkheid te bespreken dat zij een verslag zou schrijven van de zaak-Alison Carter op basis van zijn herinneringen.

Catherine had zich zorgvuldig gekleed voor de ontmoeting. Haar enige Armani-pakje en platte schoenen. Ze wilde alle steun die ze maar kon krijgen, en met de moderedactrice van haar tijdschrift was ze van mening dat er niets beters was dan voortreffelijke Italiaanse kleding om een vrouw het gevoel te geven dat ze de zaak in de hand had. Ze besteedde meer tijd dan haar ongeduld eigenlijk toestond aan het opbrengen van de getinte vochtinbrengende crème, oogpotlood, lippenpotlood en lippenstift die ze nodig had om zich goed te voelen. Met elk jaar dat voorbijging was er iets meer nodig. Sommigen van haar collega's hadden cosmetische chirurgie gehad, maar die hadden een huwelijk waar ze rekening mee moesten houden. Catherine wist dat het veel moeilijker was om, wanneer de nieuwigheid er eenmaal af was, iemand vast te houden dan om, voor zolang het duurde, iemand te vinden om wat stiekeme goede momenten mee te delen. Niet dat ze dat soort verlangens had ten aanzien van George Bennett, maar het kon geen kwaad hem een beetje te vleien door hem het gevoel te geven dat ze zich moeite voor hem had getroost.

Hij bleek er nog steeds goed uit te zien, en dat maakte haar alleen maar blijer dat ze het had gedaan. Zilverblond haar, een scheve glimlach, ogen waarin nog steeds goedaardigheid te lezen viel ondanks dertig jaar bij de politie; net als Robert Redford was George Bennett een man wiens beste dagen een herinnering waren, maar niemand kon naar hem kijken zonder te weten dat er ooit sprake was geweest van pracht.

En verbazingwekkend genoeg was George Bennett eindelijk klaar om te praten. Ze vermoedde verschillende redenen. De reden die hij verwoordde was dat hij, nu Ruth Carter overleden was, het gevoel had vrijuit te kunnen praten zonder haar hiermee nog pijn te doen. Maar zij dacht ook dat het nietsdoen van zijn pensionering hem zwaar viel. Nadat hij op zijn drieënvijftigste jaar als hoofdinspecteur met pensioen was gegaan, had hij als beveiligingsadviseur gewerkt voor verschillende bedrijven in Amber Valley, maar hij had dat het voorgaande jaar moeten opgeven omdat zijn vrouw in toenemende mate onder artritis leed en steeds minder kon. George Bennett was duidelijk een man die graag bij de dingen betrokken bleef en bepaald niet wilde verdwijnen in de obscuriteit van een leven als oudere man die als onbelangrijk aan de kant kon worden geschoven. Catherine dacht dat haar voorstel op geen beter tijdstip had kunnen komen.

Vier maanden later hadden ze een contract voor een boek en had Catherine zes maanden onbetaald verlof genomen. En ze was in Scardale, eindelijk een speler in het drama dat haar jeugd had beïnvloed.

3

Februari 1998

George Bennett staarde naar zijn spiegelbeeld in het keukenraam. De schaduw van de tuin zweefde achter zijn gelaatstrekken en vervaagde sommige van de lijnen die de laatste vijfendertig jaar in zijn gezicht had gegroefd. De verdwijning van Alison Carter was de eerste zaak geweest die hem slapeloze nachten had bezorgd, maar bij lange na niet de laatste. Nu was ze echter weer aanwezig en beroofde hem van zijn slaap in een koude winternacht. Het was halfzes, en terugglijden in vergetelheid zat er niet meer in.

De ketel klikte uit en hij keerde terug naar het koele tl-licht van de keuken. Hij goot kokend water op het theezakje dat hij al in de beker had gehangen en drukte erop met een lepel tot de thee op maximale sterkte was. Te veel jaren van politiekantines hadden hem een voorkeur gegeven voor de bitterheid van oranje peccothee vol looizuur. Hij pakte de melk uit de koelkast en goot er precies genoeg in om de thee zo af te koelen dat hij er onmiddellijk van kon drinken. Toen trok hij zijn ochtendjas dichter om zich heen en ging aan de keukentafel zitten. Hij haalde een sigaret uit het pakje dat op tafel lag en stak hem op.

Nu de dag van het eerste echte gesprek met Catherine Heathcote voor hem lag, voelde George zich gevangen in verwarrende gevoelens van spijt. Praten over de zaak had hij altijd vermeden. De geboorte van Paul had hem een uitstekende afsluiting geleken, een nieuwe start, die hem in staat zou stellen de pijn van Ruth Carter achter zich te laten. Het was uiteraard niet zo radicaal of gemakkelijk geweest. In het gewone politiewerk gebeurden te veel dingen die hem eraan herinnerden om Alison Carter uit het gemakkelijk toegankelijke deel van zijn geheugen te wissen. Maar hij was erin geslaagd om zich aan zijn besluit te houden niet over de zaak te praten.

Geen van zijn collega's had de reden begrepen voor zijn stilzwijgen over iets wat zij hadden beschouwd als een triomf die de moeite waard was om bij elke geschikte gelegenheid over op te scheppen. Alleen Anne had echt begrepen dat achter zijn beslissing een gevoel van persoonlijke mislukking lag. Hoewel hij ondanks alle moeilijkheden Alisons verdwijning had opgelost en genoeg bewijsmateriaal had weten te verzamelen om de dader aan de galg te brengen, werd George geplaagd door de overtuiging dat hij er veel te lang over had gedaan. Ruth Carter had lange, ellendige weken moeten doormaken van onzekerheid en valse hoop, weken waarin ze zich bleef vastklampen aan het idee dat haar dochter nog in leven zou kunnen zijn. En dat niet alleen, maar Philip Hawkin had meer dagen van vrijheid genoten dan hij had verdiend. Hij had de maaltijden gegeten die zijn vrouw voor hem had bereid, 's nachts geslapen terwijl zij angstig wakker lag, over zijn grond gelopen in de zekerheid van bezit en de overtuiging dat hij ongestraft had kunnen moorden. George verweet zichzelf dat hij Hawkin ook maar dat korte gevoel van veiligheid had toegestaan.

En daarom had hij alle pogingen weerstaan om hem zover te krijgen over de zaak te praten. Hij had aanbiedingen van verscheidene schrijvers afgeslagen die de zaak opnieuw wilden bezien door zijn ogen. Zelfs die sensatiejournalist Don Smart had gemeend het recht te hebben om aan zijn deur te komen en zijn tijd en inzicht op te eisen. Hij had er geen moeite mee gehad om dat verzoek af te wijzen, dacht George met een bittere glimlach.

De ironie wilde dat juist de liefde die het hem mogelijk had gemaakt verder te gaan nu zijn pech was. Toen Paul Anne en hem voor het eerst had verteld over Helens zuster in Scardale had hij geweten dat hij, als zijn zoon zo serieus was over deze vrouw als hij scheen te zijn, vroeger of later zijn beslissing zou moeten herzien om nooit meer naar de plaats van die misdaad te gaan. Tot nu toe was dit nog niet aan de orde geweest. Maar hij wist dat Helens scheiding binnenkort zou worden uitgesproken, en hij had een sterk vermoeden dat het paar niet te lang zou wachten met trouwen. Dat zou een ontmoeting betekenen met Helens zuster, haar enige nog in leven zijnde familielid, en hij zou Scardale niet eeuwig kunnen mijden.

Nu hem dat boven het hoofd hing, had Pauls bemiddeling ten behoeve van Catherine Heathcote voorbeschikt geleken. Het was alsof de gebeurtenissen samenzweerden om hem te dwingen weer over Alison Carter na te denken. Hij had besloten dat het geen kwaad kon de journaliste te ontmoeten en na te gaan of hij haar voor zijn gevoel kon vertrouwen. Zijn eerste indruk was geweest dat ze gewoon een van die snelle broodschrijvers van Fleet Street was, maar toen ze zaten te praten en ze verteld had welke invloed de moord op Alison op haar eigen leven had gehad, had hij beseft dat hij nooit iemand zou vinden die beter geschikt was om een verhaal te schrijven dat nu leek te vragen om verteld te worden.

Het vertrouwde geluid van voetstappen die de trap afkwamen verstoorde zijn overpeinzingen. Hij keek op en zag Anne, een beetje verfomfaaid van de slaap, in de deuropening verschijnen. 'Heb ik je wakker gemaakt, lieverd?' vroeg hij, terwijl hij zijn hand uitstak en de ketel weer aanzette.

'Mijn blaas heeft me wakker gemaakt,' zie ze droog, terwijl ze langzaam naar de stoel tegenover de zijne liep. 'En jouw kant van het bed was koud, dus dacht ik dat je wel wat gezelschap kon gebruiken.'

George stond op en schepte wat van het chocolademengsel dat Anne lekker vond in een beker. 'Daar zou ik geen nee op zeggen,' zei hij, terwijl hij er al roerend water bijgoot. Hij ging terug naar zijn stoel en schoof haar drankje over de tafel naar haar toe. Ze legde haar door artritis vervormde vingers om de beker heen en genoot van de warmte ervan tegen het constante kloppen van de reumatische pijn.

'Ben je nerveus over vandaag?' vroeg ze.

Hij knikte. 'Zoals je waarschijnlijk al verwacht, zou ik willen dat ik er nooit in had toegestemd.'

'Het zou me meer verbazen als je geen twijfels had bij zoiets belangrijks als dit,' zei ze vriendelijk. 'Je wilt zo graag dat het goed wordt, dat je Alison er enig recht mee doet.'

Hij snoof een beetje spottend. 'Je schrijft me verhevener motieven toe dan ik heb, lieverd. Ik zou willen dat ik er nooit in had toegestemd omdat ik mezelf niet in druk wil zien verschijnen als de dwaas die ik was ten aanzien van Philip Hawkin.'

Anne schudde haar hoofd. 'Jij bent de enige die dat denkt, George. In de ogen van alle anderen was jij de grote held. Als er een ereburgerschap van Scardale had bestaan, hadden ze jou dat ter plekke toegekend op de dag dat de jury met zijn uitspraak kwam.'

Hij schudde zijn hoofd. 'Misschien wel, maar je weet dat ik mezelf nooit naar de maatstaven van anderen heb gemeten, alleen naar die van mezelf. En naar mijn eigen normen gemeten, heb ik die mensen in de steek gelaten. Ik maakte deel uit van een systeem dat Alison al inherent in de steek liet, een systeem dat niet wilde luisteren naar de bewering van een jong meisje dat ze seksueel werd misbruikt.'

Anne tuitte ongeduldig haar lippen. 'Nu doe je gewoon raar. In die tijd gaf niemand toe dat er zoiets bestond als seksueel misbruik van kinderen. Zeker niet binnen gezinnen. Als jij je zo nodig ellendig wilt voelen omdat je denkt dat je Ruth Carter in de steek hebt gelaten, moet je dat zelf weten. Maar ik sta niet toe dat jij je schuldig voelt aan de tekortkomingen van de Britse samenleving van vijfendertig jaar geleden. Dat is gewoon zwelgen in zelfmedelijden, George Bennett, en dat weet je.'

Hij glimlachte want ze had gelijk. 'Misschien heb je gelijk. Misschien had ik alles jaren geleden al moeten vertellen. Is dat niet wat die zielenknijpers ons altijd voorhouden? De dingen uiten is gezond.

Hou het allemaal binnen en je krijgt psychoses.'

Anne beantwoordde zijn glimlach. 'Net als het merkwaardige denkbeeld dat jij schuld zou hebben aan alle dingen die verkeerd zijn in de wereld.'

Hij haalde zijn hand door zijn haar. 'Er is nog iets. In het belang van Paul en Helen moet ik mijn boze geesten bezweren. We zullen een dezer dagen naar Scardale moeten om Helens zuster te leren kennen, en ik heb Scardale mijn boeman laten worden. Ik zal daar iets aan moeten doen, want anders bederf ik het voor iedereen. En ik wil niets doen wat het geluk van de jongen in de weg staat. Met een vreemde over die hele toestand praten, is misschien precies wat ik nodig heb.'

'Ik denk dat je weleens gelijk zou kunnen hebben, lieverd, en ik kan niet ontkennen dat ik blij ben dat je eindelijk besloten hebt over Alison te gaan praten. Nog afgezien van alle andere dingen, gebeurde het op een belangrijk moment in ons leven. Ik heb vaak dingen moeten achterhouden die ik wilde zeggen, herinneringen die ik met je wilde delen, omdat ik wist dat jij, als ik praatte over de tijd waarin ik in verwachting was van Paul, altijd herinnerd werd aan de tijd waarin je bezig was met de zaak tegen Philip Hawkin. Dus het zal mij niet spijten als jouw gesprekken met Catherine Heathcote betekenen dat ik met je zal kunnen praten over herinneringen die ik tot nu toe voor mezelf heb gehouden. En niet alleen met jou, maar ook met Paul. Ik weet dat het egoïstisch van me is, maar ik zou dat graag willen.'

Georges ogen werden groot van verbazing. Hij schudde zijn hoofd en zei protesterend: 'Ik had geen idee dat je er zo over dacht. Hoe komt het dat ik dat niet wist?'

Anne nam een slokje van haar chocoladedrank. 'Dat komt doordat ik het nooit heb laten merken, lieverd. Maar nu je echt met pensioen bent, nu je ook dat beveiligingswerk niet meer doet, is het tijd dat we samen zonder vrees op ons leven kunnen terugkijken. We hebben nog een toekomst, George. We zijn niet oud, niet volgens de maatstaven van deze tijd. Dit is onze kans om voor eens en altijd schoon schip te maken met het verleden, zodat jij gaat inzien dat wat je gedaan hebt goed was en juist was en van betekenis is geweest.' Ze legde haar misvormde hand op de zijne. 'Het is tijd om jezelf te vergeven, George.'

De zucht leek uit de punten van zijn tenen te komen. 'Nou, ik hoop dat Catherine Heathcote in een vergevingsgezinde stemming is.' Hij gaapte. 'Want ik zal om tien uur vanmorgen niet op mijn stralende best zijn tenzij ik nog wat slaap krijg.' Hij verschoof zijn hand, zodat die van Anne zachtjes in de zijne lag. 'Bedankt, lieverd.'

'Waarvoor?'

'Omdat je me eraan hebt herinnerd dat ik niet het monster ben dat ik soms denk te zijn geworden.'

'Jij bent geen monster. Nou ja, alleen als je wakker wordt met een kater. Het komt allemaal goed, George,' zei Anne sussend. 'Het is tenslotte niet zo dat het verleden allerlei verrassingen in petto heeft.'

4

Februari/maart 1998

Toen Catherine voor het eerst wakker werd in haar gehuurde huisje in Longnor, was ze even in paniek geweest. Ze kon zich niet herinneren waar ze was. Ze zou in een warme kamer moeten liggen met hoge schuiframen. In plaats daarvan was haar neus bevroren en lag ze opgekruld tot een foetale bal onder een vreemd dekbed en sijpelde het enige licht binnen rond een dun gordijn dat een klein openslaand raam bedekte in een muur die meer dan dertig centimeter dik was.

Toen kwam de herinnering terug, met een schok van opwinding die bijna een eind maakte aan haar ergernis over de ijzige kilte in dit kleine huis met één verdieping dat ze voor zes maanden had gehuurd. De eigenaars van het vakantiehuisje waren verrukt geweest toen ze hen benaderde. Nu begreep ze waarom. Niemand met een beetje gezond verstand zou die ijskast in de winter huren, dacht ze, terwijl ze uit bed sprong en huiverde toen haar lange benen blootgesteld werden aan de lucht. Ze zou vandaag wat warme pyjama's en een kruik moeten kopen, want anders zou ze Longnor niet uitkomen zonder weer last te krijgen van winterhanden en wintervoeten, een ellende die ze uit haar jeugd kende. Ze verwenste de eigenaars zo bloemrijk als alleen een journalist kan en rende de kamer uit.

De badkamer was een welkom toevluchtsoord. Een aan de muur bevestigde kachel blies onmiddellijk hete lucht uit en de krachtige douche dampte heerlijk. Ze wist al dat de kamer met ingebouwde keuken ook snel zou opwarmen dankzij een goed werkende gashaard. Maar de slaapkamer was een kwelling. In het vervolg, besloot ze, toen ze daarheen terugliep na haar douche, zou ze eraan denken haar kleren mee te nemen naar de badkamer.

Terwijl ze zich aankleedde, herinnerde ze zich dat ze nergens zo koud had geslapen sinds het ouderlijk huis in Buxton voordat de centrale verwarming geïnstalleerd was toen zij vijftien was.

Ze had haar trui net half over haar hoofd getrokken en stond abrupt stil. Als zij Scardale in 1963 wilde terughalen, had ze niet op een betere plek kunnen verblijven. Alison Carter zou maar al te bekend zijn geweest met vorst aan de binnenkant van haar slaapkamerramen in het midden van de winter. En met een warme, verwelkomende kleine keuken, voordat haar moeder dat had verruild voor een leven in het grote huis. Het was niet Catherines bedoeling geweest om haar onderzoek een dergelijke mate van authenticiteit te geven, maar nu het haar in de schoot was geworpen, zou ze het aanvaarden en dankbaar zijn. Bovendien was het minder dan honderd meter verwijderd van het huis van Peter Grundy. De gepensioneerde agent van Longnor moest wel een waardevolle bron van informatie zijn, dacht ze. En hij zou haar introductie zijn in het dorpsleven. Ze wist precies hoe onvriendelijk dorpskroegen konden zijn voor iemand die beschouwd werd als een buitenstaander, en zes maanden van avonden zonder een praatje te maken zag ze bepaald niet zitten. Ook al zou het alleen maar over de veeprijzen op de markt van Leek gaan.

Tijdens een ontbijt van zwarte koffie en een broodje bacon bladerde ze door de fotokopieën van krantenartikelen die ze met moeite verzameld had in het nationale krantenarchief in Colindale. Ze zou ze vandaag niet echt nodig hebben, maar het kon geen kwaad om het materiaal te blijven doornemen, zodat ze precies wist hoe ze de serie gesprekken zou indelen die ze op het punt stond te gaan voeren met George Bennett. Ze hadden afgesproken dat ze elkaar elke ochtend twee uur zouden ontmoeten. Dit gaf Catherine tijd om de bandjes van hun gesprekken uit te schrijven en het zou het leven van de familie Bennett niet al te veel verstoren. Het laatste wat ze wilde, was dat ze genoeg zouden krijgen van haar voortdurende inbreuk op hun leven. Niets zou Georges stroom van herinneringen sneller doen opdrogen dan dat.

Een halfuur later verscheen ze uit een tunnel van winterbomen in het centrum van het dorp Cromford. De aanwijzingen van George volgend, sloeg ze rechtsaf bij de molenkolk en reed de heuvel op, waarbij ze uitzwaaide om de scherpe draai naar links te nemen naar de oprit van hun vrijstaande huis. Toen ze de motor afzette, ging de voordeur al open. George stond in de deuropening, een hand omhoog ter begroeting. In zijn donkergrijze broek, luchtmachtblauwe vest en lichtgrijze poloshirt zag hij eruit als een model uit een kledingcatalogus voor de oudere man. Het enige wat er nog aan ontbrak, dacht ze, was een pijp tussen zijn tanden. Jimmy Stewart ontmoet suburbia in *It's A Wonderful Life* voor zestigplussers.

'Goed je te zien, Catherine,' riep hij.

'Dat is wederzijds, George.' Ze rilde toen ze de warme hal binnenliep. 'Ik was vergeten hoe ijzig het weer hier kan zijn in deze tijd van het jaar.'

'Het herinnert me aan toen,' zei hij, terwijl hij haar voorging door de met tapijt bedekte gang naar een woonkamer die iets weg had van een uitstalling in een meubelshowroom. Alles was keurig, stijlvol zelfs, maar merkwaardig sfeerloos. Zelfs de ingelijste Monet-prenten leken eerder ongeïnspireerd dan tekenen van smaak. Geen krant verstoorde de klinische netheid van de kamer, die naar luchtverfrisser met bloemengeur rook. Waar de Bennetts hun individualiteit ook mochten tentoonspreiden, het was niet in hun woonkamer.

‘Het was net zo bitter koud als nu toen Alison verdween,’ vervolgde George. ‘Daarom hoopte ik van het begin af aan dat ze was ontvoerd, begrijp je. Op die manier was er nog een kans dat we haar terug zouden krijgen. Ik wist dat ze een nacht in de openlucht in dat weer nooit zou overleven.’

George gebaarde naar een leunstoel die er zowel stevig als gemakkelijk uitzag. ‘Ga zitten.’ Hij nam in de stoel tegenover haar plaats. Catherine merkte dat hij automatisch de stoel had genomen waar het licht achter hem en op haar viel. Ze vroeg zich af of dat de bewuste keuze van een politieman was of dat het simpelweg zijn normale stoel was. Ze zou dat ongetwijfeld beter kunnen beoordelen na een paar van dit soort gesprekken. ‘Zo,’ zei George, ‘hoe wil je dit doen?’

Voor ze kon antwoorden, kwam een oudere vrouw de kamer binnenlopen. Kort zilvergrijs haar omlijstte een gezicht dat voortijdig oud was door de lijnen die pijn daar hadden gegrift. Ze bewoog zich met de stijve onhandigheid van iemand voor wie beweging niets anders meer is dan een pijnlijke noodzaak. Zelfs van de andere kant van de kamer kon Catherine de vingers zien die verdikt en verdraaid waren door de vervormende knobbels van gewrichtsreumatiek. Maar de glimlach op haar gezicht was nog steeds oprecht en bracht een levendige fonkeling in haar blauwe ogen. ‘Jij moet Catherine zijn,’ zei ze. ‘Het is een genoegen je te ontmoeten. Ik ben Anne, de vrouw van George. Ik zal jullie niet storen bij jullie gesprekken, behalve om te vragen of je liever thee of koffie hebt.’

‘Het is ook een plezier u te ontmoeten. Bedankt dat ik zo’n inbreuk mag maken op jullie huiselijk leven,’ zei Catherine, terwijl ze de kans inschatte op een fatsoenlijke kop koffie in het Engelse huis van twee mensen die in de zestig zijn. ‘Thee, graag,’ zei ze. ‘Slap, zonder suiker of melk.’ Dat moest veilig genoeg zijn, dacht ze. Een paar maanden lang slechte koffie verdiende ze niet.

‘Dat wordt dan thee,’ zei Anne.

‘En mevrouw Bennett?’ zei Catherine. ‘U zult ons niet storen als u bij onze gesprekken aanwezig wilt zijn. En ik zal het bijzonder op prijs stellen als ik op een gegeven moment met u zou kunnen praten om een beeld te krijgen van hoe het voor u was als de vrouw van een politieman die zich bezighield met een zo veeleisende zaak.’

Anne glimlachte. 'Natuurlijk kunnen we een keer praten. Maar ik laat de vraaggesprekken aan George en jou over. Ik wil hem op geen enkele manier belemmeren, en bovendien heb ik genoeg te doen. En nu zal ik wat thee voor je zetten.'

Toen Anne wegging, pakte Catherine haar cassetterecorder uit haar tas en zette hem tussen hen in op de tafel. 'Ik ga de gesprekken opnemen. Op die manier is er minder kans dat ik fouten maak. Dus als je iets wilt zeggen dat niet voor publicatie is, iets dat alleen informatie voor mij is, wil je dat dan duidelijk aangeven terwijl we praten? En als er iets is waar je niet helemaal zeker van bent, kun je dat dan ook vermelden? Op die manier kunnen we een lijst maken van dingen die ik moet uitzoeken.'

George glimlachte. 'Dat klinkt allemaal heel redelijk.' Hij viste een pakje sigaretten uit zijn zak en stak er een op, waarna hij een asbak te voorschijn haalde uit de la van de bijzettafel naast hem. 'Ik hoop trouwens dat je hier geen last van hebt. Ik ben behoorlijk geminderd sinds ik met werken ben gestopt, maar ik red het nog niet helemaal zonder.'

'Geen probleem. Ik heb al een jaar of tien niet meer gerookt, maar ik zie mezelf nog steeds eerder als een roker die zich onthoudt dan als een ex-roker. Op feestjes ben ik altijd bij de rokers te vinden – op de een of andere manier zijn ze meestal interessanter,' zei ze met een glimlach die niet alleen vleiend was bedoeld. Ze boog zich voorover en drukte op de opnameknop. 'Vandaag komen we waarschijnlijk nog niet aan de zaak toe. Waar ik mee wil beginnen is je eigen achtergrond. Het meeste hiervan zal nooit gepubliceerd worden. Maar het is belangrijk voor me om een beeld te hebben van wie je bent en hoe je diegene bent geworden om over je werk aan deze zaak te kunnen schrijven met het inzicht en medegevoel dat ik erin wil brengen. Bovendien is het een manier om langzaam naar het verhaal toe te werken. Ik ben me ervan bewust dat het je waarschijnlijk best nerveus maakt om na al die jaren terug te gaan naar de bijzonderheden van de zaak en ik wil graag dat je je zo ontspannen en op je gemak voelt als maar mogelijk is. En uiteraard ben je, als politieman, veel meer gewend vragen te stellen dan te beantwoorden. Dus is het goed als we met jou beginnen?'

George glimlachte. 'Dat is uitstekend. Ik zal je met plezier alles vertellen wat je wilt weten.' Hij zweeg toen Anne, langzaam bewegend met een blad waarop twee kommen stonden, de kamer binnenkwam. 'Eén ding kan ik je alvast vertellen. Deze vrouw is de reden dat ik niet in het gekkenhuis zit na zo'n dertig jaar bij de politie van Derbyshire. Anne is mijn toeverlaat, mijn rots in de branding.'

Anne trok een gezicht terwijl ze het blad neerzette op de salontafel. ‘Wat weet je het toch mooi te brengen, George Bennett. Wat je bedoelt is: Anne is mijn maaltijdverzorger, mijn antwoordapparaat en mijn huishoudster.’ Ze keek met een glimlach op naar Catherine.

Het was duidelijk een vertrouwde manier van plagen. ‘Ze moest artritis krijgen om te zorgen dat ik ook maar een hand zou uitsteken in huis,’ voegde George eraan toe.

‘Ik moest iets doen,’ zei ze droogjes. ‘Anders had je je pensionering beschouwd als een seintje om helemaal niets meer uit te voeren. Nou, hou op met dat geklets en vertel Catherine wat ze moet weten. Ik breng nog wat koekjes en dan zie ik jullie als jullie klaar zijn.’

Zo begon het patroon dat de dagen van februari en maart bleef bestaan. Catherine begon elke dag met het lezen van die krantenartikelen die over het deel van de zaak gingen waar ze over zouden praten. Na het ontbijt reed ze naar Cromford, nadenkend over de vragen die ze moest stellen om zoveel mogelijk informatie uit het gesprek te halen.

Dan leidde ze George voorzichtig door de zaak, waarbij ze geduldig terugging om bepaalde details te krijgen over het weer, de geur, het landschap. Ze was ongewild onder de indruk van de manier waarop hij wilde zorgen dat ze alles precies goed begreep. Hij bleek een bijna fotografisch geheugen te hebben voor de zaak-Alison Carter, hoewel hij beweerde zich van andere onderzoeken uit zijn loopbaan niet bijzonder veel te herinneren. ‘Ik denk dat ik een beetje geobsedeerd raakte door Alison,’ zei hij bijna aan het begin van hun gesprekken. ‘O, ik weet wel, het was mijn eerste grote zaak en ik was vastbesloten om te laten zien dat ik het kon, maar het was meer dan dat. Het is mogelijk dat het iets te maken had met het feit dat Anne zo kort na het begin van het onderzoek zwanger bleek te zijn. Ik werd gekweld door de gedachte aan hoe ik me zou voelen als dat mijn kind zou overkomen, dus ik was niet van plan het ooit op te geven.

Zo was het bij mij. Ik weet niet hoe het bij Tommy Clough was, maar hij was net zo toegewijd aan elk stadium van het onderzoek als ik. Hij maakte zelfs nog meer uren dan ik, en het was zijn vasthoudendheid bij de politie van Hertfordshire waardoor we een van de meest cruciale stukken bewijsmateriaal kregen, het verband tussen Hawkin en de revolver waarmee Alison was vermoord.

‘Weet je, het klinkt misschien vreemd, maar ik heb hem nooit meer echt gesproken nadat Hawkin was opgehangen. Tommy zat nog in Buxton, maar ik was toen al naar Derby verhuisd. We hebben een paar keer een afspraak gemaakt om samen iets te gaan drinken, maar het werk kwam er altijd tussen. En toen, een paar jaar na de moord op Alison, heeft hij zijn ontslag ingediend en is vertrokken.'

'Waar is hij heen gegaan?' vroeg Catherine. Op een avond in de dorpskroeg had ze dezelfde vraag al gesteld aan Peter Grundy, maar hij had zijn schouders opgehaald en gezegd dat niemand dat wist. Tommy Clough leek net zo volkomen verdwenen te zijn als Alison zelf.

Maar George wist het wel. 'Hij woont in Northumberland. Een of ander klein dorp aan de kust. Hij heeft jaren als vogelwachter gewerkt, maar hij is nu met pensioen, net als ik. Hij is echter nooit getrouwd, dus hij heeft niet iemand als Anne om hem te helpen doorgaan. We sturen elkaar kerstkaarten en dat is het zo ongeveer. Ik denk dat ik de enige van het korps ben met wie hij contact heeft gehouden. Maar ik kan je zijn adres geven. Misschien wil hij over Alison praten. Ik betwijfel het, moet ik zeggen, maar aan de andere kant heb je mij ook zover gekregen, niet?' zei George glimlachend.

En zo ging het door, en ging de ene verhaallijn naadloos in de andere over terwijl de ochtenden voorbijgleden. Catherine ontwikkelde al snel een routine voor het moment waarop ze bij George wegging. Ze stopte onderweg naar huis bij een café aan de weg naar Ashbourne dat goede lunches had en was rond twee uur thuis. De middag en vroege avond waren gewijd aan het uitschrijven van de banden, een taak die ze, ondanks haar fascinatie voor het materiaal dat ze langzaam verzamelde, ongelooflijk vervelend vond. Na elk halfuur stond ze zichzelf een kort telefoontje of wat e-mail toe om te voorkomen dat ze stapelgek zou worden.

Als het werk klaar was, warmde ze een van de kant-en-klaarmaaltijden op die ze wekelijks in de supermarkt in Buxton insloeg. Dan zat ze, gewapend met een aantekenboekje, een uur bij de kachel, met haar eigen tijdschrift of dat van een concurrent. En de dag eindigde met een slaapmutsje in de plaatselijke kroeg. Dit betekende gewoonlijk dat ze ook Peter Grundy een drankje aanbood, maar die kleine uitgave had Catherine er wel voor over. Hij had voortdurend waardevolle informatie over Scardale en de families, en bovendien had ze geleerd van zijn gezelschap te genieten.

Het was, zo besefte ze, een merkwaardig bevredigende manier van leven. Het werk was fascinerend en bracht haar terug naar een wereld die haar zowel vertrouwd als vreemd was. Hoe meer ze ontdekt had over de achtergrond van de zaak, hoe meer respect ze had gekregen voor George Bennett. Ze had geen idee gehad van de dingen waar hij mee te maken had gekregen toen hij Hawkin voor het gerecht wilde brengen, zowel van binnen als buiten het politiekorps. Ze had nooit zo'n hoge dunk gehad van de politie, maar George wist dat vooroordeel geleidelijk aan om te vormen.

Ook het idee terug te gaan naar de streek waar ze vandaan kwam, had haar nerveus gemaakt; ze had een bijna bijgelovige angst dat het verstikkende kleinsteedse leven dat ze met zoveel moeite achter zich had gelaten haar weer zou opslokken. In plaats daarvan had ze echter een merkwaardige vrede gevonden in het ritme van haar dagen en nachten. Niet dat ze altijd zo zou willen leven, hield ze zichzelf krachtig voor. Ze had tenslotte een leven. Dit was gewoon een plezierige onderbreking, niets meer. Wat kon het anders zijn?

5

April 1998

Catherine was vergeten dat de lente hier zo laat kwam. Voor de mensen die in de Derbyshire Peaks woonden, bracht april verlichting na de ontberingen van de winter. Bollen die niet meer dan zo'n twintig kilometer verder op de Cheshire Plains een volle maand eerder hadden gebloeid, kwamen eindelijk de grond uit. Bomen brachten aarzelend hun bloesem voort, en het door de schapen afgegrazen gras herinnerde zich de kleur groen.

In Scardale begonnen de eerste bladeren zich te ontvouwen in bos en struikgewas toen Catherine het dorp binnenreed. Bijna met spijt had ze haar eerste serie gesprekken met George afgerond, en vandaag begon ze aan de tweede fase van haar project. Het was nooit Catherines bedoeling geweest om het boek uitsluitend te laten bestaan uit de memoires van George Bennett. Ze was van meet af aan van plan geweest zoveel mogelijk mensen te interviewen die betrokken waren geweest bij de zaak. Het was niet in haar opgekomen dat velen van hen onwillig zouden zijn om hun herinneringen daaraan met haar te delen. Tot haar verbazing hadden bijna alle Carters, Crowthers en Lomases resoluut geweigerd om ook maar iets met het project van doen te hebben.

Ze was er echter in geslaagd een gesprek te regelen met Alisons tante, Kathy Lomas. Misschien was het niet zo erg dat andere leden van de uitgebreide familie haar verzoek hadden afgewezen, want Kathy had, volgens George, een hechtere band met Ruth Carter gehad dan alle anderen. Alleen al om die reden had Catherine met haar willen praten. Maar er was een tweede reden waarom ze met spanning naar haar bezoek aan Scardale uitzag.

Hoewel Helen de zaak bij haar zuster had voorbereid, was Catherine nog niet in Scardale Manor geweest. Ze had een reactie gekregen in de vorm van een brief van de advocaat van Janis Wainwright, die meldde dat zijn cliënte verschillende reizen had gepland voor de late winter en het vroege voorjaar en de rest van de tijd thuis zou werken, waar ze dan liever niet gestoord zou worden. Omdat mevrouw Wainwright Catherine niets zou kunnen vertellen over de zaak-Alison Carter was volgens de advocaat de beste oplossing, die aan de wensen van Catherine zou voldoen zonder het drukke schema van Janis te verstoren, dat de journaliste het huis zou bekijken bij een van de gelegenheden waarbij de eigenaresse niet thuis was.

Catherine ging met plezier op het voorstel van de advocaat in als dat de enige manier was om het huis binnen te komen. Vandaag zou ze eindelijk het interieur zien van de nalatenschap van Philip Hawkin. Beter nog: ze zou een gids hebben die haar kon vertellen welke kamer van Alison was geweest, en welke Hawkins studeerkamer, en die de oorspronkelijke inrichting zou kunnen beschrijven.

Ze kon niet voorkomen dat ze zich een voorstelling maakte van de vrouw die ze op het punt stond te ontmoeten. George Bennett had een portret geschilderd van een feeksachtige, bemoeizuchtige vrouw, die geen respect had voor de politie en hem voortdurend had lastig gevallen en aan zijn hoofd had gezeurd wanneer ze maar het gevoel had een reden te hebben. Peter Grundy had haar beschreven als een vrouw die achtervolgd werd door hoe het geweest had kunnen zijn.

Van Peter had ze ook wat feiten losgekregen over het leven van Kathy Lomas. Alisons tante woonde tegenwoordig alleen. Haar man, Mike, was vijf jaar tevoren bij een ongeluk op de boerderij omgekomen, doodgetrapt door een dolle stier. Haar zoon Derek had Scardale verlaten om naar de universiteit van Sheffield te gaan en was bodemkundige geworden bij de Verenigde Naties. Kathy, die nu halverwege de zestig was, had een kudde Jacobs-schapen in Scardale. Ze spon garen van de vachten en maakte daarvan dure designertruien op een breimachine die, volgens de vrouw van Peter Grundy, meer bedieningsknoppen had dan een ruimtependel.

Kathy en Ruth Carter waren nichten van elkaar, met een leeftijdsverschil van minder dan een jaar, en bloedverwanten van zowel vaders- als moederskant. Ze waren naast elkaar opgegroeid tot vrouw en moeder. Kathy's Derek was slechts drie weken na Alison geboren. De geschiedenissen van de families waren onontwarbaar met elkaar verstrengeld. Als Catherine van Kathy Lomas niet kon krijgen wat ze nodig had, was de kans groot dat ze het ook nergens anders zou kunnen krijgen. En als Kathy Lomas zo lastig was als George had gezegd, zou ze dit gesprek met alle vaardigheid moeten aanpakken waarover ze beschikte.

Catherine hield stil bij Lark Cottage, het achttiende-eeuwse huisje waarin Kathy ononderbroken had gewoond sinds haar huwelijk negentien jaar voordat Alison was verdwenen. De vrouw die de deur opende, was nog steeds flink en krachtig, en haar staalgrijze haar was opgestoken in een ronde, dubbele knot. Gecombineerd met haar ruwe rode wangen zag ze eruit als mevrouw Bunn de Bakkersvrouw uit *Happy Families*. Alleen haar ogen logenstraften haar gezellige voorkomen. Ze waren koel en kritisch en gaven Catherine het gevoel dat ze in meer dan alleen monetair opzicht getaxeerd en gewogen werd. 'Jij moet de schrijfster zijn,' begroette Kathy haar, terwijl ze een hand opzij stak en een afgedragen anorak van zijn haak pakte. 'Je zult eerst in het huis willen kijken, neem ik aan.' Haar toon liet geen ruimte voor een ander voorstel.

'Dat zou geweldig zijn, mevrouw Lomas,' zei Catherine, zich aansluitend bij de oudere vrouw terwijl ze over een hoek van de dorpsweide naar het grote huis liepen. 'Ik stel het echt bijzonder op prijs dat u tijd voor mij vrijmaakt.' Ze vervloekte zichzelf voor haar bijna dwepende toon.

'Ik doe het niet voor jou,' zei Kathy kortaf. 'Ik doe het voor de herinnering aan Alison. Ik denk vaak aan onze Alison. Ze was een geweldige meid. Ik stel me voor wat voor leven ze zou hebben gehad als de dingen anders waren gelopen. Ik zie haar met kinderen werken. Een lerares, of een arts. Iets positiefs, nuttigs. En dan denk ik aan de werkelijkheid.' Ze stond stil voor de deur van het grote huis en wierp Catherine een sombere, harde blik toe.

'Als ik de tijd terug kon draaien en één ding uit mijn hele leven kon veranderen, zou het die woensdagmiddag zijn,' zei ze bitter. 'Ik zou Alison niet uit het oog verliezen. Het heeft geen zin om me te vertellen dat ik de schuld niet bij mezelf moet leggen. Ik weet dat Ruth Carter naar haar graf is gegaan met de vraag hoe ze de dingen had kunnen veranderen, en ik ga op dezelfde manier de grond in als het mijn beurt is.

Mijn leven lijkt tegenwoordig vol te zijn van dingen die me spijten. Wat zeggen ze ook alweer? "Lieverkoekjes worden niet gebakken." Nou, ik heb jaren tijd gehad om te treuren om de dingen die ongedaan en de dingen die ongezegd zijn gebleven. Het probleem is dat het kerkhof de enige plaats is waar ik mijn spijt nog kan betuigen aan de mensen die er echt toe doen. En daarom ben ik bereid met je te praten.'

Ze haalde een sleutel uit haar zak, opende de deur en liet Catherine binnen in de keuken. Geld had duidelijk geen rol gespeeld toen deze was opgeknapt. De houten keukenkastjes en de ladekast hadden een glans die op echte ouderdom wees en niet op moderne namaak. De werkbladen waren een combinatie van marmer en geprepareerd hout. Behalve een donkergroene Aga stonden er een bijpassende koel-vriescombinatie met dubbele deur in Amerikaanse stijl en een vaatwasser. Catherine wierp een blik op het kleine stapeltje kranten aan het uiteinde van de keukentafel. De bovenste was van twee dagen eerder. Janis Wainwright was dus nog niet lang weg, dacht ze. Desondanks had de keuken de lege sfeer van een ruimte die lang niet in gebruik is geweest.

'Ik wed dat het er in 1963 niet zo uitzag,' zei ze droog.

Eindelijk wist Kathy Lomas een glimlach op te brengen. 'Dat heb je goed gezien.'

'Misschien kunt u me vertellen hoe het eruitzag?'

'Ik denk dat ik eerst een kop thee voor ons maak,' zei Kathy Lomas, alsof ze tijd wilde rekken.

'Ik waardeer het bijzonder dat mevrouw Wainwright mij de kans geeft het huis te bekijken. U weet dat haar zuster verloofd is met de zoon van George Bennett?'

'Ja, het is een kleine wereld, dat blijkt wel weer.' Ze vulde de ketel.

'Ik heb Helen in Brussel ontmoet,' vervolgde Catherine. 'Een aardige vrouw. Het is jammer dat haar zuster er niet is.'

'Ze is vaak weg. Ik denk niet dat ze betrokken wil worden bij een boek over een moord,' zei Kathy koel, terwijl ze twee mokken uit een kast haalde en met een klap op het aanrechtblad zette.

Catherine liep naar het raam dat uitzicht bood op de dorpsweide. Ze stelde zich de lege uren voor die Ruth Carter moest hebben doorgebracht met vergeefs wachten op het ritme van haar dochters voetstappen in de richting van het huis.

Alsof ze haar gedachten kon lezen, zei Kathy: 'Iets bij mij van binnen is volkomen versteend die avond toen ik die politiemannen over de dorpsweide zag lopen. Als ik al ooit het gevaar liep het te vergeten, herinnerden de nachtmerries me er wel aan. Ik kan nog steeds geen politieuniform in het dorp zien zonder misselijk te worden.'

Ze ging verder met de thee. 'Het heeft alles veranderd, niet, die avond?' vroeg Catherine, terwijl ze heimelijk de cassetterecorder in haar jaszak aanzette.

'Ja, het heeft alles veranderd. Ik ben alleen blij dat we een politieman als George Bennett aan onze kant hadden. Als hij er niet was geweest, was die schoft van een Hawkin er misschien ongestraft van afgekomen. Dat is de andere reden waarom ik bereid was met je te praten. Het wordt hoog tijd dat George Bennett de eer krijgt die hem toekomt voor wat hij voor Alison heeft gedaan.'

'U bent een van de weinige mensen in Scardale die dat lijken te vinden. De meesten van uw familieleden zien het anders. Afgezien van Janet Carter, en Charlie in Londen, heeft iedereen geweigerd met me te praten,' merkte Catherine op, nog hopend dat ze Kathy's hulp zou kunnen krijgen om hun tongen los te maken.

'Tja, nou, dat moeten zij weten. Ze zullen er hun eigen redenen voor hebben. Ik kan ze niet kwalijk nemen dat ze het niet willen oprakelen. Niemand van ons heeft goede herinneringen aan die tijd.' Uit een pot van aardewerk goot ze thee in twee bijpassende mokken. 'Goed. Jij wilt dus weten hoe het er hier uitzag?'

Een uur lang gingen ze van kamer tot kamer, waarbij Kathy gedetailleerde beschrijvingen gaf van de inrichting en de meubels en Catherine zich er een voorstelling van probeerde te maken. Ze was verbaasd dat ze niets sinisters voelde terwijl Kathy met haar door het huis liep. Catherine had gedacht dat de gebeurtenissen die tot de dood van Alison Carter hadden geleid op de een of andere manier in de muren van Scardale Manor waren getrokken en hun geesten als stofdeeltjes in de lucht hadden achtergelaten. Maar daar was niets van te vinden. Het was gewoon een fantasievol gerestaureerd oud huis dat, ondanks het geld dat erin was gestopt, nooit bijzonder stijlvol zou worden. Zelfs het bijgebouw dat Philip Hawkin als donkere kamer had gebruikt, miste elke sfeer. Nu was het gewoon een opslagruimte voor tuingereedschap en oude meubels, niet meer en niet minder.

Desondanks was het een productief uur voor Catherine, want het maakte het mogelijk haar kennis van de gebeurtenissen tegen een concrete achtergrond te plaatsen. Ze zei dit toen Kathy Lomas de deur achter hen sloot en Catherine mee terug nam naar Lark Cottage voor hun formele vraaggesprek. 'Ja, nou, je kunt het maar beter goed hebben,' zei Kathy. 'Zo, wat wilde je mij vragen?'

Uiteindelijk bleek het verhaal van Kathy weinig toe te voegen aan de feiten die Catherine van George te weten was gekomen. De waarde ervan lag grotendeels in de meer vertrouwelijke informatie die de oudere vrouw kon geven over de persoonlijkheden die erbij betrokken waren geweest. Aan het eind van de middag had Catherine het gevoel dat ze eindelijk genoeg wist van Ruth Carter en Philip Hawkin om overtuigend over hen te kunnen schrijven. Dat op zichzelf had het bezoek al de moeite waard gemaakt.

'Je ziet Janet straks,' merkte Kathy op, terwijl Catherine de gegevens op de laatste microcassette schreef.

'Ja, dat klopt. Ze zei dat het wat haar betreft het best op een avond kon.'

'Inderdaad. Omdat ze een volledige baan heeft, wil ze de weekenden voor haar en Alison vrijhouden.' Kathy stond op en pakte de theekommen.

'Alison?' Catherine gilde het bijna.

'Haar dochter. Onze Janet is nooit getrouwd. Toen ze in de twintig was heeft ze haar tijd aan een getrouwde man verspild. Ze werd zwanger toen ze vijfendertig was en oud genoeg om beter te weten.

Een of andere Amerikaan die ze heeft ontmoet toen ze voor een conferentie in het zuiden in een hotel zat. In elk geval was hij allang terug in Cincinnati voor Janet besefte dat ze in gezegende staat was, dus voedt ze het meisje zelf op.'

'Ze heeft haar dochter Alison genoemd?'

'Ja. Zoals ik al zei, ze is niet vergeten in Scardale. Maar Janet had natuurlijk geluk. Ze had haar moeder als onbetaalde kinderoppas, dus kon ze de carrièrevrouw blijven spelen.' Er klonk een verrassende zweem van bitterheid in Kathy's stem. Catherine vroeg zich af of ze het haar eigen kinderen kwalijk nam dat ze het nest hadden verlaten en haar niet de kans gaven een echte rol als grootmoeder te spelen, of dat ze Janet verachtte omdat ze haar toevlucht had genomen tot zulke oplossingen.

'Wat doet ze?'

'Ze is directeur van een filiaal van een hypotheekbank in Leek.' Kathy wierp een blik uit het raam, waarvoor de gordijnen ondanks de duisternis buiten nog niet waren dichtgetrokken. Van het eind van de landweg zwaaiden de koplampen van een auto in zicht. 'Dat zal haar zijn. Je kunt maar beter gaan dan.'

Catherine stond op, nog steeds een beetje beduusd van de onvoorspelbare manier waarop de vertrouwelijke momenten bij Kathy Lomas overgingen in norsheid. 'U hebt me geweldig geholpen.'

Kathy's smalle lippen tuitten zich even. 'Misschien,' zei ze. 'Het was... interessant. Ja, interessant. Ik heb je dingen verteld waarvan ik vergeten was dat ik ze wist. Vertel eens, wanneer krijgen we dat boek te lezen?'

'Ik ben bang dat het niet zal verschijnen voor volgend jaar juni,' zei Catherine. 'Maar ik zorg dat u een exemplaar krijgt zodra de uiteindelijke versie beschikbaar is.'

'Zorg dat je dat doet, meid. Ik wil niet een of andere journalist voor mijn deur hebben staan met vragen over een boek dat ik niet heb gelezen.' Ze opende de voordeur en ging opzij staan om Catherine te laten passeren. 'Zeg tegen Janet dat ik nog zes eieren van haar krijg.'

De deur was al achter haar dichtgegaan voordat Catherine aan het eind van het pad was. Een beetje struikelend in het donker sloeg ze rechtsaf en kwam langs Tor Cottage, waar Charlie Lomas had gewoond met zijn grootmoeder. Toen liep ze het korte pad op dat naar Shire Cottage leidde, waar Janet Carter was opgegroeid met haar ouders, haar broertjes en haar twee zusjes. Volgens Peter Grundy hadden haar ouders het drie jaar tevoren aan haar verkocht, toen ze besloten hadden vanwege het klimaat in Spanje te gaan wonen. Catherine kon zich niet voorstellen dat zij in het huis zou willen wonen waarin ze was opgegroeid. Ze was als kind wel gelukkig geweest, maar meer dan klaar om naar de vrijheid en mogelijkheden van Londen te vertrekken toen ze de kans kreeg.

Wat Janet Carter ook had doen besluiten om in Scardale te blijven, toen ze het interieur van Shire Cottage zag, besefte Catherine dat het waarschijnlijk geen sentimentele overwegingen waren geweest. De hele benedenverdieping was uitgebroken en in één grote woonruimte veranderd, alleen onderbroken door de schoorsteenmantel. Als een van de nieuwere huisjes in Scardale – vroeg Victoriaans, waarschijnlijk, legde Janet uit – waren de plafonds hoger, waardoor het verwijderen van de muren een opmerkelijke ruimte had geschapen. Aan één kant van de kamer was een kleine, functionele keuken, met apparaten in roestvrij staal dat de verschillende tinten grijs van de kale stenen muren weerspiegelde. Aan de andere kant was de woonruimte, gedomineerd door de rijke kleuren van Indiase wandkleden en tapijten. Daartussen bevond zich een grote grenen tafel, die de dubbele functie leek te hebben van eet- en werktafel. Aan de tafel zat een tienermeisje aandachtig naar een computerscherm te kijken. Ze keek nauwelijks op toen Janet Catherine binnenliet.

'Maar dit is prachtig,' riep Catherine ondanks zichzelf uit.

'Ja, mooi, hè?' Janets gelaatstrekken waren met de jaren nog katachtiger geworden. Haar amandelvormige ogen rimpelden bij de hoeken toen ze verrukt glimlachte. 'Iedereen wordt erdoor verrast. Boven is het veel meer zoals het altijd was, maar hier beneden wilde ik het helemaal veranderen.'

'Janet, het is ongelooflijk. Ik heb zoiets nog nooit gezien in een oud huis. Wat zou je ervan vinden als mijn tijdschrift er een fotoreportage van brengt?'

'Er zou een vergoeding voor zijn, neem ik aan?' zei Janet grijnzend.

Catherine reageerde met een wat spottende glimlach. 'Ik denk dat ik dat wel kan beloven. Het spijt me alleen dat ik je die niet kan aanbieden voor dit gesprek. Uitgevers... ze zijn zo krenterig met geld.' Wat ze bedoelde was dat ze niet van plan was ook maar iets van haar flinke voorschot aan te bieden aan iemand die zo inhalig leek te zijn als Janet Carter. Ze vroeg zich af hoe ver ze de prijs omlaag had weten te krijgen die ze haar ouders had betaald voor het huis.

Ze gingen op een lage bank zitten en Janet goot rode wijn in zware glazen, terwijl ze een vaag handgebaar naar haar dochter maakte. 'Let maar niet op Alison. Ze hoort geen woord van wat we zeggen. Ze komt uit school, stopt een kant-en-klaarmaaltijd in de magnetron en verdwijnt in cyberspace. Ze heeft nu dezelfde leeftijd als Ali en ik in 1963 hadden. Als ik nu naar Alison kijk, voel ik alle angsten die mijn moeder moet hebben gekend, hoewel mijn leven zo anders is dan dat van haar.

De dag waarop Ali verdween, veranderde alles,' begon Janet, terwijl ze zich installeerde op de manier van een vrouw die zich voorbereidt op een lang gesprek. 'Ik denk dat ik nooit heb begrepen hoe angstaanjagend het voor mijn tante en mijn ouders moet zijn geweest voordat ik zelf een kind kreeg. Het enige waar ik aan dacht, was dat Ali werd vermist; het kwam nooit in me op dat ik me zorgen zou moeten maken over mezelf. Maar bij de volwassenen moet er vanaf het eerste moment, naast die afschuwelijke bezorgdheid om Ali, een geweldige angst zijn geweest dat ze alleen maar het eerste slachtoffer zou zijn, dat geen van hun kinderen veilig was.

In die tijd, weet je nog, wisten kinderen niets van de dingen die gebeurden. We lazen geen kranten en volgden het nieuws alleen als het over popgroepen of filmsterren ging. Dus we waren absoluut onkundig van het feit dat er niet zo ver weg, in Manchester, al twee kinderen verdwenen waren. Het enige wat wij wisten, was dat de verdwijning van Ali betekende dat wij in onze vrijheid werden beperkt, en dat was een vreemde ervaring voor ons in Scardale.'

Catherine knikte. 'Ik weet precies wat je bedoelt. Het had hetzelfde effect op ons in Buxton. We werden ineens als porseleinen poppetjes behandeld. Overal waar we gingen, hadden we een volwassene bij ons. Mijn moeder liet me niet eens alleen de hond uitlaten in de bossen van Grin Low. Ironisch, eigenlijk, als dan blijkt dat het gevaar zo dicht bij huis lag. Maar het moet voor jou nog duizend keer erger zijn geweest, met alle angst en onrust vlak voor de deur.'

'Dat kun je wel zeggen,' zei Janet met gevoel. 'We waren gewend vrij rond te lopen in het dal. In de zomer waren we nooit binnen, en zelfs midden in de winter niet; we waren hoog in de heuvels, of we volgden de Scarlaston omlaag naar Denderdale, of we hingen gewoon in de bossen rond. Omdat Derek en Ali en ik vrijwel dezelfde leeftijd hadden, waren we net een drieling, altijd bij elkaar. En toen ineens waren alleen Derek en ik nog over en moesten we binnen blijven. Als gevangenen. God, wat was dat erg.'

'Mensen vergeten hoe stomvervelend het was om begin jaren zestig een jonge tiener te zijn,' zei Catherine, die zich maar al te goed herinnerde hoezeer verveling een rol had gespeeld in haar eigen tienertijd.

'Vooral in een dorp als Scardale,' zei Janet. 'Je ging naar school, en al je vriendinnen praatten over wat ze op de televisie hadden gezien, wat ze in de bioscoop hadden gezien, met wie ze hadden gedanst op het kerkbal. Wij hadden dat allemaal niet. De kinderen uit Scardale werden altijd gepest want we hadden geen idee wat er in de rest van de wereld gaande was. Het was niet zozeer dat we andere dingen hadden, we hadden gewoon niets. Nou, je zult het je wel herinneren als je in Buxton op school hebt gezeten.'

Catherine knikte. 'Ik zat een jaar boven jou op High Peak. Voor zover ik me herinner waren het niet alleen de kinderen uit Scardale die werden gepest. We hebben alle kinderen uit de omliggende dorpen net zo rottig behandeld.'

'Dat geloof ik wel. Niemand is wreder tegen elkaar dan kinderen. En vergeleken met wat er met ons gebeurde nadat Ali verdwenen was, waren scheldwoorden nog het minste van onze problemen. De levendigste herinnering die ik heb aan de eerste weken na haar verdwijning is dat ik met Derek in mijn slaapkamer zat en dat we naar Radio Luxemburg luisterden op zo'n hele oude radio. De ontvangst was verschrikkelijk, vol storing en ruis. Bovendien was het er ijskoud – dat was lang voordat we centrale verwarming kregen in Scardale. We zaten altijd met onze winterjassen aan in de slaapkamer. Maar zelfs nu nog zijn er bepaalde liedjes die me onmiddellijk daaraan doen denken. "Needles and Pins" van de Searchers, "Anyone Who Had a Heart" van Cilla Black, "World Without Love" van Peter and Gordon, en "I Want To Hold Your Hand" van de Beatles. Ik kan die liedjes niet horen of ik zie mezelf weer in mijn kamer op die roze chenille sprei zitten, met Derek op de vloer met zijn rug naar de deur en zijn armen om zijn knieën geslagen. En geen Ali.

Je vindt zoveel vanzelfsprekend als je een kind bent. Je brengt elke dag in iemands gezelschap door en het komt niet in je op dat diegene er op een dag misschien niet meer is. In zekere zin ben ik blij dat je dat boek schrijft, weet je. Er zijn zoveel mensen die iemand verliezen, en er is nooit iets om te bewijzen dat ze er ooit zijn geweest behalve datgene wat we in ons hoofd hebben. Ik kan straks in elk geval jouw boek oppakken en weten dat Ali hier echt is geweest. Niet lang genoeg, maar ze is hier geweest.'

6

Mei 1998

Met zijn handen op zijn heupen stond George Bennett stil om op adem te komen en zoog de milde, vochtige lucht naar binnen. Zijn zoon stond een paar stappen voor hem te wachten en genoot van het spectaculaire uitzicht vanaf de Heights of Abraham over de diepe kloof doorsneden door de rivier de Derwent met het imposante profiel van Riber Castle op de tegenoverliggende heuvel. Ze hadden de kabelwagen genomen van Matlock Bath naar de top en liepen nu over de beboste kam naar een bochtig pad dat hen langzaam terug zou brengen naar de rivier.

Paul had geen idee hoeveel wandelingen hij in de loop der jaren met zijn vader had gemaakt. Zodra hij oud genoeg was geweest om het bij te kunnen houden, had George hem meegenomen op wandelingen in de heuvels van Derbyshire. Sommige van die dagen stonden in zijn geheugen gegrift, zoals de beklimming van Mam Tor op de dag voor zijn zevende verjaardag. Andere leken verdwenen te zijn zonder een spoor achter te laten, maar kwamen weer boven wanneer hij door hetzelfde gebied liep met Helen, tijdens een van hun incidentele bezoeken. Als hij alleen naar huis ging, zoals hij dit weekend had gedaan, ging hij nog steeds graag de heuvels in met zijn vader, hoewel George dezer dagen de voorkeur gaf aan routes die de vermoeiende en soms roekeloze klim- en klauterpartijen vermeden die ze hadden ondernomen toen hij jonger en fitter was geweest.

Paul draaide zich om naar zijn vader, die niet meer stond te hijgen, hoewel zijn gezicht nog paars was van de inspanning van de korte maar steile klim die ze zojuist hadden voltooid. 'Gaat het weer?' vroeg hij.

'Jazeker,' zei George, terwijl hij zich oprichtte en naast Paul ging staan. 'Ik ben gewoon niet meer zo jong als ik was. Maar het uitzicht is de moeite waard.'

'Dat is een van de dingen die ik echt mis nu ik in Brussel woon. Ik ben verwend doordat ik opgegroeid ben met een landschap als dit voor de deur. Als we nu een wandeling willen maken op een fatsoenlijke heuvel, moeten we uren rijden. Dus laten we het maar zitten. En de sportschool kan dit niet vervangen.' Zijn gebaar omvatte de horizon.

'In de sportschool regent het in elk geval niet,' zei George, en hij wees naar de wolken verderop in het dal met een schaduw van regen eronder. 'Daar krijgen we over een halfuur of zo mee te maken.' Hij begon te lopen en Paul voegde zich bij hem. 'Ik heb de laatste tijd ook niet zoveel gewandeld als ik zou willen,' vervolgde hij. 'Tegen de tijd dat ik mijn gesprek met Catherine had gehad en de tuin had gedaan en alle andere klusjes in huis, had ik nauwelijks nog tijd over voor meer dan een rondje golf.'

Paul grinnikte. 'Dus het is allemaal mijn schuld?'

'Nee, ik klaag niet. Op een wat vreemde manier ben ik blij dat je me hebt overgehaald. Ik had het veel te lang opgekropt. Het bleek minder traumatisch te zijn dan ik had gedacht om erover te praten.' Hij liet een droog lachje horen. 'Al die jaren heb ik mijn mensen aangeraden hun angsten niet weg te stoppen, maar onder ogen te zien, en zelf heb ik precies het omgekeerde gedaan.'

Paul knikte. 'Je hebt mij altijd geleerd dat het beter is de boeman tegemoet te treden.'

'Ja, zolang jij maar bepaalt waar de confrontatie plaatsvindt,' zei George grimmig. 'Maar goed, de zaak-Alison Carter bleek niet zo'n grote boze boeman te zijn als ik had gedacht. En Catherine heeft het me heel gemakkelijk gemaakt. Ze had zich goed voorbereid, dat moet ik haar nageven. Dus waren we vaak heel gedetailleerd met dingen bezig, en daardoor heb ik me gerealiseerd dat ik het onder de omstandigheden lang niet slecht heb gedaan.' Ze kwamen bij een bocht in het pad, en George stond stil en keek zijn zoon aan.

Hij haalde diep adem. 'Er is één ding dat ik je wil vertellen, want ik wil niet dat je erachter komt doordat je het in het boek leest. Het is iets wat je moeder en ik je nooit hebben verteld. Toen je klein was hebben we het niet verteld omdat we dachten dat je het eng zou vinden. Je weet hoe kinderen zijn – al die fantasie kan iets tamelijk onbeduidends in iets reusachtigs veranderen. En toen je ouder was, leek het geschikte moment er nooit te zijn.'

Paul glimlachte onzeker. 'Laten we er dan maar vanaf zijn. Vertel het me nu maar.'

George pakte een sigaret en had wat moeite met het opsteken ervan in de lichte wind die langs de heuvel waaide. 'De dag waarop jij geboren werd, was de dag waarop Philip Hawkin werd opgehangen,' zei hij ten slotte.

Pauls glimlach ging over in een verbijsterde uitdrukking. 'Mijn geboortedag?' vroeg hij.

George knikte. 'Ik ben bang van wel. Net nadat ze hem hadden opgehangen kreeg ik het nieuws dat jij was geboren.'

'Daarom heb je altijd zo'n toestand gemaakt van mijn verjaardag, om niet aan die andere verjaring te hoeven denken die je maar niet uit je hoofd kon zetten?' zei Paul, niet in staat het gekwetste gevoel uit zijn stem te houden.

George schudde zijn hoofd. 'Nee, nee,' protesteerde hij. 'Zo was het niet. Nee, jouw geboorte was... ik weet niet hoe ik het moet zeggen... als een teken van de goden dat ik Alison Carter achter me kon laten en een nieuw begin kon maken. Wat ik me elk jaar op jouw verjaardag herinnerde, was niet dat Philip Hawkin op die dag was opgehangen. Het was... moet je mij horen... ik klink als zo'n Amerikaans zelfhulpboek... het was het gevoel van vernieuwing dat jouw geboorte me gaf. Als een belofte.'

De twee mannen stonden elkaar aan te kijken, en het gezicht van George smeekte zijn zoon hem te geloven. Het bleef een ogenblik stil, toen stapte Paul naar voren en sloeg zijn armen om zijn vader heen in een onhandige omhelzing. Plotseling was hij zich ervan bewust hoeveel hij van zijn vader hield, hoewel hun fysieke contact altijd zeldzaam was geweest. 'Bedankt dat je me dat hebt verteld,' mompelde hij. Hij liet zijn armen vallen en grijnsde. 'Ik begrijp waarom je niet wilt dat ik zoiets uit Catherines boek te weten kom.'

George glimlachte. 'Afgaande op je reactie, had je het vast verkeerd begrepen.'

'Dat zou kunnen,' gaf Paul toe. 'Maar ik begrijp waarom je het me niet hebt verteld toen ik een kind was. Ik weet zeker dat het me nachtmerries had bezorgd.'

'Ja. Je was altijd een ventje met veel fantasie,' zei George, terwijl hij zich omdraaide om zijn sigaret uit te stampen onder de hak van zijn hoge schoen. Hij keek over zijn schouder naar Paul. 'O, en nog iets. Als je dat wilt, kunnen we de volgende keer als je hier met Helen komt misschien naar Scardale rijden en haar zuster ontmoeten.'

Paul grinnikte. 'Dat zal Helen leuk vinden. Dat zal ze heel leuk vinden. Bedankt, pa. Dat aanbod waardeer ik echt. Ik weet hoe moeilijk het voor je moet zijn.'

'Ach, ja,' zei George bruusk. 'Kom op, jongen, laten we zorgen dat we van die heuvel komen voordat de regen ons inhaalt en doorweekt.'

Catherine had verwacht dat haar terugkeer naar Londen een opluchting zou zijn na het beperkte, rustige leventje dat ze in Longnor had geleid. Het kwam als een schok om te merken dat de stad die meer dan twintig jaar haar stad was geweest nu vreemd leek: te luid, te vuil, te snel. Zelfs haar geliefde appartement in Notting Hill leek belachelijk groot voor één persoon, en de koele pasteltinten en moderne inrichting hadden iets onechts vergeleken met de dikke stenen muren en niet bij elkaar passende meubels van het kleine, oude huis in Derbyshire.

Ook het idee om rond te rennen en haar vrije momenten te vullen met sociale activiteiten leek vreemd, hoewel ze zichzelf dwong een etentje te organiseren met een paar vrienden en collega's. Ze moest het contact met de wereld van het werk niet al te veel verliezen, hield ze zichzelf vastbesloten voor. En bovendien, vond ze, had ze na nog twee vraaggesprekken, een afspraak met de redacteur die haar opdracht had gegeven voor het boek en een brainstorming met een producer van tv-documentaires die op basis van haar onderzoek een programma wilde maken, recht op wat onverbloemd plezier.

De eerste van de twee mensen met wie ze nog een vraaggesprek had, was Charlie, of, zoals hij nu genoemd wilde worden, Charles Lomas. Hij was de enige van haar lijst van betrokkenen – afgezien uiteraard van Alison zelf – die in de door haar onderzochte krantenartikelen was opgedoken. Ze had een paar artikelen over hem gevonden, hoewel in geen ervan de traumatische gebeurtenissen van 1963 en 1964 werden genoemd.

De reden waarom Charles Lomas de achtergrondpagina's van de nationale kranten had gehaald, had niets van doen met Scardale. In plaats van in het dal te blijven, waar verwacht zou zijn dat hij in de familietraditie boer was geworden, was Charles in de winter van 1964 uit Scardale weggegaan. Hij lifte naar Londen, waar hij werk vond als boodschappenjongen bij een muziekuitgeverij in Soho. Hij had het geluk gehad daar te arriveren op een moment waarop het hele land leek te swingen op de Mersey-beat. Binnen enkele maanden had zijn noordelijke accent hem een deeltijdbaantje opgeleverd als zanger van een band. Uiteindelijk begon hij hun optredens te organiseren en vijf jaar later had hij een winstgevend bedrijfje als manager van rockbands.

Toen Catherine hem opspoorde, had hij een internationaal imperium opgebouwd in de muziekuitgeverij en was hij daarnaast nog manager van een stuk of vijf van de meest verdienende Britse popgroepen. In zijn antwoord op haar schriftelijke verzoek om een gesprek had hij terug gefaxt dat hij met haar wilde praten omdat hij vond dat zijn familie dank was verschuldigd aan George Bennett en dat hij geen andere manier kon bedenken om die verplichting na te komen.

Nadat zijn secretaresse haar was voorgegaan naar zijn kantoor op de vijfde verdieping met uitzicht op Soho Square, schrok Catherine. Met zijn keurig geknipte zilvergrijze haar dat vanaf een hoog voorhoofd naar achteren was gekamd, zijn goed verzorgde handen en zijn gladde wangen die glansden van een recente scheerbeurt, zijn designerspijkerbroek en overhemd, was het moeilijk zich de boer voor te stellen die Charles Lomas in Scardale had kunnen worden. Maar al snel bleek dat hij het legendarische talent van zijn grootmoeder voor het vertellen van verhalen had geërfd. Voordat hij zichzelf ertoe kon zetten om over Alison te praten, hield hij Catherine een halfuur bezig met smeuïge verhalen over de muziekwereld.

Na haar derde poging, ging hij eindelijk in op haar vraag over Alison. 'Die meid hield absoluut niet van gezeik,' zei hij bewonderend. 'Als ze kwaad op je was, dan kreeg je het ook te horen. Je wist precies waar je aan toe was met haar. Janet was altijd een beetje hypocriet: een en al lievigheid in je gezicht en je achter je rug zwartmaken. Zo is ze nog steeds, trouwens. Maar bij Ali moest je niet met flauwekul aankomen. Daarom heb ik nooit geloofd dat ze door iemand was meegelokt. Degene die Ali heeft meegenomen, moest haar gedwongen hebben, want ze was niet een of ander dom gansje dat gemakkelijk te beïnvloeden was.

Ik wilde van het begin af aan alles doen wat ik kon om te helpen. Ik hielp mee bij de zoektochten en ik was natuurlijk degene die de plek vond waar de worsteling had plaatsgevonden. Ik kan me nog steeds de schok van de ontdekking herinneren. We hadden inmiddels een zoekritme ontwikkeld, vooral degenen die in het dal woonden. We kenden het terrein zo goed, dat alles wat ongewoon was ons onmiddellijk opviel, veel meer dan het de agenten kon opvallen die uit het hele district waren opgetrommeld.

Toen ik de verstoring zag in het kreupelbosje had ik letterlijk het gevoel dat iemand zijn hand in mijn borst stak en mijn hart en mijn longen greep en er zo hard in kneep dat ik geen adem meer kreeg en mijn bloed ophield met stromen. En toen ik het later aan mijn grootmoeder vertelde, was het eerste wat ze zei: "Hawkin loopt vaker dan wie ook in dat kreupelbosje rond."

En ik vertelde haar dat ik de landheer diezelfde middag waarop Alison was verdwenen over het veld had zien lopen tussen het bos bij de Scarlaston en het kreupelbosje. "Zeg er niets over," zei mijn oma. "Er zal een tijd en een plaats zijn om het aan die politieman te vertellen waarop hij echt zal luisteren. Als je te vroeg spreekt, wordt het begraven onder het gewicht van de kletspraat van alle anderen."

Twee dagen later zei ze dat ik het bij de eerstvolgende gelegenheid aan inspecteur Bennett moest vertellen. Ze ging zelf een kijkje op het veld nemen om na te gaan of ze iets zou vinden dat de rest van ons over het hoofd had gezien.' Hij glimlachte met genegenheid. 'Ze speelde altijd op het publiek. Ze zag eruit als een heks, dus had ze de hele omgeving ervan overtuigd dat ze helderziend was, dat ze mensen kon beheksen en met de dieren kon praten. In werkelijkheid was ze alleen maar scherper dan een blok messen. Ze had altijd dingen door die niemand anders opmerkte.

Als ik er nu op terugkijk, denk ik dat ze die middag niets anders deed dan de aandacht vestigen op het veld tussen het bos en het kreupelbosje, zodat het veel meer gewicht zou hebben als ik met mijn verhaal bij inspecteur Bennett zou aankomen. Het was waarschijnlijk verkeerd van ons om die informatie achter te houden, maar je moet niet vergeten dat we een zeer geïsoleerd leven leidden in Scardale. We hadden geen idee wie die vreemden waren, en of ze echt zouden proberen Ali te vinden of gewoon de meest voor de hand liggende sukkel zouden oppakken om die erin te luizen voor wat ze ook maar mochten besluiten dat de misdaad was. En zoals Bennett je waarschijnlijk heeft verteld, was ik op dat moment de meest voor de hand liggende sukkel. Negentien jaar en een en al knieën, ellebogen en hormonen. Bepaald geen schoonheid, dat kan ik je verzekeren. Dus pakten ze mij natuurlijk op voor ondervraging.'

Catherine knikte. 'Dat heeft George me verteld. Het moet heel vervelend zijn geweest.'

Charles knikte. 'Aan de ene kant was ik woedend omdat ze niet zagen dat we allemaal aan dezelfde kant stonden en aan de andere kant was ik als de dood dat ze me ervoor zouden pakken. Het enige waar ik aan kon denken was dat ik een manier moest vinden om ze ervan te overtuigen dat ik Ali nooit een haar op het hoofd had kunnen krenken zonder datgene te vertellen wat ik van mijn grootmoeder voorlopig voor mezelf moest houden.

Wat het moment van die onthulling betreft, heb ik natuurlijk lang gedacht dat mijn grootmoeder gemotiveerd werd door de wens die mysterieuze oom Peter uit de narigheid te halen. Ik was me daar toen absoluut niet van bewust, want ik wist niet eens van zijn bestaan tot ik in de plaatselijke krant over hem las. Opmerkelijk, eigenlijk, om te bedenken dat de oudere generatie Scardale echt leidde als een soort middeleeuws leengoed waar je ongewenste elementen gewoon uit kon verbannen. Maar oom Peter was nog steeds familie en voor mijn grootmoeder was bloed toch altijd dikker dan water. Dus gebruikte ze de troef die ze achter de hand had gehouden om inspecteur Bennett weg te leiden van de man die Ali volgens haar nooit kwaad had kunnen doen.

Ik denk dat dat betekent dat ik voor een deel verantwoordelijk ben voor wat er later is gebeurd. En dat is geen prettige gedachte, dat moet ik bekennen.' Hij zuchtte. 'Mijn enige excuus is dat het in negentien jaar tijd nog nooit in mijn hoofd was opgekomen om mijn grootmoeder te trotseren, en dat leek niet het geschikte moment om ermee te beginnen.'

Het vinden van de ingang van de loodmijn was de andere levendige herinnering die Charles had. Hoewel het Catherine moeilijk viel om in de gemanicuurde manager van nu die gretige jongeman van toen te zien, werden alle passie en scherpte van de tiener die hij was geweest plotseling zichtbaar toen hij over zijn ontdekking sprak.

'Toen mijn moeder die ochtend naar me toe kwam en zei dat ze mij nodig hadden om een oude loodmijn in de Scardale Crag op te sporen, was ik stomverbaasd. Ik kon niet geloven dat er zoiets kon zijn zonder dat ik het wist. Ik had mijn hele leven in het dal gewoond en niemand had er ooit iets over gezegd. Maar de reden waarom ik er echt van overtuigd was dat die loodmijn niet kon bestaan, was dat ik had kunnen zweren dat ik elke centimeter van Scardale kende.

Het feit dat je ergens woont, betekent nog niet je er alles van weet. Neem mijn neef Brian. Hij kent waarschijnlijk elke grasspriet in zijn weilanden. Hij zal elke stap kennen van het pad van zijn huis naar de stal, elke centimeter van de route naar zijn favoriete visstekkie aan de Scarlaston. Maar dat is alles wat hij kent. Hij had nooit een verkennersinstinct. Maar ik wel. Als kind was ik daar elk uur mee bezig waarop ik niet op school zat of aan het werk was in de bossen of op de velden. De eerste keer dat ik de kloof beklom, was ik nog maar zeven. Ik rende een paar keer per week Shield Tor op en af, gewoon voor de lol. Ik hield van elke vierkante centimeter van Scardale.'

Zijn gezicht betrok een ogenblik toen hij dacht aan wat hij had achtergelaten. 'Ik mis het,' zei hij abrupt. Toen lichtte zijn gezicht weer op en was hij terug bij zijn herinneringen.

'Maar goed, ik kon dus niet begrijpen hoe de ingang van die loodmijn er nog kon zijn zonder dat ik dat wist. Maar we waren inmiddels wanhopig. We vonden dat we elke kans moesten aangrijpen om Ali te vinden.

Toen ik de ingang vond, was ik verbijsterd. Ik was de kloof nog nooit zo diep ingegaan. In de zomer was de bodem te dichtbegroeid, en in de winter leek de kloof ontoegankelijk door de rotsblokken die hem aan het gezicht onttrokken wanneer je vanaf de rivier omhoogkeek. Het was in feite helemaal geen moeilijke beklimming, en de ingang was precies waar die volgens het boek moest zijn.

Wat ik nog vreemder vond, was dat iemand anders doorgedrongen was tot het geheim van Scardale en ik niet. Het besef dat mijn kennis zulke gaten vertoonde, maakte me heel erg onzeker. Ik raakte het vertrouwen in mijn eigen oordeel kwijt, en daar schrok ik verschrikkelijk van.

Gek genoeg is het me in latere jaren alleen maar van pas gekomen. Ik val nooit voor mooie praatjes. Ik ben altijd op mijn hoede als het om vleiers gaat. Ik weet nu dat het mogelijk is om er hopeloos naast te zitten ten aanzien van iemand die je elke dag ziet en denkt te kennen. Het is dus waanzin om te denken dat je iemand kunt kennen op basis van een paar ontmoetingen. Hoewel ik dat toen niet vond, is er dus nog iets goeds voortgekomen uit wat er met Ali is gebeurd.'

Hij wreef met zijn hand over zijn kaak. 'Maar ik zal je iets zeggen: ik neem onmiddellijk genoegen met een slecht beoordelingsvermogen als dat zou betekenen dat Ali er nog was.'

Wat achtergrondinformatie over de spelers in het drama betreft, was Charles veel minder nuttig dan Kathy of Janet. Hij glimlachte verontschuldigend. 'Ik was altijd een beetje in mijn hoofd bezig,' zei hij. 'Ik was altijd bezig mezelf verhalen te vertellen, te fantaseren hoe ik uit Scardale zou ontsnappen en de wereld zou veranderen. De helft van de tijd wist ik niet echt wat er om me heen gaande was. En wat volwassen relaties betreft, die waren een mysterie voor me. Ik wist alleen dat ik niet leek te willen wat alle anderen in Scardale wilden.'

Hij haalde diep adem en keek Catherine recht in haar ogen. 'Ik moest naar Londen om erachter te komen hoe dat kwam. Ik ben homoseksueel, begrijp je. In al die jaren dat ik opgroeide, had ik er nooit een naam voor. Ik wist alleen dat ik anders was. Dus je begrijpt dat ik niet de meest aangewezen persoon was om te vragen of ik iets vreemds had gemerkt aan de relatie tussen Ruth en Phil.' Hij glimlachte. 'Ik vond alle relaties tamelijk vreemd.'

7

Mei 1998

Terwijl ze van een gin-tonic genoot in de bovenzaal van de Lamb & Flag in Covent Garden ging Catherines mobiele telefoon. 'Catherine Heathcote. Hallo?' zei ze, in de vurige hoop dat het niet Don Smart was die belde om hun afspraak af te zeggen.

'Catherine? Met Paul Bennett. Mijn vader vertelde me dat je in Londen zit, klopt dat?'

'Ja, ik ben hier een paar dagen om met wat mensen over het boek te praten.'

'Ik ben ook in de stad. Morgen ga ik terug naar Brussel, maar ik vroeg me af of we samen kunnen eten vanavond.'

Verheugd zei Catherine: 'Dat lijkt me leuk,' en ze spraken af elkaar om zeven uur te ontmoeten. Opgevrolijkt door het vooruitzicht van een etentje met Paul, keek ze op en zag een man met een mager gezicht onzeker in haar richting kijken. Hij betaalde voor zijn glas bier en liep naar haar toe.

'Ben jij Catherine Heathcote?' vroeg hij.

'Don Smart?' Terwijl hij knikte en zich in de stoel tegenover haar liet zakken, stond ze half op en stak haar hand uit om de zijne te schudden. Ze zou hem niet hebben herkend van de beschrijving die George Bennett haar had gegeven. Zijn rode haar was verbleekt tot een vuilwitte kleur, hij was gladgeschoren en zijn huid was droog en los, eerder bezaaid met ouderdomsvlekken dan met sproeten. De scherpe, vosachtige ogen die George zich zo duidelijk had herinnerd, waren rood omrand, terwijl het wit gelig getint was.

'Zo slim als een vos,' zei hij. Ze geloofde er geen woord van.

'Dank je dat je met me wilt praten,' was alles wat ze zei.

Hij nam een grote slok van zijn bier. 'Ik gooi mijn eigen glazen in,' zei hij. 'Dit had natuurlijk mijn boek moeten zijn. Ik heb het verhaal vanaf de eerste dag verslagen, tot het proces aan toe. Maar George Bennett heeft daarna nooit met me willen praten. Ik neem aan dat ik hem te veel aan zijn mislukking herinner.'

'Zijn mislukking?'

'Hij wilde Alison Carter wanhopig graag levend vinden. Het was geen troost voor hem dat ze waarschijnlijk allang dood was voor hij ook maar het telefoontje kreeg. Ik denk dat haar dood hem sinds die tijd altijd heeft achtervolgd en dat hij daarom niet met mij wilde praten. Hij kon me niet zien zonder het gevoel te krijgen dat hij Ruth Hawkin in de steek had gelaten.' Hij stak zijn hand in zijn zak en haalde er een pakje sigaretten uit. 'Wil je roken?'

Ze schudde haar hoofd.

'Ik bied het tegenwoordig alleen nog aan collega's aan,' zei hij, terwijl hij met een zucht van genot opstak. 'Verder is iedereen opgehouden. Zelfs redactiekamers zijn tegenwoordig rookvrij. Dus vertel eens, Catherine, hoe gaat het met mijn boek?'

Ze glimlachte. 'Het is interessant, Don.'

'Dat wil ik wel geloven,' zei hij bitter. 'Vanaf de eerste dag, vanaf de eerste melding, wist ik dat George Bennett geweldige kopij was. De man was een bulldog. Hij zou de zaak-Alison Carter nooit opgeven. Voor al die andere agenten was het gewoon een klus. Natuurlijk, ze hadden medelijden met de familie. En ik wed dat degenen die zelf vader waren hun dochters een extra stevige knuffel gaven wanneer ze thuiskwamen na een dag zoeken naar Alison.

Maar voor George lag het anders. Voor hem was het een missie. De rest van de wereld mocht Alison Carter dan opgegeven hebben, maar George kon niet gepassioneerder met haar zaak bezig zijn geweest als het om zijn eigen dochter was gegaan. Ik heb veel tijd aan George Bennett en de zaak-Alison Carter besteed, maar ik ben er nooit achtergekomen waarom het zo belangrijk voor hem was. Het leek wel iets persoonlijks.

Voor mij kwam het als geroepen. De baan bij het noordelijke bureau van de *News* was mijn eerste echte krantenbaan en ik was op zoek naar het verhaal dat me naar Fleet Street zou brengen. Ik had al wat artikelen voor de *News* geschreven over de verdwijning van Pauline Reade en John Kilbride, en ik dacht dat ik een geweldig hoofdartikel zou hebben als ik de politie zover kon krijgen dat ze die zaken in verband zouden brengen met Alison Carter.'

'Dat zou ook zo geweest zijn,' erkende ze.

Hij wierp haar een zure blik toe. 'George wilde natuurlijk niet meespelen. Hij was vastbesloten om Alison Carter niet over te geven aan de rechercheurs die de zaken van de andere vermiste kinderen onderzochten. Ik weet niet of het alleen een gevoel was of gewoon koppigheid, maar het bleek de juiste beslissing te zijn. Uiteraard had niemand toen ook maar enig benul van het bestaan van Ian Brady en Myra Hindley, maar George leek intuïtief te weten dat datgene wat met Alison Carter was gebeurd eenmalig was, en het was zijn zaak.'

'Maar je hebt het aan George te danken dat je uiteindelijk je kans in Londen kreeg, nietwaar?' vroeg Catherine.

'Daar is geen twijfel aan. De zaak-Alison Carter heeft een paar geweldige verhalen opgeleverd. Ik heb enkele uitstekende verhalen geschreven over die helderziende, herinner ik me. Dat was mijn kaartje naar het grote werk. De ironie wil dat ik daardoor nooit een regel heb geschreven over de onthullingen in de Heidemoorden.'

Plotseling begon Smart te vertellen over zijn hoogtijdagen, toen hij als verslaggever voor verschillende nationale kranten had gewerkt, waarna hij ten slotte teruggekeerd was naar de *Daily News*, als nieuwsredacteur voor de avond. Hij was drie jaar eerder zijn baan kwijtgeraakt, maar werkte nog drie avonden per week als freelance nieuwsredacteur bij de *News*. 'De verslaggevers die ze daar tegenwoordig hebben zitten, snappen er niets van. Daarom hebben ze in de avond iemand nodig die weet wat hij doet.

Maar ik zal je wat zeggen. De zaak-Alison Carter heeft me niet alleen met mijn carrière geholpen. Als het zoveelste geval van een verdwenen kind, bracht het me helemaal af van het idee zelf kinderen te krijgen. Helaas deelde mijn toenmalige vrouw dat gevoel niet. Dus je zou kunnen zeggen dat mijn huwelijk een incidenteel slachtoffer is geworden van wat Alison Carter is overkomen. Wat daar gebeurd is, in dat kleine dorp in Derbyshire op een avond in december, had gevolgen die niemand had kunnen voorspellen.

Dat is vaak het geval bij zaken die een echt mysterieus element hebben. Niemand weet wat er echt is gebeurd, en ieders leven wordt onder de microscoop gelegd. Er komen ineens allerlei geheimen boven water. Het is meestal geen prettig gezicht.'

'Heb je nog ergens spijt van in de manier waarop je de zaak hebt verslagen?' vroeg Catherine.

Hij glimlachte uit de hoogte. 'Lieve Catherine, ik was een van de besten. Ik ben trouwens nog steeds een van de besten. Mijn taak was tweeledig, zoals ik het zag. Ten eerste moest ik mijn redacteur voorzien van sterke, exclusieve verhalen die zorgden dat onze bestaande lezers bleven en dat we nieuwe lezers kregen. Ten tweede was ik daar om een doorn in het vlees van de politie te zijn, zodat ze nooit zelfgenoegzaam zouden worden.

Als dat zo nu en dan een flinke aanvaring met oompje agent betekende, nou, ik had brede schouders. George Bennett en ik zijn het dichtst in de buurt van ruzie gekomen naar aanleiding van mijn verhalen over de helderziende. Ik kreeg het idee ervoor uit een verhaal dat ik in een Amerikaans tijdschrift had gelezen. De sensatiepers hier was toen vele bezadigder dan nu, en een of twee van de Amerikaanse bladen had net dat beetje scherpte dat wij misten.

Ik stal voortdurend ideeën van ze. Het verhaal over de helderziende was daar een klassiek voorbeeld van. Ik had een verhaal gelezen over een moord in de woestijn van Arizona die opgelost zou zijn door een helderziende, en dat zat nog in mijn achterhoofd toen de zoektocht naar Alison Carter begon. Ik legde het idee aan mijn redacteur voor en hij vond het prachtig. Ik wist dat de Britse politie nooit zou toegeven met een helderziende te hebben gewerkt, dus mijn enige kans iemand met een zekere naam te vinden was in het buitenland.

Ik belde een vriend van me die bij Reuters werkte en hij zocht in hun dossiers, en zo kwam ik aan madame Charest. Ik heb de vrouw nooit ontmoet, en het had ook geen verschil gemaakt als ik dat wel had gedaan want ze sprak geen woord Engels. We moesten het allemaal via een vertaler doen. Ik geloofde er zelf natuurlijk geen woord van, maar het was geweldig materiaal.

Ik weet dat George het onverantwoordelijk vond. Hij dacht dat ik alleen maar geïnteresseerd was in mijn eigen voordeel. Maar dat was niet het enige. De andere kant was dat ik oprecht hoopte dat ze gevonden werd, net als George, maar nieuwsverhalen sterven een snelle dood tenzij je meer olie op het vuur kunt gooien. Om de naam en foto van Alison Carter in de krant te houden, had ik iets nieuws nodig. De helderziende zorgde daarvoor, en zij zorgde op haar beurt dat Alison Carter een paar dagen langer de voorpagina haalde.

In het geval van Alison heeft het waarschijnlijk niets uitgemaakt. Maar dat had wel zo kunnen zijn,' zei hij zelfingenomen.

'Maar ze had het bij het verkeerde eind, nietwaar? Jouw madame Charest?'

Don Smart grijnsde, en ineens zag Catherine de vos die George had beschreven. 'En wat dan nog? Het waren verdomd goeie verhalen. Als jij het maar half zo goed weet te doen, Catherine, zul je misschien een paar exemplaren van dat boek meer verkopen dan de vrienden en familie kunnen kopen.'

Don Smart had een smerige smaak in Catherines mond achtergelaten die zelfs een goed glas bourgogne in de wijnbar aan Garrick Street niet wist te verdrijven. 'Het is zo'n zelfingenomen zak,' bekende ze aan Paul. 'Hij is van het soort dat ervoor gezorgd heeft dat de Britse tabloids de goot in gleden, en hij is er nog trots op ook.'

'Je zult nu wel begrijpen waarom mijn vader nooit met hem wilde praten,' zei Paul. 'Ik moet zeggen dat ik verbaasd was toen hij op je voorstel inging. Maar ik ben nu blij dat ik me door jou en Helen heb laten overhalen om hem ervan te overtuigen dat hij het moest doen. Door het werken aan het boek lijkt mijn vader levendiger geworden te zijn. Ik heb hem in tijden niet zo opgewekt gezien. Het lijkt alsof hij door alles met jou door te nemen het verleden eindelijk heeft kunnen loslaten, zodat hij weer naar de toekomst kan kijken.'

'Ik heb dat ook gevoeld. Het is vreemd, maar voor ik aan dit project begon, was ik heel nerveus. Ik heb nooit eerder iets op deze schaal gedaan. Ik wist niet of het mijn interesse lang genoeg zou kunnen vasthouden en of ik het zou volhouden. Maar het is voor mij een echte missie geworden om dit verhaal goed te vertellen. En het besef dat het zo belangrijk is voor George, is een extra prikkel geworden om het goed te doen.'

'Ik kan niet wachten om het te lezen,' zei Paul. 'Hoewel, als ik eerlijk ben, de gedachte om over mijn vader te lezen, over zijn leven voordat ik er was, me een beetje onrustig maakt. Het heeft iets weg van iemand stiekem bespioneren.' Hij sloeg zijn ogen neer; op zijn gezicht viel niets te lezen. 'Het meeste zal volkomen nieuw voor me zijn, weet je. Mijn vader is nooit een van die politiemensen geweest die iedereen stijf verveelt met zijn krijgsverhalen. Ik geloof niet dat hij Alison Carter ooit in mijn bijzijn heeft genoemd voordat die journalist op de stoep stond.'

Glimlachend bij de herinnering keek hij op. 'Maar toen ik hem dit weekend bezocht, was hij er vol van. Hij heeft me allerlei dingen verteld waar we nooit eerder over hadden gepraat, hoewel we altijd een goede verstandhouding hebben gehad. Op een merkwaardige manier lijkt dit project ons dichter bij elkaar te hebben gebracht. Het is alsof hij door het werken met jou inzicht heeft gekregen in het soort werk dat ik elke dag doe. Hij stelde me allerlei gedetailleerde vragen over mijn baan, hoe het is om met journalisten te werken, in welke zin ze van elkaar verschillen, hoe ze hun werk doen. Alsof hij het vergelijkt met wat hij met jou heeft gedaan.

Het is ook goed voor mijn moeder geweest. Het was altijd alsof ze op eieren moest lopen wanneer ik vragen stelde over hun leven toen ze net getrouwd waren. Ze lette altijd op haar woorden om te voorkomen dat ze iets zou zeggen dat mijn vader van streek zou maken. Alleen heb ik tot voor kort nooit precies begrepen wat er gaande was.' Hij trok een gezicht. 'Ik dacht altijd dat ze niet wilden praten over hun leven voordat ik kwam omdat ze bang waren dat het zou klinken alsof ze zonder mij gelukkiger waren geweest. Ik weet het niet, Catherine, maar dit heeft ons zo goed gedaan, dat ik bijna wens dat ik jouw idee had gestolen en zelf met hem aan het boek was gaan werken.'

Catherine lachte. 'Hij had met jou nooit zo eerlijk kunnen zijn als met mij. Zoals ik je vader nu ken, zou hij zijn successen voortdurend gebagatelliseerd hebben uit angst dat jij zou denken dat hij aan het opscheppen was.'

'En ik had een held van hem gemaakt,' zei Paul spijtig. 'Maar ik lijk erdoor geobsedeerd te worden. Ik lijk er voortdurend over te praten. Helen wordt nog gek van me als ik niet uitkijk. O, voor ik het vergeet, Helen wil een van de eerste exemplaren hebben om aan haar zuster te geven. Het zal interessant zijn voor Jan om te lezen wat er in haar huis is gebeurd.'

Catherine trok een gezicht. 'Misschien vindt ze het niet zo leuk meer om daar in fantastische afzondering te wonen als ze het hele verhaal kent. Het zal niet direct een gemakkelijk boek voor haar zijn om te lezen.'

'Maar toch, het is beter dat ze het echte verhaal kent dan dat ze roddels en geruchten hoort, denk je niet?'

'Nou, van mij krijgt ze de waarheid. Dat is iets waar ik vastbesloten over ben.' Catherine hief haar glas op. 'Op de waarheid.'

'Op de waarheid,' echode Paul. 'Beter op dan onder de tafel.'

8

Mei/juni/juli 1998

Catherine sloeg van de A1 af en reed onmiddellijk op een smalle landweg die door vruchtbare velden en volwassen bossen liep, terwijl ze de zee in de verte zag glinsteren. Om een reden die haar niet helemaal duidelijk was, wond het vooruitzicht Tommy Clough te ontmoeten haar meer op dan de gesprekken met alle andere secundaire betrokkenen bij het verhaal over Alison Carter hadden gedaan. Dit kwam voor een deel doordat zowel George als Anne met zoveel genegenheid over hem sprak, zelfs na vijfendertig jaar van vrijwel geen contact. Maar hoe meer ze erover nadacht, hoe meer Clough haar de meest raadselachtige figuur van allemaal leek.

Volgens George was zijn brigadier op het eerste gezicht kortaf en zelfs weleens bot overgekomen. Veel meer dan George zelf had Clough de typische politieman van zijn tijd geleken. Altijd een van de jongens, altijd op de hoogte van de geruchten en de roddels die op elk politiebureau rondgaan, altijd hoog op de scorelijst van opgeloste misdaden en uitgevoerde arrestaties, had hij de indruk gegeven precies op zijn plaats te zijn. En toch had hij twee jaar nadat de zaak-Alison Carter was afgesloten zijn ontslag ingediend bij de politie van Derbyshire en was wachter geworden van een vogelreservaat in Northumberland. Hij had zichzelf radicaal van zijn verleden afgesneden en kameraadschap ingewisseld voor afzondering.

Hij was nu achtenzestig en met pensioen, maar woonde nog steeds in het noordoosten. Anne had Catherine verteld dat ze hem eens een bezoek van een uur had gebracht toen ze Paul naar Newcastle had gereden voor een open dag van de universiteit in de tijd dat hij moest beslissen waar hij zou gaan studeren. Volgens haar bracht Tommy Clough zijn dagen door met het kijken naar en fotograferen van vogels en zijn avonden met het tekenen ervan. Op de achtergrond hield zijn geliefde jazz de buitenwereld op afstand. Zoals zij het beschreef, was het een eenzaam en vredig leven, dat op een vreemde manier in tegenspraak was met de vijftien jaar die hij had besteed aan het pakken van misdadigers.

De weg slingerde zacht omlaag over de heuvel naar Catherines bestemming, een groepje huizen – te klein om een dorp te worden genoemd – een paar kilometer ten zuiden van Seahouses. Zowel opgewonden als wat gespannen liet ze de zware koperen klopper neerkomen op de deur van het voormalige vissershuisje.

Ze had Tommy Clough overal herkend van de foto's die George haar had geleend. Hij had nog steeds een hoofd vol krullen, hoewel ze nu zilvergrijs glansden in plaats van lichtbruin. Zijn gezicht was verweerd, maar zijn ogen waren nog steeds intelligent en zijn mond was duidelijk meer gewend aan glimlachen dan dreigen. Hoewel hij een slobberige corduroy broek droeg en een visserstrui, was duidelijk te zien dat zijn brede lichaam nog steeds goed gespierd was. Hij zou in zijn jeugd op een stier hebben geleken; nu zag hij er door zijn krullen meer uit als een Derby-ram, dacht ze terwijl ze zijn glimlach beantwoordde. 'Meneer Clough,' zei ze.

'Mevrouw Heathcote, neem ik aan. Kom binnen.' Hij stapte achteruit om haar te laten voorgaan naar een Spartaans ingerichte maar brandschone woonkamer. De muren waren bedekt met prachtige tekeningen van vogels, sommige met de hand ingekleurd, andere alleen zwarte inkt op helderwit papier. Op de achtergrond herkende Catherine 'Romances for Saxophone' van Branford Marsalis.

Ze draaide zich om en bekeek de tekeningen die het dichtst bij haar hingen. 'Ze zijn prachtig,' zei ze, en ze meende het zoals ze zelden deed wanneer ze degene die ze ging ondervragen op zijn gemak wilde stellen door zijn smaak te prijzen.

'Ze zijn niet slecht,' zei hij. 'Zo, ik zou zeggen ga zitten en neem een kopje thee. Je moet eraan toe zijn na die rit uit Derbyshire.'

Hij verdween naar de keuken en keerde terug met een blad waarop een theepot stond, een kannetje melk, een suikerpot en twee koppen van de vogelbescherming. 'Ik heb geen koffie,' zei hij. 'Een van de dingen die ik mezelf heb beloofd toen ik bij de politie wegging, was dat ik nooit meer van die walgelijke oploskoffie zou drinken. En omdat hier geen fatsoenlijke koffie te krijgen is, neem ik genoegen met thee.'

'Thee is uitstekend,' zei Catherine met een glimlach. Ze vertrouwde deze man nu al. Ze had niet kunnen zeggen waarom, maar het was zo. 'Bedankt dat ik mocht langskomen.'

'Je zou George moeten bedanken,' zei hij, terwijl hij de pot pakte en zachtjes bewoog om de thee sneller te laten trekken. 'Ik heb lang geleden al besloten dat ik het aan hem overliet om te beslissen of de tijd ooit rijp zou zijn om erover te praten. Ik weet dat we samen aan het onderzoek hebben gewerkt, maar mijn kijk op dingen is anders dan die van George. Hij is een organisatieman, maar ik was meer het individuele type. Mijn versie zou dus nooit het duidelijke verhaal kunnen zijn dat hij je verteld zal hebben.

De zaak-Alison Carter was een bepalend moment voor mij, begrijp je. Ik was bij de politie gegaan omdat ik geloofde in het idee van gerechtigheid. Maar door de manier waarop de dingen bij die zaak uitpakten, was ik er niet meer zo zeker van dat ik wat dat betreft op het systeem kon vertrouwen. Ik denk dat de gerechtigheid in dat geval is gediend, maar het was op het nippertje. Het had zo gemakkelijk anders kunnen uitpakken, en dan hadden we niets kunnen laten zien voor maanden werk en het leven van een jong meisje. Ik kwam tot de conclusie dat het niet veel zin heeft om deel uit te maken van een politiekorps als je er niet op kunt vertrouwen dat het resultaat zal geven, wat zijn enige bestaansreden is.'

Hij schudde zijn hoofd en liet een spottend lachje horen terwijl hij de thee inschonk. 'Moet je mij horen. De Dagsluiting. Ik klink zo stichtelijk als een prediker. George Bennett zou me niet herkennen. Ik was altijd een van de jongens, snap je. Ik hield van een glas, een rokertje, een lach en een grap. En dat was niet gespeeld. Het was gewoon een kant van me die bij de baan paste, dus overdreef ik het een beetje, denk ik.

Maar ik was ook altijd wel iemand die over de dingen nadacht. En toen Alison Carter verdween, was het alsof mijn verbeeldingskracht in een te hoge versnelling raakte. Mijn hoofd was vol van allerlei scenario's, het ene nog erger dan het andere. Ik kon het op afstand houden wanneer ik aan het werk was, maar wanneer ik geen dienst had, werd ik in toenemende mate gekweld door nachtmerries. Ik dronk ook veel... het was de enige manier om 's nachts in slaap te komen.

Ik heb God vaak gedankt voor het feit dat George Bennett zo geobsedeerd werd door de zaak. Het betekende dat er altijd wel wat te doen was: dossiers doornemen, getuigen ondervragen. Zelfs toen we geacht werden de zaak op een laag pitje te hebben gezet. Zonder dat we het ooit formeel hadden gemaakt, werd ik zijn tweede man bij het onderzoek. Dat gaf me het gevoel dat ik nuttig was. Maar god, wat was het moeilijk om een beetje vertrouwen in Scardale te krijgen.

Herinner jij je die film uit de jaren zeventig, *The Wicker Man*? Edward Woodward speelt een politieman die naar een mysterieus Schots eiland gaat om onderzoek te doen naar een vermist meisje en dan raakt hij verzeild in de heidense riten van de bewoners. Het is heel griezelig en er zijn onderdrukte verwijzingen naar perverse seksuele praktijken en vreemde dingen waarin ze geloven. Nou, dat is een beetje hoe het voelde in Scardale in 1963, alleen konden wij aan het eind van de werkdag weer naar huis, naar het normale leven. En niemand probeerde George of mij in een soort mensenoffer te veranderen,' voegde hij er met een gegeneerd lachje aan toe, alsof hij vond dat hij al meer had gezegd dan een nuchtere ex-politieman zou moeten doen.

'En we hebben het mysterie natuurlijk opgelost, wat meer is dan Edward Woodward kon doen.' Hij deed wat melk in zijn thee en nam een grote slok.

'Anne vertelde me dat niemand van je buren hier weet dat je bij de politie bent geweest,' merkte Catherine op.

'Het is niet dat ik me ervoor schaam,' zei hij, niet helemaal op zijn gemak. Hij stond op om de cd te wisselen. Meer ingehouden saxofoon, hoewel ze deze keer de muziek niet kende. Ze zweeg in de wetenschap dat Tommy zijn verhaal weer zou oppakken wanneer hij er klaar voor was.

Hij ging weer in zijn stoel zitten. 'Het is alleen dat mensen bepaalde dingen gaan veronderstellen als ze weten dat je bij de politie bent geweest. Ik wilde dat vermijden. Ik wilde met een schone lei opnieuw beginnen. Ik dacht dat Alison Carter me misschien eindelijk met rust zou laten als ik mijn verleden kon vergeten.' Zijn mond vertrok in iets wat dichter bij een grimas dan een glimlach kwam. 'Het heeft niet gewerkt, dat blijkt wel. Anders hadden we hier niet bij elkaar gezeten, jij en ik, en het allemaal weer opgerakeld.

Ik moest er gisteravond aan denken, toen ik mijn gedachten op een rijtje zette. Het is allemaal nog net zo levendig voor me als toen ik er middenin zat,' voegde hij eraan toe. 'Ik ben er klaar voor. Kom maar op met je vragen.'

Tommy Clough was de ontbrekende schakel geweest in Catherines verhaal. Zijn unieke kijk op de dingen had de gaten gevuld in het verhaal dat ze kende en op de een of andere manier een caleidoscoop van door elkaar gegooide stukjes tot een samenhangend geheel gemaakt. Hij had haar inzicht gegeven in George Bennett, als man en als politieman, en hij had haar in staat gesteld dingen te gaan begrijpen die tevoren onduidelijk waren geweest. Ze had eindelijk een idee van de redenen achter wat een gebrek aan samenwerking had geleken tussen de dorpelingen en de politie. En ze zag de globale vorm van haar verhaal nu veel duidelijker.

Toen ze terug was in Longnor, begon ze aan de lange en ingewikkelde taak van het ordenen van het materiaal. Haar printer stond voortdurend op de achtergrond te ratelen terwijl de vloer van de woonkamer steeds meer in beslag werd genomen door afzonderlijke stapels papier. Verslagen van haar lange serie gesprekken met George; een andere stapel aantekeningen en verslagen van alle andere mensen met wie ze had gesproken; een stapel kopieën van krantenartikelen;

de kopieën die ze, dankzij een vriend die in een juridische bibliotheek werkte, had weten te krijgen van de rechtbankverslagen, en een stapeltje beduimelde, groene, tweedehands Penguin-uitgaven van beroemde rechtszaken, om tijdens het schrijven aanwijzingen en tips uit te halen.

Catherine had alle weinig inspirerende aquarellen van de pracht van het Peak District, die de eigenaars van het huis hadden gekozen, van de muur gehaald en vervangen door foto's van Scardale toen en nu, waaronder de ansichtkaarten van Philip Hawkin. Eén muur werd uitsluitend bedekt door vergrotingen van de hoofdrolspelers, van Alison zelf tot een ernstig kijkende George, door een persfotograaf op de kiek gezet terwijl hij in regenjas en vilthoed van een persconferentie komt. De derde muur werd in beslag genomen door grote stafkaarten van het gebied.

Het grootste deel van de volgende twee maanden ging ze helemaal op in Scardale. Ze stond om acht uur op en werkte tot halfeen. Dan reed ze de ruim tien kilometer naar Buxton, parkeerde bij Poole's Cavern en liep door de bossen omhoog naar de open heidegronden en naar Solomon's Temple, het Victoriaanse bouwwerk dat uitzicht bood op de stad. Vervolgens daalde ze af in de lommerrijke schaduw van het bos van Grin Low en liep terug door Green Lane, langs het ouderlijk huis waarin ze was opgegroeid. Haar vader was vijf jaar eerder overleden en haar moeder had het huis verkocht en was naar een bejaardenhuis in Devon gegaan, waar het klimaat vriendelijker was voor oude botten. Catherine had geen idee wie nu in het huis woonde, en het interesseerde haar ook niet echt.

Ze nam aan dat er nog steeds genoeg mensen moesten zijn met wie ze op school had gezeten, maar toen ze naar Londen was vertrokken, had ze haar verleden van zich afgeschud als een slang zijn huid. Wat vriendschappen betrof, had ze zich laat ontwikkeld. Als enig kind had ze het land van haar verbeelding interessanter gevonden dan de echte wereld van haar leeftijdgenoten. Pas toen ze was gaan werken met anderen die meer geestverwanten waren, had ze mensen gevonden met wie ze echt een band kon aangaan. Er waren dus geen zeer gekoesterde banden uit haar jeugd die ze nieuw leven wilde inblazen. Ze had verwacht min of meer bekende gezichten te zien in de supermarkt waar ze haar boodschappen deed, maar dat was niet gebeurd. Het was niet iets wat ze betreurde. Het enige deel van haar verleden waarmee ze in contact wilde zijn, waren de opgeslagen herinneringen die haar in staat stelden vat te krijgen op het leven en de dood van Alison Carter.

Na haar dagelijkse wandeling reed ze terug naar Longnor voor een broodje, wat kaas en een salade, voordat ze weer aan het werk ging. Om zes uur trok ze een fles wijn open en keek naar het nieuws op de televisie. Dan ging ze weer aan het werk tot negen uur, de tijd waarop ze stopte en een pizza at of een ander soort kant-en-klaarmaaltijd uit de supermarkt. De rest van de avond beantwoordde ze haar e-mail en las een of andere flutroman. Dat, en zo nu en dan een praatje met haar redacteur over de voortgang van het boek, en met de maker van de documentaire over zijn tijdschema, was alles waartoe ze in staat was.

Voor het eerst van haar leven draaiden Catherines dagen niet meer om een druk kantoor en een actief sociaal leven. Ze merkte met verbijstering hoe weinig ze menselijk gezelschap miste. Ze was datgene geworden, bedacht ze enigszins spottend, wat ze zes maanden eerder nog een meelijwekkende stumper had genoemd.

Toen op een middag de telefoon ging en ze de stem van George Bennett aan de andere kant hoorde, was het alsof haar woorden plotseling een eigen leven waren gaan leiden en drong een ogenblik lang niet tot haar door wat hij zei.

'Sorry, George, ik was met mijn gedachten heel ergens anders toen je belde, kun je dat nog een keer zeggen?' zei ze onzeker.

'Ik hoop dat ik de creatieve stroom niet op een cruciaal moment heb onderbroken.'

'Nee, nee, dat is het niet. Wat kan ik voor je doen?' Catherine had zichzelf weer onder controle en nam onmiddellijk haar professionele houding weer aan.

'Ik bel je om je te laten weten dat Paul en Helen volgende week een paar dagen komen. Anne en ik vroegen ons af of je het leuk vindt om vrijdag bij ons te komen eten.'

'Dat lijkt me heerlijk,' zei ze. 'Ik denk dat ik de eerste versie aan het eind van deze week klaar heb. Die neem ik dan mee, zodat jij hem kunt doornemen als ze terug zijn naar Brussel.'

'Je moet hard gewerkt hebben,' zei George. 'Dat zal een waar genoegen voor me zijn. Dus vrijdag om zeven uur. Tot dan, Catherine.'

Ze legde de hoorn op de haak en staarde naar de muur met foto's. Ze had vrijwel alles gedaan wat ze kon om ze tot leven te laten komen. Nu zou ze, net als Philip Hawkin, moeten wachten op de uitspraak van anderen.

9

Augustus 1998

Met een plechtig gebaar overhandigde Catherine George de dikke envelop. 'De eerste versie,' zei ze. 'En niet aardig doen, George. Ik moet weten wat je er echt van vindt.'

Ze volgde hem naar de woonkamer, waar Paul en Helen op de bank zaten. 'We hebben iets te vieren,' zei George. 'Catherine heeft haar boek afgeleverd.'

Met een brede glimlach zei Helen: 'Geweldig, Catherine. Je hebt geen tijd verloren laten gaan.'

Catherine haalde haar schouders op. 'Ik word over drie weken weer op mijn werk verwacht. Ik had ook geen tijd te verliezen. Dat is het mooie van een journalistieke training – het schrijven wordt aangepast aan de beschikbare tijd.'

Voordat ze hierop door konden gaan, kwam Anne binnen met een blad met glazen en een fles champagne. 'Hallo, Catherine. George zei dat je iets te vieren had, dus ik dacht dat we de champagne maar moesten aanrukken.'

Paul grijnsde. 'Niet voor het eerst deze week. Helens scheiding is eindelijk uitgesproken en we hebben besloten dat we gaan trouwen. Dus we hebben laatst ook al een paar flessen gehad om de zaak te bezegelen.'

Catherine liep de kamer door en boog zich voorover om Helen een kus op beide wangen te geven. 'Dat is geweldig nieuws,' zei ze enthousiast. Ze draaide zich om naar Paul en kuste hem ook. 'Ik ben zo blij voor jullie.'

George nam het blad over en zette het neer. 'Wij zijn er ook behoorlijk blij mee. Deze week kan niet meer stuk.' George trok de fles champagne open en vulde hun glazen. 'Een dronk,' zei hij, terwijl hij de glazen ronddeelde. 'Op het boek.'

'En het gelukkige paar,' voegde Catherine eraan toe.

'Nee, het boek, het boek,' protesteerde Paul. 'Op die manier moeten we nog een fles openmaken, zodat je op Helen en mij kunt proosten. En je moet op de bruiloft komen,' voegde hij eraan toe. 'Als jij er niet was geweest, was mijn vader tenslotte nooit bereid geweest om naar Scardale te gaan en Helens zuster te ontmoeten.'

'Ben je naar Scardale geweest?' Catherine kon haar verbazing niet verbergen. Het enige dat ze in haar onderzoek betreurde, was dat ze George niet had kunnen overhalen om samen met haar terug te keren naar het dorp.

George zag er een beetje schaapachtig uit. 'We zijn er nog niet geweest. Maar maandag gaan we lunchen bij Helens zuster Janis.'

Catherine hief haar glas op naar Paul. 'Je hebt het weer voor elkaar gekregen. Ik heb zo ongeveer alles behalve ontvoering geprobeerd om hem zover te krijgen er met mij heen te gaan.'

Paul glimlachte. 'Jij hebt het voorbereidende werk gedaan.'

'Nou, wie er dan ook verantwoordelijk voor mag zijn, ik ben blij dat je gaat,' zei Catherine. 'En ik denk niet dat je in Scardale Manor nog aan dingen herinnerd wordt, George.'

'Wat bedoel je?' vroeg hij, zich naar voren buigend.

'Het is helemaal opgeknapt. Volgens Kathy Lomas, die mij heeft rondgeleid, is er geen enkele kamer die nog een beetje hetzelfde is als in 1963. Niet alleen de inrichting is anders, er is zelfs wat verbouw gepleegd – van een paar kleine kamers één grote gemaakt, een slaapkamer die een badkamer is geworden, dat soort dingen. Als je de hele weg naar Scardale je ogen dicht zou houden en ze pas zou openen wanneer je in het grote huis bent, weet ik zeker dat er niets is wat je aan vroeger herinnert,' voegde ze er met een glimlach aan toe.

George schudde zijn hoofd. 'Ik wilde dat ik je kon geloven,' zei hij. 'Maar ik heb het gevoel dat ik niet zo gemakkelijk aan het verleden zal kunnen ontkomen.'

'Ik weet het niet, George,' kwam Helen ertussen. 'Je weet dat huizen een sfeer hebben. Soms loop je ergens naar binnen en dan weet je dat het een vriendelijk, uitnodigend huis is? En andere huizen, hoeveel geld er ook aan besteed is, hebben een koude, vijandige sfeer? Nou, Scardale Manor is zo'n huis waar je je thuis voelt vanaf het moment dat je over de drempel stapt. Dat is wat Jan zei toen ze er voor het eerst was wezen kijken nadat we het hadden geërfd. Ze belde me op en zei dat ze zodra ze er naar binnen was gestapt wist dat het het huis voor haar was. En ik begrijp precies wat ze bedoelt. Elke keer dat ik er was, sliep ik als een blok en voelde me helemaal thuis. Dus als er ooit geesten geweest zijn, zijn ze allang vertrokken.'

'Het zou dus weleens een aangename verrassing kunnen zijn, lieverd,' zei Anne geruststellend.

Maar de twijfel bleef zichtbaar op het gezicht van George. 'Ik hoop het,' zei hij.

'Ik zou me maar geen zorgen maken over herinneringen die je misschien vanuit een hinderlaag kunnen overvallen, George. Als de overgebleven Carters, Crowthers en Lomases horen dat je terugkomt naar het dal, rollen ze waarschijnlijk de rode loper uit en versieren ze hun huizen met vlaggetjes,' zei Catherine. 'Het enige wat jouw gezondheid en welzijn kan bedreigen is een overmaat aan gastvrijheid.'

Paul sprong overeind. 'Nu je het er toch over hebt, ik denk dat het tijd is voor de tweede fles,' zei hij.

'Ik heb nog één vraagje, George,' zei Catherine, en ze glimlachte zo charmant als ze kon. 'Als je je terugkeer naar Scardale overleeft, wil je dan overwegen om een keer met mij terug te gaan?'

'Ik dacht dat je klaar was met het boek,' zei hij, op zoek naar een excuus om te weigeren.

'Alleen de eerste versie. Er is nog genoeg tijd om dingen toe te voegen.'

George zuchtte. 'Ik denk dat ik je dat wel verschuldigd ben. Goed, Catherine. Als ik Scardale levend uit weet te komen, ga ik een keer terug met jou. Dat beloof ik.'

Boek 2

DEEL DRIE

I

Augustus 1998

Catherine staarde verbijsterd naar de brief. Haar eerste gedachte was dat het een grap was. Maar ze verwierp die gedachte al voordat ze zich volledig had gevormd. Ze wist dat George Bennett veel te fatsoenlijk – en aardig – was om een zo gemene grap uit te halen. Ze las de brief opnieuw en vroeg zich af of hij een soort zenuwinstorting had gehad. Misschien had het bezoek aan Scardale boven op het herleven van de zaak-Alison Carter de inzinking veroorzaakt die sommige mensen op zo'n moment zouden krijgen. Ook dat wees ze van de hand; George Bennett was er de man niet naar om vijfendertig jaar na dato in de war te raken, hoe traumatisch de herinneringen ook mochten zijn. En hij had zelf meer dan eens opgemerkt dat hij het minder moeilijk vond dan hij had gedacht om de hele zaak weer door te nemen.

Maar als Catherine dat moest erkennen, had ze geen enkele uitvlucht meer om zich aan vast te klampen. Ze voelde een golf van verontwaardiging in zich opkomen. Ze was halverwege een laat ontbijt geweest toen de post was gekomen. Wat ze verwacht had, was een brief van haar redactrice met opmerkingen en verzoeken om veranderingen, niet deze catastrofe. Haar eerste impuls was de telefoon te pakken, maar toen ze drie cijfers van het nummer van George had ingetikt, gooide ze de hoorn weer op de haak. Jaren van journalistiek hadden haar geleerd hoe gemakkelijk het was om iemand telefonisch af te schepen. Dit moest ze persoonlijk bespreken.

Ze liet de half opgedronken koffie en het half opgegeten brood op tafel staan. Veertig minuten later sloeg ze rechtsaf bij de molenkolk. Elk van die veertig minuten had Catherine gekookt van frustratie. Het enige waar ze aan kon denken was het eigenmachtige optreden van George, en ze begreep niet waardoor dat was veroorzaakt. Niets had er ooit op gewezen dat hij in staat was tot een dergelijk aanmatigend gedrag. Zij dacht dat ze vrienden waren geworden, maar ze begreep niet hoe een vriend haar zo kon behandelen.

In haar hart wist Catherine dat het boek meer van haar dan van hem was en dat hij het recht niet had het van haar af te nemen. Ze was niet geïntimideerd door zijn dreiging met juridische stappen want ze wist wat er in het contract stond. Maar ze maakte zich zorgen over het effect dat zijn tegenwerking kon hebben op de verkoopcijfers en op haar goede naam. Als het boek niet erkend zou worden door de enige persoon die de zaak van binnen en buiten kende, zou dat haar voor altijd kunnen beschadigen. En dat was iets wat Catherine niet zonder slag of stoot zou laten gebeuren. Als George geen prijs meer stelde op hun vriendschap, zou zij hetzelfde moeten doen, hoe moeilijk ze dat ook zou vinden.

Ze reed de smalle weg op. De beide auto's van de Bennetts stonden op de oprit, dus moest ze hun huis van kalksteen voorbijrijden en de auto op een parkeerplaats halverwege de heuvel zetten. Ze liep met grote stappen terug naar het huis en stormde de oprit op.

De deurbel galmde, zoals dat gebeurt in een leeg huis. Maar zelfs als George te voet naar het dorp was gegaan, moest Anne toch zeker thuis zijn. Haar artritis betekende dat voor elke reis een auto nodig was. Catherine stapte terug van de voordeur en liep om het huis heen met de gedachte dat ze misschien in de tuin was om van de zon te genieten voordat het te warm zou worden. Maar ook daar was niemand. Er was niets anders te zien dan een prachtig verzorgd gazon en bloembedden in overeenstemmende kleuren als een soort miniatuur-Sissinghurst.

Toen ze terugliep naar de voorkant van het huis, kwam er een mogelijke verklaring in haar op. Misschien hadden Paul en Helen een auto gehuurd en hadden ze George en Anne meegenomen voor een uitstapje. Die gedachte versterkte alleen maar haar vastbeslotenheid om de zaak uit te praten met George. Al zou ze moeten wachten tot bedtijd om met hem te praten, dan moest dat maar. Ze stond op de oprit en vroeg zich af of ze het huis vanuit haar auto in de gaten zou houden of dat ze een kijkje zou nemen in de boekwinkel bij de molenkolk, toen ze haar naam hoorde roepen.

De buurvrouw stond met een verbaasde blik in haar deuropening. 'Catherine?' herhaalde ze.

'Hallo, Sandra,' zei Catherine, terwijl ze een zuiver professionele glimlach te voorschijn haalde. 'Ik neem aan dat je niet weet waar George en Anne naartoe zijn?'

Ze stond haar aan te staren. 'Heb je het niet gehoord?' zei ze ten slotte, zonder in staat te zijn enige voldoening uit haar stem te houden omdat zij iets wist wat Catherine niet wist.

'Is er iets wat ik had moeten horen?' vroeg ze koeltjes.

'Ik dacht dat je het wel zou weten. Hij heeft een hartaanval gehad.'

Catherine keek haar ongelovig aan. '*Een hartaanval?*'

'Hij is vanmorgen vroeg met een ambulance naar het ziekenhuis afgevoerd,' zei Sandra alsof ze er plezier in had. 'Anne is natuurlijk met hem meegegaan in de ambulance. Paul en Helen zijn ze in hun eigen auto gevolgd.'

Catherine schraapte ontzet haar keel. 'Is er al nieuws?'

'Paul is later teruggekomen om wat spullen van zijn vader op te halen en toen hebben we uiteraard even gepraat. George ligt op de intensive care. Paul zei dat het op het nippertje was geweest, maar volgens de dokters is George een vechter. Dat wisten we natuurlijk allemaal al.'

Catherine kon niet begrijpen waarom de vrouw zo zelfvoldaan deed over wat er was gebeurd. Ze wilde niet denken dat ze genoot van het feit dat ze iets wist wat Catherine niet wist, maar een andere verklaring wist ze niet te vinden. 'Welk ziekenhuis?' vroeg ze.

'Ze hebben hem naar de speciale hartafdeling in Derby gebracht,' zei ze.

Catherine liep de heuvel al op in de richting van haar auto. 'Ze laten je toch niet bij hem,' riep Sandra haar achterna. 'Je bent geen familie. Ze laten je toch niet bij hem.'

'Dat zien we nog wel,' mompelde Catherine grimmig. Zoals te verwachten viel, uitte haar angst om George zich in een onredelijke woede. Hoe waagde George het om haar te beroven van de voldoening om uit te vinden wat er in godsnaam gaande was door het zo te regelen dat hij op sterven na dood was?

Pas toen ze dicht bij Derby was, begon ze wat te kalmeren en te beseffen wat een vreselijke nacht het voor hen allen moest zijn geweest – voor Anne, Paul, Helen, en natuurlijk George zelf, gevangen in een lichaam dat niet functioneerde zoals hij ervan eiste. Hij mocht dan vijfenzestig zijn, maar hij was in vorm en fit, en zijn geest was scherper dan die van de meeste nog werkende politiemensen die ze ooit had ontmoet. Hij kon nog steeds drie van de vier keer de kruiswoordpuzzel in de *Guardian* oplossen, wat meer was dan Catherine zelf kon zeggen. Hun nauwe samenwerking had bij haar niet alleen tot respect, maar ook tot genegenheid voor hem geleid. Ze vond het een vreselijk idee dat hij verzwakt zou zijn door ziekte.

De intensive care was niet moeilijk te vinden. Catherine duwde een van de dubbele deuren open en kwam in een lege receptieruimte. Ze drukte op de zoemer op de balie en wachtte. Na een paar minuten drukte ze er weer op. Een verpleegster in een wit pak kwam uit een van de drie gesloten deuren. 'Kan ik u helpen?' vroeg ze.

'Ik wil graag inlichtingen over George Bennett,' zei Catherine met een ongerust glimlachje.

'Bent u familie?' vroeg de verpleegster automatisch.

'Ik heb met George gewerkt. Ik ben een vriendin van de familie.'

'Ik ben bang dat we alleen bezoek kunnen toestaan van onmiddellijke familie,' zei ze, zonder een spoortje spijt in haar stem.

'Dat begrijp ik.' Catherine glimlachte weer. 'Maar ik vraag me af of u Anne... mevrouw Bennett, bedoel ik... kunt laten weten dat ik hier ben. Misschien kunnen we ergens een kopje thee drinken, als ze dat wil?'

De verpleegster glimlachte voor het eerst. 'Natuurlijk zal ik haar dat zeggen. Uw naam is?'

'Catherine Heathcote. Waar zou ik op mevrouw Bennett kunnen wachten?'

De verpleegster legde haar uit waar de koffiebar was, en terwijl ze zich omdraaide riep Catherine: 'En George? Kunt u me iets vertellen over George?'

Deze keer was de stem van de verpleegster zachter. 'Hij is wat we noemen kritisch maar stabiel. De volgende vierentwintig uur zijn cruciaal.'

Catherine liep verdoofd terug naar de lift. Nu ze in het ziekenhuis was drong de persoonlijke ramp voor George tot haar door op een manier die Sandra's woorden niet hadden bereikt. Ergens achter die gesloten deuren lag George aangesloten op apparaten en monitors. Nog afgezien van wat er met zijn lichaam gebeurde, wat gebeurde er met zijn hersenen? Zou hij zich herinneren dat hij haar die brief had gestuurd? Zou hij het aan Anne hebben verteld? Moest ze zich gedragen alsof er niets vervelends was gebeurd? Niet alleen in haar eigen belang, verdedigde ze het voor zichzelf, maar ook om de familie een extra zorg te besparen?

Catherine vond de koffiebar en ging met een mineraalwater aan een hoektafeltje zitten. Ze werd zo in beslag genomen door haar gedachten dat ze Paul niet zag voor hij zo ongeveer naast haar stond. Vandaag was zijn gelijkenis met George bijna griezelig. Ze had zo vaak naar een foto van zijn vader zitten kijken op bijna dezelfde leeftijd, dat het leek alsof dat beeld aan haar muur tot leven was gekomen en een regenjas en vilthoed had verruild voor een verschoten spijkerbroek en een poloshirt. Hij viel in een stoel neer alsof zijn benen hem niet meer wilden dragen.

'Ik vind het zo erg,' zei Catherine.

'Dat weet ik.' Hij zuchtte.

'Hoe is het met hem?'

Paul haalde zijn schouders op. 'Niet goed. Ze zeggen dat hij een zware hartaanval heeft gehad. Hij is nog niet bij bewustzijn, maar ze lijken te denken dat het wel goed komt. O god...' Het werd hem duidelijk te veel en hij sloeg zijn handen voor zijn gezicht. Ongerust zag

Catherine zijn schouders op en neer bewegen terwijl hij diep ademhaalde in een poging zijn zelfbeheersing te herwinnen. Ten slotte had hij zich voldoende hersteld om weer te kunnen praten. 'In de ambulance kreeg hij een hartstilstand. Volgens mij zijn ze bang voor hersenbeschadiging. Ze denken erover een scan te doen, maar over de prognose willen ze weinig zeggen.' Hij staarde naar de tafel. In een eenvoudig gebaar van medeleven legde Catherine haar hand op de zijne.

'Wat is er gebeurd?' vroeg ze zacht.

Hij zuchtte weer. 'Ik kan er niets aan doen, maar ik heb het gevoel dat het onze schuld is. Van Helen en mij, bedoel ik...' Hij zweeg. 'Vind je het erg als we naar buiten gaan? Die ziekenhuissfeer is zo benauwend. Ik heb het gevoel dat mijn hoofd vol watten zit. Ik kan wel wat frisse lucht gebruiken.'

In de lift naar beneden zwegen ze. Catherine wees naar een rij banken aan de andere kant van het parkeerterrein. Ze gingen zitten en staarden zonder iets te zien naar een strak in het gelid staand vierkant van rozenstruiken. Paul wierp zijn hoofd achterover en haalde diep adem. 'Waarom zou jij schuld hebben aan je vaders hartaanval?' vroeg Catherine ten slotte.

Paul haalde een hand door zijn haar. 'Toen we naar Scardale gingen is er iets gebeurd wat hem heel erg aangreep. Ik weet niet precies wat het was... Hij zei niets, maar ik kon zien dat hij helemaal opgewonden raakte toen we bij Jan kwamen. En toen we naar binnen gingen, was ik even bang dat hij flauw zou vallen. Hij werd lijkbleek en het zweet brak hem uit, zoals wel gebeurt bij mensen die last hebben van migraine. Hij leek afwezig. Hij zei nauwelijks een woord tegen Jan; hij bleef maar om zich heen kijken alsof hij verwachtte dat er spoken uit het houtwerk zouden opduiken.'

'Heeft hij niets gezegd over wat hem zo van streek maakte?'

Paul wreef met zijn vinger over de brug van zijn neus. 'Ik denk dat het gewoon traumatisch voor hem was om terug te gaan naar Scardale. Hij is er de laatste tijd zo mee bezig geweest natuurlijk, door al het werk dat jullie voor het boek hebben gedaan.' Hij liet zijn schouders hangen. 'Het is allemaal mijn schuld. Ik had moeten begrijpen dat hij niet voor niets zei dat hij echt niet naar Scardale wilde.'

'Maar jij had geen enkele reden om te verwachten dat het hem zo zou aangrijpen,' zei Catherine zacht. 'Je moet je niet schuldig voelen. Een hartaanval komt niet zomaar – de oorzaken daarvan worden gedurende een heel leven opgebouwd. In het geval van je vader zijn dat jaren geweest van onregelmatige werktijden, te veel sigaretten, te veel snelle, vette happen. Het is niet jouw schuld dat dit is gebeurd.'

Pauls gezicht stond bitter. 'Maar zijn bezoek aan Scardale is wel de druppel geweest.'

'Dat hoeft niet. Je hebt al gezegd dat je niets bijzonders hebt opgemerkt dat hem van streek maakte.'

'Dat weet ik. En ik heb er steeds maar over nagedacht. We hebben in de tuin geluncht. Hij at nauwelijks, wat niets voor mijn vader is. Hij zei dat het door de hitte kwam, en ik moet zeggen dat het warm was. Na de lunch liet Jan de tuin aan mijn moeder zien. Ze waren tijden bezig, gegevens uitwisselen, afspraken maken om stekjes te ruilen, dat soort dingen. Mijn vader ging een wandeling maken rond de dorpsweide, maar hij bleef niet langer dan zo'n tien minuten weg. Daarna zat hij daar maar, onder de kastanjeboom in het niets te staren. We gingen rond drie uur weg omdat mijn moeder nog naar de kunstnijverheidsmarkt in Buxton wilde, en we waren om zes uur weer thuis.'

'En George zei niet dat hij zich ergens druk over maakte?'

Paul schudde zijn hoofd. 'Niets. Hij zei dat hij een brief moest schrijven en hij verdween naar boven. Helen en mijn moeder gingen een salade maken voor het eten en ik ben het gazon gaan maaien. Na ongeveer een halfuur kwam hij beneden en zei dat hij naar het hoofdpostkantoor in Matlock ging omdat hij er zeker van wilde zijn dat die brief nog mee zou gaan, en de brievenbussen in het dorp 's avonds niet worden geleegd. Ik vond het een beetje vreemd, maar hij is nooit iemand geweest die de dingen uitstelde.'

Catherine haalde diep adem. Het was niet eerlijk om Paul in het ongewisse te laten over een brief die zo belangrijk was geweest voor zijn vader. 'De brief was aan mij gericht,' zei ze.

'Aan jou? Waar heeft hij je in godsnaam over geschreven?' Paul was duidelijk verbluft.

'Ik denk dat hij het niet in mijn gezicht wilde zeggen,' zei ze. 'Ik denk dat hij wist dat er een flink meningsverschil zou ontstaan en dat hij dat niet aankon.'

Paul fronste zijn voorhoofd. 'Ik begrijp niet waar je het over hebt.'

'Je vader wilde dat ik de publicatie van het boek zou voorkomen. Zonder ook maar enige uitleg te geven,' zei Catherine.

'Wat? Maar dat begrijp ik niet.'

'Ik begreep het ook niet. Daarom kwam ik vanmorgen naar Cromford. De buurvrouw vertelde me wat er was gebeurd.'

Paul keek Catherine boos aan. 'Dus je besloot toen maar hierheen te gaan en hem hier lastig te vallen? Heel subtiel, Catherine.'

Ze schudde haar hoofd. 'Nee, je begrijpt me verkeerd, Paul. Toen ik hoorde wat er met George was gebeurd, was mijn eerste gedachte voor hem, voor jullie allemaal. Ik wilde hulp aanbieden, steun. Wat dan ook.'

Paul zweeg en dacht met een bedenkelijk gezicht na over wat ze had gezegd.

'Ik ben de laatste zes maanden veel om je ouders gaan geven. Wat het probleem met het boek ook mag zijn, het kan wachten. Geloof me, Paul. Wat me nu veel meer bezighoudt is hoe het met je vader gaat.'

Paul begon met zijn vingers op de armleuning van de bank te trommelen. Hij miste duidelijk zijn vaders talent voor stilte. 'Luister, Catherine, het spijt me dat ik tegen je uitviel, maar het is een zware nacht geweest. Ik dacht gewoon niet goed na.'

Ze legde haar hand op zijn arm. 'Dat weet ik. Als er iets is wat ik kan doen, vertel het me dan... alsjeblieft?'

Paul zuchtte diep. 'Je kunt iets voor me doen. Ik wil weten waardoor dit is gebeurd. Ik wil weten wat er gisteren is gebeurd waardoor die hartaanval in gang is gezet. Als ik hem wil helpen, moet ik begrijpen wat erachter zit. Jij weet meer over de betrokkenheid van mijn vader bij Scardale dan wie ook, dus misschien kun jij erachter komen wat hem zo opgewonden heeft dat zijn hart hem in de steek liet.'

Catherine voelde wat van de spanning van zich af vallen. Ze voelde zich rustiger nu datgene wat ze al besloten had te gaan doen gesteund werd door Paul. 'Ik zal mijn best doen,' zei ze. 'Is er gisteravond niets anders gebeurd dat hem van streek kan hebben gemaakt? Nadat hij naar het postkantoor was geweest, bedoel ik?'

Paul schudde zijn hoofd. 'We zijn met z'n allen naar de dorpskroeg geweest. Ze hebben een tuin aan de achterkant en we hebben daar gewoon gezeten met een glas bier en over koetjes en kalfjes gepraat.' Hij zweeg en fronste zijn voorhoofd. 'Maar hij was gespannen. Ik moest dingen soms twee keer tegen hem zeggen omdat hij gewoon niet afgestemd was op het gesprek.'

'Vond Helen dat er iets vreemds was aan zijn gedrag?'

'Ze was het met me eens dat hij in de war leek. Volgens haar was dat zo vanaf het moment dat we in Scardale kwamen. Zij had het opgemerkt, maar het was waarschijnlijk niet zo duidelijk voor iemand die hem niet kende. Als haar zuster aanstoot heeft genomen aan het zwijgen van mijn vader, heeft ze daar in elk geval niets over tegen Helen gezegd...'

'George zou nooit iets gedaan hebben om Janis voor het hoofd te stoten,' zei Catherine. 'Ook al was hij nog zo van streek. Hij is zo'n vriendelijke man.'

Paul schraapte zijn keel. 'Ja, dat is hij.' Hij keek op zijn horloge. 'Ik kan beter teruggaan.'

'Wanneer moet je terug zijn in Brussel?' vroeg Catherine terwijl ze opstond.

Hij haalde zijn schouders op. 'We zouden overmorgen teruggaan. Maar we gaan nu natuurlijk niet weg. Ik moet eerst kijken hoe het met hem gaat.'

'Ik loop met je mee terug.'

Toen ze bijna bij het ziekenhuis waren, riep Paul uit: 'Dat is Helen!' en begon paniekerig te rennen.

Helen draaide zich om toen ze hem naderbij hoorde komen, met een blikje cola halverwege haar lippen. Er verscheen een glimlach op haar gezicht, maar daar lette hij niet op. 'Is er iets gebeurd met hem?' vroeg hij.

'Nee, ik had alleen behoefte aan wat frisse lucht.' Ze legde een arm om zijn middel en trok hem met een beschermend gebaar tegen zich aan.

'Is er nog nieuws over George?' vroeg Catherine.

Helen schudde haar hoofd. 'Het is nog hetzelfde. Paul, ik vind dat we je moeder moeten overhalen om een kop thee te gaan drinken en iets te gaan eten.' Ze wierp Catherine een verontschuldigende glimlach toe. 'Je kent Anne, ze is niet van zijn zij geweken sinds hij op de intensive care ligt. Ze put zichzelf nog helemaal uit.'

'Gaan jullie maar,' zei Catherine.

Paul pakte haar hand. 'Zoek uit wat hij gezien heeft, of gehoord heeft, of zich herinnerd heeft,' zei hij. 'Alsjeblieft.'

'Ik doe mijn best,' zei Catherine. Ze zag hen teruglopen naar het ziekenhuis en was blij dat ze iets te doen had waarmee ze mogelijk het schuldgevoel van Paul zou kunnen verlichten. Dat het ook in haar eigen belang was, was een ondergeschikte overweging besefte ze plotseling. George Bennett was duidelijk belangrijker voor haar geworden dan ze tot op dat moment had erkend. Daarom moest een boek dat hem recht zou doen uiteindelijk ook gepubliceerd worden, hield ze zichzelf vastbesloten voor. En dat was iets waar zij voor kon zorgen.

2

Augustus 1998

Wat George Bennett ook van mening had doen veranderen, het was iets dat in Scardale was gebeurd. Daar was Catherine zeker van. Hij had iets gezien, maar wat...? Hoe had zo'n kort bezoek tot zo'n hevige reactie kunnen leiden? Catherine had het kunnen begrijpen als hij in het licht van nieuwe informatie besloten had dat ze wat veranderingen in het boek moest aanbrengen. Maar wat had zo uitzonderlijk kunnen zijn dat het het hele project onderuithaalde? En als het van zo grote betekenis was geweest, hoe was het dan mogelijk dat het aan de rest van de familie onopgemerkt voorbij was gegaan?

In de glinsterende hitte van een middag in augustus was Scardale nauwelijks herkenbaar als het deprimerende winterse gehucht dat ze voor het eerst in februari had bezocht. Doordat het zo'n natte zomer was geweest, was het gras weelderig en hadden de bomen meer schakeringen groen dan een schilder zou kunnen vastleggen. In hun schaduw zagen zelfs de onopvallende huisjes van Scardale er bijna romantisch uit. Er was niets dreigends, geen spoor van de sinistere gebeurtenissen van vijfendertig jaar geleden.

Catherine stopte bij het grote huis, waar een vijf jaar oude Toyota stationcar op de oprit stond. Het zag ernaar uit dat Janis Wainwright thuis was. Ze bleef een ogenblik in haar auto zitten om na te denken. Ze kon moeilijk naar het huis lopen en zeggen: 'Wat is er gisteren gebeurd waardoor George Bennett ons boek niet meer wil laten verschijnen? Wat is er zo verschrikkelijk geweest aan zijn bezoek aan jouw huis dat hij midden in de nacht een zware hartaanval heeft gekregen?' Maar hoe kon ze het anders aanpakken?

Ze dacht erover Kathy Lomas te vragen of zij George de vorige dag had gezien. Ze draaide zich op haar stoel om naar Lark Cottage, maar Kathy's auto was nergens te zien. Geïrriteerd stapte Catherine uit de auto. Als al het andere niet zou werken, kon ze nog terugvallen op de oude vertrouwde journalistieke techniek van glashard liegen. Ze liep over het smalle pad naar de keukendeur en tilde de zware koperen klopper op. Ze liet hem vallen en hoorde het geluid door het huis weergalmen. Een hele minuut verstreek, en toen ging plotseling de deur open. Verblind door het zonlicht kon Catherine de vrouw in het donkere interieur nauwelijks onderscheiden. 'Kan ik u helpen?' vroeg ze.

'Jij moet Janis Wainwright zijn. Ik ken je zuster, Helen. Mijn naam is Catherine Heathcote. Je was zo vriendelijk om mij in je huis te laten rondkijken om me te helpen met een boek dat ik schrijf over de zaak-Alison Carter.' Catherine had het niet durven zweren, maar ze voelde dat de vrouw zich terugtrok bij haar woorden.

'Dat herinner ik me,' zei ze toonloos.

'Ik vraag me af of ik nog een keer in het huis mag rondkijken.'

Catherines ogen begonnen zich aan te passen aan het halfduister van de keuken. Janis Wainwright zag er beslist uit alsof ze geschrokken was, dacht ze. 'Het komt nu slecht uit. Een andere keer. Ik zal iets regelen met Kathy,' zei ze zo snel dat ze bijna struikelde over haar woorden.

'Alleen de benedenverdieping. Ik zal je niet in de weg lopen.'

'Ik ben ergens mee bezig,' zei ze resoluut.

De deur begon dicht te gaan. Catherine bewoog zich instinctief naar voren, zodat Janis de deur niet verder kon sluiten. Toen zag ze wat George Bennett de dag ervoor had gezien. Ze stapte niet zozeer, maar wankelde achteruit.

'Regel het met Kathy,' zei Janis Wainwright. Als van grote afstand hoorde Catherine de deur in het slot vallen, toen het geluid van grendels die dichtgeschoven worden. Ze draaide zich verdoofd om en liep, blind struikelend als een slaapwandelaar, terug naar haar auto.

Nu meende ze te begrijpen waarom George de brief had geschreven. Maar als ze gelijk had, was het niet iets wat ze zomaar aan zijn zoon kon uitleggen. En het was niet iets waardoor ze met het boek wilde ophouden. Het deed haar beseffen dat er een diepere waarheid kon zijn achter de zaak-Alison Carter die zij noch George ook maar had vermoed. En het maakte haar nog vastbeslotener om de waarheid te vertellen waarop ze die avond in Londen zo vrolijk met Paul had geproost.

Catherine zat doodstil in de auto, zich niet bewust van de verstikkende hitte. Nu de eerste schok voorbij was, kon ze nauwelijks geloven wat ze had gezien. Het kon niet, zei ze tegen zichzelf. Haar ogen hadden haar belogen. Maar als dat waar was, hadden ook George Bennetts ogen gelogen. De gelijkenis was opmerkelijk, griezelig zelfs. Als dat alles was geweest, had ze het kunnen afschrijven als een bizar toeval, maar Catherine wist dat geen gelijkenis ter wereld zo ver ging dat deze littekens omvatte.

Ze wist, uit het materiaal dat ze gelezen had en de gesprekken die ze had gevoerd, dat een van de onderscheidende kenmerken die Alison Carter had gehad een litteken was geweest. Het was een smalle witte streep van ongeveer twee centimeter die dwars door haar rechterwenkbrauw liep, van de rand van haar oogkas tot op haar voorhoofd. Ze had het opgelopen in de zomer na de dood van haar vader. Alison had tijdens het speelkwartier met haar flesje melk over het schoolplein gerend en was gestruikeld en gevallen. De fles was kapot geweest en ze had zich aan een glasscherf gesneden. Zoals haar moeder had verteld, was het litteken altijd het duidelijkst te zien geweest in de zomer, wanneer ze een beetje kleur had van de zon. Net als Janis Wainwright nu had.

Ineens had Catherine een kloppende hoofdpijn. Ze keerde de auto en reed langzaam en voorzichtig terug naar Longnor. Er leek maar één verklaring te zijn voor wat ze had gezien, en die was onmogelijk. Alison Carter was dood. Philip Hawkin was opgehangen voor de moord op haar. Maar als Alison Carter dood was, wie was dan Janis Wainwright? Hoe kon een vrouw die een kloon van Alison kon zijn, in Scardale Manor wonen en niet verbonden zijn met wat er in 1963 was gebeurd? Maar als dat zo was, hoe was het dan mogelijk dat haar eigen zuster er niets van wist?

Catherine parkeerde de auto en liep terug naar de kiosk. Ze kocht een pakje Marlboro Light en een doosje lucifers. Terug in haar gehuurde huis schonk ze zichzelf een glas wijn in die zo koud was dat het pijn deed aan haar tanden. Dat was in elk geval logisch. Toen stak ze haar eerste sigaret in ruim tien jaar op. Ze werd er een beetje duizelig van, maar dat was een verbetering. De nicotine bereikte haar bloed en het voelde op dat moment als het meest normale ter wereld.

Ze rookte de sigaret met toegewijde aandacht op en pakte toen pen en papier en maakte aantekeningen. Na een uur had Catherine twee stellingen:

Stelling 1. Als Alison Carter niet was gestorven zou ze er precies zo uitzien als Janis Wainwright.
Stelling 2. Alison Carter is *Janis Wainwright.*

Ze had een plan. Als ze gelijk had, zou er meer nodig zijn dan een beetje draaien en schaven om haar boek af te maken. Maar dat vond ze niet erg. Als Alison Carter nog leefde, zou *De terechtstelling* nog beter worden dan het al was. En als hij eenmaal voldoende hersteld was om alle implicaties te kunnen overzien, zou ze George op de een of andere manier kunnen overtuigen van haar standpunt. De eerste stap was een telefoontje naar haar redactie-assistente in Londen. 'Beverley, met Catherine,' zei ze, een energie in haar stem leggend die ze niet voelde.

'Hallo! Hoe staat het leven in de rimboe?'

'Als de zon schijnt zoals vandaag, zou ik het niet voor Londen willen ruilen.'

'Nou, ik kan nauwelijks wachten tot je terug bent. Het is een gekkenhuis hier. Je raadt nooit wat Rupert met het kerstnummer wil doen...'

'Niet nu, Bev,' zei Catherine op besliste toon. 'Je moet iets voor me doen, en snel. Ik heb iemand nodig die gespecialiseerd is in het verouderen van portretfoto's met de computer. Bij voorkeur in deze contreien.'

'Klinkt interessant.'

Twintig minuten later had haar assistente haar teruggebeld met het nummer van een man die Rob Kershaw heette van de Universiteit van Manchester.

Catherine keek op haar horloge. Het was bijna vier uur. Als Rob Kershaw niet bezig was in een of andere buitenlandse stad aan de stress van het leven te ontsnappen, was er een kans dat hij nog aan het werk was. Ze kon in elk geval bellen, dacht ze.

Toen de telefoon voor de derde keer overging, werd er opgenomen. 'Het nummer van Rob Kershaw,' zei een vrouwenstem.

'Is Rob er ook?'

'Het spijt me, hij is op vakantie. De vierentwintigste is hij terug.'

Catherine zuchtte.

'Kan ik een boodschap doorgeven?' vroeg de vrouw.

'Bedankt, maar dat heeft geen zin.'

'Is het iets waar ik mee kan helpen. Ik ben Robs assistente, Tricia Harris.'

Catherine aarzelde. Toen bedacht ze dat ze niets te verliezen had. 'Kun jij portretfoto's verouderen met de computer?'

'O ja, dat is mijn specialiteit.'

Binnen enkele minuten was het geregeld. Tricia had niets dringenders gepland dan een avond voor de tv, en ze leed zoals alle studenten aan eeuwige geldnood. Toen Catherine haar eenmaal een flinke vergoeding in het vooruitzicht had gesteld, was ze meer dan bereid om op haar werk te blijven hangen terwijl Catherine erheen reed met foto's die Philip Hawkin van zijn stiefdochter had gemaakt.

Toen ze daar was, maakte Tricia op een efficiënte manier een scan van de twee foto's, stelde een paar vragen en ging toen serieus bezig met het toetsenbord en de muis. Catherine wist hoe een hekel zij eraan had als mensen over haar schouder meekeken terwijl ze probeerde te werken, dus liet ze haar met rust. Ze trok zich terug aan de andere kant van de kamer, waar een open raam was, en stak haar vijfde

Marlboro Light op. Morgen zou ze weer stoppen, dacht ze. Of wanneer ze ontdekt had wat er in 's hemelsnaam gaande was. Welke van de twee ook maar het eerst zou zijn.

Na ongeveer een uur en nog drie sigaretten werd ze door Tricia geroepen. Ze haalde drie velletjes A4 uit de printer en spreidde ze voor Catherine uit. 'De afbeelding links is wat ik het beste scenario zou noemen,' zei ze. 'Minimale stress, goed gevoed en goed verzorgd, zo'n drie kilo boven het ideale gewicht. Die in het midden is in een aantal opzichten typerender: meer stress, minder aandacht voor het uiterlijk, precies op het goede gewicht. De derde is wat niemand wil: een moeilijk leven, slechte voeding, te veel gerookt... heel slecht voor je lijnen en rimpels, weet je,' voegde ze er met een listig glimlachje naar Catherine aan toe. 'Ze is een beetje te mager.'

Catherine stak een vinger uit en trok de middelste van de drie foto's naar zich toe. Afgezien van de kleur van het haar, kon het een foto zijn van de vrouw die de deur van Scardale Manor had geopend. Het haar van Janis Wainwright was zilvergrijs met spoortjes blond. Alison Carter, nu verouderd door de computer, was nog steeds blond, met een paar streepjes grijs bij de slapen. 'Ongelooflijk,' zei Catherine zacht.

'Is dit wat je verwachtte?' vroeg Tricia. Catherine had haar bijna niets verteld. Ze had gezegd dat ze aan een verhaal werkte over een vermiste erfgename die was komen opdagen om haar nalatenschap op te eisen.

'Het bevestigt datgene waar ik bang voor was,' zei Catherine. 'Er loopt iemand rond die niet is wie ze zegt dat ze is.'

Tricia trok een gezicht. 'Pech.'

'O nee,' zei Catherine, terwijl er een golf van opwinding door haar heen ging. 'Helemaal geen pech. Integendeel zelfs.'

3

Augustus 1998

Toen Catherine wegreed van de Universiteit van Manchester voelde ze de hete tinteling door haar aders gaan die ze altijd voelde als ze wist dat ze een groot verhaal op het spoor was. Ze was zo opgewonden dat ze datgene waar het mee was begonnen even uit het oog had verloren. Dat een man aan allerlei apparaten lag in een ziekenhuis in Derby was een moment onbelangrijk geworden. Te opgewonden om te eten, reed ze terug naar Longnor terwijl de duizelingwekkende mogelijkheden door haar hoofd raasden.

Het eerste wat ze nu moest doen, dacht Catherine, was uitvinden wie Janis Wainwright wettelijk was. Dat Janis Wainwright wettig bestond, betwijfelde ze niet. Het zou moeilijk voor haar zijn om een huis te bezitten of een echte carrière te hebben als dat niet zo was. Om erachter te komen, zou er gezocht moeten worden in de archieven van de burgerlijke stand van geboorten, huwelijken en sterfgevallen. Het zou haar dagen kosten als ze het zelf zou doen, maar er waren bureaus die dat soort dingen voor journalisten uitvoerden. Ze zette haar laptop aan en begon een e-mail te schrijven aan een dergelijk bureau dat zich specialiseerde in het opsporen van informatie over zowel personen als bedrijven.

Catherine was er tamelijk zeker van dat Janis nooit was getrouwd. Om te beginnen had Helen geen echtgenoot genoemd. Bovendien bleek bij een snelle controle van de brief die ze had gekregen van de advocaat van Janis, die de rondleiding door het grote huis had geregeld, dat deze naar haar verwees als 'juffrouw Wainwright'. En Helen zelf was natuurlijk getrouwd geweest, en nu gescheiden, wat haar andere achternaam verklaarde.

Er moest dus ergens een geboorteakte te vinden zijn van Janis Wainwright. Om dubbel zeker te zijn, besloot Catherine ook de gegevens van Helen op te vragen. En omdat ze, zoals alle goede journalisten, over een gezonde dosis argwaan beschikte, vroeg ze ook na te gaan of er ergens tussen haar geboorte en de verdwijning van Alison in 1963 een overlijdensakte was van Janis Wainwright.

Op basis van de geboorteakte zou het mogelijk zijn de huwelijksakte te vinden van de ouders van Janis, en op basis daarvan weer hun geboorteakten, als dat nodig zou zijn. Dat zou het beginpunt zijn om te ontdekken of er een echt verband was tussen Janis Wainwright en Alison Carter.

Catherine stuurde haar verzoek weg met de mededeling dat ze de snelle optie wilde, en de resultaten per e-mail wilde ontvangen en op papier per post. Ondanks dat wist ze dat ze redelijkerwijze niet voor de volgende namiddag een antwoord kon verwachten. Ze had geen idee hoe ze de tussentijd zou moeten opvullen.

Toen dacht ze weer aan George. Met een schuldig gevoel omdat ze hem een tijdje naar haar achterhoofd had verplaatst, belde Catherine het ziekenhuis om naar hem te informeren. De verpleegster van de intensive care vertelde haar dat er geen verandering was. Met gemengde gevoelens hing ze op. Wat er met George was gebeurd, vond ze vreselijk, maar het moment van herkenning dat tot zijn hartaanval had geleid, leek ook tot het grootste verhaal van haar leven te leiden. Ze kende zichzelf goed genoeg om precies te begrijpen hoeveel dat voor haar betekende. Haar werk had altijd meer voor Catherine betekend dan een ander menselijk wezen. Ze wist dat dat over het algemeen als triest werd beschouwd, maar Catherine vond het veel triester om alles op de kaart van de mensheid te zetten als mensen je altijd op een gegeven moment in de steek lieten. Mensen kwamen en gingen, en er was veel vreugde te beleven aan relaties met mensen. Dat wist ze en ze genoot van het plezier en de genoegens die daarin te vinden waren. Maar geen mens was ooit zo constant geweest als de golf van opwinding die voortkwam uit een goed geschreven, exclusief verhaal.

Ze schonk zichzelf nog een glas in en dacht na over haar volgende stap. Tegen de tijd dat ze de laatste slok nam, wist ze dat er maar één mogelijke bestemming was.

Drie uur later schreef Catherine zich in in een viersterrenhotel net buiten Newcastle. Een van de geheimen van goede journalistiek, had ze geleerd, was weten wanneer je door moest zetten en wanneer je geduld moest hebben. Haar dorst naar het onthullen van dit verhaal werd getemperd door de wijsheid van ervaring. Laat op de avond onaangekondigd bij iemand op de stoep staan, was meestal een slecht idee. Ze wist dat mensen dat altijd in verband brachten met slecht nieuws voordat ze haar mond ook maar had opengedaan.

Maar in de ochtend waren mensen optimistischer. Al lang voor de uitvinding van de postbode met zijn vooruitzicht van goed nieuws, was dat bij iedereen bekend. Dus toen ze nog als journaliste had gewerkt, had ze indien mogelijk de late klop op de deur vermeden en was ze voor de komst in de ochtend gegaan.

Catherine viel ten slotte in slaap voor het filmkanaal en werd pas na negen uur wakker. Ze was dankbaar dat ze, ondanks datgene wat ze aan haar hoofd had, goed had geslapen. Het eerste wat ze deed was het ziekenhuis bellen. Er was, zeiden ze, weinig verandering, maar wel enige reden voor optimisme. Ze belde het huis van de Bennetts, maar kreeg alleen het antwoordapparaat. Ze sprak haar beste wensen in en hing op.

Een uur later reed ze over de A1. Ze was halverwege het pad naar het kleine huis toen de deur openging. 'Catherine,' zei Tommy, terwijl zijn brede gezicht tot een glimlach rimpelde. 'Je bent een onverwachte maar aangename verrassing. Kom verder, dan gaan we naar de tuin.'

Ze volgde hem door de smetteloze woonkamer en keuken naar de achtertuin, een paradijs van geurende bloemen en struiken. Zoals hij haar bij haar vorige bezoek had verteld, allemaal gekozen om vogels en vlinders aan te trekken. Vandaag zoemde het zacht van de bijen, en terwijl ze praatten zag ze voortdurend vanuit haar ooghoeken de bewegingen van kleurige vleugels.

Tommy trok voor Catherine een houten stoel bij en ging toen op de bank zitten die door de tuin heen uitzicht gaf op de achterliggende zee. 'Zo, wat brengt je hierheen?' vroeg hij toen ze eenmaal zaten.

Ze zuchtte. 'Ik weet niet waar ik moet beginnen, Tommy. Hoe ik het ook vertel, het zal klinken alsof ik de zaken niet meer op een rijtje heb.' Ze sloeg haar ogen neer. 'Heb je het gehoord van George?'

'Wat is er gebeurd?' vroeg hij met schrik in zijn stem.

Catherine keek hem aan. 'Hij heeft een hartaanval gehad. Een zware, naar wat ik hoor. Hij ligt in het Derby Royal op de intensive care. Hij is sinds gisterochtend vroeg bewusteloos, voor zover ik weet. Volgens Paul heeft hij in de ambulance op weg naar het ziekenhuis een hartstilstand gekregen.'

'En je bent helemaal hierheen gekomen om me dat te vertellen? Dat vind ik geweldig van je, Catherine.' Tommy streelde even haar hand. 'Dat stel ik bijzonder op prijs.'

'Het spijt me dat ik de brenger van slechte berichten ben.' Voor dat moment was ze tevreden met de rol van een bezorgde vriendin.

Hij haalde zijn schouders op. 'Op mijn leeftijd ga je het verwachten. Hoe is het met Anne? Ze moet er kapot van zijn.'

'Ze is niet van zijn zij geweken. Paul was toevallig thuis, met zijn verloofde, en ze zijn bij haar.'

'Arme Anne. Ze heeft voor George geleefd. En met haar artritis is ze niet geschikt voor echt verpleegwerk, als het zover zou komen.'

Tommy zuchtte en schudde zijn hoofd. Hij staarde door de tuin naar de blauwe schittering van de Noordzee.

Catherine haalde haar nieuwe pakje Marlboro te voorschijn. 'Vind je het erg als ik rook?' vroeg ze.

Zijn bossige wenkbrauwen gingen omhoog. 'Ik dacht dat je niet rookte, maar ga je gang.' Hij stond op en liep naar de schuur in de hoek van de tuin. Hij kwam terug met een terracotta plantenschotel. 'Gebruik dit maar als asbak. Neem de tijd.' Tommy ging achterover zitten, legde zijn ene been bij de enkel over het andere en propte zijn handen in de zakken van zijn slobberige corduroy broek.

'Maandag is George naar Scardale geweest. En maandagavond kreeg hij een hartaanval,' zei ze zonder omwegen.

'Heb jij George zover gekregen dat hij naar Scardale is gegaan?' Tommy's ogen werden groot van verbazing.

'Nee, ik heb hem nooit kunnen overhalen. Maar Paul wel. Hij is op bezoek met Helen, zijn verloofde. Ze zijn van plan later dit jaar te trouwen. Maar goed, wat bleek is dat Helens zuster Janis een paar jaar geleden in Scardale Manor is gaan wonen. En ze hadden afgesproken om daar maandag met George en Anne te gaan lunchen. Ik wist dat George zich ongemakkelijk voelde bij het idee naar Scardale te gaan, maar toen hij er eenmaal was, werd zijn gedrag heel vreemd volgens Paul.'

'Vreemd? Hoe?'

'Paul zei dat hij ontzettend gespannen leek. Hij had geen eetlust. Afgezien van een wandeling rond de dorpsweide heeft hij in de tuin gezeten zonder met iemand te praten. Volgens Paul was hij de rest van de dag en de avond erg afwezig en gespannen.' Catherine zweeg om haar gedachten op een rij te zetten. Ze moest voorzichtig zijn met de manier waarop ze zich uitdrukte tegen Tommy. Hij was heel snel met het oppikken van nuances van wat hem niet werd verteld.

'Voordat hij ziek werd, heeft hij mij een brief geschreven waarin hij me vroeg het boek stop te zetten. Geen verklaring, behalve dat hij wat nieuwe informatie had gekregen die betekende dat het boek niet mocht verschijnen. Toen ik Paul in het ziekenhuis zag, heb ik hem uiteraard over de brief verteld. Ik was er al van overtuigd dat George iets in Scardale moest hebben gezien dat hem... ik weet niet... een nieuw inzicht moest hebben gegeven in een of ander aspect van de zaak, of dat hem aan het piekeren had gemaakt over iets wat we in het boek hebben opgenomen. En Paul was tot dezelfde conclusie gekomen. Hij voelt zich zo schuldig. Hij denkt dat hij verantwoordelijk is voor het feit dat George een hartaanval heeft gekregen omdat hij hem heeft overgehaald terug te gaan naar Scardale. En hij heeft mij gevraagd uit te zoeken wat er achter die brief van George aan mij heeft gezeten. Dus...' Ze haalde haar schouders op. 'Ik moet de antwoorden vinden.'

'Je had bij de politie moeten gaan,' zei hij droog.

'Als jij het zegt, weet ik niet zeker of dat een compliment is.' Ze speelde wat met haar sigaret en drukte hem toen met een beslist gebaar uit.

'O, ik heb niets dan respect voor mensen die werk kunnen doen dat voor mij te veel was,' zei hij, met een spot waarvan ze wist dat hij die niet voelde. 'En waar ben je heen gegaan voor je antwoorden? Alsof ik het niet kan raden.'

'Inderdaad. Ik ben teruggegaan naar Scardale. Ik dacht ik vraag Helens zuster of ik nog een keer in het huis mag rondkijken. Ik wilde nagaan of ik kon ontdekken wat George zo van streek had gemaakt.' Ze ging zo verzitten dat ze over zee kon uitkijken.

'En heb je het ontdekt?'

Catherine was druk in de weer met een nieuwe sigaret. Vanuit haar ooghoeken zag ze hoe de scherpe ogen in dat verweerde, bruine gezicht haar opnamen. Hij wist dat er iets was, maar zelfs in zijn stoutste dromen had hij niet kunnen bedenken wat zij op het punt stond te zeggen, dacht ze. 'Ik heb geen kijkje in het huis kunnen nemen,' zei ze, terwijl ze rook uitblies. 'Maar ik heb wel gezien wat George helemaal van zijn stuk moet hebben gebracht.' Ze opende haar tas en pakte de map eruit waarin ze de met de computer verouderde foto van Alison Carter had.

Tommy stak zijn hand uit. Ze schudde haar hoofd. 'Wacht even. De vrouw die de deur opende en die Helens zuster zou zijn... is de dubbelgangster van Alison Carter. Tot het litteken in haar wenkbrauw aan toe.' Ze gaf Tommy de map. Hij opende hem aarzelend, alsof hij verwachtte dat hij in zijn gezicht zou ontploffen. Wat hij zag was erger dan wat hij ook maar had kunnen vrezen. Zijn mond viel open. 'Ik kon mijn ogen ook niet geloven. Ik heb de foto's die Philip Hawkin van Alison had gemaakt meegenomen naar een computerdeskundige en ze laten verouderen. Dat zou een foto kunnen zijn van de vrouw die aan de deur kwam van Scardale Manor. Maar het is ook een afbeelding van hoe Alison eruit zou zien als ze nog zou leven.'

De map trilde in Tommy's handen. 'Nee,' hijgde hij. 'Dat kan niet kloppen. Het moet een familielid zijn.'

'Het litteken is hetzelfde, Tommy. Je krijgt niet precies dezelfde littekens.'

'Het moet een vergissing zijn. Je kunt haar niet goed gezien hebben. Je fantasie heeft een loopje met je genomen.'

'Zou het? Ik denk het niet, Tommy. George heeft geen hartaanval gekregen door mijn fantasie. Wat ik ook mag hebben gezien, ik denk dat hij het ook heeft gezien. Daarom ben ik naar jou gekomen. Ik heb je hulp nodig. Ik wil dat jij een blik op Janis Wainwright werpt en George en mij vertelt dat het niet Alison Carter is. Want wat mij betreft, ben ik op het verhaal van de eeuw gestuit.'

Hij bedekte zijn gezicht met zijn vrije hand en wreef over zijn leerachtige huid tot die op een gerimpelde dierenhuid leek. Zijn hand viel in zijn schoot en hij staarde dof naar Catherine. 'Je weet wat dit betekent, als je gelijk hebt?'

Ze knikte langzaam. Tijdens de lange rit naar het noorden had ze aan vrijwel niets anders gedacht. Haar gedachten waren door haar hoofd getuimeld, waarbij het hoogtepunt het effect van de onthulling was voor haar werk, en het dieptepunt de betekenis ervan voor George Bennett en zijn familie. Ze wist dat ze ergens een evenwicht zou moeten vinden tussen die twee consequenties. Maar eerst zou ze de hele waarheid moeten weten. Catherine keek Tommy recht in zijn ogen en zei: 'Het betekent dat Philip Hawkin is opgehangen voor een misdaad die nooit heeft plaatsgevonden.'

4

Augustus 1998

Tommy Clough was geen sentimentele man. Hij had altijd in het hier en nu geleefd en zijn inspiratie uit zijn omgeving gehaald. Zijn andere goede eigenschap was doorzettingsvermogen. Dus was hij, hoewel hij zich nooit erg verrijkt had gevoeld door zijn jaren bij de politie, het werk blijven doen vanwege zijn sterke verlangen naar gerechtigheid dat hem daar ook had gebracht. Maar zelfs toen al had hij zich staande gehouden met zijn dubbele passie voor vogels en jazz.

Hij had Catherine echter niets minder dan de waarheid verteld toen hij haar had onthuld dat het de zaak-Alison Carter was geweest die voor hem het einde van zijn carrière bij de politie had aangekondigd. De uitkomst van een zaak die op zijn minst twijfelachtig was, was te belangrijk voor hem geweest. Het idee dat de moordenaar van Alison niet zou worden gestraft, had hem tijdens de aanloop naar het proces dag en nacht gekweld, en hij wilde zoiets nooit meer doormaken. Het had hem een paar jaar gekost om achter zijn echte gevoelens te komen over het onderzoek en de resultaten ervan. Maar toen hij eenmaal een beslissing had genomen, was hij binnen een paar weken bij het politiekorps van Derbyshire weg geweest. Hij had er geen moment spijt van gehad.

De komst van Catherine Heathcote een paar maanden eerder had hem, voor het eerst sinds zijn vertrek bij de politie, gedwongen de hele zaak weer door te nemen. Voorafgaand aan het gesprek had hij dagen over de rotsen en landtongen in de omgeving van zijn huis gelopen en over de zaak Scardale nagedacht.

Een van zijn sterke punten als politieman was zijn intuïtie geweest, die hem er regelmatig toe had gebracht door te zetten ook als er geen harde bewijzen waren. Dit was vaak genoeg beloond met arrestaties en veroordelingen. Hij was er van het begin af aan van overtuigd geweest dat Philip Hawkin niet veel goeds was. Vanaf zijn eerste ontmoeting met de man had zijn instinct hem dat toegeschreeuwd. Lang voordat George Bennett voor het eerst zijn wantrouwen ten aanzien van Hawkin had verwoord, had Tommy Clough gevoeld dat de landheer serieus iets te verbergen had.

Zodra George had aangegeven dat hij Hawkin eens wat nader onder de loep wilde nemen, was Tommy als een terriër geweest die zich volledig uitputte om elk beetje bewijs te vinden dat de zaak zou ondersteunen. Niemand had harder gewerkt, zelfs George niet, om Philip Hawkin aan de kaak te kunnen stellen.

Desondanks was Tommy er voor zichzelf nooit helemaal van overtuigd geweest dat Hawkin een moordenaar was. Hij twijfelde er niet aan dat de man een verachtelijke zedendelinquent was, en hij had nachtmerries gehad van de foto's, waar, dat wist hij, niet mee was geknoeid, noch door George Bennett noch door iemand anders. Maar hoewel hij Hawkin verachtte en verafschuwde, was hij er nooit helemaal van overtuigd geweest dat de man de moordenaar was die hij volgens het bewijsmateriaal scheen te zijn. Misschien was het dat beetje knagende twijfel geweest waardoor hij zo hard had gewerkt om een keiharde zaak tegen de man op te bouwen. Hij was net zozeer bezig geweest zichzelf te overtuigen als de jury. En de uiteindelijke overtuiging dat zijn instinct hem in de steek had gelaten, had zijn vertrouwen ondermijnd in de manier waarop hij zijn werk deed.

En nu had Catherine haar 'tweelingbom' laten vallen. Zij geloofde dat George Bennett aan die apparatuur lag omdat hij zich gerealiseerd had, net als zijzelf, dat Alison Carter gezond en wel was en in Scardale woonde. Op één manier leek het niet te kloppen. Maar als Catherine gelijk had, rechtvaardigde het het onbehaaglijke gevoel dat Tommy Clough in het verleden had gehad. Toch had hij er in dit geval zo ongeveer alles voor willen geven om al die jaren geleden ongelijk te hebben gehad. Want als Alison Carter echt in leven was, zouden de gevolgen afschuwelijk zijn. Nog afgezien van mogelijke juridische consequenties, was Paul Bennetts verloofde, wie ze ook mocht zijn, op de een of andere manier nauw betrokken bij een verschrikkelijke vergissing die haar toekomstige schoonvader had gemaakt.

Al deze gedachten spookten door Tommy's hoofd terwijl hij in zijn Landrover zat en Catherines auto over de A1 volgde naar Derbyshire. Hij had geen andere oplossing gezien dan met haar mee teruggaan en alles doen wat hij kon om George en zijn familie te beschermen tegen de gevolgen van wat Catherine meende te hebben ontdekt. Ze was, zo vond hij, zowel koppig als doelbewust, en dat was een gevaarlijke combinatie in de buurt van zulk potentieel explosief materiaal. Ze had gewild dat hij met haar meereed, maar hij had beslist de vrijheid willen hebben om te kunnen komen en gaan wanneer hij wilde, en hij zou die missen als hij afhankelijk zou zijn van Catherine en haar auto. 'Ik zal George willen bezoeken,' had hij gezegd. 'En dat komt jou misschien niet altijd uit.' Bovendien wilde hij alleen zijn met zijn gedachten.

De vijf uur durende rit leek in een wip voorbij te zijn, en plotseling stopten ze bij een huisje vlak bij de hoofdstraat van Longnor. Het eerste wat ze moesten doen, zei Catherine, was een onderdak voor Tommy zoeken. De plaatselijke kroeg had kamers, maar midden in augustus waren die allemaal besproken door wandelaars en vissers. Tommy haalde zijn schouders op, liep toen regelrecht naar de voordeur van Peter Grundy, kondigde aan dat hij de logeerkamer van de Grundy's voor een paar dagen nodig had en vroeg of tien pond per nacht goed zou zijn voor logies en ontbijt.

Grundy's vrouw, die de bazen van haar man nooit had gemogen en een van hen met alle liefde wat geld wilde aftroggelen, rukte het bijna uit zijn handen, hoewel Peter het fatsoen had om er gegeneerd uit te zien. Hun nieuwsgierigheid naar de reden van Tommy's terugkeer naar Derbyshire werd bevredigd door het nieuws van Georges hartaanval. 'In zulke tijden heb je je vrienden om je heen nodig,' zei mevrouw Grundy diepzinnig.

'Dat is zeker zo,' zei Tommy grimmig. 'En ik ben van plan om alles te doen wat in mijn vermogen ligt om George en Anne te helpen.' Hij had Catherine een snelle blik toegeworpen om zeker te weten dat ze begreep dat hun belangen misschien niet helemaal zouden samenvallen. Ze boog haar hoofd in erkenning en weigerde een kop van de 'bedrijfssterke' thee van mevrouw Grundy.

'Ik ben thuis als je klaar bent, Tommy,' was alles wat ze zei.

Catherine had geen tijd om lang stil te staan bij wat Tommy Clough precies van plan was. Ze was veel te ongeduldig om bij haar laptop te komen. Ze ging rechtstreeks naar haar e-mail en ontdekte dat het onderzoeksbureau het gevraagde materiaal had geleverd. Ze hadden de fotokopieën van de bewijsstukken die ze hadden opgespoord gescand en naar haar doorgestuurd.

Ten eerste Janis Hester Wainwright. Geboren 12 januari 1951 in Consett. Kind van het vrouwelijk geslacht, dochter van Samuel Wainwright en Dorothy Wainwright geboren Carter. Beroep van de vader: staalarbeider. Adres: Upington Terrace 27, Consett.

De meisjesnaam van de moeder was Carter. Het was toeval, maar niet zo'n groot toeval. Carter was een te veel voorkomende naam om hier iets uit op te maken, hield ze zichzelf resoluut voor. Dit was te belangrijk om maar dingen aan te nemen. Concreet bewijs was wat ze nodig had.

Dan Helens geboorteakte. Geboren op 10 juni 1964 in Sheffield. Kind van het vrouwelijk geslacht, dochter van Samuel Wainwright en Dorothy Wainwright geboren Carter. Beroep van de vader: staalar-

KOPIE GEBOORTEAKTE AFGEGEVEN DOOR HET BUREAU VAN DE BURGERLIJKE STAND, LONDEN

Registratiedistrict: Graafschap Durham

Onderdistrict: Consett

Inschrijvingsnummer: 7211758

Naam: Janis Hester Geslacht: Vrouwelijk

Plaats en datum van geboorte: Twaalf januari 1951, Consett

Adres: Upington Terrace 27, Consett, graafschap Durham

Naam en achternaam vader: Samuel Wainwright

Naam en achternaam moeder:
Dorothy Wainwright geboren Carter

Beroep vader: Staalarbeider

Datum aangifte: Achttien januari 1951

KOPIE GEBOORTEAKTE AFGEGEVEN DOOR HET BUREAU VAN DE BURGERLIJKE STAND, LONDEN

Registratiedistrict: Sheffield

Onderdistrict: Rivelin Valley

Inschrijvingsnummer: 2214389

Naam: Helen Ruth Geslacht: Vrouwelijk

Plaats en datum van geboorte: Tien juni 1964, Rivelin Valley

Adres: Lee Bank 18, Rivelin Valley

Naam en achternaam vader: Samuel Wainwright

Naam en achternaam moeder:
Dorothy Wainwright geboren Carter

Beroep vader: Staalarbeider

Datum aangifte: Veertien juni 1964

beider. Adres: Lee Bank 18, Rivelin Valley, Sheffield.

Tweede naam Ruth. Gecombineerd met Carter begon dit enige betekenis te krijgen, dacht Catherine, terwijl ze de opwinding in zich voelde opkomen.

Ze sloeg op de Page Down-toets voor de huwelijksakte van Samuel en Dorothy Wainwright. De opwinding was een fysiek gevoel diep in haar buik. Plaats van het huwelijk: St. Stephens Church, Longnor, in het district Buxton. Datum van het huwelijk: 5 april 1948. Samuel Alfred Wainwright, ongehuwd, was getrouwd met Dorothy Margaret Carter, ongehuwd. Hij was 22, zij was 21. Hij was staalarbeider, zij melkmeid. Ten tijde van het huwelijk woonde hij aan Upington

KOPIE HUWELIJKSAKTE CONFORM DE HUWELIJKSWET VAN 1836

Registratiedistrict:	Buxton		
Huwelijk voltrokken in:	St. Stephens Church, Longnor		
In:	Graafschap Derbyshire		
Inschrijvingsnummer:	87		
Huwelijksdatum:	Vijf april 1948		
Naam:	Samuel Alfred	Achternaam:	Wainwright
Leeftijd:	22	Burgerlijke staat:	ongehuwd
Rang of beroep:	Staalarbeider		
Verblijfplaats:	Upington Terrace 27, Consett		
Naam en achternaam vader:	Alfred Wainwright		
Beroep vader:	Staalarbeider		
Naam:	Dorothy Margaret	Achternaam:	Carter
Leeftijd:	21	Burgerlijke staat:	ongehuwd
Rang of beroep:	Melkmeid		
Verblijfplaats:	Shire Cottage, Scardale, Derbyshire		
Naam en achternaam vader:	Albert Carter		
Beroep vader:	Landarbeider		
In aanwezigheid van:	Roy Carter, Joshua Wainwright		
Voltrokken door:	Paul Westfield		

Terrace 27, Consett. Zij woonde in Shire Cottage, Scardale, Derbyshire. Haar vader was Albert Carter, landarbeider. De getuigen waren Roy Carter en Joshua Wainwright.

Catherine kon haar ogen nauwelijks geloven. Ze las de gegevens nog een keer door. De moeder van Janis Wainwright was Dorothy Carter van Shire Cottage, Scardale. Een van de getuigen bij Dorothy's huwelijk was Roy Carter. Ook van Shire Cottage, Scardale, durfde ze te wedden. Dezelfde Roy Carter die de man was geweest van Ruth Crowther en de vader van Alison Carter. Het zou dan geen verrassing zijn om een sterke gelijkenis te vinden tussen Janis en Alison. Genetische erfelijkheid kon een vreemd iets zijn. Maar dat verklaarde het litteken nog niet. Als Janis niet Alison was, hoe kon ze dan precies hetzelfde onderscheidende kenmerk hebben?

De enige verklaring die zij kon bedenken was dat het litteken een soort bizarre vorm van zelfverminking was geweest die Janis zichzelf als tiener had toegebracht na de verdwijning en vermoedelijke dood van Alison. Ze kon zich voorstellen hoe ze waren opgegroeid, hoe de familie had gezegd dat ze een identieke tweeling konden zijn, hoe ze op elkaar leken als twee druppels water. En toen ging Alison dood en besloot Janis haar levend te houden door zichzelf op dezelfde manier te brandmerken en zo Alisons uniciteit in stand te houden. Het was een grotesk idee, maar Catherine wist dat tienermeisjes tot het meest fantastische gedrag in staat waren, zelfverminking inbegrepen.

De knipperende cursor trok haar aandacht. Het bureau had meer gestuurd dan deze drie akten. Ze drukte weer op Page Down en deze keer zat ze met open mond en verbijsterd naar het scherm te staren. Ze had dit verzoek alleen uit routine toegevoegd om alle eventualiteiten uit te sluiten. Maar het bureau had datgene gevonden waarvan ze niet echt had geloofd dat het er zou zijn.

Janis Hester Wainwright was op 11 mei 1959 overleden.

Catherine zat lang naar het scherm te staren. Er was maar één ding dat dit kon verklaren. Ze stak een sigaret op en probeerde een ander scenario te bedenken dat bij de feiten zou passen, maar er kwam niets. Niets paste, tenzij ze uitging van de veronderstelling dat Alison Carter in december 1963 niet was overleden. Wie was het meest voor de hand liggend om een meisje te verbergen dan een verre tak van haar familie? Dus had ze de identiteit aangenomen van haar dode nichtje Janis en was in Sheffield tot volwassen vrouw opgegroeid.

Een gedachte kwam in haar op waarvan haar nekharen overeind gingen staan. Al die jaren geleden had Don Smart de *Daily News* overgehaald om een helderziende te raadplegen, die had gezegd dat Alison gezond was en veilig in een rijtjeshuis woonde in een straat in een

OVERLIJDENSAKTE	
Registratiedistrict:	Graafschap Durham
Onderdistrict:	Consett
Naam:	Janis Hester Wainwright
Geslacht:	Vrouwelijk
Overleden:	Elf mei 1959
Leeftijd:	8
Doodsoorzaak:	Tuberculose
Aanwezige arts:	Dr. James Inchbald en dr. Andrew Witherwick
Adres:	Upington Terrace 27, Consett, graafschap Durham
Naam en achternaam vader:	Samuel Wainwright
Naam en achternaam moeder:	Dorothy Wainwright geboren Carter

grote stad. Destijds had iedereen er de spot mee gedreven. Het was zo'n onwaarschijnlijke uitkomst geweest van het beeld dat hun werd gepresenteerd. Maar het zag er nu naar uit dat die helderziende tegen alle verwachtingen in misschien wel gelijk had gehad.

Catherine schrok op uit haar overpeinzingen door een klop op de deur. Tommy was gekomen om haar te vertellen dat hij naar Cromford zou rijden om te kijken of er iemand thuis was. Mocht dat niet het geval zijn, dan wilde hij verdergaan naar Derby.

'Voordat je gaat,' zei ze, 'Moet je hier even naar kijken.' Ze gebaarde hem achter de laptop te gaan zitten en legde hem uit hoe hij de tekst op het beeldscherm kon verschuiven. Hij zat daar zwijgend en las zeer zorgvuldig de vier akten.

Toen draaide hij zich om en keek haar bezorgd aan. Met een stem waarin een zachte smeekbede doorklonk, zei hij: 'Vertel me alsjeblieft dat je een andere verklaring hebt gevonden.'

Catherine schudde haar hoofd. 'Ik kan er niet één bedenken.'

Met vingers die nog steeds sterk en dik waren masseerde hij zijn kaak. 'Ik moet een bezoek brengen aan de familie,' zei hij ten slotte. Hij zuchtte. 'We moeten praten over wat er hierna gebeurt. Ben je hier als ik terugkom?'

'Ik ben hier. Ik ga naar Buxton om iets te eten, want anders word ik nog gek tussen deze vier muren,' zei ze, met een gebaar naar de foto's van Scardale om haar heen. 'Ik ben om negen uur terug.'

Hij knikte. 'Dan zorg ik dat ik er ook ben. Maak je geen zorgen, Catherine, we zoeken het samen wel uit.'

'O, ik denk dat we het belangrijkste feit al hebben uitgezocht, Tommy. Wat we ermee doen, zal een beetje moeilijker zijn.'

Tommy glimlachte tegen de verpleegster van de intensive care. 'Ik ben familie,' zei hij, met het kalme zelfvertrouwen dat hem zelden in de steek had gelaten. 'George is mijn zwager.'

De verpleegster knikte. 'Zijn zoon en schoondochter zijn iets gaan eten, dus alleen zijn vrouw is nu bij hem. U kunt doorlopen.' Ze deed de deur voor hem open. 'Derde bed,' voegde ze eraan toe.

Tommy liep langzaam door de zaal. Een meter van de verschillende apparaten die zijn oude vriend in leven moesten houden, stond hij stil. Anne zat met haar rug naar hem toe; haar hoofd was gebogen, haar ene hand hield een hand van George omklemd en met de andere streek ze zacht over zijn arm, waarbij ze automatisch rekening hield met het infuus dat in zijn ader drupte. Zijn huid was bleek en had een wat klamme glans. Zijn lippen hadden een enigszins blauwe kleur en er lagen donkere schaduwen onder zijn gesloten ogen. Onder het dunne laken zag zijn lichaam er vreemd fragiel uit, ondanks de brede schouders en goed ontwikkelde spieren. Toen hij hem zo zag, beroofd van elke levenskracht, voelde Tommy zijn eigen sterfelijkheid als een koude adem op zijn huid.

Hij stapte naar voren en legde een hand op Annes schouder. Ze keek op. Haar ogen stonden vermoeid en berustend. Ze leek een ogenblik verward, maar toen herkende ze hem met een schok. 'Tommy,' hijgde ze ongelovig.

'Catherine heeft me verteld wat er gebeurd is,' zei hij. 'Ik wilde komen.'

Anne knikte alsof zijn woorden volkomen begrijpelijk waren. 'Natuurlijk.'

Tommy trok een stoel bij en ging naast haar zitten. De hand die over de arm van George had gestreken, pakte nu de zijne. 'Hoe is het met hem?' vroeg Tommy.

'Ze zeggen dat hij stabiel is, wat dat ook mag betekenen,' zei ze mat. 'Maar ik begrijp niet waarom hij nog steeds buiten bewustzijn is. Ik dacht dat het bij een hartaanval in één klap gebeurd is: je overleeft het of... Maar hij ligt er nu al bijna twee dagen zo bij en ze willen niet zeggen wanneer ze denken dat hij bij bewustzijn zal komen.'

'Ik denk dat het de manier is waarop het lichaam zich herstelt,' zei Tommy. 'Als ik George een beetje ken, zou je hem aan zijn bed moeten vastbinden als hij bij bewustzijn was omdat hij anders niet zou rusten en zich niet zou herstellen.'

Er verscheen een zwak glimlachje op Annes lippen. 'Je hebt waarschijnlijk gelijk, Tommy.' Ze bleven een paar minuten zwijgend zitten en zagen hoe Georges borst op en neer ging. Ten slotte zei Anne: 'Ik ben blij dat je gekomen bent.'

'Het spijt me alleen dat dit ervoor nodig was om de reis te maken.' Tommy gaf Anne een klopje op haar hand. 'En jij, Anne? Hoe gaat het met jou?'

'Ik ben bang, Tommy. Ik kan niet eens denken aan een leven zonder hem.' Ze keek naar haar man. Uit haar hangende schouders sprak vertwijfeling.

'Wanneer heb je voor het laatst geslapen? Of gegeten?'

Anne schudde haar hoofd. 'Ik kan niet slapen. Gisteravond ben ik even gaan liggen. Ze hebben hier een kamer voor familie. Maar ik kon niet in slaap komen. Ik wil liever niet bij hem weg. Ik wil hier zijn als hij wakker wordt. Hij zal bang zijn; hij zal niet weten waar hij is. Ik moet hier blijven. Paul heeft aangeboden om me af te lossen, maar dat lijkt me niet goed. Hij is al zo van streek. Hij geeft zichzelf de schuld, en ik ben bang voor wat hij tegen George zal zeggen als hij bijkomt. Ik wil niet dat George weer van streek raakt.'

'Maar ik ben hier nu, Anne. Ik kan bij George blijven terwijl jij op zijn minst een kop thee haalt en iets te eten neemt. Je ziet eruit alsof je er elk moment bij neer kan vallen.'

Ze draaide zich om en wierp hem een eigenaardige blik toe. 'En wat zal hij niet denken als hij jou daar ziet zitten als een soort geestesverschijning,' zei ze, met een spoortje van haar normale goede humeur.

'Nou, dan denkt hij in elk geval niet aan wat er mis is met hem,' antwoordde Tommy met een glimlach. 'Je hebt een pauze nodig, Anne. Ga een kop thee halen. Wat frisse lucht.'

Anne boog haar hoofd. 'Je hebt misschien wel gelijk. Maar ik ga niet naar buiten. Ik ga tien minuten naar de familiekamer. Maar je moet tegen hem praten. Ze zeggen dat dat kan helpen. En bel de verpleegster als hij ook maar een beweging maakt. Dan moet iemand mij komen halen.'

'Ga nou maar,' zei Tommy. 'Ik pas op hem.'

Anne stond met tegenzin op en liep langzaam weg. Terwijl ze de zaal uitliep, wierp ze om de paar stappen een blik achterom. Tommy liep naar haar lege stoel en ging voorovergebogen zitten, met zijn ellebogen op zijn knieën. Hij begon op zachte toon tegen George te praten over zijn recente ervaringen als vogelwachter. Na ongeveer tien minuten verscheen er een verpleegster om George te controleren. 'Ik weet niet hoe u het voor elkaar hebt gekregen,' zei ze, 'maar mevrouw Bennett slaapt voor het eerst sinds ze haar man hier binnen hebben gebracht. Al is het alleen maar een dutje, het zal zo goed voor haar zijn.'

'Daar ben ik blij om.' Tommy wachtte tot de verpleegster weer weg was en hervatte toen zijn monoloog. 'Je vraagt je natuurlijk af wat ik hier doe,' zei hij. 'Het is nogal een lang verhaal, ben ik bang, en ik zou het je eigenlijk niet moeten vertellen. Dus vraag je maar niet af waarom ik hier ben, wees alleen blij dat die lelijke tronie van mij genoeg was om die Anne van jou zover te krijgen een dutje te gaan doen.'

Terwijl hij praatte, zag hij dat George met zijn ogen knipperde. Toen gingen zijn ogen ineens open. Tommy boog zich over het bed en pakte zijn hand. 'Welkom terug, George,' zei hij zacht. Hij zwaaide met zijn vrije arm in een poging de aandacht van een verpleegster te trekken. 'Wees niet bang, ouwe makker. Het komt allemaal goed.'

George fronste zijn voorhoofd en in zijn ogen lag verbazing. 'Anne komt zo,' zei Tommy. 'Maak je geen zorgen.' Terwijl hij sprak, verscheen er een verpleegster bij het bed. Tommy keek op. 'Hij is wakker.'

De verpleegster liep naar George en Tommy stapte achteruit. 'Ik haal Anne,' beloofde hij. Hij haastte zich de zaal uit en volgde de bordjes naar de familiekamer. Anne lag languit op een bank en was diep in slaap. Hij vond het vreselijk om haar wakker te maken, maar ze zou het hem nooit vergeven als hij het niet zou doen. Tommy legde een hand op haar schouder en schudde zachtjes. Annes ogen schoten open; ze was onmiddellijk klaarwakker en er lag paniek op haar gezicht.

'Er is niets aan de hand,' zei hij. 'Hij wordt wakker, Anne.'

Ze kwam moeizaam overeind. 'O, Tommy,' riep ze uit, en ze sloeg haar armen om hem heen en omhelsde hem. Hij wist niet wat hij met zijn handen moest doen en bleef ongemakkelijk staan.

'Ik kom morgen terug,' zei hij, terwijl ze hem losliet en zich omdraaide om te gaan.

In de deuropening keek ze achterom. 'Bedankt, Tommy. Je bent een wonder.'

Hij keek haar een ogenblik na. 'Er is meer dan één soort wonderen,' zei hij triest, terwijl hij de intensive care verliet.

5

Augustus 1998

Catherine slaagde erin bijna anderhalf uur over een middelmatige maaltijd te doen. Toch was het nog maar net halfnegen geweest toen ze terugkwam in Longnor. In de warme avondlucht zat Tommy echter al te wachten op het kalkstenen muurtje bij haar huisje. Hij zag er bleek en grauw uit en Catherine voelde en steek van bezorgdheid. Hij leek zo fit en levendig dat ze bleef vergeten dat hij een oude man was. En hij had meer dan een halve dag gereden en waarschijnlijk nog niet gegeten.

Hij begroette haar met de opmerking: 'Je bent godzijdank terug. We moeten praten.'

'Hoe is het met George?' vroeg ze, terwijl ze naar binnen liepen. 'Wil je iets drinken?'

'Heb je whisky?'

'Alleen Ierse.' Ze wees naar het buffet. 'Ik schenk even een glas wijn in.' Ze liep naar de keuken en opende een fles. Toen ze terugkwam, had Tommy zo ongeveer een dubbele Bushmills in een glas van een benzinestation geschonken.

'Vertel eens, hoe is het met George?' herhaalde ze, het ergste verwachtend.

'Hij is bij bewustzijn gekomen. Ik was bij hem toen hij zijn ogen opende.'

'Was je bij hem? Hoe ben je binnengekomen?'

Tommy zuchtte. 'Wat denk je? Ik heb gelogen. Hij heeft natuurlijk niets gezegd, maar hij leek me te herkennen. Ik heb tegen Anne gezegd dat ik morgenochtend terugkom. Misschien kan ik dan met hem praten.'

'Ik denk niet dat dat een goed moment is om met hem over Scardale en Alison te praten,' zei Catherine.

Tommy keek haar strak aan, zoals hij dat vroeger ook zo goed had gekund, en Catherine voelde zich als een opgeprikte vlinder. 'Je bedoelt dat je niet wilt dat hij zich herinnert dat hij je gezegd heeft de hele zaak af te blazen.'

'Nee,' protesteerde ze. 'Maar als de hartaanval veroorzaakt is door wat er in Scardale is gebeurd, zou hij er niet over moeten praten, denk ik.'

Tommy haalde zijn schouders op. 'Ik denk dat George dat zelf moet beslissen. Ik ga niet aandringen, maar als hij erover wil praten, zal ik hem niet tegenhouden. Hij kan zijn hart maar beter luchten dan alles opkroppen en misschien weer een hartaanval krijgen,' zei hij koppig. 'En nu we het er toch over hebben, ik kwam Paul tegen toen ik wegging. Hij heeft me aan zijn verloofde voorgesteld. En daar moeten we over praten,' zei hij zwaar, en hij werkte in één teug de helft van zijn whiskey naar binnen. 'Laten we nog eens naar die akten kijken.'

Catherine startte de computer, terwijl Tommy heen en weer beende door de kleine woonkamer. Zodra ze de eerste akte op het scherm had, stond hij naast haar. 'Laat me Helens geboorteakte nog eens zien,' zei hij. Ze drukte op Page Down en de gegevens verschenen op het scherm.

'O god,' kreunde hij. Hij draaide zich om en liep naar de haard. Hij legde zijn arm op de schoorsteenmantel en legde zijn hoofd erop.

Catherine draaide zich om in haar stoel. 'Tommy, ga je me nog vertellen wat er aan de hand is?'

Zijn grote schouders kwamen omhoog en hij draaide zich naar haar om. Als hij het haar niet zou vertellen, was ze slim genoeg om er zelf achter te komen. Op deze manier had hij tenminste enige controle over wat ze wist en wat ze daarmee zou doen. 'Je hebt Helen gezien, nietwaar?' zei hij vermoeid.

Catherine knikte. 'We hebben elkaar vorig jaar voor het eerst ontmoet, in Brussel.'

'Deed ze je niet aan iemand denken?'

'Gek genoeg dacht ik dat ik haar eerder had gezien. Maar nu ik weet dat ze verbonden is met clans van Scardale, denk ik dat het een soort algemene Carter-gelijkenis is die ik zie.'

Tommy zuchtte. 'Ja, dat zit er een beetje in. Een gelijkenis met haar moeder. Maar degene op wie ze echt lijkt is haar vader.'

Ze fronste haar voorhoofd. 'Tommy, ik kan je niet volgen. Heb je ooit Samuel en Dorothy Wainwright ontmoet?'

Tommy liet zich zwaar in de leunstoel zakken. 'Ik heb ze nooit van mijn leven gezien, geen van beiden. Ik heb het niet over de Wainwrights. Ik heb het over Philip Hawkin.'

'Hawkin?' herhaalde Catherine. Ze begreep er niets van.

'Ze is het evenbeeld van Philip Hawkin, bij de ogen. En ze heeft zijn gelaatskleur. Ik denk dat je de gelijkenis op de foto's niet ziet, maar als je haar in het echt ziet, is het zo duidelijk als wat.'

'Je moet je vergissen,' protesteerde ze. 'George zou de gelijkenis toch hebben gezien?'

'Hij zal het verband niet hebben gelegd totdat de samenhang met Scardale recht voor zijn neus was. Bovendien heb jij gezegd dat hij volgens Paul al onrustig was, al voordat ze in Scardale kwamen.'

'Het kan nog steeds toeval zijn,' zei Catherine koppig. Als ze dit verhaal zou willen doorzetten, moest ze elk feit bestrijden, zodat haar verdediging al klaar was voordat ze een redacteur moest overtuigen. Ze kon net zo goed gebruikmaken van Tommy's ervaring om haar argumentatie op te bouwen.

'Kijk naar de geboorteakte,' zei hij. 'Ze heet Helen Ruth. Ik weet dat Ruth nu niet direct een ongewone naam is, maar in die tijd was het in deze streken heel gebruikelijk om een kind een familienaam als tweede naam te geven, meestal die van een grootouder. Als je dit toevoegt aan alle andere gegevens die we hebben, is het feit dat Helens tweede naam Ruth is te veel toeval.'

Catherine stak een sigaret op om de onvermijdelijke vraag uit te stellen. 'Dus, als Philip Hawkin Helens vader was... wie was dan haar moeder?'

'Nou, niet zijn vrouw, dat is wel zeker. Ruth Hawkin was in 1964 niet bezig een kind te krijgen; ze was bezig met het proces tegen haar man. We hebben haar tijdens de voorbereidingen voor het proces minstens één keer per week gezien, en ze was niet zwanger.'

'Bij sommige vrouwen zie je het niet,' merkte ze op. 'Ze zien er alleen maar uit alsof ze een beetje dikker zijn geworden.'

Hij schudde zijn hoofd. 'Catherine, toen we Ruth voor het eerst ontmoetten, was ze een stevige boerenvrouw. Toen het proces begon, zag ze eruit alsof een flinke windvlaag haar ongemerkt van Scardale naar Denderdale kon blazen. Ze kan geen dochter hebben gekregen in 1964.'

'Maar wie dan?' hield Catherine vol. Ik neem aan dat we een waanzinnige, hartstochtelijke affaire met Dorothy Wainwright wel kunnen uitsluiten?

'Het is altijd mogelijk, denk ik,' zei Tommy. 'Dorothy zal toen halverwege de dertig zijn geweest. Maar als Hawkin met haar had geslapen, denk ik dat hij het tijdens het proces had gebruikt om te bewijzen dat hij een normale, viriele man was, en niet een of andere verleider van kleine meisjes. We hebben altijd gedacht dat dat de enige reden is geweest waarom hij met Ruth trouwde, zodat hij, als mensen zich ooit zouden afvragen of hij Alison lastig viel, zijn huwelijk zou kunnen gebruiken om te bewijzen dat hij net was als alle andere kerels. In elk geval wijst niets erop dat hij de Wainwrights ooit heeft ontmoet. Maar als we uitgaan van onze theorie over de ware identiteit van de vrouw die zich Janis Wainwright noemt, hebben we bij de

Wainwrights thuis iemand van het vrouwelijk geslacht en met de leeftijd om kinderen te kunnen krijgen die aantoonbaar een verbintenis met Hawkin had. Een jonge vrouw van wie we op basis van fotografisch bewijs weten dat ze verkracht werd door Hawkin.' Zijn woorden vielen zwaar als stenen.

'Alison Carter is de moeder van Helen Markiewicz geboren Wainwright,' zei Catherine, Tommy's omhaal van woorden in niet mis te verstane bewoordingen omzettend. 'En Philip Hawkin is haar vader.'

Ze keek naar Tommy, die haar zwijgend aankeek. Niets anders vormde een verklaring voor de harde feiten en de fysieke gelijkenis die ze hadden gevonden. Maar het was een oplossing die zoveel vragen opriep dat Catherine niet wist waar ze moest beginnen.

Ze haalde diep adem en zei wat ze wist dat Tommy moest denken. 'Dus George Bennett staat op het punt de schoonvader te worden van de dochter van een man die onder zijn verantwoordelijkheid is opgehangen voor de moord op haar moeder. Alleen was Helen nog niet geboren toen haar vader haar moeder zou hebben vermoord.' Zo geformuleerd, dacht ze, leek Oedipus Rex meer op een alledaags verhaal voor plattelanders.

'Daar lijkt het op,' zei Tommy. Hij leegde zijn glas en stak zijn hand uit naar het buffet om de fles whiskey te pakken.

'Ik weet dat dit krankzinnig klinkt... maar het ziet ernaar uit dat Ruth en Alison hebben samengezworen om Philip gearresteerd te krijgen.'

Tommy schonk zichzelf langzaam een tweede stevige Bushmills in. Hij nam een slokje, terwijl hij haar recht aankeek vanonder zijn borstelige wenkbrauwen. Toen liet hij het glas zakken en zei: 'Op zijn minst, Catherine. Op zijn minst.'

Ze schonk zich nog wat rode wijn in. Haar hand beefde, merkte ze. Dit was meer dan het beste verhaal waar ze ooit tegenaan was gelopen – het was een tragedie met het potentieel om vijfendertig jaar te overbruggen en een vernietigende uitwerking te hebben op een tweede generatie mensen die geen idee hadden dat hun geschiedenis een zo dramatische lading meedroeg. Ze was in een positie die tegelijkertijd angstaanjagend en opwindend was. Ze dacht niet dat ze helemaal te vertrouwen was met de informatie die ze al bezat; ze was bijna blij dat Tommy er was om als rem te dienen op haar wildere instincten.

'En wat nu?'

'Goeie vraag,' zei Tommy.

'O, daar heb ik er genoeg van.'

'Ik denk dat er maar één echte mogelijkheid is. Ik denk dat we hier nu mee op moeten houden en de hele zaak vergeten. Dat we Alison

Carter, als zij het is, met rust moeten laten. Dat we Helen en Paul moeten laten trouwen zonder dat er een wolkje aan de lucht is.'

'Vergeet het maar,' protesteerde Catherine. 'Ik kan dit niet zomaar negeren. Het zet een van de belangrijkste rechtszaken van de naoorlogse jaren op zijn kop. Het haalt een belangrijk juridisch precedent onderuit.'

'Bespaar me dat, Catherine,' zei Tommy kwaad. 'Je geeft geen flikker om juridische precedenten. Het enige wat jij ziet is de primeur van je leven en het geld dat je ermee kunt verdienen. Begrijp je niet hoeveel levens je kapot zult maken als je dit publiceert? De hele reputatie van George is naar de maan. Paul en Helen hebben geen toekomst meer, om nog maar te zwijgen van Helens leven, dat aan gruzelementen ligt. Hoe denk je dat ze zich zal voelen als ze ontdekt dat haar zuster in werkelijkheid haar moeder is en dat de vrouw van wie ze dacht dat ze haar moeder was heeft meegedaan aan een samenzwering om haar vader te doden? En dan hebben we Janis nog, of Alison, of hoe je haar ook wilt noemen. Ze zal waarschijnlijk aangeklaagd worden voor samenzwering tot moord. En dat allemaal alleen maar zodat jij je vijftien minuten roem kunt hebben?' Hij schreeuwde nu, en zijn aanwezigheid vulde de kamer zo dat Catherine geen adem meer kon krijgen.

Ze slikte moeizaam en zei: 'Dus ik moet de laatste zes maanden van mijn leven maar gewoon afschrijven? Ik heb hier ook een belang in, Tommy. Jij was degene die het over de betekenis van gerechtigheid had. Je bent bij de politie weggegaan omdat ze die gerechtigheid niet konden waarmaken. En nu zeg je: vergeet die gerechtigheid maar, vergeet de waarheid maar, ik ga mijn reputatie beschermen en het feit verdoezelen dat mijn baas en ik een onschuldige man hebben opgehangen?' Ze was nu net zo kwaad als hij.

Tommy sloeg wat whiskey achterover en probeerde zijn woede te onderdrukken. 'Het gaat niet om mij, Catherine. Het gaat om een fatsoenlijke man en zijn onschuldige familie. Ze verdienen het niet, geen van hen, dat hun leven kapot wordt gemaakt om iets dat vijfendertig jaar geleden al dood en begraven had moeten zijn. Luister, die laatste zes maanden hoeven niet verspild te zijn. Je kunt je boek nog steeds publiceren zoals het er ligt en verder geen slapende honden wakker maken.'

'Maar George wilde die slapende honden wakker maken. Hij is integerder dan jij, Tommy. Hij wilde het boek niet laten uitkomen omdat het de waarheid niet is.'

Tommy schudde zijn hoofd. 'Hij heeft in een impuls gehandeld. Als hij de tijd heeft gehad om erover na te denken, zal hij begrijpen dat het zin heeft om het door te laten gaan.'

'Je bedoelt als jij hem hebt overgehaald,' zei Catherine woest. 'Dat is niet goed genoeg meer, Tommy. Ik kan die e-mail wel uit mijn computer wissen, maar ik kan die kennis niet uit mijn hoofd wissen. Ik zal achter de waarheid komen, en je kunt me eerlijk gezegd niet tegenhouden.'

Er volgde een lange stilte. Tommy voelde hoe zijn handen zich tot vuisten balden en vocht om zijn vingers recht te krijgen. Ten slotte haalde hij diep adem en zei. 'Ik kan je misschien niet tegenhouden. Maar ik kan je kapotmaken als het boek verschenen is. Ik kan de pers vertellen hoe je misbruik hebt gemaakt van een man die in het ziekenhuis voor zijn leven vocht. Ik kan zeggen dat je bewust gebruik hebt gemaakt van de onmacht van George Bennett om hem en zijn familie erin te luizen. Als ik met je klaar ben, dat beloof ik je, zul je er niet meer uitzien als een strijdster voor gerechtigheid. Je zult net zo verachtelijk overkomen als Philip Hawkin.'

Ze zaten doodstil, loerend naar elkaar als twee revolverhelden. Ten slotte sprak Catherine, en ze dwong zichzelf om kalm te klinken. 'We hebben geen van beiden het recht om zonder George een beslissing te nemen,' zei ze. 'We weten niet eens of we gelijk hebben. Voordat we verder iets doen, moeten we met Alison Carter praten.'

Tommy wendde zijn blik van haar af en keek naar de foto's aan de muur. Alison Carter, George Bennett, Ruth Carter, Philip Hawkin. Diep vanbinnen wist hij dat ze gelijk had. De beslissing was niet aan hen alleen. En geen enkele beslissing die zo belangrijk was, moest gemaakt worden zonder van alle feiten op de hoogte te zijn. Hij zuchtte. 'Goed. Morgen gaan we naar Scardale om wat antwoorden te krijgen.'

6

Augustus 1998

De volgende ochtend om acht uur stond Tommy bij Catherine op de stoep. Toen ze de deur opende, zag ze eruit alsof ze net zo weinig slaap had gehad als hij. 'Je bent vroeg,' zei ze, terwijl ze achteruitstapte en hem binnenliet. 'Alison zal het niet erg op prijs stellen als we op dit uur komen aanzetten.'

'We gaan nog niet naar Scardale,' zei hij.

'O nee?'

'Nee. Ik heb Anne beloofd om vanmorgen langs te gaan in het ziekenhuis. Ik wil dat eerst doen. En ik wil dat jij me erheen rijdt,' zei Tommy, terwijl hij zichzelf aan wat toast van Catherines bord hielp.

'Doe maar alsof je thuis bent,' zei ze, en ze merkte verbaasd dat ze eerder geamuseerd dan geïrriteerd was. 'Ik snap het. Je vertrouwt er niet op dat ik wacht tot je terug bent. Jij denkt dat ik er in mijn eentje op afga en het hele verhaal uit Alison Carter pers.'

Tommy schudde zijn hoofd. 'Gek genoeg zit je ernaast. Heb je nog toast?'

'Ik maak nog wat.'

Hij volgde haar naar de keuken. 'Het gaat er niet om dat ik je niet vertrouw. Waar het om gaat is dat ik niet meer zo jong ben als ik was. Ik heb gisteren meer gereden dan ik thuis gemiddeld in een maand doe en ik slaap nooit goed in een vreemd bed. Waar het op neerkomt, Catherine, is dat ik me liever laat rijden dan dat ik zelf helemaal naar Derby heen en weer rijd.'

Ze liet twee sneetjes brood in de broodrooster zakken en zei goedkeurend: 'Een prima verhaal, Tommy. Ik zou je bijna geloven.' Ze grinnikte om de gekwetste uitdrukking op zijn gezicht. 'Het is goed. Natuurlijk rij ik je naar Derby. Wat Janis Wainwright ook te vertellen mag hebben, het zal niet veranderen tussen nu en straks.'

Tijdens de rit naar Derby gingen beiden op in hun eigen gedachten en spraken ze weinig. Catherine pijnigde nog steeds haar hersens om een strategie te bedenken voor de ontmoeting die voor hen lag in Scardale. Ze was nog lang na middernacht opgebleven, rokend, drinkend en nadenkend. Ze had altijd geloofd dat het succes van een vraaggesprek grotendeels bepaald werd door de grondigheid van de voorbereiding. Maar hoe ze ook nadacht over de dingen die Tommy en zij nu wisten, ze kon bij dit verhaal geen manier bedenken die echt de waarheid zou opleveren. Janis Wainwright had nog steeds te veel te verliezen.

De eerste verrassing van die dag kwam toen Tommy de verpleegster van de intensive care vertelde dat hij gekomen was voor een bezoek aan zijn zwager, George Bennett. 'Hij is niet meer bij ons,' zei de verpleegster, terwijl ze een klembord op haar bureau raadpleegde.

Heel even voelde Tommy hoe zijn hart zich in zijn borst samentrok. 'Dat kan niet kloppen. Hij is gisteravond bijgekomen. Ik heb gezien dat hij zijn ogen opende.'

De verpleegster glimlachte. 'Dat klopt. We hebben hem naar een andere kamer overgebracht omdat hij niet meer in onmiddellijk gevaar verkeert.' Ze verwees hen naar de hartafdeling, waar George heen was gebracht.

'De tact en diplomatie van de gezondheidszorg,' zei Catherine droog.

Ze liepen door de gang, gingen een hoek om en vonden de zaal die ze zochten. Tommy keek door het raam in de deur. Er stonden vier bedden in de kamer, waarvan er twee onbezet waren. Bij het raam ontdekte hij Anne. Ze zat bij een bed en onttrok de bezetter ervan, die half overeind in de kussens leek te liggen, aan het gezicht. Tommy wendde zich tot Catherine. 'Ik denk dat je beter buiten kunt wachten.'

Ze stemde hier met tegenzin mee in. 'Er is een cafetaria op de zesde verdieping. Daar wacht ik op je.' Ze haalde haar cassetterecorder uit haar zak. 'Ik neem niet aan...?'

Tommy schudde zijn hoofd. 'Dit is tussen George en mij. Maar je hoeft je geen zorgen te maken. Ik zal niet tegen je liegen.'

Hij keek hoe ze naar de liften liep, rechtte toen zijn schouders en duwde de deur open. Toen hij dichterbij kwam, kon hij het gezicht van George zien. Het was moeilijk te geloven dat dit dezelfde man was die er de avond tevoren nog uit had gezien alsof hij elk moment het leven kon laten. Hij zag er nog steeds uitgeput uit, maar er was wat kleur op zijn wangen en de donkere kringen onder zijn ogen waren minder opvallend. Toen hij Tommy zag, lichtte zijn gezicht op in een brede glimlach.

'Tommy Clough,' zei George, op zwakke maar duidelijk verheugde toon. 'En ik maar denken dat ik dood was en naar de hel was gegaan toen ik mijn ogen opende en jou daar over me heen gebogen zag staan.'

Tommy omvatte de hand van zijn voormalige baas met zijn beide handen. 'Volgens mij was het zo'n schok om mijn stem te horen dat je wakker bent geworden.'

'Geloof dat maar. Ik wist dat ik zo'n rokkenjager als jou niet kon vertrouwen met mijn Anne zonder mij erbij als chaperonne.'

'George,' zei Anne berispend. 'Dat is vreselijk om tegen Tommy te zeggen terwijl hij helemaal hierheen is gekomen om je op te zoeken.'

'Let maar niet op hem, Anne. Hij ijlt natuurlijk nog. Hoe voel je je, George?'

'Bekaf, als je het echt wilt weten. Ik heb me nog nooit van mijn leven zo moe gevoeld.'

'Je hebt ons wel een beetje aan het schrikken gemaakt,' zei Tommy.

'Dat spijt me. Trouwens, als ik geweten had dat dit de manier was om je weg te halen uit je kluizenaarsbestaan, had ik het jaren geleden al gedaan,' zei George.

Tommy en Anne wisselden een blik. Ze waren blij dat George, zo zwak als hij was, zijn gevoel voor humor niet had verloren.

'Ja, nou, ik zal in de toekomst eens wat vaker langskomen. Ik heb het trouwens van Catherine gehoord. Ze is helemaal naar Northumberland gereden om me het nieuws te brengen.'

George knikte en zijn ogen werden wat somberder. 'Ik had het kunnen weten,' zei hij. 'Anne, lieverd, zou je mij een plezier willen doen? Zou je Tommy en mij even alleen willen laten? Niet lang, een kwartiertje of zo? We hebben... een paar dingen te bespreken, lieverd.'

Anne fronste haar voorhoofd. 'Ze zeiden dat je je niet mocht vermoeien, George.'

'Dat weet ik. Maar het is slechter voor me om hierover te piekeren dan met Tommy te praten. Vertrouw me, lieverd. Ik speel niet meer met de dood.' Hij pakte haar hand en klopte er zachtjes op. 'Ik zal het allemaal uitleggen, dat beloof ik. Maar niet nu.'

Anne tuitte afkeurend haar lippen. Maar ze stond op. 'Maak hem niet moe, Tommy.' Ze wendde zich weer tot George. 'Ik zal Paul bellen en hem zeggen dat ze beter vanmiddag kunnen komen.'

'Bedankt, lieverd.' George volgde haar met zijn ogen naar de deur. Toen vroeg hij Tommy met een zucht te gaan zitten. 'Ik was al bang dat ze het niet op zou geven,' zei hij. 'Hoeveel weet je?'

'We wéten niet veel, maar ik denk dat we er wel min of meer achter zijn.' Tommy gaf een korte schets van de dingen die Catherine had uitgezocht. 'Het laat niet veel ruimte voor twijfel over,' zo besloot hij.

'Het is toch niet te geloven? Maar ik wist het zodra ik haar zag,' zei George. 'Ik heb acht maanden met dat gezicht geleefd en het heeft me nog jaren achtervolgd. Ik wist dat de vrouw in Scardale Manor Alison Carter was, hoe ze zichzelf ook mocht noemen. En toen besefte ik wie Helen moest zijn.' Zijn ogen sloten zich en zijn borst ging op en neer met zijn oppervlakkige ademhaling. Toen hij zijn ogen weer opende, zag hij Tommy's bezorgde blik. 'Het gaat goed,' verzekerde hij hem. 'Ik ben moe, dat is alles.'

'Doe maar rustig aan. Ik heb geen haast.'

George glimlachte zwak. 'Nee, maar Catherine wel, denk ik. Ik neem aan dat er niet veel kans is dat ze ermee ophoudt?'

Tommy haalde zijn schouders op. 'Ik weet het niet. Ze is bepaald geen doetje. Ik heb haar gisteravond laten beloven dat ze met jou zou praten voordat ze een beslissing neemt over wat ze gaat doen. Maar die belofte heeft wel een prijs. Ik moet met haar mee naar Scardale voor een confrontatie met de vrouw van wie we allemaal denken dat ze Alison is. Catherine staat erop alle feiten te hebben, en ik kan haar geen ongelijk geven.'

'Voor mezelf maakt het niet uit,' zei George. 'Maar ik maak me zorgen om Paul en Helen. Wij hebben een verschrikkelijke fout gemaakt voordat ze zelfs maar geboren waren, maar straks zijn zij degenen die ervoor moeten boeten. Ik weet niet hoe ze het moeten overleven als het allemaal openbaar zou worden. En ik weet niet hoe Anne me moet vergeven voor de schade die ik zou hebben aangericht.'

'Ik weet het. En het gaat niet alleen om hen, George. Het gaat ook om Alison. Wat ze ook gedaan mag hebben, het heeft haar al meer gekost dan we ooit zullen weten. Ze kunnen haar nog steeds aanklagen voor samenzwering, en ik denk dat ze dat niet verdient.'

'Dus wat moet er gebeuren, Tommy? Aan mij heb je niets, hier in dit bed.'

Tommy kon zijn frustratie niet verbergen en schudde zijn hoofd. 'Ik denk dat we een beter idee hebben als we eenmaal gehoord hebben wat Alison te vertellen heeft.'

'Doe wat je kunt. Ik ben moe nu. Ik denk dat je beter kunt gaan.'

Tommy stond op. 'Ik zal mijn best doen.'

George knikte. 'Dat deed je altijd al, Tommy. Er is geen reden om nu iets anders te verwachten.'

Met het gevoel dat hij twintig jaar ouder was dan nog maar een dag tevoren liep Tommy de kamer uit naar een ontmoeting die hij nooit had verwacht aan deze kant van het graf. De laatste keer dat hij deze last op zijn schouders had gevoeld, was toen ze de zaak tegen Philip Hawkin hadden opgebouwd. Hij hoopte het deze keer beter te doen.

7

Augustus 1998

Het weer was weer omgeslagen naar de troosteloze grijze luchten en hevige regenbuien die het grootste deel van de zomer hadden gekenmerkt. Toen ze de weg naar Scardale opdraaiden, viel er een plotselinge stortbui over de auto die het grove asfalt voor hen in een draaikolk van ondiep water veranderde.

'Het weer werkt echt mee,' zei Tommy laconiek. Hij voelde een heftige mengeling van emoties. Zijn nieuwsgierigheid was gewekt door het vooruitzicht eindelijk achter de waarheid te komen, maar hij was ongerust over de mogelijke gevolgen van de onthullingen. Hij was zich bewust van zijn verantwoordelijkheid ten opzichte van George en zijn familie, en onzeker of hij die verplichting zou kunnen nakomen. En hij voelde een groot medelijden met de vrouw wier toevluchtsoord ze op het punt stonden haar te ontnemen. Hij wenste met heel zijn hart dat George er nooit in had toegestemd om zijn zwijgen te verbreken. Of dat hij een minder intelligente en vasthoudende schrijver had gekozen om mee te werken.

Catherine, van haar kant, stond zichzelf niet toe ook maar aan iets anders te denken dan de manier waarop ze Janis Wainwright zover zou krijgen de waarheid te vertellen. Er zou genoeg tijd zijn om uit te zoeken wat ze met de informatie zou doen als ze die eenmaal verzameld had. Haar taak nu was zorgen dat de beslissingen later in het volledige bezit van de feiten genomen zouden worden. Ze controleerde haar kleine cassetterecorder, die weggestopt zat in de zak van haar linnen jasje. Het enige wat ze hoefde te doen was de knoppen voor opnemen en afspelen samen indrukken en ze zou een uitstekend verslag hebben van wat Janis Wainwright – of eigenlijk, Alison Carter – te zeggen had.

Ze stonden stil bij het grote huis, en Catherine parkeerde voor de oprit, zodat Janis alleen te voet zou kunnen ontsnappen. Zwijgend wachtten ze tot de stortbui voorbij was en zompten toen over het gras naar het pad dat naar de keukendeur leidde.

Tommy liet de klopper neerkomen. De deur ging vrijwel meteen open. Zonder het nadeel van de zon, kon Catherine nu een goede blik werpen op de vrouw die tegenover hen stond met een behoedzame blik in haar ogen. Het litteken was onmiskenbaar. Het leed vrijwel geen twijfel dat dit Alison Carter was. De vrouw opende haar mond om te spreken, maar Tommy hief zijn hand op en schudde zijn hoofd. 'Ik ben Tommy Clough, voorheen brigadier Clough van de recherche. We zouden graag binnenkomen om een praatje te maken.'

De vrouw schudde haar hoofd. De deur begon langzaam dicht te gaan. Tommy legde zijn grote hand ertegenaan, niet echt om te duwen, maar wel om te voorkomen dat hij verder dicht zou gaan tenzij ze haar hele gewicht zou gebruiken. Met een stem die vastberaden maar vriendelijk klonk, zei hij: 'Je kunt de deur beter niet voor onze neus dichtgooien, Alison. Denk eraan dat Catherine journaliste is. Ze weet al genoeg om een versie van het verhaal te schrijven. Voor samenzwering tot het plegen van moord bestaat geen verjaringswet. En wat Catherine nu al kan schrijven, betekent dat je nog steeds geconfronteerd kunt worden met vervolging.'

'Ik heb niets te zeggen,' gooide ze eruit. Op haar gezicht was paniek te lezen en de hand die de deur niet vasthield kroop automatisch omhoog naar haar wang.

Soms, dacht Catherine, was brutaliteit het enige dat echt hielp. 'Goed,' zei ze, 'dan moet ik maar eens kijken wat Helen me kan vertellen.'

De ogen van de vrouw gloeiden een ogenblik van woede, toen haalde ze langzaam, berustend haar schouders op. Ze stapte opzij en hield de deur open, zoals haar moeder honderden keren voor haar moest hebben gedaan. 'Ik kan de rotzooi die jij denkt te weten maar beter corrigeren dan dat je Helen onnodig van streek maakt,' zei ze met een koude, harde stem.

Tommy stond net over de drempel toen ze de deur achter hen sloot. 'Je hebt hier wat dingen veranderd,' zei hij, terwijl hij om zich heen keek in de keuken, die bijna zonder verdere aankleding in een interieurtijdschrift had kunnen staan.

'Dat heeft niets met mij te maken. Toen het huis nog van mijn tante was, heeft ze de keuken laten opknappen voor de huurders,' zei ze bruusk.

'Het verbaast me niet,' zei Tommy. Naast hem drukte Catherine heimelijk op de knoppen van haar cassetterecorder. 'Hawkin besteedde zijn geld met plezier aan zijn fotografie... of aan jou, Alison, maar hij heeft nooit een cent uitgegeven voor het comfort van je moeder.'

'Waarom blijf je me Alison noemen?' vroeg ze. Ze stond met haar rug tegen de muur, haar armen voor haar borst geslagen en een glimlach op haar gezicht die een gemoedsrust probeerde uit te drukken die ze duidelijk niet voelde. 'Mijn naam is Janis Wainwright.'

'Te laat, Alison.' Catherine trok lawaaiig een stoel naar achteren en ging aan de geboende houten tafel zitten. Als Tommy had besloten dat hij vandaag de goede agent zou spelen, was zij meer dan bereid om de rol van de gemene agent op zich te nemen. 'Je had moeten spelen dat je verbaasd was toen Tommy je de eerste keer Alison noemde. Je zag er alleen maar geschokt uit, niet verward. Je zei niet: "Neem me niet kwalijk, maar jullie zijn aan het verkeerde adres, er woont hier geen Alison."'

Alison keek haar woedend aan. Voor het eerst merkte Catherine hoeveel ze op haar moeder leek. Op de foto's die ze had gezien, moest Ruth tien jaar jonger zijn geweest dan Alison nu was, hoewel ze er ouder uit had gezien. 'Je lijkt veel op je moeder,' zei Catherine.

'Hoe zou jij dat weten? Je hebt mijn moeder nooit ontmoet,' zei Alison uitdagend.

'Ik heb foto's van haar gezien. Tijdens het proces stond ze in alle kranten.'

Alison schudde haar hoofd. 'Je praat alleen maar onzin. Ik heb geen idee waar je het over hebt, weet je. Mijn moeder is nooit van haar leven bij een proces betrokken geweest.'

Tommy liep de keuken door en posteerde zich tegenover haar. Met een meelevend glimlachje schudde hij zijn hoofd. 'Het is te laat, Alison. Het heeft geen zin om nog te doen alsof.'

'Hoezo, doen alsof? Ik zeg jullie toch, ik heb geen flauw idee waar jullie het over hebben.'

'Wil je nog steeds beweren dat je Janis Wainwright bent?' zei Catherine koud.

'Hoe bedoel je, beweren? Wat is dit? Ik bel de politie,' zei ze, en ze liep naar de telefoon.

Tommy en Catherine deden niets en zeiden niets. Alison sloeg het telefoonboek open en zocht het nummer op. Toen keek ze over haar schouder om na te gaan of ze soms weggingen. Catherine glimlachte beleefd en Tommy schudde zijn hoofd weer. 'Je weet dat dat geen goed idee is,' zei hij treurig, terwijl haar hand langzaam naar de telefoon ging.

'Nee, Tommy, laat haar maar. Ik wil haar echt graag horen uitleggen hoe ze de herrijzenis voor elkaar heeft gekregen,' zei Catherine, het toppunt van redelijkheid. Alison verstijfde. 'Dat klopt, Alison. Ik weet dat Janis in 1959 is overleden. Elf mei, om precies te zijn. Het moet heel erg zijn geweest voor je tante Dorothy en oom Sam. En ook voor jou, want Janis en jij waren ongeveer van dezelfde leeftijd.'

In Alisons ogen was nu angst te lezen. Ze moest jarenlang nachtmerries hebben gehad over dit moment, dacht Tommy met een steek van medelijden. En nu gebeurde het. De angst die ze nu moest voelen, kon hij zich niet eens voorstellen. Twee vreemden in haar keuken, één met alle reden om wraak te willen voor het feit dat ze hem vijfendertig jaar eerder voor gek had gezet, de ander kennelijk vastbesloten om haar duisterste geheimen te onthullen aan een sensatiebeluste wereld. En Catherine maakte het bepaald niet gemakkelijker met haar agressieve houding. Hij moest op de een of andere manier voor wat rust zorgen om Alison het gevoel te geven dat ze haar beste kans waren om nog iets te redden in deze afschuwelijke situatie.

'Ga zitten, Alison,' zei hij vriendelijk. 'We zijn er niet op uit om jou te pakken te nemen. We willen alleen de waarheid weten, dat is alles. Als we van plan waren geweest je kapot te maken, waren we meteen naar de politie gegaan nadat Catherine de overlijdensakte van Janis Wainwright had gevonden.'

Langzaam, onzeker, als een dier dat gevaar bespeurt, liep ze naar de tafel en ging tegenover Catherine aan het andere uiteinde zitten. 'Wat heb jij ermee te maken?' vroeg ze haar.

'George Bennett ligt in het ziekenhuis in Derby door wat hij hier in dit huis heeft gezien. Helen heeft je vast gebeld om het te vertellen,' zei Catherine.

Ze knikte. 'Ja, en dat spijt me. Ik heb George Bennett nooit iets anders dan het beste gewenst.'

'Je had hem hier nooit mogen laten komen als je hem het beste wenste,' zei Tommy, en hij was niet in staat de woede en pijn uit zijn stem te houden. 'Je moet geweten hebben dat hij je zou herkennen.'

Ze zuchtte. 'Wat moest ik doen? Hoe moest ik aan Helen uitleggen dat ik haar toekomstige schoonfamilie niet wilde ontmoeten? We konden het maar beter achter de rug hebben dan dat we elkaar op de bruiloft zouden zien. Maar je hebt mijn vraag nog niet beantwoord. Wat heb jij ermee te maken?'

Catherine boog zich naar voren. Haar stem was zo intens als haar uitdrukking. 'Ik ben zes maanden bezig geweest met George Bennett om een verhaal te vertellen. Nu kom ik erachter dat we allebei gemanipuleerd zijn, dat we een leugen hebben geloofd. George Bennett heeft een verschrikkelijke prijs betaald voor die ontdekking. En ik zal niet meehelpen om die leugen in stand te houden.'

'Wat het ook voor andere mensen mag betekenen? Zelfs als het George Bennett te schande maakt? Zelfs als het Paul Bennett kapotmaakt, en Helen ook?' barstte Alison uit. Haar zelfbeheersing spatte uiteen als een gloeilamp op een stenen vloer. 'En het gaat niet alleen om hen.' Haar hand vloog naar haar mond in een klassiek gebaar, en haar ogen werden groot toen het tot haar doordrong dat ze hun meer had verteld dan ze wisten.

'Als je wilt dat ik geen actie onderneem, zul je me een betere reden moeten geven dan sentimentaliteit. Het is tijd om te praten, Alison,' zei Catherine koel. 'Tijd voor het hele verhaal.'

'Waarom zou ik je ook maar iets vertellen? Dit kan een truc zijn. Iedereen weet hoever broodschrijvers als jij kunnen gaan om een verhaal te krijgen. Hoe weet ik dat je ook maar iets over me weet?' Het was een laatste wanhopige poging, en ze wisten het alledrie.

Catherine opende haar tas en haalde er de uitdraaien van de vier akten uit. 'We beginnen hiermee,' zei ze, en ze gooide ze over de tafel naar Alison. Ze dwarrelden voor haar neer. Alison las ze langzaam door en gebruikte de tijd om zichzelf weer onder controle te krijgen. Toen ze opkeek, was haar gezicht weer uitdrukkingsloos. Maar Catherine zag hoe zich onder de armen van haar lichtgroene blouse zweetplekken vormden.

'En?' zei Alison.

Catherine haalde de met de computer verouderde foto te voorschijn en schoof hem naar Alison. 'Volgens de computer van de Universiteit van Manchester zou Alison er zo uitzien als ze nog in leven was. Heb je de laatste tijd nog in de spiegel gekeken?'

Alisons lippen scheidden zich, en door haar opeengeklemde tanden haalde ze sissend adem. De blik die ze Catherine toewierp, maakte haar blij dat ze Tommy bij zich had.

'Wat we weten is dat je niet Janis Wainwright bent. Dankzij de wonderen van DNA kan waarschijnlijk worden aangetoond dat je Alison Carter bent. Wat beslist kan worden aangetoond, is dat Helen niet je zuster is maar je dochter. De dochter die je gekregen hebt toen je nauwelijks veertien was, na systematisch misbruik en verkrachting door je stiefvader, Philip Hawkin. De man die ze opgehangen hebben voor moord op jou. Als wij naar de politie zouden gaan met wat we hebben, zouden ze de lijken kunnen opgraven en deze verwantschappen kunnen aantonen, moeiteloos.' Catherine sprak met klinische precisie.

'Ik ben bang dat ze gelijk heeft, Alison,' zei Tommy. 'Maar ik meende wat ik zei. We zijn hier niet gekomen om een zaak tegen je op te bouwen. In het belang van alle betrokkenen moeten we weten wat er gebeurd is. Zodat we allemaal samen kunnen beslissen hoe we er het beste mee om kunnen gaan.'

Zonder om toestemming te vragen, pakte Catherine haar sigaretten en stak er een op. Tommy liep naar de afdruipplaat en bracht haar een bord. Deze handeling vulde een lange stilte waarin Alison zonder een woord te zeggen naar de met de computer verouderde foto staarde. Haar ogen waren glazig van onvergoten tranen.

'Ik zal je zeggen wat er volgens ons is gebeurd,' zei Tommy zacht, terwijl hij bij haar ging zitten. 'Hawkin misbruikte je en wij denken dat je niet wist wat je eraan moest doen. Je was bang voor wat er zou gebeuren als je het aan je moeder zou vertellen. De meeste kinderen zijn daar bang voor. Maar jij had al meegemaakt dat ze een man verloor en was bang dat ze net zo vreselijk verdrietig zou zijn als je haar zou dwingen om tussen Hawkin en jou te kiezen. Toen werd je zwanger. En je moeder besefte wat er was gebeurd.'

Alisons knikje was bijna onwaarneembaar. Eén enkele traan gleed uit haar rechteroog en stroomde over haar wang. Ze maakte geen beweging om hem weg te vegen.

'Dus stuurde ze je weg om bij je oom en tante te gaan wonen en vertelde je dat je vanaf dat moment Janis moest zijn,' vervolgde Tommy. 'En toen is ze haar plan gaan uitvoeren om hem de schuld in de schoenen te schuiven. Met de informatie die jij haar had gegeven, kon ze zorgen dat George Bennett het bewijsmateriaal zou vinden dat zij had georganiseerd. Ze ontdekte zelfs waar de foto's werden bewaard. En al die tijd hield jij je mond. Je verdroeg de verschrikkingen van een ongewenste zwangerschap, je verloor je kindertijd en je verloor elke kans op geluk. Je kon je dochter niet eens als je eigen kind grootbrengen. Jarenlang was de opoffering draaglijk omdat jullie allemaal iets hadden wat in de buurt kwam van een fatsoenlijk leven. En door een verschrikkelijk toeval, doordat Paul en Helen elkaar ontmoetten en verliefd werden, is het nu vreselijk fout gegaan.'

Alison haalde diep en trillend adem. 'Jullie lijken het allemaal zonder mijn hulp te hebben uitgewerkt,' zei ze beverig.

Tommy legde een hand op haar arm. 'We hebben gelijk, nietwaar?'

'Nee, Tommy,' kwam Catherine tussenbeide, ogenschijnlijk niet onder de indruk van het emotionele tafereel dat zich voor haar afspeelde. 'Er is meer. Voordat we hier kwamen, dachten we dat dat het hele verhaal was, maar er is meer. Klopt dat? Je hebt het zelf verraden, Alison. Toen je zei dat niet alleen het leven van Paul en Helen kapot zou worden gemaakt. Er is meer aan de hand en je gaat het ons vertellen.'

Met ogen die donker waren van woede keek ze op naar Catherine. 'Je vergist je. Er is niets meer te vertellen.'

'O, ik denk van wel. En ik denk dat je het ons gaat vertellen. Want zoals de zaken nu liggen, sta ik niet aan jouw kant. Jij en je moeder hebben Philip Hawkin vermoord. Het is niet iets wat in een opwelling is gebeurd, onder onmiddellijke provocatie. Jullie zijn er maanden mee bezig geweest en hebben al die tijd je mond gehouden. Jullie hebben aardig wat moeite gedaan om wraak te nemen. Maar ik zie geen enkele reden om jou te beschermen tegen de gevolgen van wat je hebt gedaan. Als je niet het risico wilde lopen dat Helens leven kapot zou worden gemaakt, had je haar jaren geleden de waarheid moeten vertellen,' zei Catherine met woede in haar stem. Ze was vastbesloten zich niet te laten afleiden door Alisons pijn, hoe echt die ook was. 'Het enige wat je nu hebt bereikt, is dat je het leven van een andere man in de waagschaal hebt gesteld, het leven van een fatsoenlijke man, en dat allemaal doordat je moeder de moed niet had om de confrontatie met Philip Hawkin aan te gaan.'

Alison hief haar hoofd op. 'Je begrijpt er helemaal niets van,' zei ze. 'Je hebt geen idee waar je het over hebt.'

'Help me dan het te begrijpen,' zei Catherine tartend.

Alison wierp Catherine een lange, harde blik toe en stond toen op. 'Ik moet iets pakken.' 'Maak je geen zorgen,' voegde ze eraan toe, toen Tommy zijn stoel naar achteren schoof. 'Ik loop niet weg. Ik ga niets doms doen. Maar er is iets wat ik jullie moet laten zien. Dan geloven jullie mij misschien als ik jullie vertel wat er echt is gebeurd.'

Ze liep de keuken uit en liet Tommy en Catherine achter, die elkaar aanstaarden en zich afvroegen wat er nu zou komen. 'Je bent wel hard tegen haar,' zei Tommy. 'Ze heeft vreselijke dingen meegemaakt. We hebben het recht niet om haar te laten lijden.'

'Kom op, Tommy. Ze vertelt ons niet alles. Je moet je afvragen wat er erger kan zijn dan wat we nu al weten. Ze heeft toegegeven dat ze met haar moeder heeft samengezworen om haar stiefvader te doden, maar ze houdt nog steeds iets verborgen waarvan zij denkt dat het nog erger is.'

Tommy wierp Catherine een blik toe die op de rand lag van verachting. 'En jij denkt dat je het recht hebt te weten wat dat is?'

'Ik denk dat we dat allemaal hebben.'

Hij zuchtte. 'Ik hoop maar dat we hier niet allemaal spijt van gaan krijgen, Catherine.'

8

Augustus 1998

Alison kwam terug met een metalen kistje dat op slot zat. Ze maakte het open met een sleutel uit de tafella, deed het deksel open en stapte achteruit, alsof ze bang was dat de inhoud zou bijten. Ze kromde haar schouders beschermend en sloeg haar armen over elkaar. 'Ik ga water opzetten,' zei ze. 'Thee of koffie?'

'Zwarte koffie,' antwoordde Catherine.

'Thee,' zei Tommy. 'Melk, één klontje.'

'Ik hoef de inhoud van dat kistje niet meer te zien,' zei Alison, terwijl ze zich omdraaide en naar het fornuis liep. 'Bekijk alles maar wat jullie willen, en misschien praat je dan wat minder makkelijk over mijn verleden,' voegde ze eraan toe, terwijl ze zich even omdraaide en Catherine een woedende blik toewierp.

Tommy en Catherine gingen erop af met de voorzichtige eerbied van mijnopruimingsdeskundigen die een verdacht voorwerp benaderen. Het kistje bevatte ongeveer tien bruine enveloppen, stuk voor stuk zo'n twintig bij vijfentwintig centimeter. Tommy haalde de eerste eruit. In schots en scheef staande hoofdletters, waarvan de inkt verbleekt was, stond erop: MARY CROWTHER.

Bij de vertrouwde, huiselijke achtergrondgeluiden van warme dranken die worden gemaakt, stopte Tommy zijn duim onder de naar binnen geslagen flap van de envelop. Hij liet de inhoud op de tafel glijden. Er waren een stuk of tien zwart-witfoto's, wat stroken negatieven en twee contactvellen. Het waren geen vrolijke portretten van een onschuldig meisje van zeven. Het waren obscene parodieën op volwassen seksualiteit, wulpse houdingen waarvan Catherines maag zich omdraaide. Op één ervan stond Philip Hawkin erbij, met zijn hand tussen de benen van het huilende kind.

Er waren enveloppen van Mary's negenjarige broer Paul; van de dertienjarige Janet, de achtjarige Shirley, de zesjarige Pauline en zelfs de driejarige Tom Carter; van Brenda en Sandra Lomas, zeven en vijf jaar oud, en van de vierjarige Amy Lomas. De verschrikkingen die deze enveloppen bevatten gingen hun bevattingsvermogen bijna te boven. Het was een rondleiding door een hel waar Catherine liever niets over had geweten. Haar benen begaven het en ze zakte met een wit, gespannen gezicht op een stoel neer.

Tommy wendde zijn gezicht af en schoof de enveloppen terug in het kistje. Hij begreep nu de oerdrang om Philip Hawkin te vernietigen. Wat Alison was aangedaan was erg genoeg geweest. Maar dit was in omvang en verdorvenheid oneindig veel erger. Als hij deze foto's vijfendertig jaar eerder had gezien, betwijfelde hij dat hij zijn handen van de mans keel had kunnen houden.

Alison zette met een klap een blad op de tafel. 'Als jullie iets sterkers willen, zul je naar de kroeg in Longnor moeten. Ik heb geen alcohol in huis. Toen ik begin twintig was, heb ik een slechte periode gehad waarin de wereld er beter uitzag door een glas. Toen besefte ik dat het gewoon een andere manier was om hem te laten winnen. En dat liet ik verdomme niet gebeuren na alles wat we hadden doorgemaakt.' Haar stem was koud en hard, maar haar lippen trilden terwijl ze sprak.

Ze schonk koffie en thee in en ging aan de andere kant van de tafel zitten, tegenover Tommy en Catherine en de doos van Pandora die ze hun had geschonken. 'Jullie wilden de waarheid,' zei ze. 'Nu zullen ook jullie het meedragen. Kijk maar hoe je het vindt om ermee te leven.' Catherine staarde verstomd naar haar; ze begon zich nog maar nauwelijks bewust te worden van het gewicht van de vloek die ze over zichzelf had afgeroepen. Ze wist nu al dat ze zich door de beelden die in haar geheugen stonden gegrift veroordeeld had tot nachtmerries.

Tommy zei niets; hij zat daar met gebogen hoofd, zijn ogen verborgen onder zijn zware wenkbrauwen. Hij wist dat hij nog verdoofd was van de schok en wenste dat die toestand nooit voorbij zou gaan.

'Ik weet niet hoe ik dit verhaal moet vertellen,' zei Alison vermoeid. 'Het zit al vijfendertig jaar in mijn hoofd, maar met vertellen heb ik geen ervaring. Toen het allemaal voorbij was, hebben we er geen van allen ooit nog een woord over gezegd. Als ik in Scardale ben, zie ik Kathy Lomas elke dag, maar we praten er nooit over. Zelfs toen jij langskwam en oude herinneringen losmaakte, heeft niemand van ons er een woord over gezegd. We hebben gedaan wat we nodig vonden, maar dat betekent niet dat we ons niet schuldig voelden. En schuld is niet iets wat iemand gemakkelijk met een ander deelt. Ik heb dat al lang voor ik psychologie ging studeren door persoonlijke ervaring geleerd.'

Ze streek haar haar uit haar gezicht en keek Catherine recht aan. 'Ik heb nooit gedacht dat we er ongestraft vanaf zouden komen. Elke dag leefde ik met de angst voor de klop op de deur. Ik herinner me dat mijn echte moeder Dorothy belde om te praten over de ontwikkelingen in het onderzoek. Ze belde elke dag. En ze was als de dood omdat George Bennett zo'n goede, eerlijke politieman was. Hij was zo vasthoudend, zei ze. Ze was ervan overtuigd dat hij op een dag zou ontdekken wat er echt gaande was. Maar dat heeft hij nooit gedaan.'

Tommy hief zijn hoofd op. 'Jullie logen allemaal alsof het aangeboren was,' zei hij ijzig. 'Kom op, Alison, je kunt ons net zo goed de rest vertellen.'

Alison zuchtte. 'Je moet niet vergeten hoe het leven was in de jaren zestig. Misbruik van kinderen bestond niet binnen families of gemeenschappen. Het was iets wat een of andere viezerik, een of andere vreemde zou kunnen doen. Maar als je naar je onderwijzer of de dokter of de dorpsdiender was gegaan en had gezegd dat de landheer van Scardale alle kinderen uit het dorp neukte en op andere manieren misbruikte, hadden ze je gestoord verklaard en in een gekkenhuis opgesloten.

Je moet ook niet vergeten dat Philip Hawkin ons bezat, met alles wat we hadden. Hij bezat onze middelen van bestaan, onze huizen. Onder de oude landheer Castleton waren we min of meer in een feodaal systeem opgegroeid. Zelfs voor de volwassenen was de wil van de landheer wet. En wij waren kleine kinderen. Wij wisten niet dat we de nieuwe landheer konden verklikken. En we wisten het stuk voor stuk niet van de anderen, niet zeker. We waren allemaal te bang om te praten over wat er gebeurde, zelfs met elkaar.

Het was zo'n sluwe schoft. Toen hij mijn moeder het hof maakte, was uit niets gebleken dat hij een pedofiel was. Voordat hij met haar trouwde, had hij nooit veel tijd voor me. Hij was aardig; hij kocht dingen voor me, maar hij viel me nooit lastig. Ik ben ervan overtuigd dat hij alleen met mijn moeder is getrouwd om zich in te dekken. Als een van ons het gewaagd had om iets over hem te zeggen, had hij de verontwaardigde onschuld kunnen spelen, de gelukkig getrouwde man.' Ze stak een vinger in Tommy's richting. 'En jullie hadden hem geloofd.'

Tommy zuchtte en knikte. 'Je hebt waarschijnlijk gelijk.'

'Ik weet dat ik gelijk heb. Maar goed, zoals ik al zei, voordat ze trouwden kwam hij niet bij mij in de buurt. Maar ze waren nog niet getrouwd of het werd een ander verhaal. Toen was het: "Kleine meisjes moeten hun vader tonen hoe dankbaar ze zijn voor alles wat hij voor hen doet," en dat soort kwaadaardige emotionele chantage.

'Maar ik was niet genoeg voor hem. Die vuilak van een Hawkin misbruikte ons allemaal. Behalve Derek. Ik denk dat Derek net een beetje te oud voor hem was om leuk te vinden.' Ze legde haar handen rond haar beker thee en zuchtte weer. 'En we hielden allemaal onze mond. We waren in de war en doodsbang, maar we wisten geen van allen wat we moesten doen.

En op een dag kwam mijn moeder naar me toe en vroeg me waarom ik het maandverband niet had gebruikt dat ze voor me gekocht had toen ik voor het eerst ongesteld was geworden. Ik zei tegen haar dat ik daarna niet meer ongesteld was geweest. Ze begon vragen te stellen, en toen kwam het er allemaal uit. Wat hij met me gedaan had, dat hij foto's van zichzelf had gemaakt terwijl hij het met me deed. En zij besefte dat ik zwanger moest zijn.'

Alisons stem klonk schor, en ze nam een slok van haar thee om haar keel te verlichten en te kalmeren. 'De volgende keer dat hij een dag naar Stockport ging, heeft ze zijn donkere kamer doorzocht. En toen vond ze de andere foto's, in die stomme brandkast van hem. Toen wist ze wat hij was. Ze heeft alle volwassenen bij elkaar gehaald en de foto's laten zien. Jullie kunnen je wel voorstellen hoe dat was. Mensen jankten om Hawkins bloed. De vrouwen wilden hem castreren en dood laten bloeden. De mannen hadden het erover dat ze hem wilden vermoorden en het eruit wilden laten zien als een landbouwongeluk.

Het is oude Ma Lomas geweest die ervoor gezorgd heeft dat ze hun verstand gingen gebruiken. Als we hem zouden vermoorden, zei ze, zou iemand de schuld op zich moeten nemen. Zelfs als hij onder een tractor zou komen, zou het niet zomaar afgeschreven worden als een landbouwongeluk. Er zou een onderzoek komen want hij was belangrijk. Hij was de landheer, niet een of andere landarbeider die toch niets waard was. Eén klein foutje en iemand uit het dorp zou in de gevangenis terechtkomen, vooral als eenmaal bekend zou worden dat ik in verwachting was. Bovendien vond ze dat hij lang niet genoeg zou lijden bij een snelle dood.

Het andere punt waar iedereen bang voor was, was dat het, als het uitkwam van de andere kinderen, ze allemaal zouden worden weggehaald omdat hun ouders niet goed voor hen zouden hebben gezorgd. Ze gingen ervan uit dat buitenstaanders niets zouden begrijpen van het leven in het dal, dat de kinderen overal rondzwierven omdat het er zo veilig was, met bijna geen verkeer en vrijwel geen vreemden, zelfs midden in de zomer niet.

Dus zaten ze er de hele dag over te praten en op een gegeven moment herinnerde iemand zich een verhaal in de krant te hebben gelezen over een vermist meisje. Ik weet niet van wie het idee kwam, maar ze besloten toen dat ik zou verdwijnen en dat ze het zo zouden organiseren dat het leek alsof hij me had vermoord. Omdat ze wisten dat hij een revolver had en vanwege de foto's van mij, wisten ze dat hij zou hangen als ze het goed zouden aanpakken. En op die manier hoefde dat van de andere kinderen niet uit te komen en zouden ze niet de pijn hoeven te ondergaan van het allemaal doornemen voor de politie.'

Alison zuchtte. 'Dat was het eind van mijn leven zoals ik het had gekend. De plannen waren snel gemaakt. Het waren vooral mijn moeder en Kathy en Ma Lomas die ze uitwerkten, maar ze dachten aan alles. Mijn tante Dorothy en oom Sam uit Consett werden erbij betrokken. Tante Dorothy was verpleegster geweest, dus ze wist hoe je bloed moest afnemen. Een paar dagen voor ik verdween, kwam ze naar ons toe en nam zo'n kwart liter bloed van me af. Ze hebben dat gebruikt voor de boom in het bos en om een van Hawkins overhemden te bevlekken. Ze moesten de ontdekking van het overhemd en mijn ondergoed uitstellen omdat ze sperma van hem nodig hadden. Ze wisten dat ze dat uiteindelijk wel zouden krijgen, want hij gebruikte altijd een condoom wanneer hij met mijn moeder samen was.' Ze liet een bitter lachje horen. 'Hij wilde geen kinderen van zichzelf. Maar goed, mijn moeder wist hem uiteindelijk zover te krijgen dat hij met haar naar bed ging. Ze moest er echt om vragen en zei dat ze het nodig had om zich een beetje te ontspannen. Dus hebben ze het sperma uit het condoom gebruikt om mijn kleren te bevlekken. Ze wisten niet hoeveel de technici van het lab konden opmaken uit het bloed en het sperma, maar ze wilden geen fouten maken met de details.

En natuurlijk moesten ze allemaal hun eigen verhaal goed in hun hoofd hebben. Ze moesten stuk voor stuk een rol spelen, en dat moesten ze goed doen. De kleinere kinderen wisten nergens van, maar Derek en Janet waren ook op de hoogte. Kathy is uren met ze bezig geweest om ze in te prenten hoe belangrijk het was dat ze zich niet zouden verspreken. En ik, ik liep het grootste deel van de tijd verdoofd rond. Ik bleef wandelingen maken met Shep en probeerde alles in mijn geheugen te zetten waarvan ik wist dat ik het kwijt zou raken. Ik voelde me de hele tijd zo schuldig. Al die opschudding, iedereen zo gespannen als een veer, en het enige waar ik aan kon denken was dat het allemaal mijn schuld was.' Ze beet op haar lip en sloot een ogenblik haar ogen. 'Ik heb veel tijd en heel veel therapie nodig gehad om te begrijpen dat het niet aan mij had gelegen. Maar in die tijd haatte ik mezelf.' Ze aarzelde even en haar ogen glinsterden weer van tranen. Ze knipperde hard, wreef met een bruusk gebaar over haar ogen en vervolgde haar verhaal.

'Terwijl dit allemaal in het dal gebeurde, regelden Dorothy en Sam een verhuizing van Consett naar Sheffield voor de week waarin de verdwijning was gepland, zodat de nieuwe buren niet zouden beseffen dat ik niet echt hun dochter Janis was. Dat was vrij gemakkelijk in 1963.' In zichzelf gekeerd zweeg Alison een ogenblik alsof ze op zoek was naar het volgende hoofdstuk van haar tragische verhaal.

'De gezegende dagen van volledige werkgelegenheid,' mompelde Tommy.

'Dat klopt. Sam was een geschoolde staalarbeider en het was niet moeilijk voor hem om een nieuwe baan te vinden. En in die tijd hoorde een huis erbij,' zei Alison.

'Op de dag waarop het ging gebeuren, wachtte Sam mij bij de methodistenkerk op in zijn Landrover. Hij reed met me naar Sheffield en ik trok bij hen in. Ze lieten het verhaal rondgaan dat ik tuberculose had gehad en binnen moest blijven en niet in contact moest komen met mensen tot ik volledig genezen was, zodat niemand achter de zwangerschap zou komen. Naarmate de maanden verstreken stopte Dorothy meer kussens onder haar kleren, zodat het leek alsof ze in verwachting was.'

Alison sloot haar ogen en er trok een kramp van pijn over haar gezicht. 'Het was zo moeilijk,' zei ze, terwijl ze opkeek en Catherine recht in haar ogen keek. 'Ik verloor alles. Ik verloor mijn familie, mijn vrienden, mijn toekomst. Ik verloor Scardale. Er gebeurden vreemde dingen met mijn lichaam en ik vond het verschrikkelijk. Mijn moeder kon niet eens op bezoek komen voordat het proces voorbij was, want niemand in het dorp had de politie over het bestaan van de Wainwrights verteld en ze wilde niet dat ze zou moeten uitleggen waar ze heen ging. Dorothy en Sam zijn echt goed voor me geweest, maar het kon niet goedmaken wat ik was kwijtgeraakt. Ze hadden er bij me ingehamerd dat ik het moest volhouden in het belang van alle andere kinderen in Scardale, dat we het deden om te voorkomen dat Hawkin ooit nog een ander kind kwaad kon doen zoals hij mij kwaad had gedaan.'

'Er zit wel iets in, denk ik,' zei Catherine dof.

Alison dronk nog wat thee en zei uitdagend: 'Ik schaam me niet voor wat we hebben gedaan.' Tommy noch Catherine reageerde hierop.

Alison streek haar haar uit haar gezicht en ging verder. 'Helen is in mijn slaapkamer geboren op een middag in juni, een paar weken voor het begin van het proces tegen die vuilak van een Hawkin. Sam heeft haar aangegeven als het kind van Dorothy en hem, en ze hebben haar zo opgevoed, in de veronderstelling dat ik haar grote zus was en Dorothy haar moeder. Een paar jaar daarna kreeg ik een baan op een kantoor.' Voor het eerst die ochtend verscheen er een wrange glimlach op haar gezicht. 'Een advocatenkantoor, je zou het niet geloven. Je zou denken dat ik mijn bekomst had van alles wat met de wet te maken had, nietwaar? Maar goed, ik deed avondcursussen om de dingen in te halen die ik op school had gemist. Ik heb zelfs een studie gedaan aan de Open Universiteit. Ik heb wat training gedaan in de arbeidspsychologie en ben uiteindelijk voor mezelf begonnen. En elke stap die ik zette, voelde alsof ik de klootzak in zijn gezicht spuugde. Maar het was nooit genoeg.

'Nadat Hawkin was opgehangen, kwam mijn moeder bij ons wonen. Daar was ik heel blij om. Ik had haar echt nodig. Omdat ze niet meer in Scardale wilde wonen, heeft ze de Scardale-stichting opgezet om het landgoed te beheren. Maar ze heeft dit huis aangehouden. Ze wist dat ik op een dag terug zou willen. We hebben Helen niets verteld over de verbintenis met Scardale. Ze denkt tot op de dag van vandaag dat Ruth en haar man net buiten Sheffield hadden gewoond. Ruth heeft haar verteld dat Roy gecremeerd was zodat er geen graf was om te bezoeken. Helen heeft daar verder nooit aan getwijfeld.

Toen mijn moeder overleed, is het huis naar Dorothy gegaan met de afspraak dat het bedoeld was voor mij en voor Helen, en toen Dorothy overleden was, is het van ons geworden. Helen vindt dat ik gek ben om in dit gat te wonen. Maar het is mijn thuis, en ik ben het zo lang kwijt geweest. Ik wil er nu gewoon van genieten.'

Ze staarde in haar thee. 'Dus nu weten jullie het.'

Catherine fronste haar voorhoofd. Ze wist dat ze zoveel vragen zou moeten stellen, maar ze kon er niet één bedenken.

'En elke keer als je naar Helen kijkt, moet je hem terug zien kijken,' zei Tommy.

De spieren in Alisons kaak bolden toen ze haar tanden op elkaar klemde. 'Toen ze klein was, was het niet zo zichtbaar,' zei ze ten slotte. 'Tegen de tijd dat ze echt op hem begon te lijken, had ik geleerd dat ik het kon gebruiken om mezelf te helpen. De rotzak heeft mijn kindertijd kapotgemaakt en me beroofd van mijn familie en vrienden. Hij zou me vermoord hebben als hij ontdekt had dat ik zwanger was, dat weet ik zeker. Hij was degene met macht; ik was de zwakke partij. Ik wil dus nooit vergeten hoe ik geholpen heb de rollen om te draaien. Ik kan jullie wel zeggen: je eigen leven in handen nemen geeft je heel veel macht. En dat is wat ik heb gedaan. Maar je raakt de controle over je leven veel gemakkelijker kwijt dan dat je die terugwint. Daarom wilde ik er absoluut voor zorgen dat ik nooit zelfgenoegzaam zou worden, dat ik mijn verleden nooit uit het oog zou verliezen. Daarom leerde ik blij te zijn dat Helen er was om ons er voortdurend aan te herinneren dat we teruggevochten hadden tegen de man die geprobeerd had ons van alles te beroven wat ons maakte tot wie we waren,' zei ze hartstochtelijk. Na een lange pauze zei ze, bijna op verwonderde toon: 'En het gekke is, er is niets van hem in haar. Ze heeft alle kracht en goedheid van mijn moeder. Alsof alles wat mijn moeder speciaal maakte een generatie heeft overgeslagen en op haar is overgegaan.'

Tommy schraapte zijn keel. Hij was duidelijk ontroerd door Alisons verhaal. 'Dus het hele dorp deed mee aan de samenzwering?'

'Alle volwassenen,' zei ze bevestigend. 'Ma Lomas zei dat ze om te beginnen allemaal moesten doen alsof ze de politie niet vertrouwden en dan geleidelijk aan wat dingen moesten loslaten. Jij en George Bennett waren een onverwacht voordeel. Ze hadden niet kunnen weten dat ze een paar politiemannen zouden krijgen die zo geobsedeerd zouden raken door de zaak dat ze het niet opgaven. Dat betekende dat de dorpelingen zich echt terughoudend konden opstellen in de wetenschap dat ze niet achter de politie hoefden aan te zitten om de draad weer op te pakken nadat de dingen in eerste instantie een beetje tot rust waren gekomen.'

Tommy schudde verbijsterd zijn hoofd bij de gedachte aan die verschrikkelijke ironie. 'We waren de slachtoffers van onze eigen integriteit.' Hij liet een scheef glimlachje zien. 'Dat kun je niet zo vaak zeggen over politiemensen. Maar als wij minder vastbesloten waren geweest om resultaten te krijgen, om te zorgen dat gerechtigheid zou geschieden, was een samenzwering op deze schaal jullie nooit gelukt.'

Een ogenblik lang zei niemand iets. Alison stond op en liep naar het raam. Ze staarde over de dorpsweide het dal in waar ze vijfendertig jaar eerder uit was vertrokken en waar ze duidelijk altijd van was blijven houden. Nu bezat ze het weer, dacht Catherine, maar ze had er een verschrikkelijke prijs voor moeten betalen. Ten slotte wendde Alison met moeite haar blik van het uitzicht af, rechtte haar schouders en zei: 'En wat nu?'

'Dat is een hele goeie vraag,' zei Tommy.

9

Augustus 1998

Onderweg naar het huisje kochten Catherine en Tommy een nieuwe fles Bushmills. Een geschikte uitrusting voor een wake, dacht ze. Vanavond zouden ze voor eens en altijd de geest van Alison Carter begraven. Morgen zouden ze allebei een kater hebben, maar dat zou nog de minste van hun zorgen zijn, vermoedde Catherine. Vanavond wilde ze echter zo ongeveer bewusteloos zijn tegen de tijd dat ze haar hoofd op het kussen zou leggen. Alles om de parade van verwording en verschrikking te vergeten die Philip Hawkin de wereld had nagelaten.

Toen ze de deur achter hen had gesloten, sprak Catherine voor het eerst sinds ze Alison Carter alleen hadden gelaten met haar herinneringen. 'Nou, dat was het dan,' zei ze. 'We hebben de waarheid op tafel.' Ze liep naar het buffet en schonk hun beiden een stevige whiskey in.

Tommy nam zijn glas zwijgend aan. Hij staarde naar de muur met foto's in de bittere wetenschap dat Ma Lomas en haar clan de wereld lang genoeg voor de gek hadden kunnen houden om Philip Hawkin de verschrikkelijke weg op te sturen naar gerechtelijke moord. Het besef dat zijn eigen instinct over Hawkin juist was geweest, gaf hem geen bevrediging. De man was tenslotte geen moordenaar geweest.

Door de confrontatie met de afschuwelijke foto's die Alison hun had laten zien, kon Catherine niet om de conclusie heen dat de dorpelingen van Scardale het recht aan hun kant hadden gehad toen ze hun slaperige gat hadden veranderd in een plaats waar een vonnis was geveld. Ze hadden geweten dat niets anders dan de dood Philip Hawkin zou kunnen stoppen en de andere kinderen kon redden die hij in zijn greep zou krijgen. Zelfs hun eigen kinderen wegsturen, had niet voorkomen dat hij door zou gaan. Hij zou andere kinderen hebben gevonden om kapot te maken; hij had zowel de macht als het geld om te kunnen doen wat hij wilde met getuigen die niet zouden worden geloofd, als ze al zouden durven spreken. 'Het is nooit bij me opgekomen dat er nog anderen zouden zijn,' zei Catherine bleekjes.

'Nee.' Tommy wendde zich af van de verwijtende foto's en liet zich in een stoel vallen.

'Ik kan ze met geen mogelijkheid veroordelen voor wat ze hebben gedaan,' zei Catherine.

'In hun plaats had ik geen moment geaarzeld om mee te doen,' erkende Tommy.

'De verschrikkelijke ironie is dat het lijden van Philip Hawkin genadig kort is geweest vergeleken met wat Alison heeft doorgemaakt. Ze heeft er sinds die tijd elke dag van haar leven mee geleefd. Ze is zoveel kwijtgeraakt, en diep vanbinnen is er altijd die angst geweest dat ze op een dag de deur zou openen en iemand als ik op de stoep zou vinden.' Catherine pakte de fles whiskey en zette hem op de tafel tussen hen in.

Ze zaten daar in een verbijsterd stilzwijgen, als twee mensen die een verschrikkelijk ongeluk hebben overleefd maar hun gelukkige ontsnapping nog niet helemaal kunnen geloven. Ze waren verzonken in gedachten gedurende de tijd die het beiden kostte om een aantal sigaretten te roken. 'George had gelijk,' zei Catherine ten slotte. 'Ik kan niet doorgaan met het boek. Natuurlijk, ik zou alle eer krijgen met de onthulling dat een zo beroemde zaak gebouwd was op leugens en bedrog. Maar ik kan dat George en Anne niet aandoen. Het gaat niet alleen om de schande voor George, maar ook om de pijn die het hem zou geven om het effect ervan te zien op Paul en Helen. En alle inwoners van Scardale die nog in leven zijn, niet alleen Alison, zou een aanklacht wegens samenzwering boven het hoofd hangen.' Als in een Griekse tragedie, dacht ze, zou de echo van wat er vijfendertig jaar eerder in Scardale was gebeurd andere levens overhoop halen die ver verwijderd waren van die middag, levens van onschuldige mensen die het verdienden beschermd te worden tegen een verleden waar ze part noch deel aan hadden gehad.

Tommy leegde zijn glas en vulde het weer. 'Daar drink ik op,' zei hij. 'Ik denk niet dat iemand het met je oneens zou zijn.'

'Je kunt het morgen aan George gaan vertellen,' zei Catherine.

'Wil het zelf niet aan hem vertellen?'

Ze schudde haar hoofd. 'Ik heb genoeg te doen. Ik moet proberen onder het contract uit te komen zonder uit te leggen wat de echte reden is. Nee, Tommy, vertel jij het hem maar. Dat is ook terecht. Als jij er niet was geweest, was ik er misschien nooit achter gekomen dat Helen de dochter van Alison en Hawkin is. En dan had ik geen druk kunnen uitoefenen om Alison aan het praten te krijgen. Of nu een reden gehad om te zwijgen. Dus de eer komt jou toe.'

Hij snoof. 'Eer? Omdat ik het deksel van deze beerput heb gehaald? Ik pas, als je het niet erg vindt. Maar ik zal George met plezier vertellen dat niemand het leven van Paul en Helen zal ruïneren. Ik weet hoeveel dat voor hem betekent. Maar ik zal hem de bijzonderheden besparen.'

Catherine pakte de fles. 'Dat is een goed idee,' zei ze, terwijl ze zichzelf weer een flinke whiskey inschonk. 'En dan stel ik voor dat we allemaal ons best doen om de laatste paar dagen te vergeten.'

10

Oktober 1998

George Bennett zat uit de voorruit te staren. Het was eind oktober, en nu de bladeren van de bomen waren gaf het hek van het weiland dat hij ingereden was een helder uitzicht op het dal en het dorp Scardale. Van deze afstand leken de bekende grijze huizen een organisch deel van het landschap, en het herinnerde hem eraan hoe de karakteristieke eigenschappen van de topografie vorm hadden gegeven aan de sociale wereld van het dorp waar hij vijfendertig jaar geleden voor het eerst heen was gegaan. Hij tuurde over de velden naar Scardale Manor en dacht aan de vrouw die op het punt stond de officiële schoonzuster van zijn zoon te worden. Er zouden misschien mensen zijn die vonden dat zij, en de anderen die eraan hadden deelgenomen, het verdiende gestraft te worden voor de samenzwering die een man aan de galg had gebracht. Want wat zijn andere misdaden ook mochten zijn geweest, hij was onschuldig geweest aan moord. Maar George was niet geïnteresseerd in vergelding. Hij was meer geïnteresseerd in de toekomst dan in het verleden. Niets werkte zo goed als je eigen dood in het gezicht staren om je leven te gaan waarderen.

Dat was de reden waarom hij vandaag dit tochtje maakte. Nog maar drie dagen geleden had de dokter gezegd dat hij weer mocht rijden, op voorwaarde dat hij geen al te lange reizen ondernam. Van Cromford naar Scardale was geen al te lange reis in termen van afstand, had hij gedacht. De afstand waar het hier om ging was uitsluitend emotioneel en psychologisch, een tijdspanne van vijfendertig jaar en een geheel van hartstochten te ingewikkeld om uit te zoeken. Over vier dagen zou de bruiloft plaatsvinden die deze vreselijke geschiedenis eindelijk kon afsluiten, en George was vastbesloten alles te doen wat in zijn vermogen lag om te zorgen dat de geesten eindelijk tot rust zouden worden gebracht. Daarom had hij de vrouw gebeld die hij na vandaag nooit meer bij haar echte naam zou kunnen noemen en om een ontmoeting gevraagd.

Vijfendertig jaar geleden had hij voor het eerst over deze smalle weg gereden. Zelfs toen had hij gemengde gevoelens gehad. Met bittere ironie herinnerde hij zich hoe opgewonden hij was geweest van de mogelijkheid zijn eerste grote zaak te gaan leiden, een schuldige opwinding gemengd met zijn bezorgdheid om het meisje en haar familie. Zelfs in zijn wildste fantasieën had hij niet kunnen voorzien hoe de verdwijning van Alison Carter terug zou komen om niet alleen zijn eigen gemoedsrust te bedreigen maar ook het toekomstige geluk van zijn geliefde zoon.

Een van de diepere ironieën van de gebeurtenissen van het laatste jaar was dat voor het ene schuldgevoel een ander in de plaats was gekomen. Hij had altijd de overtuiging gehad dat hij Ruth Carter op de een of andere manier in de steek had gelaten tot hij, door de hele zaak met Catherine door te werken, eindelijk had ingezien dat hij onder de omstandigheden het beste had gedaan dat hij kon. Maar nu hij wist wat er in die bitterkoude winter echt was gebeurd in Scardale, voelde hij een nieuwe last op zijn schouders. Er waren toch beslist punten in het onderzoek geweest waarop hij had kunnen beseffen dat er iets gaande was onder de oppervlakte die hij te zien kreeg? Was hij zo verblind geweest door zijn arrogantie en zijn obsessie een veroordeling te krijgen dat hij aanwijzingen had gemist die een meer ervaren rechercheur zou hebben opgemerkt? En als hij de waarheid had blootgelegd, zou Alison Carter dan een beter leven hebben gehad dan nu het geval was geweest?

Tommy Clough had hem verzekerd dat dit niet zo was, dat hij zich net zo in de luren had laten leggen als George zelf. Maar dat was geen echte troost. Hij was ervan overtuigd dat Tommy dat gewoon had gezegd als geruststelling voor een zieke man.

Wat zijn tekortkomingen in het verleden ook mochten zijn geweest, hij moest een manier vinden om zich ermee te verzoenen. Of zijn beschadigde hart hem nog maanden of jaren te leven zou geven, hij wilde niet dat die tijd besmet zou worden met een ondraaglijk zelfverwijt. Hij moest zichzelf kunnen vergeven, en de eerste stap op die weg was misschien dat Alison Carter en hij elkaar zouden vergeven voor echte en denkbeeldige pijn.

Met een diepe zucht zette George zijn auto in de versnelling en reed voorzichtig achteruit de weg naar Scardale op. Wat de toekomst ook mocht brengen, het was tijd om het verleden te begraven, deze keer voorgoed.